1ª edición, septiembre 1996
2ª edición, diciembre 1996
3ª edición, marzo 1997
4ª edición, junio 1997

CREO EN JESUCRISTO

Catequesis sobre el Credo (II)

EDICIONES PALABRA
Madrid

Pedidos a su librería habitual
o a Ediciones Palabra, S. A.

P.º de la Castellana, 210. 28046 Madrid
Telfs.: (91) 350 77 20 - 350 77 39
Fax: (91) 359 02 30

Traducción:
L'Osservatore Romano en español

Producción: Francisco Fernández
Con Licencia eclesiástica
Printed in Spain
ISBN: 84-8239-107-0
Depósito legal: M. 22.639-1997

Anzos, S. L. - Fuenlabrada (Madrid)

Juan Pablo II

CREO EN JESUCRISTO

Catequesis sobre el Credo (II)

Cuarta edición

PRÓLOGO:
CARD. RICARDO MARÍA CARLES

NOTA DEL EDITOR

La edición de la *Catequesis sobre el Credo* de Juan Pablo II se presenta en tres volúmenes: *Creo en Dios Padre, Creo en Jesucristo* y *Creo en el Espíritu Santo.* De esta manera se facilita a los lectores de habla castellana la catequesis preparatoria del año dos mil, siguiendo el enfoque trinitario que el Papa recomienda en su Carta *Tertio millennio adveniente,* y se hace con el contenido de sus enseñanzas en las audiencias generales entre 1984 y 1991.

Queremos agradecer al *Ateneo de teología* de Madrid su colaboración en la preparación de esta edición y especialmente, la supervisión de la misma, que ha corrido a cargo de Francisco Javier Galán Octavio de Toledo.

Juan José Espinosa
Director de *Libros-Palabra*

EL CREDO

Símbolo de los Apóstoles

Creo en Dios.
Padre Todopoderoso,
Creador del cielo y de la tierra.

Creo en Jesucristo, su único Hijo,
Nuestro Señor,
que fue concebido por obra y
gracia del Espíritu Santo,
nació de Santa María Virgen,
padeció bajo el poder de Poncio
Pilato,
fue crucificado,
muerto y sepultado,
descendió a los infiernos,
al tercer día resucitó de entre
los muertos,
subió a los cielos
y está sentado a la derecha
de Dios, Padre todopoderoso.
Desde allí ha de venir a
juzgar a vivos y muertos.

Creo en el Espíritu Santo,
la santa Iglesia católica,
la comunión de los santos,
el perdón de los pecados,
la resurrección de la carne
y la vida eterna.
Amén.

Credo de Nicea-Constantinopla

Creo en un solo Dios.
Padre Todopoderoso,
Creador del cielo y de la tierra, de
todo lo visible y lo invisible.

Creo en un solo Señor, Jesucristo,
Hijo único de Dios,
nacido del Padre antes de todos
los siglos: Dios de Dios, Luz de
Luz, Dios verdadero de Dios verdadero, engendrado, no creado,
de la misma naturaleza del Padre,
por quien todo fue hecho;
que por nosotros, los hombres, y
por nuestra salvación bajó del cielo,
y por obra del Espíritu Santo se
encarnó de María, la Virgen, y se
hizo hombre;
y por nustra causa fue crucificado
en tiempos de Poncio Pilato;
padeció
y fue sepultado,
y resucitó al tercer día, según las
Escrituras,
y subió al cielo,
y está sentado a la derecha del Padre;
y de nuevo vendrá con gloria para
juzgar a vivos y muertos,
y su reino no tendrá fin.

Creo en el Espíritu Santo,
Señor y dador de vida,
que procede del Padre y del Hijo,
que con el Padre y el Hijo recibe
una misma adoración y gloria,
y que habló por los profetas.
Creo en la Iglesia, que es una,
santa, católica y apostólica.
Confieso que hay un solo Bautismo
para el perdón de los pecados.
Espero la resurrección de los muertos
y la vida del mundo futuro.
Amén.

PRÓLOGO

Ediciones Palabra me pide prologar los volúmenes destinados a la preparación espiritual del Jubileo del año 2000, secundando así lo que el Papa nos propone en la carta apostólica *Tertio millennio adveniente.*

Creo que constituye una colaboración valiosa a la preparación espiritual para la celebración del gran jubileo del año 2000. No hay duda de que el gran impulsor de este jubileo es nuestro buen Papa Juan Pablo II, el cual, da muestras de un extraordinario vigor misionero y de una incansable dedicación, día tras día y hasta el agotamiento de sus fuerzas, al servicio de la Iglesia. Es una vivencia conocida por muchos que se han acercado a él. Confiesa, con toda sencillez, que cada día, al llegar la noche, no tendría la conciencia tranquila, si no hubiera gastado todas sus energías al servicio de la Iglesia de Jesucristo. Y así lo cumple ejemplarmente, infatigablemente, sin concederse ni el descanso necesario para recuperar sus fuerzas.

En la carta apostólica *Tertio millennio adveniente* ha propuesto a la Iglesia un verdadero plan pastoral, con una fase previa y una fase propiamente preparatoria, que comienza en 1997, y que está centrada en las tres personas de la Santísima Trinidad. Es un plan centrado en las verdades esenciales de la fe cristiana.

Por eso resulta particularmente oportuna la publicación de estos tres volúmenes que Ediciones Palabra pone al alcance de los lectores de habla castellana. La explicación del símbolo de la fe –que también tiene una estructura trinitaria–, realizada por el primer catequista de la Iglesia, es una ayuda valiosa para la preparación de este triduo de años que vamos a comenzar y que nos ha de dejar al umbral mismo del jubileo del nuevo milenio.

Invito a cuantos lean esto a secundar los deseos de Juan Pablo II, que espera mucho de este jubileo, porque –como él mismo ha explicado–, durante el cónclave que lo eligio para el supremo pontificado, el cardenal Stefan Wyszynski, como para confortar su ánimo a la hora decisiva de la aceptación de tan pesada responsabilidad, le dijo que, de ser elegido y si aceptaba, tendría la misión de introducir a la cristiandad en el tercer milenio de la era cristiana.

Éste es su deseo, como pastor supremo de la Iglesia. Dispongámonos, en comunión con él, a la celebración de este año jubilar. El año 2000 es una gran oportunidad para dar testimonio ante el mundo por parte de toda la Iglesia, unida al Santo Padre, y en comunión fraterna con las demás confesiones cristianas, y con los seguidores de las religiones no cristianas y con los hombres y mujeres de buena voluntad.

Vamos a entrar pronto en un nuevo siglo. Los cristianos estamos llamados a vivir este acontecimiento no en el temor ni en la exaltación milenarista, sino en la confianza. Tenemos detrás nuestro una experiencia de dos mil años, en los que la Iglesia ha tenido que superar toda una suerte de obstáculos, y, con la luz y la fuerza del Espíritu Santo, se ha encarnado –se ha inculturado, decimos hoy– en las más diversas culturas y civilizaciones, y las ha evangelizado. Que esa experiencia histórica sea un motivo para fortalecer más nuestra fe en Dios.

Pero también estamos llamados a vivir este tránsito al nuevo milenio en la responsabilidad. Durante dos milenios, generación tras generación, los cristianos han transmitido la fe y los bienes de la salvación, como una antorcha que pasa de mano en mano. Hoy esta transmisión se nos ha hecho particularmente ardua. Pero el Padre nos sigue dando su amor y su ternura; el Hijo sigue estando con nosotros hasta el fin del mundo; el Espíritu Santo sigue siendo nuestro Maestro interior para llevarnos al conocimiento cada vez más pleno de la verdad cristiana.

Estas catequesis sobre el Credo o Símbolo de la Fe, realizadas por el Pedro de la Iglesia actual, que resume en su persona y en su mismo nombre, el carisma petrino de confirmarnos en la fe y el carisma paulino de llevar el Evangelio hasta los confines del mundo, pueden ser un valioso instrumento para nuestra preparación espiritual y para la misma celebración jubilar.

Que la lectura de estos volúmenes nos ayude a todos para disponernos a secundar –con imaginación creadora y con coraje apostólico– los deseos del Papa sobre el Año Santo. Y también a secundar las disposiciones que, como pastores de las Iglesias locales, emanen de cada obispo o de las conferencias episcopales ante el ya próximo Año Jubilar. Este jubileo que está llamado a ser un tiempo de gracia y de gozo en la fe para los hijos de la Iglesia, para todos los cristianos, para los creyentes de todas las religiones y para todos aquellos hombres y mujeres de buena voluntad que desean un futuro mejor para la humanidad que se dispone a entrar en el tercer milenio cristiano.

✠ RICARDO Mª Card. CARLES
Arzobispo de Barcelona

SUMARIO

PRIMERA PARTE

LA PERSONA DE JESUCRISTO

Sección I
CRISTO, EL MESÍAS PROMETIDO EN EL ANTIGUO TESTAMENTO

1. LA IDENTIDAD DE CRISTO*

«Y vosotros, ¿quién decís que soy yo?» (*Mt* 16, 15).

1. Al iniciar el ciclo de catequesis sobre Jesucristo, catequesis de fundamental importancia para la fe y la vida cristiana, nos sentimos interpelados por la misma pregunta que hace casi dos mil años el Maestro dirigió a Pedro y a los discípulos que estaban con Él. En ese momento decisivo de su vida, como narra en su Evangelio Mateo, que fue testigo de ello, «viniendo Jesús a la región de Cesarea de Filipo, preguntó a sus discípulos: ¿Quién dicen los hombres que es el Hijo del hombre? Ellos contestaron: unos, que Juan el Bautista; otros, que Elías; otros, que Jeremías u otro de los Profetas. Y Él les dijo: y vosotros, ¿quién decís que soy?» (*Mt* 16, 13-15).

Conocemos la respuesta escueta e impetuosa de Pedro: «Tú eres el Mesías, el Hijo de Dios vivo» (*Mt* 16, 16). Para que nosotros podamos darla, no sólo en términos abstractos, sino como una expresión vital, fruto del don del Padre (*Mt* 16, 17), cada uno debe dejarse tocar personalmente por la pregunta: «Y tú, ¿quién dices que soy? Tú, que oyes

* Audiencia general, 7-I-1987.

hablar de Mí, responde: ¿Qué soy yo de verdad para ti?». A Pedro la iluminación divina y la respuesta de la fe le llegaron después de un largo período de estar cerca de Jesús, de escuchar su palabra y de observar su vida y su ministerio (cfr *Mt* 16, 21-24).

También nosotros, para llegar a una confesión más consciente de Jesucristo, hemos de recorrer como Pedro un camino de escucha atenta, diligente. Hemos de ir a la escuela de los primeros discípulos, que son sus testigos y nuestros maestros, y al mismo tiempo hemos de recibir la experiencia y el testimonio nada menos que de veinte siglos de historia surcados por la pregunta del Maestro y enriquecidos por el inmenso coro de las respuestas de fieles de todos los tiempos y lugares. Hoy, mientras el Espíritu, «Señor y dador de vida», nos conduce al umbral del tercer milenio cristiano, estamos llamados a dar con renovada alegría la respuesta que Dios nos inspira y espera de nosotros, casi como para que se realice un nuevo nacimiento de Jesucristo en nuestra historia.

2. La pregunta de Jesús sobre su identidad muestra la finura pedagógica de quien no se fía de respuestas apresuradas, sino que quiere una respuesta madurada a través de un tiempo, a veces largo, de reflexión y de oración, en la escucha atenta e intensa de la verdad de la fe cristiana profesada y predicada por la Iglesia.

Reconocemos, pues, que ante Jesús no podemos contentarnos con una simpatía simplemente humana por legítima y preciosa que sea, ni es suficiente considerarlo sólo como un personaje digno de interés histórico, teológico, espiritual, social o como fuente de inspiración artística. En torno a Cristo vemos muchas veces pulular, incluso entre los cristianos, las sombras de la ignorancia, o las aún más penosas de los malentendidos, y a veces también de la infidelidad. Siempre está presente el riesgo de recurrir al «Evangelio de Jesús», sin conocer verdaderamente su grandeza y su radicalidad y sin vivir lo que se afirma con palabras. Cuántos hay que reducen el Evangelio a su medida y se hacen un Jesús más cómodo, negando su divinidad trascendente, o diluyendo su real, histórica humanidad, e incluso manipulando la integridad de su mensaje especialmente si no se tiene en cuenta ni el sacrificio de la cruz, que domina su vida y su doctrina, ni la Iglesia que Él instituyó como su «sacramento» en la historia.

Estas sombras también nos estimulan a la búsqueda de la verdad plena sobre Jesús, sacando partido de las muchas luces que, como hizo una vez a Pedro, el Padre ha encendido, en torno a Jesús a lo largo de los siglos, en el corazón de tantos hombres con la fuerza del Espíritu Santo: las luces de los testigos fieles hasta el martirio; las luces de tantos estudiosos apasionados, empeñados en escrutar el misterio de Jesús con el instrumento de la inteligencia apoyada en la fe; las luces que especialmente el Magisterio de la Iglesia, guiado por el carisma del Espíritu Santo, ha encendido con las definiciones dogmáticas sobre Jesucristo.

Reconocemos que un estímulo para descubrir quién es verdaderamente Jesús está presente en la búsqueda incierta y trepidante de muchos contemporáneos nuestros tan semejantes a Nicodemo, que fue «de noche a encontrar a Jesús» (cfr *Jn* 3, 2), o a Zaqueo, que se subió a un árbol para «ver a Jesús» (cfr *Lc* 19, 4). El deseo de ayudar a todos los hombres a descubrir a Jesús, que ha venido como médico para los enfermos y como salvador para los pecadores (cfr *Mc* 2, 17), me lleva a asumir la tarea comprometida y apasionante de presentar la figura de Jesús a los hijos de la Iglesia y a todos los hombres de buena voluntad.

Quizá recordaréis que al principio de mi pontificado lancé una invitación a los hombres de hoy para «abrir de par en par las puertas a Cristo». Después, en la Exhortación *Catechesi tradendae,* dedicada a la catequesis, haciéndome portavoz del pensamiento de los obispos reunidos en el IV Sínodo, afirmé que «el objeto esencial y primordial de la catequesis es (...) el 'misterio de Cristo'. Catequizar es, en cierto modo, llevar a uno a escrutar ese misterio en toda su dimensión...; descubrir en la Persona de Cristo el designio eterno de Dios, que se realiza en Él. Sólo Él puede conducirnos al amor del Padre en el Espíritu y hacernos partícipes de la vida de la Santísima Trinidad» (*Catechesi tradendae*, 5).

Recorreremos juntos este itinerario catequístico ordenando nuestras consideraciones en torno a cuatro puntos: 1) Jesús en su realidad histórica y en su condición mesiánica trascendente, hijo de Abraham, hijo del hombre, e hijo de Dios; 2) Jesús en su identidad de verdadero Dios y verdadero hombre, en profunda comunión con el Padre y animado por la fuerza del Espíritu Santo, tal y como se nos presenta en el Evangelio; 3) Jesús a los ojos de la Iglesia que con la asistencia del Espíritu Santo ha esclarecido y profundizado los datos revelados, dándonos formulaciones precisas de la fe cristológica, especialmente en los Concilios Ecuménicos; 4) finalmente, Jesús en su vida y en sus obras, Jesús en su pasión redentora y en su glorificación, Jesús en medio de nosotros y dentro de nosotros, en la historia y en su Iglesia hasta el fin del mundo (cfr *Mt* 28, 20).

3. Es ciertamente verdad que en la Iglesia hay muchos modos de catequizar al Pueblo de Dios sobre Jesucristo. Cada uno de ellos, sin embargo, para ser auténtico ha de tomar su contenido de la fuente perenne de la Sagrada Tradición y de la Sagrada Escritura, interpretada a la luz de las enseñanzas de los Padres y Doctores de la Iglesia, de la liturgia, de la fe y piedad popular, en una palabra, de la Tradición viva y operante en la Iglesia bajo la acción del Espíritu Santo, que –según la promesa del Maestro– «os guiará hacia la verdad completa, porque no hablará de Sí mismo, sino que hablará lo que oyere y os comunicará las cosas venideras» (*Jn* 16, 13). Esa Tradición la encontramos expresada y sintetizada especialmente en la doctrina

de los Sacrosantos Concilios, recogida en los Símbolos de la Fe y profundizada mediante la reflexión teológica fiel a la Revelación y al Magisterio de la Iglesia.

¿De qué serviría una catequesis sobre Jesús si no tuviese la autenticidad y la plenitud de la mirada con que la Iglesia contempla, reza y anuncia su misterio? Por una parte, se requiere una sabiduría pedagógica que, al dirigirse a los destinatarios de la catequesis, sepa tener en cuenta sus condiciones y sus necesidades. Como he escrito en la Exhortación antes citada, *Catechesi tradendae*: «La constante preocupación de todo catequista, cualquiera que sea su responsabilidad en la Iglesia, debe ser la de comunicar, a través de su enseñanza y su comportamiento, la doctrina y la vida de Jesús» (*Catechesi tradendae*, 6).

4. Concluimos esta catequesis introductoria, recordando que Jesús, en un momento especialmente difícil de la vida de los primeros discípulos, es decir, cuando la cruz se perfilaba cercana y muchos lo abandonaban, hizo a los que se habían quedado con Él otra de estas preguntas tan fuertes, penetrantes e ineludibles: «¿Queréis iros vosotros también?». Fue de nuevo Pedro quien, como intérprete de sus hermanos, le respondió: «Señor, ¿a quién iríamos? Tú tienes palabras de vida eterna, y nosotros hemos creído y sabemos que Tú eres el Santo de Dios» (*Jn* 6, 67-69). Que estos apuntes catequéticos puedan hacernos más disponibles para dejarnos interrogar por Jesús, capaces de dar la respuesta justa a sus preguntas, dispuestos a compartir su vida hasta el final.

2. JESÚS, HIJO DE DIOS Y SALVADOR*

1. Con la catequesis de la semana pasada, siguiendo los Símbolos mas antiguos de la fe cristiana, hemos ini-

* Audiencia general, 14-I-1987.

ciado un nuevo ciclo de reflexiones sobre Jesucristo. El Símbolo Apostólico proclama: «Creo... en Jesucristo su único Hijo (de Dios)». El Símbolo Niceno-constantinopolitano, después de haber definido con precisión aún mayor el origen divino de Jesucristo como Hijo de Dios, continúa declarando que este Hijo de Dios *«por nosotros los hombres y por nuestra salvación bajó del cielo y... se encarnó»*. Como vemos, el núcleo central de la fe cristiana está constituido por la doble verdad de que Jesucristo es Hijo de Dios e Hijo del hombre (*la verdad cristológica*) y es la realización de la salvación del hombre, que Dios Padre ha cumplido en Él, Hijo suyo y Salvador del mundo (*la verdad soteriológica*).

2. Si en las catequesis precedentes hemos tratado del mal, y especialmente del pecado, lo hemos hecho también para preparar el ciclo presente sobre Jesucristo Salvador. *Salvación* significa, de hecho, *liberación del mal, especialmente del pecado*. La Revelación contenida en la Sagrada Escritura, comenzando por el Proto-Evangelio (*Gen* 3, 15), nos abre a la verdad de que *sólo Dios* puede librar al hombre del pecado y de todo el mal presente en la existencia humana. Dios, al revelarse a Sí mismo como Creador del mundo y su providente Ordenador, se revela al mismo tiempo *como Salvador:* como Quien libera del mal, especialmente del pecado cometido por la libre voluntad de la criatura. Éste es el culmen del proyecto creador obrado por la Providencia de Dios, en el cual, mundo (cosmología), hombre (antropología) y Dios Salvador (soteriología) están íntimamente unidos.

Tal como recuerda el Concilio Vaticano II, los cristianos creen que el mundo está «creado y conservado por el amor del Creador, esclavizado bajo la servidumbre del pecado, pero liberado por Cristo, crucificado y resucitado...» (cfr *Gaudium et spes,* 2).

3. El nombre «Jesús», considerado en su significado etimológico, quiere decir «Yahvéh libera», salva, ayuda. Antes de la esclavitud de Babilonia se expresaba en la forma «Jehosua»: nombre teofórico que contiene la raíz del santísimo nombre de Yahvéh. Después de la esclavitud babilónica tomó la forma abreviada «Jeshua» que en la traducción de los Setenta se transcribió como «Jesoûs», de aquí «Jesús».

El nombre estaba bastante difundido, tanto en la Antigua como en la Nueva Alianza. Es, pues, el nombre que tenía *Josué,* que después de la muerte de Moisés *introdujo a los israelitas en la tierra prometida:* «Él fue, según su nombre, grande en la salud de los elegidos del Señor... para poner a Israel en posesión de su heredad» (*Eclo* 46, 1-2). *Jesús, hijo de Sirah,* fue el compilador del libro del Eclesiástico (50, 27). En la genealogía del Salvador, relatada en el Evangelio según Lucas, encontramos citado a «Er, hijo de Jesús» (*Lc* 3, 28-29). Entre los colaboradores de San Pablo está también un tal Jesús, «llamado Justo» (cfr *Col* 4, 11).

4. El nombre de Jesús, sin embargo, no tuvo nunca esa plenitud de significado que habría tomado en el caso de Jesús de Nazaret y que se le habría revelado por el ángel a María (cfr *Lc* 1, 31 ss.) y a José (cfr *Mt* 1, 21). Al comenzar el ministerio público de Jesús, la gente entendía su nombre en el sentido común de entonces.

«Hemos hallado a Aquel de quien escribió Moisés en la Ley y los Profetas, *a Jesús, hijo de José de Nazaret*». Así dice uno de los primeros discípulos, Felipe, a Natanael; el cual contesta: «¿De Nazaret puede salir algo bueno?» (*Jn* 1, 45-46). Esta pregunta indica que Nazaret no era muy *estimada* por los hijos de Israel. A pesar de esto, Jesús fue llamado «Nazareno» (cfr *Mt* 2, 23), o también «Jesús de Nazaret de Galilea» (*Mt* 21, 11), expresión que el mismo Pilato utilizó en la inscripción que hizo colocar en la cruz: «*Jesús Nazareno,* Rey de los Judíos» (*Jn* 19, 19).

5. La gente llamó a Jesús «el Nazareno» por el nombre del lugar en que residió con su familia hasta la edad de treinta años. Sin embargo, sabemos que *el lugar de nacimiento de Jesús* no fue Nazaret, sino *Belén,* localidad de Judea, al sur de Jerusalén. Lo atestiguan los Evangelistas Lucas y Mateo. El primero, especialmente, hace notar que a causa del censo ordenado por las autoridades romanas, «José subió de Galilea, de la ciudad de Nazaret, a Judea, *a la ciudad de David, que se llama Belén,* por ser él de la casa y de la familia de David, para empadronarse con María, su esposa que estaba encinta. *Estando allí se cumplieron los días de su parto*» (*Lc* 2, 4-6).

Tal como sucede con otros lugares bíblicos, también Belén asume un valor profético. Refiriéndose al Profeta Miqueas (5, 1-3), Mateo recuerda que esta pequeña ciudad fue elegida como lugar del nacimiento del Mesías: «Y tú, Belén, tierra de Judá, de ninguna manera eres la menor entre los clanes de Judá pues de ti saldrá un caudillo, que apacentará a mi pueblo Israel» (*Mt* 2, 6). El Profeta añade: «Cuyos orígenes serán de antiguo, de días de muy remota antigüedad» (*Miq* 5, 1).

A este texto se refieren los sacerdotes y los escribas que Herodes había consultado para dar respuesta a los Magos, quienes, habiendo llegado de Oriente, preguntaban dónde estaba el lugar del nacimiento del Mesías.

El texto del Evangelio de Mateo: «*Nacido, pues, Jesús en Belén de Juda en los días del rey Herodes*» (*Mt* 2, 1), hace referencia a la profecía de Miqueas, a la que se refiere también la pregunta que trae el IV Evangelio: «¿No dice la Escritura que del linaje de David y de la aldea de Belén ha de venir el Mesías?» (*Jn* 7, 42).

6. De estos detalles se deduce que *Jesús es el nombre de una persona histórica, que vivió en Palestina*. Si es justo dar credibilidad histórica a figuras como Moisés y Josué, con más razón hay que acoger la existencia histórica de

Jesús. Los Evangelios no nos refieren detalladamente su vida, porque no tienen finalidad primariamente historiográfica. Sin embargo, son precisamente los Evangelios los que, leídos con honestidad de crítica, nos llevan a concluir que Jesús de Nazaret es una persona histórica que vivió en un espacio y tiempo determinados. Incluso desde un punto de vista puramente científico ha de suscitar admiración no el que afirma, sino el que niega la existencia de Jesús, tal como han hecho las teorías mitológicas del pasado y como aún hoy hace algún estudioso.

Respecto a la *fecha* precisa *del nacimiento de Jesús,* las opiniones de los expertos no son concordes. Se admite comúnmente que el monje *Dionisio el Pequeño,* cuando el año 533 propuso calcular los años no desde la fundación de Roma, sino desde el nacimiento de Jesucristo, cometió un error. Hasta hace algún tiempo se consideraba que se trataba de una equivocación de unos cuatro años, pero la cuestión no está ciertamente resuelta.

7. En la tradición del pueblo de Israel el nombre «*Jesús*» conservó su valor etimológico: «Dios libera». Por tradición, eran siempre los padres quienes ponían el nombre a sus hijos. Sin embargo, *en el caso de Jesús, Hijo de María,* el nombre fue escogido y asignado desde lo alto, ya antes de su nacimiento, según la indicación del Ángel a María, en la Anunciación (*Lc* 1, 31) y a José en sueños (*Mt* 1, 21). «Le dieron el nombre de Jesús» –subraya el Evangelista Lucas–, porque este nombre se le había «impuesto por el Ángel antes de ser concebido en el seno de su Madre» (*Lc* 2, 21).

8. En el plan dispuesto por la Providencia de Dios, Jesús de Nazaret lleva un nombre que alude a la salvación: «Dios libera», *porque Él es en realidad lo que el nombre indica, es decir, el Salvador.* Lo atestiguan algunas frases que se encuentran en los llamados Evangelios de la infancia,

escritos por Lucas: «... nos ha nacido... un Salvador» (*Lc* 2, 11), y por Mateo: «Porque salvará al pueblo de sus pecados» (*Mt* 1, 21). Son expresiones que reflejan la verdad revelada y proclamada por todo el Nuevo Testamento. Escribe, por ejemplo, el Apóstol Pablo en la *Carta a los Filipenses*: «Por lo cual *Dios le exaltó y le otorgó un nombre, sobre todo nombre,* para que al nombre de Jesús se doble la rodilla y toda lengua confiese que Jesucristo es Señor (Kyrios, Adonai) para gloria de Dios Padre» (*Flp* 2, 9-11).

La razón de la exaltación de Jesús la encontramos en el testimonio que dieron de Él los Apóstoles, que proclamaron con coraje: «En ningún otro hay salvación, *pues ningún otro nombre nos ha sido dado bajo el cielo, entre los hombres, por el cual podamos ser salvos*» (*Hch* 4, 12).

3. JESÚS, CONCEBIDO POR OBRA DEL ESPÍRITU SANTO Y NACIDO DE MARÍA VIRGEN*

1. En el encuentro anterior centramos nuestra reflexión en el nombre «Jesús», que significa «Salvador». Este mismo Jesús, que vivió treinta años en Nazaret, en Galilea, es el Hijo Eterno de Dios, *«concebido por obra del Espíritu Santo y nacido de María Virgen»*. Lo proclaman los Símbolos de la Fe, el Símbolo de los Apóstoles y el nicenoconstantinopolitano; lo han enseñado los Padres de la Iglesia y los Concilios, según los cuales, Jesucristo, Hijo eterno de Dios, es «ex substantia matris in saeculo natus» (cfr Símbolo *Quicumque, DS,* 76). La Iglesia, pues, profesa y proclama que Jesucristo fue concebido y nació de una hija de Adán, descendiente de Abraham y de David, la Virgen María. El Evangelio según Lucas precisa que *María concibió al Hijo de Dios por obra del Espíritu Santo,* «sin conocer varón» (cfr *Lc* 1, 34 y *Mt* 1, 18. 24-25). María

* Audiencia general, 28-I-1987.

era, pues, *virgen* antes del nacimiento de Jesús y permaneció virgen en el momento del parto y después del parto. Es la verdad que presentan los textos del Nuevo Testamento y que expresaron tanto el V Concilio Ecuménico, celebrado en Constantinopla el año 553, que habla de María *«siempre Virgen»*, como el Concilio Lateranense, el año 649, que enseña que «la Madre de Dios... María... concibió (a su Hijo) por obra del Espíritu Santo sin intervención de varón y que lo engendró incorruptiblemente, permaneciendo inviolada su virginidad también después del parto» (*DS*, 503).

2. Esta fe está presente *en la enseñanza de los Apóstoles*. Leemos por ejemplo en la *Carta de San Pablo a los Gálatas*: «Al llegar la plenitud de los tiempos, *envió Dios a su Hijo, nacido de mujer...* para que recibiéramos la adopción» (*Gal* 4, 4-5). Los acontecimientos unidos a la concepción y al nacimiento de Jesús están contenidos en los primeros capítulos de Mateo y de Lucas, llamados comúnmente *«el Evangelio de la infancia»*, y es sobre todo a ellos a los que hay que hacer referencia.

3. Especialmente conocido es el texto de Lucas, porque se lee frecuentemente en la liturgia eucarística, y se utiliza en la oración del Ángelus. El fragmento del Evangelio de Lucas describe *la anunciación a María*, que sucedió seis meses después del anuncio del nacimiento de Juan Bautista (cfr *Lc* 1, 5-25).

«...fue enviado el ángel Gabriel de parte de Dios a una ciudad de Galilea llamada Nazaret, a una virgen desposada con un varón de nombre José, de la casa de David; el nombre de la virgen era María» (*Lc* 1, 26). El ángel la saludó con las palabras «Ave María», que se han hecho oración de la Iglesia (la *«salutatio angélica»*). El saludo provoca turbación en María: «Ella se turbó al oír estas palabras y discurría qué podría significar aquella salutación. El ángel le dijo: No temas, María, porque has hallado gracia delante de Dios, y *concebirás en tu seno y darás a luz un hijo, a quien pondrás por nombre Jesús.* Él será grande y llamado Hijo del Altísimo... Dijo María al ángel: ¿Cómo podrá ser esto, pues *yo no conozco varón?* El ángel le contestó y dijo: El Espíritu Santo vendrá sobre ti, y la virtud del Altísimo te cubrirá con su sombra, y por eso el hijo engendrado será santo, será llamado Hijo de Dios» (*Lc* 1, 29-35). El ángel anunciador, presentando como un «signo» la inesperada maternidad de Isabel, pariente de María, que ha concebido un hijo en su vejez, añade: «*Nada hay imposible para Dios*». Entonces dijo María: «He aquí la sierva del Señor; *hágase en mí* según tu palabra» (*Lc* 1, 37-38).

4. Este texto del Evangelio de Lucas constituye la base de la enseñanza de la Iglesia sobre la maternidad y la virginidad de María, de la que nació Cristo, hecho hombre por obra del Espíritu. El primer momento del misterio de la Encarnación del Hijo de Dios se identifica con la concepción prodigiosa sucedida por obra del Espíritu Santo en el instante en que María pronunció su «sí»: «Hágase en mí según tu palabra» (*Lc* 1, 38).

5. El Evangelio *según Mateo* completa la narración de Lucas describiendo algunas circunstancias que precedieron al nacimiento de Jesús. Leemos: «La concepción de Jesucristo fue así: Estando desposada María, su Madre, con José, *antes de que conviviesen* se halló *haber concebido María del Espíritu Santo.* José, su esposo, siendo justo, no quiso denunciarla y resolvió repudiarla en secreto. Mientras reflexionaba sobre esto, he aquí que se le apareció en sueños un ángel del Señor y le dijo: José, hijo de David, no temas recibir en tu casa a María, tu esposa, pues *lo concebido en ella es obra del Espíritu Santo.* Dará a luz un hijo a quien pondrás por nombre Jesús, porque salvará a su pueblo de sus pecados» (*Mt* 1, 18-21).

6. Como se ve, ambos textos del «Evangelio de la infancia» *concuerdan en la constatación fundamental:* Jesús fue concebido por obra del Espíritu Santo y nació de María Virgen; y son entre sí *complementarios* en el esclarecimiento de las circunstancias de este acontecimiento extraordinario: Lucas respecto a María, Mateo respecto a José. Para identificar *la fuente de la que deriva el Evangelio de la infancia,* hay que referirse a la frase de San Lucas: «*María guardaba todo esto* y lo meditaba en su corazón» (*Lc* 2, 19). Lucas lo dice dos veces: después de marchar los pastores de Belén y después del encuentro de Jesús en el templo (cfr 2, 51). El Evangelista mismo nos ofrece los elementos para identificar en la Madre de Jesús una de las fuentes de información utilizadas por él para escribir el «Evangelio de la infancia». María, que «guardó todo esto en su corazón» (cfr *Lc* 2, 19), pudo dar testimonio, después de la muerte y resurrección de Cristo, de lo que se refería a la propia persona y a la función de Madre precisamente en el período apostólico, en el que nacieron los textos del Nuevo Testamento y tuvo origen la primera tradición cristiana.

7. El testimonio evangélico de *la concepción virginal de Jesús* por parte de María es de gran relevancia teológica. Pues constituye un *signo* especial *del origen divino del Hijo de María.* El que Jesús no tenga un padre terreno porque ha sido engendrado «sin intervención de varón», pone de relieve la verdad de que Él es el Hijo de Dios, de modo que cuando asume la naturaleza humana, su Padre continúa siendo exclusivamente Dios.

8. La revelación de la intervención del Espíritu Santo *en la concepción de Jesús,* indica *el comienzo* en la historia del hombre de la nueva «generación espiritual» que tiene un carácter estrictamente sobrenatural (cfr *1 Cor* 15, 45-49). De este modo Dios Uno y Trino «se comunica»

a la criatura mediante el Espíritu Santo. Es el misterio al que se pueden aplicar las palabras del Salmo: «Envía tu Espíritu, y serán creados, y renovarás la faz de la tierra» (*Sal* 103/104, 30). En la economía de esa comunicación de Sí mismo que Dios hace a la criatura, la concepción virginal de Jesús, que sucedió por obra del Espíritu Santo, es un *acontecimiento central y culminante.* Él *inicia la «nueva creación»*. Dios entra así de un modo decisivo en la historia para actuar el destino sobrenatural del hombre, o sea, la predestinación de todas las cosas en Cristo. Es la *expresión* definitiva del *Amor salvífico* de Dios al hombre, del que hemos hablado en las catequesis sobre la Providencia.

9. En la actuación del plan de la salvación hay siempre una participación de la criatura. Así en la concepción de Jesús por obra del Espíritu Santo *María participa* de forma *decisiva.* Iluminada interiormente por el mensaje del ángel sobre su vocación de Madre y sobre la conservación de su virginidad, María expresa su voluntad y consentimiento y acepta hacerse el humilde instrumento de la «virtud del Altísimo». La acción del Espíritu Santo hace que en María la maternidad y la virginidad estén presentes de un modo que, aunque inaccesible a la mente humana, entre de lleno en el ámbito de la predilección de la omnipotencia de Dios. En María se cumple la gran profecía de Isaías: «La virgen grávida da a luz» (7, 14; cfr *Mt* 1, 22-23); su virginidad, signo en el Antiguo Testamento de la pobreza y de disponibilidad total al plan de Dios, se convierte en el terreno de la acción excepcional de Dios, que escoge a María para ser Madre del Mesías.

10. La excepcionalidad de María se deduce también de las genealogías aducidas por Mateo y Lucas.

El Evangelio *según Mateo* comienza, conforme a la costumbre hebrea, *con la genealogía de Jesús* (*Mt* 1, 2-17) y hace un elenco, partiendo de Abraham, de las generaciones masculinas. A Mateo, de hecho, le importa poner de relieve, mediante la paternidad *legal* de José, la descendencia de Jesús de Abraham y David y, por consiguiente, la legitimidad de su calificación de Mesías. Sin embargo, al final de la serie de los ascendientes leemos: «Y Jacob engendró a José esposo de María, *de la cual nació Jesús llamado Cristo*» (*Mt* 1, 16). Poniendo el acento en la maternidad de María el Evangelista implícitamente subraya la verdad del nacimiento virginal: Jesús, como hombre, no tiene padre terreno.

Según el Evangelio de Lucas, la genealogía de Jesús (*Lc* 3, 23-38) es ascendente: desde Jesús a través de sus antepasados se remonta *hasta Adán.* El Evangelista ha querido mostrar la vinculación de Jesús *con todo el género humano.* María, como colaboradora de Dios en dar a su Eterno Hijo la naturaleza humana, ha sido el instrumento de la unión de Jesús con toda la humanidad.

4. JESÚS, HIJO DE ISRAEL, PUEBLO DE LA ANTIGUA ALIANZA*

1. En la catequesis anterior hablamos de las dos genealogías de Jesús: la del Evangelio según Mateo (*Mt* 1-17) tiene una estructura *«descendente»,* es decir, enumera los antepasados de Jesús, Hijo de María, comenzando por Abraham. La otra, que se encuentra en el Evangelio de Lucas (*Lc* 3, 23-38), tiene una estructura *«ascendente»:* partiendo de Jesús llega hasta Adán.

Mientras que la genealogía de Lucas indica la conexión de Jesús *con toda la humanidad,* la genealogía de Mateo hace ver su pertenencia *a la estirpe de Abraham.* Y en cuanto hijo de Israel, pueblo elegido por Dios en la Antigua

* Audiencia general, 4-II-1987.

Alianza, al que directamente pertenece, Jesús de Nazaret es a pleno título miembro de la gran familia humana.

2. Jesús nace en medio de este pueblo, *crece* en su religión y en su cultura. Es un verdadero israelita, que piensa y se expresa en arameo según las categorías conceptuales y lingüísticas de sus contemporáneos y sigue las costumbres y los usos de su ambiente. *Como israelita es heredero fiel de la Antigua Alianza.*

Es un hecho puesto de relieve por San Pablo cuando, en la *Carta a los Romanos,* escribe respecto a su pueblo: «los israelitas, cuya es la adopción, y la gloria, y las alianzas, y la legislación, y el culto y las promesas; cuyos son los patriarcas y *de quienes según la carne procede Cristo*» (*Rom* 9, 4-5). Y en la *Carta a los Gálatas* recuerda que Cristo «*ha nacido bajo la ley*» (*Gal* 4, 4).

3. Como obsequio a la *prescripción de la ley de Moisés,* poco después del nacimiento Jesús fue *circuncidado según el rito,* entrando así oficialmente a ser parte del pueblo de la Alianza: «Cuando se hubieron cumplido los ocho días para circuncidar al niño, le dieron el nombre de Jesús» (*Lc* 2, 21).

El Evangelio de la infancia, aunque es pobre en pormenores sobre el primer período de la vida de Jesús, narra sin embargo que «sus padres *iban cada año a Jerusalén en la fiesta de la Pascua*» (*Lc* 2, 41), expresión de su fidelidad a la ley y a la tradición de Israel. «Cuando era ya *de doce años,* al subir sus padres, según el rito festivo» (*Lc* 2, 42), «y volverse ellos, acabados los días, el Niño Jesús se quedó en Jerusalén sin que sus padres lo echasen de ver» (*Lc* 2, 43). Después de tres días de búsqueda «*le hallaron en el templo,* sentado en medio de los doctores, oyéndolos y preguntándoles» (*Lc* 2, 46). A la alegría de María y José se sobrepusieron sin duda sus palabras, que ellos no comprendieron:

«¿Por qué me buscabais? ¿No sabíais que es preciso que me ocupe de las cosas de mi Padre?» (*Lc* 2, 49).

4. Fuera de este suceso, todo *el período de la infancia y de la adolescencia* de Jesús en el Evangelio está cubierto de silencio. Es un período de *«vida oculta»*, resumido por Lucas en dos simples frases: Jesús «bajó con ellos (con María y José) y vino a Nazaret y les estaba sujeto» (*Lc* 2, 51), y: «*crecía* en sabiduría y edad y gracia ante Dios y ante los hombres» (*Lc* 2, 52).

5. Por el Evangelio sabemos que Jesús vivió en una *determinada familia,* en la casa de José, quien hizo las veces de padre del Hijo de María, asistiéndolo, protegiéndolo y adiestrándolo poco a poco en su mismo oficio de carpintero. A los ojos de los habitantes de Nazaret Jesús aparecía como «el hijo del carpintero» (cfr *Mt* 13, 55). Cuando comenzó a enseñar, sus paisanos se preguntaban sorprendidos: «¿No es acaso el carpintero, hijo de María?...» (cfr *Mc* 6, 2-3). Además de la madre, mencionaban también a sus «hermanos» y sus «hermanas», es decir, aquellos miembros de su parentela («primos»), que vivían en Nazaret, aquellos mismos que, como recuerda el Evangelista Marcos, intentaron *disuadir a Jesús* de su actividad de Maestro (cfr *Mc* 3, 21). Evidentemente ellos no encontraban en Él algún motivo que pudiera justificar el comienzo de una nueva actividad; consideraban que Jesús era y debía seguir siendo un israelita más.

6. *La actividad pública* de Jesús comenzó *a los treinta años* cuando tuvo su primer discurso en Nazaret: «...según su costumbre, entró el día de sábado en la sinagoga y se levantó para hacer la lectura. Le entregaron *un libro del Profeta Isaías...*» (*Lc* 4, 16-17). Jesús leyó el pasaje que comenzaba con las palabras: «*El Espíritu del Señor* está sobre mí, porque *me ungió* para evangelizar a los pobres...»

(*Lc* 4, 18). Entonces Jesús se dirigió a los presentes y les anunció: «Hoy se cumple esta escritura que acabáis de oír...» (*Lc* 4, 21).

7. En su *actividad de Maestro,* que comienza en Nazaret y se extiende a Galilea y a Judea hasta la capital, Jerusalén, Jesús sabe captar y valorar *los frutos* abundantes presentes en la *tradición religiosa de Israel.* La penetra con inteligencia nueva, hace emerger sus valores vitales, pone a la luz sus perspectivas proféticas. No duda en denunciar las *desviaciones* de los hombres en contraste con los designios del Dios de la Alianza.

De este modo realiza, en el ámbito de la única e idéntica Revelación divina, el paso de lo «viejo» a lo «nuevo», sin abolir la ley, sino más bien llevándola a su pleno cumplimiento (cfr *Mt* 5, 17). Éste es el pensamiento con el que se abre la *Carta a los Hebreos*: «Muchas veces y en muchas maneras habló Dios en otro tiempo a nuestros padres por ministerio de los Profetas; últimamente, en estos días, nos habló por su Hijo...» (*Heb* 1, 1).

8. Este paso de lo «viejo» a lo «nuevo» caracteriza toda la enseñanza del «Profeta» de Nazaret. Un ejemplo *especialmente claro* es *el sermón de la montaña,* registrado en el Evangelio de Mateo. Jesús dice: «Habéis oído que *se dijo a los antiguos:* No matarás... *pero yo os digo* que todo el que se irrita contra su hermano será reo de juicio» (cfr *Mt* 5, 21-22). «Habéis oído que *fue dicho:* No adulterarás; *pero yo os digo* que todo el que mira a una mujer deseándola, ya adulteró con ella en su corazón» (*Mt* 5, 27-28). «Habéis oído que *fue dicho:* amarás a tu prójimo y aborrecerás a tu enemigo; *pero yo os digo:* amad a vuestros enemigos y orad por los que os persiguen...» (*Mt* 5, 43-44).

Enseñando de este modo, Jesús declara al mismo tiempo: «No penséis que yo he venido a abrogar la ley o los Profetas; *no he venido a abrogarlas, sino a consumarlas*» (*Mt* 5, 17).

9. Este «consumar» es una *palabra clave* que se refiere no sólo a la enseñanza de la verdad revelada por Dios, sino también a toda la historia de Israel, o sea, del pueblo del que Jesús es hijo. Esta historia extraordinaria, guiada desde el principio por la mano poderosa del Dios de la Alianza, encuentra en Jesús su cumplimiento. *El designio que el Dios de la Alianza había escrito desde el principio en esta historia,* haciendo de ella la historia de la salvación, tendía a la «plenitud de los tiempos» (cfr *Gal* 4, 4), que *se realiza en Jesucristo.* El Profeta de Nazaret no duda en hablar de ello desde el primer discurso pronunciado en la sinagoga de su ciudad.

10. Especialmente elocuentes son las palabras de Jesús referidas en el Evangelio de Juan cuando dice a sus contrarios: «Abraham, vuestro padre, *se regocijó* pensando en ver mi día...» y ante su incredulidad: «¿No tienes aún cincuenta años y has visto a Abraham?», Jesús confirma aún más explícitamente: «En verdad, en verdad os digo: antes que Abraham naciese, era yo» (cfr *Jn* 8, 56-58). Es evidente que Jesús afirma no sólo que Él es el cumplimiento de los designios salvíficos de Dios, inscritos en la historia de Israel *desde los tiempos de Abraham,* sino que su existencia *precede al tiempo de Abraham,* llegando a identificarse como «El que es» (cfr *Ex* 3, 14) Pero precisamente por esto, es Él, Jesucristo, el cumplimiento de la historia de Israel, porque *«supera»* esta historia *con su Misterio.* Pero aquí tocamos otra dimensión de la cristología que afrontaremos más adelante.

11. Por ahora concluyamos con una última reflexión sobre las dos genealogías que narran los dos Evangelistas Mateo y Lucas. De ellas resulta que Jesús es verdadero hijo

de Israel y que, en cuanto tal, pertenece a toda la familia humana. Por eso, si en Jesús, descendiente de Abraham, vemos cumplidas las profecías del Antiguo Testamento, en Él, como descendiente de Adán, vislumbramos, siguiendo la enseñanza de San Pablo, el principio y *el centro de la «recapitulación» de la humanidad entera* (cfr *Ef* 1, 10).

5. JESUCRISTO, MESÍAS «REY»*

1. Como hemos visto en las recientes catequesis, el Evangelista Mateo concluye su genealogía de Jesús, Hijo de María, colocada al comienzo de su Evangelio, con las palabras *«Jesús, llamado Cristo»* (*Mt* 1, 16). El término *«Cristo»* es el equivalente griego de la palabra hebrea *«Mesías»* que quiere decir *«Ungido»*. Israel, el pueblo *elegido por Dios,* vivió durante generaciones en la espera del cumplimiento de la promesa del Mesías, a cuya venida fue preparado a través de la historia de la Alianza. El Mesías, es decir el «Ungido» enviado por Dios, había de dar *cumplimiento* a la *vocación* del pueblo de la Alianza, al cual, por medio de la Revelación se le había concedido el privilegio de conocer la verdad sobre el mismo Dios y su proyecto de salvación.

2. El atribuir el nombre «Cristo» a Jesús de Nazaret es el testimonio de que los Apóstoles y la Iglesia primitiva reconocieron que en Él se habían *realizado los designios del Dios de la Alianza* y las expectativas de Israel. Es lo que proclamó Pedro el día de Pentecostés cuando, inspirado por el Espíritu Santo, habló por la primera vez a los habitantes de Jerusalén y a los peregrinos que habían llegado a las fiestas: «Tenga pues por cierto toda la casa de Israel

* Audiencia general, 11-II-1987.

que *Dios le ha hecho Señor y Mesías a este Jesús a quien vosotros habéis crucificado*» (*Hch* 2, 36).

3. El discurso de Pedro y la genealogía de Mateo vuelven a proponernos el rico contenido de la palabra «Mesías-Cristo» que se encuentra en el Antiguo Testamento y sobre el que hablaremos en las próximas catequesis.

La palabra «Mesías» incluyendo la idea de *unción,* sólo puede comprenderse en conexión con la institución religiosa de la unción con el aceite, que era usual en Israel y que –como bien sabemos– pasó de la Antigua Alianza a la Nueva. *En la historia de la Antigua Alianza* recibieron esta unción personas llamadas por Dios al cargo y a la dignidad de *rey,* o de *sacerdote* o de *profeta.*

La verdad sobre el Cristo-Mesías hay que volverla a leer, pues, en el contexto bíblico de este triple «munus», que en la Antigua Alianza se confería a los que estaban destinados a guiar o a representar al Pueblo de Dios. En esta catequesis intentamos detenernos en el oficio y la dignidad de Cristo en cuanto *Rey.*

4. Cuando el ángel Gabriel anuncia a la Virgen María que había sido escogida para ser la Madre del Salvador, le habla de la realeza de su Hijo: «...le dará el Señor Dios el trono de David, su padre, y reinará en la casa de Jacob por los siglos, y su reino no tendrá fin» (*Lc* 1, 32-33).

Estas palabras parecen corresponder *a la promesa hecha al rey David:* «Cuando se cumplieren tus días... suscitaré a tu linaje después de ti... y afirmaré su reino. Él edificará casa a mi nombre y yo *estableceré* su trono *por siempre.* Yo le seré a él padre, y el me será a mí hijo» (*2 Sm* 7, 12-14). Se puede decir que esta *promesa se cumplió* en cierta medida con Salomón, hijo y directo sucesor de David. Pero el sentido pleno de la promesa iba más allá de los confines de un reino terreno y se refería no sólo a un *futuro lejano,* sino ciertamente a una realidad, que iba *más allá de la historia,* del tiempo y del espacio: «Yo estableceré su trono por siempre» (*2 Sm* 7, 13).

5. En la anunciación se presenta a Jesús como *Aquel en el que* se cumple la antigua promesa. De ese modo *la verdad sobre el Cristo Rey se sitúa en la tradición bíblica del «Rey mesiánico»* (del Mesías-Rey); así se la encuentra muchas veces en los Evangelios que nos hablan de la misión de Jesús de Nazaret y nos transmiten su enseñanza.

Es significativa a este respecto la actitud del mismo Jesús, por ejemplo cuando Bartimeo, el mendigo ciego, para pedirle ayuda le grita: «¡Hijo de David, Jesús, ten piedad de mí!» (*Mc* 10, 47). Jesús, que nunca se ha atribuido ese título, acepta como dirigidas a Él las palabras pronunciadas por Bartimeo. En todo caso se preocupa de precisar su importancia. En efecto, dirigiéndose a los fariseos, pregunta: «¿Qué os parece de Cristo? ¿De quién es hijo? Dijéronle ellos: De David. Les replicó: pues *¿cómo David,* en espíritu le llama Señor, diciendo: 'Dijo el Señor a mi Señor: Siéntate a mi diestra mientras pongo a tus enemigos bajo tus pies?' (*Sal* 109/110, 1). Si, pues, David le llama Señor, ¿cómo es hijo suyo?» (*Mt* 22, 42-45).

6. Como vemos, Jesús llama la atención sobre el modo «limitado» e *insuficiente de comprender al Mesías teniendo sólo como base la tradición de Israel,* unida a la herencia real de David. Sin embargo, Él no rechaza esta tradición, sino que la cumple en el sentido pleno que ella contenía, y que ya aparece en las palabras pronunciadas en la Anunciación y que se manifestará en su Pascua.

7. Otro hecho significativo es que, al entrar en Jerusalén en vísperas de su pasión, Jesús *cumple,* tal como destacan los Evangelistas Mateo (21, 5) y Juan (12, 15), *la profecía de Zacarías,* en la que se expresa la tradición del «Rey mesiánico»: «Alégrate sobremanera, hija de Sión.

Grita exultante, hija de Jerusalén. He aquí que viene tu Rey, justo y victorioso, humilde, montado en un asno, en un pollino hijo de asna» (*Zac* 9, 9). «Decid a la hija de Sión: he aquí que tu rey viene a ti, manso y montado sobre un asno, sobre un pollino hijo de una bestia de carga» (*Mt* 21, 5). Precisamente *sobre un pollino cabalga Jesús durante su entrada solemne* en Jerusalén, acompañado por la turba entusiasta: «Hosanna al Hijo de David» (cfr *Mt* 21, 1-10). A pesar de la indignación de los fariseos, Jesús acepta la aclamación mesiánica de los «pequeños» (cfr *Mt* 21, 16; *Lc* 19, 40), sabiendo muy bien que todo equívoco sobre el título de Mesías se disiparía con su glorificación a través de la pasión.

8. La comprensión de la realeza como un poder terreno entrará en crisis. La tradición no quedará anulada por ello, sino clarificada. Los días siguientes a la entrada de Jesús en Jerusalén se verá *cómo se han de entender las palabras* del Ángel *en la Anunciación:* «Le dará el Señor Dios el trono de David, su padre... reinará en la casa de Jacob por los siglos, y su reino no tendrá fin». Jesús mismo explicará en qué consiste *su propia realeza,* y por lo tanto la verdad mesiánica, y cómo hay que comprenderla.

9. El momento decisivo de esta clarificación se da *en el diálogo de Jesús con Pilato,* que trae el Evangelio de Juan. Puesto que Jesús ha sido *acusado* ante el gobernador romano de «considerarse rey» *de los judíos,* Pilato le hace una pregunta sobre esta acusación que interesa especialmente a la autoridad romana porque, si Jesús realmente pretendiera ser «rey de los judíos» y fuese reconocido como tal por sus seguidores, podría constituir una amenaza para el imperio. Pilato, pues, pregunta a Jesús: «¿Eres tú el rey de los judíos? Responde Jesús: ¿Por tu cuenta dices eso o te lo han dicho otros de mí?»; y después explica: «*Mi reino no es de este mundo;* si de este mundo fuera mi

reino, mis ministros habrían luchado para que no fuese entregado a los judíos; pero mi reino no es de aquí». Ante la insistencia de Pilato: «Luego, ¿tú eres rey?», Jesús declara: «Tú dices que *soy rey.* Yo para esto he nacido y *para esto he venido al mundo, para dar testimonio de la verdad;* todo el que es de la verdad oye mi voz» (cfr *Jn* 18, 33-37). Estas palabras inequívocas de Jesús contienen la afirmación clara de que el carácter o *munus* real, unido a la misión del Cristo-Mesías enviado por Dios, *no se puede entender en sentido político* como si se tratara de un poder terreno, ni tampoco en relación al «pueblo elegido», Israel.

10. La continuación del proceso de Jesús confirma la existencia del *conflicto entre la concepción que Cristo tiene de Sí como «Mesías-Rey» y la terrestre o política,* común entre el pueblo. Jesús es condenado a muerte bajo la acusación de que «se ha considerado rey». La inscripción colocada en la cruz: «Jesús Nazareno, *Rey de los judíos*», probará que para la autoridad romana éste es su delito. Precisamente los judíos que, paradójicamente, aspiraban al restablecimiento del «reino de David», en sentido terreno, al ver a Jesús azotado y coronado de espinas, tal como se lo presentó Pilato con las palabras: «¡Ahí tenéis a vuestro rey!», habían gritado: «¡Crucifícale!... Nosotros *no tenemos* más *rey* que al César» (*Jn* 19, 15).

En este marco podemos comprender mejor el significado de la inscripción puesta en la cruz de Cristo, refiriéndonos por lo demás a la definición que Jesús había dado de Sí mismo durante el interrogatorio ante el procurador romano. Sólo en ese sentido el Cristo-Mesías es «el Rey»; sólo en ese sentido Él *actualiza la tradición del «Rey mesiánico»,* presente en el Antiguo Testamento e inscrita en la historia del pueblo de la Antigua Alianza.

11. Finalmente, en el Calvario un último episodio ilumina la condición mesiánico-real de Jesús. Uno de los dos

malhechores crucificados junto con Jesús manifiesta esta verdad de forma penetrante, cuando dice: «Jesús, *acuérdate de mí cuando llegues a tu reino*» (*Lc* 23, 42). Jesús le responde: «En verdad te digo, hoy estarás conmigo en el paraíso» (*Lc* 23, 43) En este diálogo encontramos casi una confirmación última de las palabras que el Ángel había dirigido a María en la Anunciación: Jesús «reinará ... y su reino no tendrá fin» (*Lc* 1, 33).

6. JESUCRISTO, MESÍAS «SACERDOTE»*

1. El nombre «Cristo» que, como sabemos, es el equivalente griego de la palabra «Mesías», es decir «Ungido», *además del carácter «real»*, del que hemos tratado en la catequesis precedente, incluye también, según la tradición del Antiguo Testamento, el *«sacerdotal»*. Cual elementos pertenecientes a la misma misión mesiánica, los dos aspectos, diversos entre sí, son sin embargo complementarios. *La figura del Mesías*, dibujada en el Antiguo Testamento, los comprende a entrambos manifestando la profunda unidad de la misión real y sacerdotal.

2. Esta unidad tiene su primera expresión, como un prototipo y una anticipación, *en Melquisedec*, rey de Salem, *misterioso contemporáneo de Abraham*. De él leemos en el libro del Génesis, que, saliendo al encuentro de Abraham, «sacando pan y vino, como era sacerdote del Dios Altísimo, bendijo a Abraham diciendo: Bendito Abram del Dios Altísimo, el dueño de cielos y tierra» (*Gen* 14, 18-19).

La figura de Melquisedec, rey sacerdote, entró en la tradición mesiánica, como atestigua el Salmo 109 (110): el Salmo mesiánico por antonomasia. Efectivamente, en

* Audiencia general, 18-II-1987.

este Salmo, Dios-Yahvéh se dirige «a mi Señor» (es decir, al Mesías) con las palabras: «*Siéntate a mi derecha,* y haré de tus enemigos estrado de tus pies. 'Desde Sión extenderá el Señor el poder de tu cetro: somete en la batalla a tus enemigos...'» (*Sal* 109/110, 1-2).

A estas expresiones, que no pueden dejar ninguna duda sobre el carácter real de Aquel al que se dirige Yahvéh, sigue el anuncio: «El Señor lo ha jurado y no se arrepiente: *Tú eres sacerdote eterno según el rito de Melquisedec*» (*Sal* 109/110, 4). Como vemos, Aquel al que Dios-Yahvéh se dirige, invitándolo a sentarse «a su derecha», será al mismo tiempo *rey y sacerdote* «según el rito de Melquisedec».

3. En la historia de Israel *la institución del sacerdocio de la Antigua Alianza comienza* en la persona de Aarón, hermano de Moisés, y se unirá por herencia con una de las doce tribus de Israel, la de Leví.

A este respecto, es significativo lo que leemos en el libro del Eclesiástico: «(Dios) elevó a Aarón... su hermano (es decir, hermano de Moisés), de la tribu de Leví. Y estableció con él una alianza eterna y *le dio el sacerdocio del pueblo*» (*Sir* 45, 78). «Entre todos los vivientes le escogió el Señor para *presentarle las ofrendas,* los perfumes y el buen olor para memoria y hacer *la expiación* de su pueblo. Y le dio sus preceptos y poder para decidir sobre la ley y el derecho, para enseñar sus mandamientos a Jacob e instruir en su ley a Israel» (*Sir* 45, 20-21). De estos textos deducimos que *la elección sacerdotal* está en función del culto, *para la ofrenda de los sacrificios de adoración y de expiación* y que a su vez el culto está ligado a la enseñanza sobre Dios y sobre su ley.

4. Siempre en el mismo contexto son significativas también estas palabras del libro del Eclesiástico: «También hizo Dios alianza *con David...* La herencia del reino

es para uno de sus hijos, y la herencia *de Aarón para su descendencia*» (*Sir* 45, 31).

Según esta tradición, *el sacerdocio* se sitúa «*al lado*» de la dignidad real. *Ahora bien, Jesús no procede de la estirpe sacerdotal,* de la tribu de Leví, sino de la de Judá, por lo que no parece que le corresponda el carácter sacerdotal del Mesías. Sus contemporáneos descubren en Él sobre todo al maestro, al profeta, algunos también a su «rey», heredero de David. Así, pues, podría decirse que en Jesús *la tradición de Melquisedec,* el Rey-sacerdote, *está ausente.*

5. Sin embargo, es una ausencia aparente. *Los acontecimientos pascuales* manifestaron el verdadero sentido del «Mesías-rey» y del «rey-sacerdote según el rito de Melquisedec» que, presente en el Antiguo Testamento, encontró su cumplimiento en la misión de Jesús de Nazaret. Es significativo que en el proceso ante el Sanedrín, al sumo sacerdote que le pregunta: «...si eres tú el Mesías, el Hijo de Dios», Jesús responde: «Tú lo has dicho... y yo os digo que a partir de ahora *veréis al Hijo del hombre sentado a la diestra del poder...*» (*Mt* 26, 63-64). Es una clara referencia al Salmo mesiánico (*Sal* 109/110), en el que se expresa la tradición del rey-sacerdote.

6. Pero hay que decir que la manifestación plena de esta verdad *sólo se encuentra en la Carta a los Hebreos,* que afronta la relación entre el sacerdocio levítico y el de Cristo.

El autor de la *Carta a los Hebreos* toca el tema del sacerdocio de Melquisedec para decir que *en Jesucristo se ha cumplido el anuncio mesiánico* ligado a esta figura que por predestinación superior ya desde los tiempos de Abraham había sido inscrita en la misión del Pueblo de Dios.

Efectivamente, leemos de Cristo que «... al ser consumado, *vino a ser para todos* los que le obedecen *causa de salud eterna,* declarado por Dios *Pontífice según el orden de Melquisedec*» (*Heb* 5, 9-10). Por eso, después de haber recordado lo que escribe el libro del Génesis sobre Melquisedec (*Gen* 14, 18), la *Carta a los Hebreos* continúa: «... (su nombre) se interpreta primero *rey de justicia,* y luego también rey de Salem, es decir, *rey de paz.* Sin padre, sin madre, sin genealogía, sin principio de sus días, ni fin de su vida, se asemeja en eso al Hijo de Dios, que es sacerdote para siempre» (*Heb* 7, 2-3).

7. Haciendo también analogías con el ritual del culto, con el arca y con los sacrificios de la Antigua Alianza, el Autor de la *Carta a los Hebreos* presenta a Jesucristo como el *cumplimiento* de todas las figuras y las *promesas* del Antiguo Testamento, en orden «a servir en un santuario que es imagen y sombra del celestial» (*Heb* 8, 5). Sin embargo Cristo, Sumo Sacerdote misericordioso y fiel (*Heb* 2, 17; cfr 3, 2. 5), lleva en Sí mismo un «*sacerdocio perpetuo*» (*Heb* 7, 24), *al haberse ofrecido «a Sí mismo inmaculado a Dios»* (*Heb* 9, 14).

8. Vale la pena citar en su totalidad algunos fragmentos especialmente elocuentes de esta *Carta.* Al entrar en el mundo, Jesucristo dice a Dios su Padre:

«No quisiste sacrificios ni oblaciones, pero me has preparado un cuerpo. Los holocaustos y sacrificios por el pecado no los recibiste. Entonces yo dije: Heme aquí que vengo –en el volumen del libro está escrito de mí– para hacer, ¡oh Dios!, tu voluntad» (*Heb* 10, 57).

«Y tal convenía que fuese nuestro Sumo Sacerdote» (*Heb* 7, 26). «Por esto hubo de asemejarse en todo a sus hermanos, a fin de hacerse Pontífice misericordioso y fiel en las cosas que tocan a Dios, *para expiar los pecados del pueblo*» (*Heb* 2, 17). Tenemos pues, «un gran Pontífice... tentado en todo, a semejanza nuestra, menos en el pecado», un Sumo Sacerdote que sabe «*compadecerse de nuestras flaquezas*» (cfr *Heb* 4, 15).

9. Leemos más adelante que ese Sumo Sacerdote «no necesita, como los pontífices, ofrecer cada día víctimas, primero por sus propios pecados, luego por los del pueblo, pues esto lo hizo una sola vez ofreciéndose a Sí mismo» (*Heb* 7, 27). Y también: «Cristo, constituido *Pontífice de los bienes futuros*... entró *una vez para siempre* en el santuario... por su propia sangre, realizada la redención eterna» (*Heb* 9, 11-12). De aquí nuestra certeza de que «la sangre de Cristo, que por el Espíritu eterno *a Sí mismo se ofreció inmaculado a Dios,* limpiará nuestra conciencia de las obras muertas para dar culto al Dios vivo» (*Heb* 9, 14).

Así se explica la atribución de una perenne fuerza salvífica *al sacerdocio de Cristo,* por ella «su poder es perfecto para salvar a los que por Él se acercan a Dios y siempre vive para interceder por ellos» (*Heb* 7, 25).

10. Finalmente podemos observar que en la *Carta a los Hebreos* se afirma, de forma clara y convincente, que Jesucristo *ha cumplido* con toda su vida y sobre todo con el sacrificio de la cruz, *lo que se ha inscrito en la tradición mesiánica de la Revelación divina. Su sacerdocio* es puesto en referencia al servicio ritual de los sacerdotes de la Antigua Alianza, que sin embargo Él sobrepasa, *como Sacerdote y como Víctima.* En Cristo, pues, se cumple el eterno designio de Dios que dispuso la institución del sacerdocio en la historia de la Alianza.

11. Según la *Carta a los Hebreos,* el cumplimiento mesiánico está simbolizado por la figura de Melquisedec. En efecto, en ella se lee que por voluntad de Dios: «a semejanza de Melquisedec se levanta otro Sacerdote, instituido *no en razón de una ley carnal* (o sea, por institución legal), sino *de un poder de vida indestructible*» (*Heb* 7, 15-16). Se trata, pues, de un sacerdocio eterno (cfr *Heb* 7, 3. 24).

La Iglesia guardiana e intérprete de éstos y de otros textos que hay en el Nuevo Testamento, ha reafirmado repetidas veces la verdad del Mesías-Sacerdote, tal como atestigua, por ejemplo, el Concilio Ecuménico de Éfeso (431), el de Trento (1562) y, en nuestros días, el Concilio Vaticano II (1962-65).

Un testimonio evidente de esta verdad lo encontramos en el *sacrificio eucarístico* que por institución de Cristo ofrece la Iglesia cada día *bajo las especies del pan y del vino,* es decir, «según el rito de Melquisedec».

7. JESUCRISTO, MESÍAS «PROFETA»*

1. Durante el proceso *ante Pilato, Jesús,* al ser interrogado si era rey, primero niega que sea rey en sentido terreno y político; después, cuando Pilato se lo pregunta por segunda vez, responde: «Tú dices que soy rey. *Yo para esto he nacido* y para esto he venido al mundo, *para dar testimonio de la verdad*» (*Jn* 18, 37). Esta respuesta une la misión real y sacerdotal del Mesías con la característica esencial de la misión profética. En efecto, *el Profeta* es llamado y enviado a dar testimonio de la verdad. Como testigo de la verdad *él habla en nombre de Dios*. En cierto sentido es la voz de Dios. Tal fue la misión de los Profetas que Dios envió a lo largo de los siglos a Israel.

En la figura de David, rey y profeta, es en quien especialmente *la característica* profética se une a *la vocación real.*

2. La historia de los Profetas del Antiguo Testamento indica claramente que la tarea de proclamar la verdad, al hablar en nombre de Dios, es antes que nada un *servicio,* tanto en relación con Dios que envía, como en relación con el pueblo al que el Profeta se presenta como enviado de Dios. De ello se deduce que *el servicio profético no sólo*

* Audiencia general, 25-II-1987.

es eminente y honorable, sino también *difícil y fatigoso.* Un ejemplo evidente de ello es lo que le ocurrió al Profeta Jeremías, quien encuentra resistencia, rechazo y finalmente persecución, en la medida en que *la verdad* proclamada es *incómoda.* Jesús mismo, que muchas veces se refirió a los sufrimientos que padecieron los Profetas, los experimentó personalmente de forma plena.

3. Estas primeras referencias al carácter ministerial de la misión profética nos introducen *en la figura* del Siervo de Dios (Ebed Yahvéh) que se encuentra *en Isaías* (y precisamente en el llamado «Deutero-Isaías»). En esta figura la tradición mesiánica de la Antigua Alianza encuentra una expresión especialmente rica, e importante, si consideramos que el Siervo de Yahvéh, en el que sobresalen sobre todo las características del *Profeta,* une en sí mismo, en cierto modo, también la cualidad del *sacerdote* y del *rey.* Los Cantos de Isaías sobre *el Siervo de Yahvéh* presentan una síntesis veterotestamentaria del Mesías, abierta a ulteriores desarrollos. Si bien están escritos muchos siglos antes de Cristo, sirven de modo sorprendente *para la identificación de su figura,* especialmente en cuanto a la descripción del Siervo de Yahvéh sufriente: un cuadro tan justo y fiel que se diría que está hecho teniendo delante los acontecimientos de la Pascua de Cristo.

4. Hay que observar que el término «Siervo», «*Siervo de Dios*» se emplea abundantemente en el Antiguo Testamento. A muchos personajes eminentes se les llama o se les define «siervos de Dios». Así *Abraham* (*Gen* 26, 24), *Jacob* (*Gen* 32, 11), *Moisés, David y Salomón, los Profetas.* La Sagrada Escritura también atribuye este término a algunos personajes paganos que cumplen su papel en la historia de Israel: así, por ejemplo, a Nabucodonosor (*Jer* 25, 8-9) y a Ciro (*Is* 44, 26). Finalmente, *todo Israel* como pueblo es llamado «*siervo de Dios*» (cfr *Is* 41, 8-9; 42, 19; 44,

21; 48, 20), según un uso lingüístico del que se hace eco el canto de María que alaba a Dios porque «auxilia a Israel, su siervo» (*Lc* 1, 54).

5. En cuanto a los *Cantos* de Isaías *sobre el Siervo de Yahvéh* constatamos ante todo los que *se refieren* no a una entidad colectiva, como puede ser un pueblo, sino *a una persona determinada* a la que el Profeta distingue en cierto modo de Israel-pecador: «*He aquí a mi siervo, a quien sostengo yo* –leemos en el primer Canto–, mi elegido en quien se complace mi alma. *He puesto mi espíritu sobre él;* él dará el derecho a las naciones. No gritará, no hablará recio ni hará oír su voz en las plazas. No romperá la caña cascada ni apagará la mecha que se extingue ... *sin cansarse ni desmayar, hasta que establezca el derecho en la tierra...*» (*Is* 42, 1-4). «Yo, Yahvéh... te he formado y te he puesto por alianza del pueblo y para luz de las gentes, *para abrir los ojos de los ciegos,* para sacar de la cárcel a los presos, del calabozo a los que moran en las tinieblas» (*Is* 42, 6-7).

6. El segundo Canto desarrolla el mismo concepto: «Oídme, islas; atended, pueblos lejanos: *Yahvéh me llamó desde el seno materno,* desde las entrañas de mi madre me llamó por mi nombre. Y puso mi boca como cortante espada, me ha guardado a la sombra de su mano, hizo de mí aguda saeta y me guardó en su aljaba» (*Is* 49, 6). «Dijo: *ligera cosa es para mí que seas tú mi siervo,* para restablecer *las tribus de Jacob... Yo te he puesto para luz de las gentes, para llevar mi salvación hasta los confines de la tierra*» (*Is* 49, 6). «El Señor, Yahvéh, me ha dado lengua de discípulo, para saber sostener con palabras al cansado» (*Is* 50, 4). Y también: «Así se admirarán muchos pueblos y los reyes cerrarán ante él su boca» (*Is* 52, 15). «El Justo, mi Siervo, justificará a muchos y cargará con las iniquidades de ellos» (*Is* 53, 11).

7. Estos últimos textos, pertenecientes a los *Cantos* tercero y cuarto, nos introducen con realismo impresionante en el *cuadro del Siervo Sufriente* al que deberemos volver nuevamente. Todo lo que dice Isaías parece anunciar de modo sorprendente lo que en el alba misma de la vida de Jesús predecirá el santo anciano *Simeón,* cuando lo saludó como *«luz para iluminación de las gentes»* y al mismo tiempo como *«signo de contradicción»* (cfr *Lc* 2, 32. 34). Ya en el libro de Isaías la figura del Mesías emerge como *Profeta,* que viene al mundo para dar testimonio de la verdad, y *que precisamente a causa de esta verdad será rechazado por su pueblo,* llegando a ser con su muerte motivo de justificación para «muchos».

8. Los Cantos del Siervo de Yahvéh encuentran amplia resonancia *en el Nuevo Testamento,* desde el comienzo de la actividad mesiánica de Jesús. Ya la descripción del *bautismo en el Jordán* permite establecer un paralelismo con los textos de Isaías. Escribe Mateo: «Bautizado Jesús. .. he aquí que se abrieron los cielos, y vio *al Espíritu de Dios* descender como paloma y venir sobre Él» (*Mt* 3 16); en Isaías se dice: «He puesto mi espíritu sobre Él» (*Is* 42, 1). El Evangelista añade: «Mientras una voz del cielo decía: *Éste es mi Hijo amado,* en quien tengo mis complacencias» (*Mt* 3, 17), y en Isaías Dios dice del Siervo: «Mi elegido en quien se complace mi alma» (*Is* 42, 1). Juan Bautista señala a Jesús que se acerca al Jordán, con las palabras: «*He aquí el Cordero de Dios, que quita el pecado del mundo*» (*Jn* 1, 29), exclamación que representa casi una síntesis del contenido del Canto tercero y cuarto sobre el *Siervo de Yahvéh sufriente.*

9. Una relación análoga se encuentra en el fragmento en que Lucas narra las primeras palabras mesiánicas pronunciadas por Jesús en la *sinagoga de Nazaret,* cuando Jesús lee el texto de Isaías: «El Espíritu del Señor está sobre

mí, porque me ungió para evangelizar a los pobres; me envió a predicar a los cautivos la libertad, a los ciegos la recuperación de la vista; para poner en libertad a los oprimidos, para anunciar un año de gracia del Señor» (*Lc* 4, 17-19). Son *las palabras del primer Canto sobre el Siervo de Yahvéh* (*Is* 42, 1-7; cfr también *Is* 61, 1-2).

10. Si miramos también la vida y el ministerio de Jesús, Él se nos manifiesta como el Siervo de Dios, que trae la *salvación a los hombres,* que los *sana,* que los libra de su iniquidad, que los quiere ganar para Sí *no con la fuerza, sino con la bondad.* El Evangelio, especialmente el de San Mateo, hace referencia muchas veces al libro de Isaías, cuyo anuncio profético se realiza en Cristo: así cuando narra que «ya atardecido, le presentaron muchos endemoniados, y arrojaba con una palabra los espíritus, y a todos los que se sentían mal los curaba, *para que se cumpliese lo dicho por el Profeta Isaías,* que dice: Él tomó nuestras enfermedades y cargó con nuestras dolencias» (*Mt* 8, 16-17; cfr *Is* 53, 4). Y en otro lugar: «Muchos le siguieron, y los curaba a todos... para que se cumpliera el anuncio del Profeta Isaías: He aquí a mi siervo..» (*Mt* 12, 15-21), y aquí el Evangelista narra un largo fragmento del primer Canto sobre el Siervo de Yahvéh.

11. Como los Evangelios, también los Hechos de los Apóstoles demuestran que la primera generación de los discípulos de Cristo, comenzando por los Apóstoles, está profundamente convencida de que en Jesús se cumplió todo lo que el Profeta Isaías había anunciado en sus Cantos inspirados: *que Jesús es el elegido Siervo de Dios* (cfr por ejemplo, *Hch* 3, 13; 3, 26; 4, 27; 4, 30; *1 Pe* 2, 22-25), *que cumple la misión del Siervo de Yahvéh* y trae la nueva ley, es la luz y alianza para todas las naciones (cfr *Hch* 13, 46-47). Esta misma convicción la volvemos a encontrar

también en la «Didajé», en el «Martirio de San Policarpo», y en la primera Carta de San Clemente Romano.

12. Hay que añadir un dato de gran importancia: Jesús mismo habla de Sí como de un siervo, aludiendo claramente a *Is* 53, cuando dice: «El Hijo del hombre *no ha venido a ser servido, sino a servir y a dar su vida en rescate por muchos*» (*Mc* 10, 45; *Mt* 20, 28) y expresa el mismo concepto cuando lava los pies a los Apóstoles (*Jn* 13, 3-4; 12-15).

En el conjunto del Nuevo Testamento, junto a los textos y a las alusiones al primer Canto del Siervo de Yahvéh (*Is* 42, 1-7), que subrayan la elección del Siervo y su misión profética de liberación, de curación y de alianza para todos los hombres, el mayor número de textos hace referencia al Canto tercero y cuarto (*Is* 50, 4-11; 52, 13-53, 12) *sobre el Siervo Sufriente.* Es la misma idea expresada de modo sintético por San Pablo en la Carta a los Filipenses, cuando hace un himno a Cristo: «el cual, siendo de condición divina, no retuvo ávidamente el ser igual a Dios. Sino que *se despojó de Sí mismo tomando la condición de siervo* y apareciendo en su porte como hombre; y se humilló a Sí mismo, *obedeciendo hasta la muerte*» (*Flp* 2, 6-8).

Sección II
JESUCRISTO, PRESENTADO POR EL NUEVO TESTAMENTO

8. JESUCRISTO, CUMPLIMIENTO DE LAS PROFECÍAS SOBRE EL MESÍAS*

1. En las catequesis precedentes hemos intentado mostrar *los aspectos más relevantes* de la verdad sobre el Mesías tal como fue preanunciada en la Antigua Alianza y tal como fue heredada por la generación de los contemporáneos de Jesús de Nazaret, que entraron en la *nueva etapa de la Revelación divina.* De esta generación, los que siguieron a Jesús lo hicieron porque estaban convencidos de que en Él se había cumplido la verdad sobre el Mesías: que *Él es el Mesías, el Cristo.* Son muy significativas las palabra con que Andrés, el primero de los Apóstoles llamados por Jesús anuncia a su hermano Simón. «Hemos encontrado al Mesías (que significa el Cristo)» (*Jn* 1, 41).

Sin embargo, hay que reconocer que *constataciones* tan explícitas como ésta son *más bien raras en los Evangelios.* Ello se debe también al hecho de que en la sociedad israelita de entonces se hallaba difundida una imagen de Mesías al que Jesús no quiso adaptar su figura y su obra, a pesar del asombro y la admiración suscitados por todo lo que «hizo y enseñó» (*Hch* 1, 1).

---

* Audiencia general, 4-III-1987.

2. Es más, sabemos incluso que *el mismo Juan Bautista,* que había señalado a Jesús junto al Jordán como «El que tenía que venir» (cfr *Jn* 1, 15-30), pues, con espíritu profético, había visto en Él al «Cordero de Dios» que venía para quitar los pecados del mundo; Juan, que había anunciado el «nuevo bautismo» que administraría Jesús con la fuerza del Espíritu, cuando se hallaba ya en la cárcel, mandó a sus discípulos a preguntar a Jesús: «*¿Eres Tú el que ha de venir* o esperamos a otro?» (*Mt* 11, 3).

3. Jesús no deja sin respuesta a Juan y a sus mensajeros: «Id y comunicad a Juan lo que habéis visto y oído: los ciegos ven, los cojos andan, los leprosos quedan limpios, los sordos oyen, los muertos resucitan y los pobres son evangelizados» (*Lc* 7, 22). Con esta respuesta Jesús pretende *confirmar su misión mesiánica* y recurre en concreto *a las palabras de Isaías* (cfr *Is* 35, 4-5; 6, 1). Y concluye: «Bienaventurado quien no se escandaliza de mí» (*Lc* 7, 23). Estas palabras finales resuenan como una llamada dirigida directamente a Juan, su heroico precursor, que tenía una idea distinta del Mesías. Efectivamente, en su predicación, Juan había delineado la figura del *Mesías como la de un juez severo.* En este sentido había hablado «de la ira inminente», del «hacha puesta ya a la raíz del árbol» (cfr *Lc* 3, 7. 9), para cortar todas las plantas «que no den buen fruto» (*Lc* 3, 9). Es cierto que Jesús no dudaría en tratar con firmeza e incluso con aspereza, cuando fue necesario, la obstinación y la rebelión contra la Palabra de Dios; pero Él iba a ser, sobre todo, el anunciador de la *«buena nueva a los pobres»* y con sus obras y prodigios revelaría *la voluntad salvífica de Dios,* Padre misericordioso.

4. La respuesta que Jesús da a Juan presenta también otro momento que es interesante subrayar: *Jesús evita proclamarse Mesías abiertamente.* De hecho, en el contexto social de la época ese título resultaba muy ambiguo: la gente

lo interpretaba por lo general en sentido político. Por ello Jesús prefiere referirse al testimonio ofrecido por sus obras, deseoso sobre todo de persuadir y de suscitar la fe.

5. Ahora bien, en los Evangelios no faltan casos especiales, como el *diálogo con la samaritana,* narrado en el Evangelio de Juan. A la mujer que le dice: «Yo sé que el Mesías, el que se llama Cristo está para venir y que cuando venga nos hará saber todas las cosas», Jesús le responde: «Yo soy, el que habla contigo» (*Jn* 4, 25-26).

Según el contexto del dialogo, Jesús *convenció a la samaritana,* cuya disponibilidad para la escucha había intuido; de hecho cuando esta mujer volvió a su ciudad, se apresuró a decir a la gente: «Venid a ver un hombre que me ha dicho todo cuanto he hecho. ¿No será el Mesías?» (*Jn* 4, 28-29). Animados por su palabra, muchos samaritanos salieron al encuentro de Jesús, lo escucharon, y concluyeron a su vez: «Éste es verdaderamente el Salvador del mundo» (*Jn* 4, 42).

6. *Entre los habitantes de Jerusalén,* por el contrario, las palabras y los milagros de Jesús suscitaron cuestiones en torno a su condición mesiánica. Algunos excluían que pudiera ser el Mesías: «De éste sabemos de dónde viene, mas del Mesías, cuando venga, nadie sabrá de dónde viene» (*Jn* 7, 27). Pero otros decían: «El Mesías, cuando venga, *¿podrá hacer signos más grandes de los que ha hecho éste?»* (*Jn* 7, 31). «¿No será éste el Hijo de David?» (*Mt* 12, 23). Incluso llegó a intervenir el Sanedrín, decretando que *«si alguno lo confesaba Mesías fuera expulsado de la sinagoga»* (*Jn* 9, 22).

7. Con estos elementos podemos llegar a comprender el significado clave de la conversación de Jesús con los Apóstoles cerca de Cesarea de Filipo. «Jesús... les preguntó: *¿Quién* dicen los hombres que soy yo? Ellos le respon-

dieron, diciendo: Unos, que Juan Bautista; otros que Elías y otros, que uno de los Profetas. Pero Él les preguntó: *Y vosotros, ¿quién* decís que soy yo? Respondiendo Pedro, le dijo: Tú eres el Cristo» (*Mc* 8, 27-29; cfr además *Mt* 16, 13-16 y *Lc* 9, 18-21), es decir, el Mesías.

8. Según el Evangelio de Mateo esta respuesta ofrece a Jesús la ocasión para anunciar el primado de Pedro en la futura Iglesia (cfr *Mt* 16, 18). Según Marcos, *tras la respuesta* de Pedro, Jesús ordenó severamente a los Apóstoles «que no dijeran nada a nadie» (*Mc* 8, 30). De lo cual se puede deducir que Jesús no sólo no proclamaba que Él era el Mesías, sino que tampoco quería que los Apóstoles difundieran por el momento la verdad sobre su identidad. Quería, en efecto, que sus contemporáneos llegaran a tal convencimiento contemplando sus obras y escuchando su enseñanza. Por otra parte, el mismo hecho de que *los Apóstoles estuvieran convencidos* de lo que Pedro había dicho en nombre de todos al proclamar: «Tú eres el Cristo», demuestra que *las obras y palabras de Jesús* constituían una *base* suficiente sobre la que podía fundarse y desarrollarse la fe en que Él era el Mesías.

9. Pero la continuación de ese diálogo tal y como aparece en los dos textos paralelos de Marcos y Mateo es aún más significativa en relación con la idea que tenía Jesús sobre su condición de Mesías (cfr *Mc* 8, 31-33; *Mt* 16, 21-23). Efectivamente; casi en conexión estrecha con la profesión de fe de los Apóstoles, Jesús «comenzó a enseñarles como era preciso que *el Hijo del Hombre padeciese mucho,* y que fuese rechazado por los ancianos y los príncipes de los sacerdotes y los escribas y que fuese muerto y resucitado al tercer día» (*Mc* 8, 31). El Evangelista Marcos hace notar: «Les hablaba de esto abiertamente» (*Mc* 8, 32). Marcos dice que «*Pedro, tomándole aparte,* se puso a reprenderle» (*Mc* 8, 32). Según Mateo, los términos de la re-

prensión fueron éstos: «No quiera Dios, *Señor, que esto suceda*» (*Mt* 16, 22). Y ésta fue la reacción del Maestro: Jesús «reprendió a Pedro diciéndole: Quítate allá, *Satán,* pues tus pensamientos no son los de Dios, sino los de los hombres» (*Mc* 8, 33; *Mt* 16, 23).

10. En esta reprensión del Maestro se puede percibir algo así como *un eco lejano* de la tentación de que fue objeto Jesús en el desierto en los comienzos de su actividad mesiánica (cfr *Lc* 4, 1-13), cuando Satanás quería apartarlo del cumplimiento de la voluntad del Padre hasta el final. *Los Apóstoles,* y de un modo especial Pedro, a pesar que habían profesado su *fe en la misión mesiánica de Jesús* afirmando «Tú eres el Mesías», no lograban librarse completamente de aquella concepción demasiado *humana* y terrena del Mesías, y *admitir la perspectiva de un Mesías que iba a padecer* y a sufrir la muerte. Incluso en el momento de la ascensión, preguntarían a Jesús: «¿...vas a reconstruir el reino de Israel» (cfr *Hch* 1, 6).

11. Precisamente ante esta actitud *Jesús reacciona con tanta decisión* y severidad. En Él, la conciencia de la misión mesiánica correspondía a los Cantos sobre el Siervo de Yahvéh de Isaías y, de un modo especial, a lo que había dicho el Profeta sobre el *Siervo Sufriente:* «Sube ante él como un retoño, como raíz en tierra árida. No hay en él parecer, no hay hermosura... Despreciado y abandonado de los hombres, *varón de dolores,* y familiarizado con el sufrimiento, y como uno ante el cual se oculta el rostro, menospreciado sin que le tengamos en cuenta ... Pero fue él ciertamente quien soportó nuestros sufrimientos y cargó con nuestros dolores... Fue traspasado por nuestras iniquidades y molido por nuestros pecados» (*Is* 53, 2-5).

Jesús defiende con firmeza esta verdad sobre el Mesías, pretendiendo realizarla en Él hasta las últimas consecuencias, ya que en ella se expresa *la voluntad salvífica del*

Padre: «El Justo, mi siervo, justificará a muchos» (*Is* 53, 11). Así se prepara personalmente y prepara a los suyos para el acontecimiento en que el «misterio mesiánico» encontrará su *realización plena:* la Pascua de su muerte y de su resurrección.

9. JESUCRISTO, INAUGURACIÓN Y CUMPLIMIENTO DEL REINO DE DIOS*

1. *«Se ha cumplido el tiempo, está cerca el reino de Dios»* (*Mc* 1, 15). Con estas palabras Jesús de Nazaret comienza su predicación mesiánica. El reino de Dios, que en Jesús *irrumpe* en la vida y en la *historia del hombre,* constituye el cumplimiento de las promesas de salvación que Israel había recibido del Señor.

Jesús se revela Mesías, no porque busque un dominio temporal y político según la concepción de sus contemporáneos, sino porque con su misión, que culmina en la pasión-muerte-resurrección, «todas las promesas de Dios han tenido su 'sí' en Él» (*2 Cor* 1, 20).

2. Para comprender plenamente la misión de Jesús es necesario recordar el mensaje del Antiguo Testamento que proclama la realeza salvífica del Señor. En el cántico de Moisés (*Ex* 15, 1-18), el Señor es aclamado «rey» porque ha liberado maravillosamente a su pueblo y lo ha guiado, con potencia y amor, a la comunión con Él y con los hermanos en el gozo de la libertad. También el antiquísimo Salmo 28/29 da testimonio de la misma fe: el Señor es contemplado en la potencia de su realeza, que domina todo lo creado y comunica a su pueblo fuerza, bendición y paz (*Sal* 28/29, 10). Pero la fe en el Señor «rey», se presenta completamente penetrada por el tema de la salvación, so-

* Audiencia general, 18-III-1987.

bre todo en la vocación de Isaías. El «Rey» contemplado por el Profeta con los ojos de la fe «sobre un trono alto y sublime» (*Is* 6, 1) es Dios en el misterio de su santidad transcendente y de su bondad misericordiosa, con la que se hace presente a su pueblo como fuente de amor que purifica, perdona, salva: «Santo, Santo, Santo, Yahvéh de los ejércitos. Está la tierra llena de tu gloria» (*Is* 6, 3).

Esta fe en la realeza salvífica del Señor impidió que, en el pueblo de la alianza, la monarquía se desarrollase de forma autónoma, como ocurría en el resto de las naciones: El rey es el elegido, el ungido del Señor y, como tal, es el instrumento mediante el cual *Dios mismo ejerce su soberanía sobre Israel* (cfr *1 Sm* 12, 12-15). «El Señor reina», proclaman continuamente los Salmos (cfr 5, 3; 9, 6; 28/29, 10; 92/93, 1; 96/97, 1-4; 145/146, 10).

3. Frente a la experiencia dolorosa de los límites humanos y del pecado, los *Profetas* anuncian una nueva alianza, en la que el Señor mismo será el guía salvífico y real de su pueblo renovado (cfr *Jer* 31, 31-34; *Ez* 34, 7-16; 36, 24-28).

En este contexto surge la expectación de un nuevo David, que el Señor suscitará para que sea el instrumento del éxodo, de la liberación, de la salvación (*Ez* 34, 23-25; cfr *Jer* 23, 5-6). Desde ese momento la figura del Mesías aparece en relación íntima con la manifestación de la realeza plena de Dios.

Tras el exilio, aun cuando la institución de la monarquía decayera en Israel, se continuó profundizando la fe en la realeza que Dios ejerce sobre su pueblo y que se extenderá hasta «los confines de la tierra». Los Salmos que cantan al Señor rey constituyen el testimonio más significativo de esta esperanza (cfr *Sal* 95/96-98/99).

Esta esperanza alcanza su grado máximo de intensidad cuando la mirada de la fe, dirigiéndose más allá del tiempo de la historia humana, llegará a comprender que sólo en la eternidad futura se establecerá el reino de Dios en todo su poder: entonces, mediante la resurrección, los redimidos se encontrarán en la plena comunión de vida y de amor con el Señor (cfr *Dan* 7, 9-10; 12, 2-3).

4. *Jesús alude a esta esperanza del Antiguo Testamento y proclama su cumplimiento.* El reino de Dios constituye el tema central de su predicación, como lo demuestran sobre todo *las parábolas*.

La parábola del sembrador (*Mt* 13, 3-8) proclama que el reino de Dios *está ya actuando* en la predicación de Jesús; al mismo tiempo invita a contemplar la abundancia de frutos que constituirán la riqueza sobreabundante del reino al final de los tiempos. La parábola de la semilla que crece por sí sola (*Mc* 4, 26-29) subraya que el reino no es obra humana, sino únicamente don del amor de Dios que actúa en el corazón de los creyentes y guía la historia humana hacia su realización definitiva en la comunión eterna con el Señor. La parábola de la cizaña en medio del trigo (*Mt* 13, 24-30) y la de la red para pescar (*Mt* 13, 47-52) se refieren, sobre todo, a la presencia, ya operante, de la salvación de Dios. Pero, junto a los «hijos del reino», se hallan también los «hijos del maligno», los que realizan la iniquidad: sólo al final de la historia serán destruidas las potencias del mal, y quien haya acogido el reino estará para siempre con el Señor. Finalmente, las parábolas del tesoro escondido y de la perla preciosa (*Mt* 13, 44-46), expresan el valor supremo y absoluto del reino de Dios: quien lo percibe, está dispuesto a afrontar cualquier sacrificio y renuncia para entrar en él.

5. De la enseñanza de Jesús nace una riqueza muy iluminadora. *El reino de Dios,* en su plena y total realización, es ciertamente futuro, «*debe venir*» (cfr *Mc* 9, 1; *Lc* 22, 18); la oración del Padrenuestro enseña a pedir su venida: «Venga a nosotros tu reino» (*Mt* 6, 10).

Pero al mismo tiempo, Jesús afirma que el reino de Dios «ya ha venido» (*Mt* 12, 28), «está dentro de vosotros» (*Lc* 17, 21) mediante la predicación y las obras, de Jesús. Por otra parte, de todo el Nuevo Testamento se deduce que la Iglesia, fundada por Jesús, es el lugar donde la realeza de Dios se hace presente, en Cristo, como don de salvación en la fe, de vida nueva en el Espíritu, de comunión en la caridad.

Se ve así la relación íntima entre el reino y Jesús, una relación tan estrecha que el reino de Dios puede llamarse también «reino de Jesús» (*Ef* 5, 5; *2 Pe* 1, 11), como afirma, por lo demás, el mismo Jesús ante Pilato al decir que «su» reino no es de este mundo (cfr *Jn* 18, 36).

6. Desde esta perspectiva podemos comprender las *condiciones* indicadas por Jesús *para entrar en el reino.* Se pueden resumir en la palabra «conversión». Mediante la conversión el hombre se abre al don de Dios (cfr *Lc* 12, 32), que llama «a su reino y a su gloria» (*1 Tes* 2, 12); acoge como un niño el reino (*Mc* 10, 15) y está dispuesto a todo tipo de renuncias para poder entrar en él (cfr *Lc* 18, 29; *Mt* 19, 29; *Mc* 10, 29).

El reino de Dios exige una «justicia» profunda o nueva (*Mt* 5, 20); requiere empeño en el cumplimiento de la «voluntad de Dios» (*Mt* 7, 21); implica sencillez interior «como los niños» (*Mt* 18, 3; *Mc* 10, 15); comporta la superación del obstáculo constituido por las riquezas (cfr *Mc* 10, 23-24).

7. *Las bienaventuranzas* proclamadas por Jesús (cfr *Mt* 5, 3- 12) se presentan como la «carta magna» del reino de los cielos, dado a los pobres de espíritu, a los afligidos, a los humildes, a quien tiene hambre y sed de justicia, a los misericordiosos, a los puros de corazón, a los artífices de paz, a los perseguidos por causa de la justicia. Las bienaventuranzas no muestran sólo las exigencias del reino;

manifiestan ante todo la obra que Dios realiza en nosotros haciéndonos semejantes a su Hijo (*Rom* 8, 29) y capaces de tener sus sentimientos (*Flp* 2, 5 ss.) de amor y de perdón (cfr *Jn* 13, 34-35; *Col* 3, 13)

8. La enseñanza de Jesús sobre el reino de Dios es testimoniada por la Iglesia del Nuevo Testamento, que vivió esta enseñanza con la alegría de su fe pascual. La Iglesia es la comunidad de los «pequeños» que el Padre «ha liberado del poder de las tinieblas y ha trasladado al reino del Hijo de su amor» (*Col* 1, 13); es la comunidad de los que viven «en Cristo», dejándose guiar por el Espíritu en el camino de la paz (*Lc* 1, 79), y que luchan para no «caer en la tentación» y evitar la obras de la «carne», sabiendo muy bien que «quienes tales cosas hacen no heredarán el reino de Dios» (*Gal* 5, 21). La Iglesia es la comunidad de quienes anuncian, con su vida y con sus palabras, el mismo mensaje de Jesús: «El reino de Dios está cerca de vosotros» (*Lc* 10, 9).

9. La Iglesia, que «camina a través de los siglos incesantemente a la plenitud de la verdad divina hasta que se cumpla en ella las palabras de Dios» (*Dei Verbum,* 8), pide al Padre en cada una de las celebraciones de la Eucaristía que «venga su reino». Vive esperando ardientemente la venida gloriosa del Señor y Salvador Jesús, que ofrecerá a la Majestad Divina «un reino eterno y universal: el reino de la verdad y la vida, el reino de la santidad y la gracia, el reino de la justicia, el amor y la paz» (*Prefacio de la solemnidad de Jesucristo, Rey del universo*).

Esta espera del Señor es fuente incesante de confianza y de energía. Estimula a los bautizados, hechos partícipes de la dignidad real de Cristo, a vivir día tras día «en el reino del Hijo de su amor», a testimoniar y anunciar la presencia del reino con las mismas obras de Jesús (cfr *Jn* 14, 12). En virtud de este testimonio de fe y de amor, enseña el Concilio, el mundo se impregnará del Espíritu de Cristo y alcanzará con mayor eficacia su fin en la justicia, en la caridad y en la paz (*Lumen Gentium,* 36).

10. JESUCRISTO, MESÍAS, Y LA SABIDURÍA DIVINA*

1. En el Antiguo Testamento se desarrolló y floreció una rica tradición de doctrina sapiencial. En el plano humano, dicha tradición manifiesta la sed del hombre de coordinar los datos de sus experiencias y de sus conocimientos para orientar su vida del modo más provechoso y sabio. Desde este punto de vista, Israel no se aparta de las formas sapienciales presentes en otras culturas de la antigüedad, y elabora una propia sabiduría de vida, que abarca los diversos sectores de la existencia: individual, familiar, social, político.

Ahora bien, esta misma búsqueda sapiencial no se desvinculó nunca de la fe en el Señor, Dios del Éxodo; y ello se debió a la convicción que se mantuvo siempre presente en la historia del pueblo elegido, de que sólo en Dios residía la Sabiduría perfecta. Por ello, el «temor del Señor», es decir, la orientación religiosa y vital hacia Él, fue considerado el «principio», el «fundamento», la «escuela» de la verdadera sabiduría (*Prov* 1, 7; 9, 10; 15, 33).

2. Bajo el influjo de la tradición litúrgica y profética, el tema de la sabiduría se enriquece con una profundización singular, llegando a empapar toda la Revelación. De hecho, tras el exilio se comprende con mayor claridad que la sabiduría humana es un reflejo de la Sabiduría divina, que Dios «derramó sobre todas sus obras, y sobre toda carne, según su liberalidad» (*Eclo* 1, 9-10). El momento más alto de la donación de la Sabiduría tiene lugar con la

* Audiencia general, 22-IV-1987.

revelación al pueblo elegido, al que el Señor hace conocer su palabra (*Dt* 30, 14). Es más, la Sabiduría divina, conocida en la forma más plena de que el hombre es capaz, es la Revelación misma, la «Tora», «el libro de la alianza de Dios altísimo» (*Eclo* 24, 32).

3. La Sabiduría divina aparece en este contexto como el designio misterioso de Dios que está en el origen de la creación y de la salvación. Es la luz que lo ilumina todo, la palabra que revela, la fuerza del amor que une a Dios con su creación y con su pueblo. La Sabiduría divina no se considera una doctrina abstracta, sino una persona que procede de Dios: está cerca de Él «desde el principio» (*Prov* 8, 23), es su delicia en el momento de la creación del mundo y del hombre, durante la cual se deleita ante él (*Prov* 8, 22-31).

El texto de Ben Sira recoge este motivo y lo desarrolla, describiendo la Sabiduría divina que encuentra su lugar de «descanso» en Israel y se establece en Sión (*Eclo* 24, 3-12), indicando de ese modo que la fe del pueblo elegido constituye la vía más sublime para entrar en comunión con el pensamiento y el designio de Dios. El último fruto de esta profundización en el Antiguo Testamento es el libro de la Sabiduría, redactado poco antes del nacimiento de Jesús. En él se define a la Sabiduría divina como «hálito del poder de Dios, resplandor de la luz eterna, espejo sin mancha del actuar de Dios, imagen de su bondad», fuente de la amistad divina y de la misma profecía (*Sab* 7, 25-27).

4. A este nivel de símbolo personalizado del designio divino, la Sabiduría es una figura con la que se presenta la intimidad de la comunión con Dios y la exigencia de una respuesta personal de amor. La Sabiduría aparece por ello como la esposa (*Prov* 4, 6-9), la compañera de la vida (*Prov* 6, 22; 7, 4). Con las motivaciones profundas del

amor, la Sabiduría invita al hombre a la comunión con ella y, en consecuencia, a la comunión con el Dios vivo. Esta comunión se describe con la imagen litúrgica del banquete: «Venid y comed mi pan y bebed mi vino que he mezclado» (*Prov* 9, 5): una imagen que la apocalíptica volverá a tomar para expresar la comunión eterna con Dios, cuando Él mismo elimine la muerte para siempre (*Is* 25, 6-7).

5. A la luz de esta tradición sapiencial podemos comprender mejor el misterio de Jesús Mesías. Ya un texto profético del libro de Isaías habla del espíritu del Señor que se posará sobre el Rey-Mesías y caracteriza ese Espíritu ante todo como «Espíritu de sabiduría y de inteligencia» y luego como «Espíritu de entendimiento y de temor de Yahvéh» (*Is* 11, 2).

En el Nuevo Testamento son varios los textos que presentan a Jesús lleno de la Sabiduría divina. El Evangelio de la infancia según San Lucas insinúa el rico significado de la presencia de Jesús entre los doctores del templo, donde «cuantos le oían quedaban estupefactos de su inteligencia» (*Lc* 2, 47), y resume la vida oculta en Nazaret con las conocidas palabras: «Jesús crecía en sabiduría y edad y gracia ante Dios y ante los hombres» (*Lc* 2, 52).

Durante los años del ministerio de Jesús, su doctrina suscitaba sorpresa y admiración: «Y la muchedumbre que le oía se maravillaba diciendo: ¿De dónde le viene a éste tales cosas, y qué sabiduría es ésta que le ha sido dada?» (*Mc* 6, 2).

Esta Sabiduría, que procedía de Dios, confería a Jesús un prestigio especial: «Porque les enseñaba como quien tiene poder, y no como sus doctores» (*Mt* 7, 29); por ello se presenta como quien es «más que Salomón» (*Mt* 12, 42). Puesto que Salomón es la figura ideal de quien ha recibido la Sabiduría divina, se concluye que en esas palabras Jesús aparece explícitamente como la verdadera Sabiduría revelada a los hombres.

6. Esta identificación de Jesús con la Sabiduría la afirma el Apóstol Pablo con profundidad singular. Cristo, escribe Pablo, «ha venido a ser para nosotros, de parte de Dios, sabiduría, justicia, santificación y redención» (*1 Cor* 1, 30). Es más, Jesús es la «sabiduría que no es de este siglo... predestinada por Dios antes de los siglos para nuestra gloria» (*1 Cor* 2, 6-7). La «Sabiduría de Dios» es identificada con el Señor de la gloria que ha sido crucificado. En la cruz y en la resurrección de Jesús se revela, pues, en todo su esplendor, el designio misericordioso de Dios, que ama y perdona al hombre hasta el punto de convertirlo en criatura nueva. La Sagrada Escritura habla además de otra sabiduría que no viene de Dios, la «sabiduría de este siglo», la orientación del hombre que se niega a abrirse al misterio de Dios, que pretende ser el artífice de su propia salvación. A sus ojos la cruz aparece como una locura o una debilidad; pero quien tiene fe en Jesús, Mesías y Señor, percibe con el Apóstol que «la locura de Dios es más sabia que los hombres, y la flaqueza de Dios, más poderosa que los hombres» (*1 Cor* 1, 25).

7. A Cristo se le contempla cada vez con mayor profundidad como la verdadera «Sabiduría de Dios». Así, refiriéndose claramente al lenguaje de los libros sapienciales, se le proclama «imagen del Dios invisible», «primogénito de toda criatura», Aquel por medio del cual fueron creadas todas las cosas y en el cual subsisten todas las cosas (cfr *Col* 1, 15-17); Él, en cuanto Hijo de Dios, es «irradiación de su gloria e impronta de su sustancia y el que con su poderosa palabra sustenta todas las cosas» (*Heb* 1, 3).

La fe en Jesús, Sabiduría de Dios, conduce a un «conocimiento pleno» de la voluntad divina, «con toda sabiduría e inteligencia espiritual», y hace posible comportarse «de una manera digna del Señor, procurando serle grato en todo, dando frutos de toda obra buena y creciendo en el conocimiento de Dios» (*Col* 1, 9-10).

8. Por su parte, el Evangelista Juan, evocando la Sabiduría descrita en su intimidad con Dios, habla del Verbo que estaba en el principio, junto a Dios, y confiesa que «el Verbo era Dios» (*Jn* 1, 1). La Sabiduría, que el Antiguo Testamento había llegado a equiparar a la Palabra de Dios, es identificada ahora con Jesús, el Verbo que «se hizo carne y habitó entre nosotros» (*Jn* 1, 14). Como la Sabiduría, también Jesús, Verbo de Dios, invita al banquete de su palabra y de su cuerpo, porque Él es «el pan de vida» (*Jn* 6, 48), da el agua viva del Espíritu (*Jn* 4, 10; 7, 37-39), tiene «palabras de vida eterna» (*Jn* 6, 68). En todo esto, Jesús es verdaderamente «más que Salomón», porque no sólo realiza de forma plena la misión de la Sabiduría, es decir, manifestar y comunicar el camino, la verdad y la vida, sino que Él mismo es «el camino, la verdad y la vida» (*Jn* 14, 6), es la revelación suprema de Dios en el misterio de su paternidad (*Jn* 1, 18; 17, 6).

9. Esta fe en Jesús, revelador del Padre, constituye el aspecto más sublime y consolador de la Buena Nueva. Éste es precisamente el testimonio que nos llega de las primeras comunidades cristianas, en las cuales continuaba resonando el himno de alabanza que Jesús había elevado al Padre, bendiciéndolo porque en su beneplácito había revelado «estas cosas» a los pequeños.

La Iglesia ha crecido a través de los siglos con esta fe: «Nadie conoce al Hijo sino el Padre, y nadie conoce al Padre sino el Hijo y aquel a quien el Hijo se lo quiera revelar» (*Mt* 11, 27). En definitiva, revelándonos al Hijo mediante el Espíritu, Dios nos manifiesta su designio, su sabiduría, la riqueza de su gracia «que derramó superabundantemente sobre nosotros con toda sabiduría e inteligencia» (*Ef* 1, 8).

11. JESUCRISTO, HIJO DEL HOMBRE*

1. *Jesucristo, Hijo del hombre e Hijo de Dios:* éste es el tema culminante de nuestras catequesis sobre la identidad del Mesías. Es la verdad fundamental de la revelación cristiana y de la fe: la humanidad y la divinidad de Cristo, sobre la cual reflexionaremos más adelante con mayor amplitud. Por ahora nos urge completar el análisis de los títulos mesiánicos presentes ya de algún modo en el Antiguo Testamento y ver en qué sentido se los atribuye Jesús a Sí mismo.

En relación con el título «*Hijo del hombre*», resulta significativo que Jesús lo usara frecuentemente hablando de Sí, mientras que los demás lo llaman Hijo de Dios, como veremos en la próxima catequesis. Él se autodefine «Hijo del hombre», mientras que nadie le daba este título si exceptuamos al diácono Esteban antes de la lapidación (*Hch* 7, 56) y al autor del Apocalipsis en dos textos (*Ap* 1, 13; 14, 14).

2. El título «*Hijo del hombre*» procede del Antiguo Testamento, en concreto del libro del *Profeta Daniel,* de la visión que tuvo de noche el Profeta: «Seguía yo mirando en la visión nocturna, y vi venir sobre las nubes del cielo a uno *como hijo de hombre,* que se llegó al anciano de muchos días y fue presentado ante éste. Fuele dado el señorío, la gloria y el imperio, y todos los pueblos, naciones y lenguas le sirvieron, y *su dominio es dominio eterno que no acabará* y su imperio, imperio que nunca desaparecerá» (*Dan* 7, 13-14).

* Audiencia general, 29-IV-1987.

Cuando el Profeta pide la explicación de esta visión, obtiene la siguiente respuesta: «Después recibirán el reino los santos del Altísimo y lo poseerán por siglos, por los siglos de los siglos... Entonces le darán el reino, el dominio y la majestad de todos los reinos de debajo del cielo al pueblo de los santos del Altísimo» (*Dan* 7, 18. 27). *El texto de Daniel contempla a una persona individual y al pueblo.* Señalemos ya ahora que lo que se refiere a la persona del Hijo del hombre se vuelve a encontrar en las palabras del Ángel en la Anunciación a María: «Reinará... por los siglos y su reino no tendrá fin» (*Lc* 1, 33).

3. Cuando Jesús utiliza el titulo «Hijo del hombre» para hablar de Sí mismo, recurre a una expresión proveniente de la *tradición canónica del Antiguo Testamento* presente también en los libros apócrifos del judaísmo. Pero conviene notar, sin embargo, que la expresión «hijo de hombre» (ben-adam) se había convertido en el arameo de la época de Jesús en una *expresión que indicaba simplemente «hombre»* (bar enas). Por eso, al referirse a Sí mismo como «Hijo del hombre», Jesús logró *casi esconder* tras el velo del significado común el significado mesiánico que tenía la palabra en la enseñanza profética. Sin embargo, no resulta casual; si bien las afirmaciones sobre el «Hijo del hombre» aparecen especialmente en el contexto de la vida terrena y de la pasión de Cristo, no faltan en relación con su elevación escatológica.

4. *En el contexto de la vida terrena de Jesús de Nazaret* encontramos textos como el siguiente: «Las raposas tienen cuevas, y las aves del cielo nidos; pero *el Hijo del hombre* no tiene dónde reclinar la cabeza» (*Mt* 8, 20); o este otro: «*Vino el Hijo del hombre,* comiendo y bebiendo, y dicen: es un comilón y bebedor de vino, amigo de publicanos y pecadores» (*Mt* 11, 19). Otras veces la palabra de Jesús asume un valor que indica con mayor profundidad su

poder. Así cuando afirma: «*Y dueño del sábado es el Hijo del hombre*» (*Mc* 2, 28). Con ocasión de la curación del paralítico, a quien introdujeron en la casa donde estaba Jesús haciendo un agujero en el techo, Él afirma en tono casi desafiante: «Pues para que veáis que *el Hijo del hombre tiene poder en la tierra para perdonar los pecados* –se dirige al paralítico–, yo te digo: Levántate, toma tu camilla y vete a tu casa» (*Mc* 2, 10-11) En otro texto afirma Jesús: «Porque como fue Jonás *señal* para los ninivitas, así también lo será el Hijo del hombre para esta generación» (*Lc* 11, 30) En otra ocasión se trata de una predicción rodeada de misterio: «Llegará el tiempo en que desearéis ver *un solo día al Hijo del hombre,* y no lo veréis» (*Lc* 17, 22).

5. Algunos teólogos señalan un paralelismo interesante *entre la profecía de Ezequiel y las afirmaciones de Jesús.* El Profeta escribe: «(Dios) me dijo: *Hijo de hombre,* yo te mando a los hijos de Israel... que se han rebelado contra mí... Diles: Así dice el Señor, Yahvéh» (*Ez* 2, 3-4). «Hijo de hombre, *habitas en medio de gente rebelde,* que tiene ojos para ver, y no ven; oídos para oír, y no oyen...» (*Ez* 12, 2). «Tú, hijo de hombre ... dirigirás tus miradas contra el muro de Jerusalén... profetizando contra ella» (*Ez* 4, 1-7). «*Hijo de hombre,* propón un enigma y compón una parábola sobre la casa de Israel» (*Ez* 17, 2).

Haciéndose eco de las palabras del Profeta, Jesús enseña: «Pues el Hijo del hombre ha venido a buscar y salvar lo que estaba perdido» (*Lc* 19, 10). «Pues tampoco el Hijo del hombre ha venido a ser servido, sino *a servir y a dar su vida en rescate por muchos*» (*Mc* 10, 45; cfr además *Mt* 20, 29). El «Hijo del hombre... cuando venga en la gloria del Padre, se avergonzará de quien se avergüence de Él y de sus palabras ante los hombres» (cfr *Mc* 8, 38).

6. La identidad del Hijo del hombre se presenta en el doble aspecto de *representante de Dios,* anunciador del

reino de Dios, Profeta que llama a la conversión. Por otra parte, es *«representante» de los hombres,* compartiendo con ellos su condición terrena y sus sufrimientos para redimirlos y salvarlos según el designio del Padre. Como dice Él mismo en el diálogo con Nicodemo: «A la manera que Moisés levantó la serpiente en el desierto, así es preciso *que sea levantado el Hijo del hombre,* para que todo el que crea en Él tenga la vida eterna» (*Jn* 3, 14-15).

Se trata de un anuncio claro de la pasión, que Jesús vuelve a repetir: «Comenzó a enseñarles cómo era preciso que *el Hijo del hombre padeciese mucho,* y que fuese rechazado por los ancianos y los príncipes de los sacerdotes y los escribas, y que fuese muerto y resucitara después de tres días» (*Mc* 8, 31). En el Evangelio de Marcos encontramos esta predicción repetida en *tres ocasiones* (cfr *Mc* 9, 31; 10, 33-34) y en todas ellas Jesús habla de Sí mismo como «Hijo del hombre».

7. Con este mismo apelativo se autodefine Jesús *ante el tribunal de Caifás,* cuando a la pregunta: «¿Eres tú el Mesías, el Hijo del Bendito?», responde: «Yo soy, y *veréis al Hijo del hombre* sentado a la diestra del Poder y venir sobre las nubes del cielo» (*Mc* 14, 62). En estas palabras resuena *el eco de la profecía de Daniel* sobre el «Hijo del hombre que viene sobre las nubes del cielo» (*Dan* 7, 13) y del Salmo 110, que contempla al Señor sentado a la derecha de Dios (cfr *Sal* 109/110, 1).

8. Jesús habla repetidas veces de la elevación del «Hijo del hombre», pero no oculta a sus oyentes que ésta incluye la humillación de la cruz. Frente a las objeciones y a la incredulidad de la gente y de los discípulos, que comprendían muy bien el carácter trágico de sus alusiones y que, sin embargo, le preguntaban: «¿Cómo, pues, dices tú que el Hijo del hombre ha de ser levantado? ¿Quién es este Hijo del hombre?» (*Jn* 12, 34), afirma Jesús claramente:

«Cuando levantéis en alto al Hijo del Hombre, entonces conoceréis que *yo soy* y no hago nada por mí mismo, sino que según me enseñó el Padre, así hablo» (*Jn* 8, 28). Jesús afirma que su «elevación» mediante la cruz *constituirá su glorificación.* Poco después añadirá: «es llegada la hora en que el Hijo del hombre será glorificado» (*Jn* 12, 23). Resulta significativo que cuando Judas abandonó el Cenáculo, Jesús afirme: «Ahora ha sido glorificado el Hijo del hombre, y Dios ha sido glorificado en él» (*Jn* 13, 31).

9. Éste es el contenido de vida, pasión, muerte y gloria, del que el Profeta Daniel había ofrecido sólo un simple esbozo. Jesús no duda en aplicarse incluso el carácter de reino eterno e imperecedero que Daniel había atribuido a la obra del Hijo del hombre, cuando *en la profecía sobre el fin del mundo* proclama: «Entonces *verán al Hijo del hombre* venir sobre las nubes con gran poder y majestad» (*Mc* 13, 26; cfr *Mt* 24, 30). En esta *perspectiva escatológica* debe llevarse a cabo la *obra evangelizadora* de la Iglesia. Jesús hace la siguiente advertencia: «No acabaréis las ciudades de Israel antes de que venga el Hijo del hombre» (*Mt* 10, 23). Y se pregunta: «Pero cuando venga el Hijo del hombre, ¿encontrará fe en la tierra?» (*Lc* 18, 8).

10. Si en su condición de «Hijo del hombre» Jesús realizó con su vida, pasión, muerte y resurrección el plan mesiánico delineado en el Antiguo Testamento, *al mismo tiempo asume con ese mismo nombre el lugar que le corresponde entre los hombres como hombre verdadero,* como hijo de una mujer, María de Nazaret. Mediante esta mujer, su Madre, Él, el «Hijo de Dios», es al mismo tiempo «*Hijo del hombre*», hombre verdadero, como testimonia la Carta a los Hebreos: «Se hizo realmente uno de nosotros, semejante a nosotros en todo, menos en el pecado» (Con. *Gaudium et spes,* 22; cfr *Heb* 4, 15).

12. JESUCRISTO, HIJO DE DIOS*

1. Según hemos tratado en las catequesis precedentes, el nombre de «Cristo» significa en el lenguaje del Antiguo Testamento «Mesías». Israel, el Pueblo de Dios de la Antigua Alianza, vivió en la espera de la realización de la promesa del Mesías, que *se cumplió en Jesús de Nazaret.* Por eso desde el comienzo se llamó a Jesús Cristo, esto es: «Mesías», y fue aceptado como tal por todos aquellos que «lo han recibido» (*Jn* 1, 12).

2. Hemos visto que, según la tradición de la Antigua Alianza, el Mesías es Rey y que este *Rey Mesiánico* fue llamado también *Hijo de Dios,* nombre que en el ámbito del monoteísmo yahvista del Antiguo Testamento tiene un *significado exclusivamente analógico,* e incluso, *metafórico.* No se trata en aquellos libros del Hijo «engendrado» por Dios, sino de alguien a quien Dios elige y le confía una concreta misión o servicio.

3. En este sentido también alguna vez todo el pueblo se denominó «hijo», como, por ejemplo, en las palabras que Yahvéh dirigió a Moisés: «Tú dirás al Faraón: ...Israel es *mi hijo,* mi primogénito... Yo mando que dejes a mi hijo ir a servirme» (*Ex* 4, 22-23; cfr también *Os* 11, 1; *Jer* 31, 9). Así, pues, si se llama al Rey en la Antigua Alianza «Hijo de Dios», es porque en la teocracia israelita, es Él el *representante especial* de Dios.

Lo vemos, por ejemplo, en el Salmo 2, con relación con la entronización del rey: «Él me ha dicho: Tú eres mi hijo, yo te he engendrado hoy» (*Sal* 2, 7-8). También en el Salmo 88 leemos: «Él (David) me invocará diciendo: tú eres mi padre... Y yo te haré mi primogénito, el más excelso de los reyes de la tierra» (*Sal* 88/89, 27-28). Después el

* Audiencia general, 13-V-1987.

profeta Natán hablará así a propósito de la descendencia de David: «Yo le seré a él padre y él me será a mí hijo. Si obrare mal yo le castigaré...» (*2 Sm* 7, 14).

No obstante, en el Antiguo Testamento, a través del *significado analógico* y metafórico de la expresión «Hijo de Dios», *parece que penetra en él otro,* que *permanece oscuro.* Así en el citado Salmo 2, Dios dice al rey: «Tú eres mi hijo, yo te he engendrado hoy» (*Sal* 2, 7), y en el Salmo 109/110: «Yo mismo te engendré como rocío antes de la aurora» (*Sal* 109/110, 3).

4. Es preciso tener presente este trasfondo bíblico-mesiánico para darse cuenta de que *el modo* de actuar y de *expresarse de Jesús* indica la conciencia de una *realidad* completamente *nueva.*

Aunque en los Evangelios sinópticos Jesús jamás se define como Hijo de Dios (lo mismo que no se llama Mesías), sin embargo, de diferentes maneras, afirma y hace comprender que es *el Hijo de Dios* y no en sentido analógico o metafórico, sino *natural.*

5. *Subraya* incluso *la exclusividad de su relación filial con Dios.* Nunca dice de Dios: «nuestro Padre», sino sólo «mi Padre», o distingue «mi Padre, vuestro Padre». No duda en afirmar: «Todo me ha sido entregado por mi Padre» (*Mt* 11, 27).

Esta exclusividad de la relación filial con Dios se manifiesta especialmente en la *oración,* cuando Jesús se dirige a Dios como Padre *usando la palabra aramea «Abbá»,* que indica una singular cercanía filial y, en boca de Jesús, constituye una expresión de su total entrega a la voluntad del Padre: «Abbá, Padre, todo te es posible; aleja de mí este cáliz» (*Mc* 14, 36).

Otras veces Jesús emplea la expresión «vuestro Padre», por ejemplo: «como vuestro Padre es misericordioso» (*Lc* 6, 36); «vuestro Padre, que está en los cielos» (*Mc*

11, 25). Subraya de este modo *el carácter específico de su propia relación con el Padre,* incluso deseando que esta Paternidad divina se comunique a los otros, como atestigua la oración del «Padre nuestro», que Jesús enseñó a sus discípulos y seguidores.

6. La verdad sobre *Cristo como Hijo de Dios* es el punto de convergencia *de todo el Nuevo Testamento.* Los Evangelios, y sobre todo el Evangelio de San Juan, y los escritos de los Apóstoles, de modo especial las *Cartas* de San Pablo, nos ofrecen testimonios explícitos. En esta catequesis *nos concentramos solamente en algunas afirmaciones* particularmente significativas, que, en cierto sentido, «nos abren el camino» hacia el descubrimiento de la verdad sobre Cristo como Hijo de Dios y nos acercan a una recta percepción de esta «filiación».

7. Es importante constatar que la convicción de la Filiación divina de Jesús se *confirmó con una voz desde el cielo* durante el Bautismo en el Jordán (cfr *Mc* 1, 11) y en el monte de la Transfiguración (cfr *Mc* 9, 7). En ambos casos, los Evangelistas nos hablan de la proclamación que hizo el Padre acerca de Jesús «(su) Hijo predilecto» (cfr *Mt* 3, 17; *Lc* 3, 22).

Los Apóstoles tuvieron una confirmación análoga dada por los *espíritus malignos* que arremetían contra Jesús: «¿Qué hay entre Ti y nosotros, Jesús Nazareno? ¿Has venido a perdernos? Te conozco: tú eres el Santo de Dios» (*Mc* 1, 24). «¿Qué hay entre Ti y mí, Jesús, Hijo del Altísimo?» (*Mc* 5, 7).

8. Si luego escuchamos el testimonio de los hombres, merece especial atención la *confesión de Simón Pedro,* junto a Cesarea de Filipo: «Tú eres el Mesías, el Hijo de Dios vivo» (*Mt* 16, 16). Notemos que esta confesión ha sido *confirmada* de forma insólitamente solemne por Je-

sús: «Bienaventurado tú, Simón Bar Jona, porque no es la carne ni la sangre quien esto te ha revelado, sino mi Padre, que está en los cielos» (*Mt* 16, 17). No se trata de un hecho aislado. En el mismo Evangelio de Mateo leemos que, al ver a Jesús caminar sobre las aguas del lago de Genesaret, calmar al viento y salvar a Pedro, los Apóstoles se postraron ante el Maestro, diciendo: «Verdaderamente tú eres el Hijo de Dios» (*Mt* 14, 33).

9. Así, pues, lo que Jesús hacía y enseñaba, alimentaba en los Apóstoles la convicción de que Él era no sólo el Mesías, sino también el verdadero «Hijo de Dios». Y Jesús confirmó esta convicción.

Fueron precisamente algunas de las afirmaciones proferidas por Jesús las que suscitaron contra Él *la acusación de blasfemia*. De ellas brotaron momentos singularmente dramáticos como atestigua el Evangelio de Juan, donde se lee que los judíos «buscaban... matarlo, pues no sólo quebrantaba el sábado, sino que decía que Dios era su Padre, haciéndose igual a Dios» (*Jn* 5, 18).

El mismo problema se plantea de nuevo en el proceso incoado a Jesús *ante el Sanedrín:* Caifás, Sumo Sacerdote, lo interpeló: «Te conjuro por Dios vivo a que me digas *si eres tú* el Mesías, *el Hijo de Dios*». A esta pregunta, Jesús respondió sencillamente: «Tú lo has dicho», es decir: «Sí, yo lo soy» (cfr *Mt* 26, 63-64). Y también en el proceso ante Pilato, aun siendo otro el motivo de la acusación: el de haberse proclamado rey, sin embargo los judíos repitieron la imputación fundamental: «Nosotros tenemos una ley y, según esa ley, debe morir, porque se ha hecho Hijo de Dios» (*Jn* 19, 7).

10. En definitiva, podemos decir que Jesús murió *en la cruz a causa de la verdad de su Filiación divina*. Aunque la inscripción colocada sobre la cruz con la declaración oficial de la condena decía: «Jesús de Nazaret, el Rey de los

judíos», sin embargo –hace notar San Mateo–, «los que pasaban lo injuriaban moviendo la cabeza y diciendo... si eres el Hijo de Dios, baja de la cruz» (*Mt* 27, 39-40). Y también: «Ha puesto su confianza en Dios, que Él le libre ahora, si es que lo quiere, puesto que ha dicho: Soy el Hijo de Dios» (*Mt* 27, 43).

Esta verdad se encuentra en el centro del acontecimiento del Gólgota. En el pasado fue objeto de la convicción, de la proclamación y del testimonio dado por los Apóstoles, ahora se ha convertido en objeto de burla. Y sin embargo, también aquí, el *centurión romano,* que vigila la agonía de Jesús y escucha las palabras con las cuales Él se dirige al Padre, en el momento de la muerte, a pesar de ser pagano, da un último *testimonio* sorprendente en favor de la identidad divina de Cristo: «Verdaderamente este hombre era hijo de Dios» (*Mc* 15, 39).

11. Las palabras del centurión romano sobre la verdad fundamental del Evangelio y del Nuevo Testamento en su totalidad nos remiten a las que el Ángel dirigió a María en el momento de la Anunciación: «Concebirás en tu seno y darás a luz un hijo, a quien pondrás por nombre Jesús. Él será grande y llamado Hijo del Altísimo...» (*Lc* 1, 31-32). Y cuando María pregunta «¿Cómo podrá ser esto?», el mensajero le responde: «El Espíritu Santo vendrá sobre ti y la virtud del Altísimo te cubrirá con su sombra y, por esto, el hijo engendrado será santo, será llamado Hijo de Dios» (*Lc* 1, 34-35).

12. En virtud de la conciencia que Jesús tuvo de ser Hijo de Dios en el *sentido real* natural de la palabra, Él «llamaba a Dios su Padre...» (*Jn* 5, 18). Con la misma convicción no dudó en decir a sus adversarios y acusadores: «En verdad en verdad os digo: *antes que Abraham naciese, era yo*» (*Jn* 8, 58).

En este «era yo» está la verdad sobre la Filiación divina, que precede no sólo al tiempo de Abraham, sino a todo tiempo y a toda existencia creada.

Dirá San Juan al concluir su Evangelio: «Estas (señales realizadas por Jesús) fueron escritas para que creáis que Jesús es el Mesías, *Hijo de Dios,* y para que, creyendo tengáis vida en su nombre» (*Jn* 20, 31)

13. EN EL CORAZÓN DEL TESTIMONIO EVANGÉLICO*

1. El ciclo de las catequesis sobre Jesucristo se ha acercado gradualmente a su centro, permaneciendo en relación constante con el artículo del Símbolo, en el cual confesamos «Creo... en Jesucristo, Hijo único de Dios». Las catequesis anteriores nos han preparado para esta verdad central, mostrando antes que nada el carácter mesiánico de Jesús de Nazaret. Y verdaderamente la *promesa* del Mesías –presente en toda la Revelación de la Antigua Alianza como principal contenido de las expectativas de Israel– *encuentra su cumplimiento* en Aquel que solía llamarse el Hijo del hombre.

A la luz de las obras y de las palabras de Jesús se hace cada vez más claro que Él es, al mismo tiempo, *el verdadero Hijo de Dios.* Ésta es una verdad que resultaba muy difícil de admitir para una mentalidad enraizada en un rígido monoteísmo religioso. Y ésa era la mentalidad de los israelitas contemporáneos de Jesús. Nuestras catequesis sobre Jesucristo entran ahora precisamente en el ámbito de esta *verdad que determina la novedad esencial del Evangelio,* y de la que depende toda la originalidad del cristianismo como religión fundada en la fe en el Hijo de Dios, que se hizo hombre por nosotros.

* Audiencia general, 20-V-1987.

2. Los *Símbolos de la fe* se concentran en esta verdad fundamental referida a Jesucristo.

En el Símbolo Apostólico confesamos: «Creo en Dios, Padre todopoderoso... y en Jesucristo, su único Hijo (unigénito)». Sólo sucesivamente el Símbolo Apostólico pone de relieve el hecho de que el Hijo unigénito del Padre es el mismo Jesucristo, como Hijo del hombre: «el cual fue concebido por obra del Espíritu Santo y nació de la Virgen María».

El Símbolo niceno-constantinopolitano expresa la misma realidad con palabras un poco distintas: «Por nosotros los hombres y por nuestra salvación bajó del cielo y por obra del Espíritu Santo se encarnó (en latín: *incarnatus est*) de María la Virgen y se hizo hombre».

Sin embargo, el mismo Símbolo presenta antes, ya de modo mucho más amplio la verdad de la filiación divina de Jesucristo, Hijo del hombre: «Creo en un solo Dios, Padre todopoderoso... Creo en un solo Señor Jesucristo, Hijo único de Dios, *nacido del Padre antes de todos los siglos:* Dios de Dios, Luz de Luz, Dios verdadero de Dios verdadero, engendrado, no creado, *de la misma naturaleza que el Padre,* por quien todo fue hecho». Estas últimas palabras ponen todavía más de relieve la unidad en la divinidad del Hijo con el Padre, que es «creador del cielo y de la tierra, de todo lo visible y lo invisible».

3. Los Símbolos expresan la fe de la Iglesia de una manera concisa, pero precisamente gracias a su concisión esculpen las verdades más esenciales: aquellas que constituyen como el *«meollo» mismo de la fe cristiana,* la plenitud y el culmen de la *autorrevelación de Dios.* Pues bien, según la expresión del autor de la *Carta a los Hebreos*, «muchas veces y de muchas maneras habló Dios en otro tiempo» y finalmente ha hablado a la humanidad «por su Hijo» (cfr *Heb* 1, 1-2). Es difícil no reconocer aquí la auténtica plenitud de la Revelación. Dios no sólo *habla de Sí*

por medio de los hombres llamados a hablar en su nombre, sino que, en Jesucristo, Dios mismo, hablando «por medio de su Hijo», se convierte en sujeto de la Palabra que revela. *Él mismo habla de Sí mismo.* Su palabra contiene en sí la autorrevelación de Dios, la autorrevelación en el sentido estricto e inmediato.

4. Esta autorrevelación de Dios constituye la gran novedad y «originalidad» del Evangelio. Profesando la fe con las palabras de los Símbolos, sea el apostólico o el nicenoconstantinopolitano, *la Iglesia bebe en plenitud del testimonio evangélico* y alcanza así su esencia profunda. A la luz de este testimonio profesa y da testimonio de Jesucristo como Hijo que es «de la misma naturaleza que el Padre». El nombre «Hijo de Dios» podía usarse –y lo ha sido– en un sentido amplio, como se constata en algunos textos del Antiguo Testamento (*Sab* 2, 18; *Sir* 4, 11; *Sal* 82, 6, y, con mayor claridad, *2 Sm* 7, 14; *Sal* 2, 7; *Sal* 110, 3). El Nuevo Testamento, y especialmente los Evangelios, hablan de Jesús como *Hijo de Dios en sentido estricto y pleno:* Él es «engendrado, no creado» y «de la misma naturaleza que el Padre».

5. Prestaremos ahora atención a esta verdad central de la fe cristiana analizando el testimonio del Evangelio desde este punto de vista. Es ante todo *el testimonio del Hijo sobre el Padre* y, en concreto, el testimonio de una relación filial que es propia de Él y sólo de Él.

De hecho, así como son significativas las palabras de Jesús: «*Nadie conoce al Padre, sino el Hijo* y aquel a quien el Hijo quisiera revelárselo» (*Mt* 11, 27), lo son estas otras: «*Nadie conoce al Hijo sino el Padre*» (*Mt* 11, 27). Es el Padre quien realmente revela al Hijo. Merece la pena recordar que en el mismo contexto se reproducen las palabras de Jesús: «Yo te alabo, Padre, Señor del cielo y de la tierra, porque ocultaste estas cosas a los sabios y discretos y las revelaste a los pequeñuelos» (*Mt* 11, 25; también *Lc* 10, 21-22). Son palabras que Jesús pronuncia –como anota el Evangelista– con una especial alegría del corazón: «Inundado de gozo en el Espíritu Santo» (cfr *Lc* 10, 21).

6. La verdad sobre Jesucristo, Hijo de Dios, pertenece, por tanto, a la esencia misma *de la Revelación trinitaria.* En ella y mediante ella Dios se revela a Sí mismo como unidad de la inescrutable Trinidad: del Padre, del Hijo y del Espíritu Santo.

Así, pues, la fuente definitiva del testimonio, que los Evangelios (y todo el Nuevo Testamento) dan de Jesucristo como Hijo de Dios, es el mismo Padre: el Padre que conoce al Hijo y se conoce a Sí mismo en el Hijo. Jesús, revelando al Padre, comparte en cierto modo con nosotros el conocimiento que el Padre tiene de Sí mismo en su eterno, unigénito Hijo. Mediante esta eterna filiación Dios es eternamente Padre. Verdaderamente, con espíritu de fe y de alegría, admirados y conmovidos, hagamos nuestra la confesión de Jesús: «Todo te lo ha confiado el Padre a Ti, Jesús, Hijo de Dios, y nadie sabe quién es el Padre sino el Hijo y aquel a quien Tú, el Hijo, lo quieras revelar».

Sección III
JESUCRISTO, VERDADERO DIOS Y VERDADERO HOMBRE

A. JESUCRISTO, REVELADOR DEL MISTERIO DE LA TRINIDAD

14. EL PADRE DA TESTIMONIO DEL HIJO*

1. Los Evangelios –y todo el Nuevo Testamento– dan testimonio de Jesucristo como Hijo de Dios. Es ésta una verdad central de la fe cristiana. Al confesar a Cristo como Hijo «de la misma naturaleza» que el Padre, la Iglesia continúa fielmente *este testimonio evangélico*. Jesucristo es el Hijo de Dios en el sentido estricto y preciso de esta palabra. Ha sido, por consiguiente, «engendrado» en Dios, y no «creado» por Dios y «aceptado» luego como Hijo, es decir, «adoptado». Este testimonio del Evangelio (y de todo el Nuevo Testamento), en el que se funda la fe de todos los cristianos, tiene *su fuente* definitiva *en Dios-Padre, que da testimonio de Cristo como Hijo suyo*.

En la catequesis anterior hemos hablado ya de esto refiriéndonos a los textos del Evangelio según Mateo y Lucas. «Nadie conoce al Hijo sino el Padre» (*Mt* 11, 27). «Nadie conoce quién es el Hijo sino el Padre» (*Lc* 10, 22).

* Audiencia general, 27-V-1987.

2. Este testimonio único y fundamental, que surge del misterio eterno de la vida trinitaria, encuentra expresión particular en los *Evangelios sinópticos,* primero en la narración del bautismo de Jesús en el Jordán y luego en el relato de la transfiguración de Jesús en el monte Tabor. Estos dos acontecimientos merecen una atenta consideración.

3. En el Evangelio según Marcos leemos: «En aquellos días vino Jesús desde Nazaret, de Galilea, y fue bautizado por Juan en el Jordán. En el instante en que salía del agua vio los cielos abiertos y el Espíritu, como paloma, que descendía sobre Él, y una voz se hizo (oír) de los cielos: 'Tú eres mi Hijo, el Amado, en quien tengo mis complacencias'» (*Mc* 1, 9-11).

Según el texto de Mateo, la voz que viene del cielo dirige sus palabras no a Jesús directamente, sino a aquellos que se encontraban presentes durante su bautismo en el Jordán: «*Éste es* mi Hijo amado» (*Mt* 3, 17). En el texto de Lucas (cfr *Lc* 3, 22), el tenor de las palabras es idéntico al de Marcos.

4. Así, pues, somos testigos de una teofanía trinitaria. *La voz del cielo* que se dirige al Hijo en segunda persona: «Tú eres...» (Marcos y Lucas) o habla de Él en tercera persona: «Éste es...» (Mateo), es *la voz del Padre,* que en cierto sentido *presenta* a su propio Hijo a los hombres que habían acudido al Jordán para escuchar a Juan Bautista. Indirectamente lo presenta a todo Israel: Jesús es el que viene con la potencia del Espíritu Santo: el Ungido del Espíritu Santo, es decir, el Mesías-Cristo. Él es *el Hijo en quien el Padre ha puesto sus complacencias,* el Hijo «amado». Esta predilección, este amor, insinúa la presencia del Espíritu Santo en la unidad trinitaria, si bien en la teofanía del bautismo en el Jordán esto no se manifiesta aún con suficiente claridad.

5. El testimonio contenido en la voz que procede «del cielo» (de lo alto), tiene lugar precisamente *al comienzo de la misión mesiánica de Jesús de Nazaret.* Se repetirá en el momento que precede a la pasión y al acontecimiento pascual que concluye toda su misión: *el momento de la transfiguración.* A pesar de la semejanza entre las dos teofanías, hay una clara diferencia entre ellas, que nace sobre todo del contexto de los textos. Durante el bautismo en el Jordán, Jesús es proclamado Hijo de Dios *ante todo el pueblo.* La teofanía de la transfiguración se refiere *sólo a algunas personas escogidas:* ni siquiera se introduce a todos los Apóstoles en cuanto grupo, sino sólo a tres de ellos: Pedro, Santiago y Juan. «Pasados seis días Jesús tomó a Pedro, a Santiago y a Juan, y los condujo solos a un monte alto y apartado y *se transfiguró ante ellos...».* Esta transfiguración va acompañada de la «aparición de Elías con Moisés hablando con Jesús». Y cuando, superado el «susto» ante tal acontecimiento, los tres Apóstoles expresan el deseo de prolongarlo y fijarlo («bueno es estarnos aquí»), «se formó una nube... y se dejó oír desde la nube una voz: Éste es mi Hijo amado, escuchadle» (cfr *Mc* 9, 2-7). Así en el texto de Marcos. Lo mismo se cuenta en Mateo: «Éste es mi Hijo amado, en quien tengo mi complacencia; escuchadle» (*Mt* 17, 5). En Lucas, por su parte, se dice: «Éste es mi Hijo *elegido,* escuchadle» (*Lc* 9, 35).

6. El hecho, descrito por los Sinópticos, ocurrió cuando Jesús se había dado a conocer ya a Israel mediante sus signos (milagros), sus obras y sus palabras. La voz del Padre *constituye como una confirmación «desde lo alto» de lo que estaba madurando ya en la conciencia de los discípulos.* Jesús quería que, sobre la base de los signos y de las palabras, la fe en su misión y filiación divinas naciese en la conciencia de sus oyentes en virtud *de la revelación interna* que les daba el mismo Padre.

7. Desde este punto de vista, tiene especial significación la respuesta que Simón Pedro recibió de Jesús tras haberlo confesado en las cercanías de Cesarea de Filipo. En aquella ocasión dijo Pedro: «*Tú eres el Mesías, el Hijo de Dios vivo*» (*Mt* 16, 16). Jesús le respondió: «Bienaventurado tú, Simón Bar Jona, *porque no es la carne ni la sangre quien esto te ha revelado, sino mi Padre,* que está en los cielos» (*Mt* 16, 17). Sabemos la importancia que tiene en labios de Pedro la confesión que acabamos de citar. Pues bien, resulta esencial tener presente que la profesión de la verdad sobre la filiación divina de Jesús de Nazaret –«Tú eres el Mesías, el Hijo de Dios vivo»– procede del Padre. Sólo el Padre «conoce al Hijo» (*Mt* 11, 27), sólo el Padre sabe «quién es el Hijo» (*Lc* 10, 22), y *sólo el Padre puede conceder este conocimiento al hombre.* Esto es precisamente lo que afirma Cristo en la respuesta dada a Pedro. La verdad sobre la filiación divina que brota de labios del Apóstol, tras haber madurado primero en su interior, en su conciencia, procede de la profundidad de la autorrevelación de Dios. En este momento todos los significados análogos de la expresión «Hijo de Dios», conocidos ya en el Antiguo Testamento, quedan completamente superados. Cristo es *el Hijo del Dios vivo, el Hijo en el sentido propio y esencial de esta palabra:* es «Dios de Dios».

8. La voz que escuchan los tres Apóstoles durante la transfiguración en el monte (identificado por la tradición posterior con el monte Tabor), confirma la convicción expresada por Simón Pedro en las cercanías de Cesarea (según *Mt* 16, 16). Confirma en cierto modo «desde el exterior» lo que el Padre había ya «revelado desde el interior». Y *el Padre, al confirmar ahora la revelación interior* sobre la filiación divina de Cristo –«Éste es mi Hijo amado: escuchadle»–, parece como si quisiera preparar a quienes ya han creído en Él para los acontecimientos de la Pascua que se acerca: para su muerte humillante en la cruz. Es

significativo que «mientras bajaban del monte» Jesús les ordenara: «No deis a conocer a nadie esta visión hasta que el Hijo del Hombre resucite de entre los muertos» (*Mt* 17, 9, como también *Mc* 9, 9, y además, en cierta medida, *Lc* 9, 21). La teofanía en el monte de la transfiguración del Señor se halla así relacionada con el conjunto del Misterio pascual de Cristo.

9. En esta línea se puede entender el importante pasaje del Evangelio de Juan (*Jn* 12, 20-28) donde se narra un hecho ocurrido tras la resurrección de Lázaro, cuando por un lado aumenta la admiración hacia Jesús y, por otro, crecen las amenazas contra Él. Cristo habla entonces *del grano de trigo* que debe morir para poder producir mucho fruto. Y luego concluye significativamente: «Ahora mi alma se siente turbada; ¿y qué diré? ¿Padre, líbrame de esta hora? ¡Mas para esto he venido yo a esta hora! *Padre, glorifica tu nombre*». Y «llegó entonces una voz del Cielo: '¡Lo glorifiqué y de nuevo lo glorificaré!'» (cfr *Jn* 12, 27-28). En esta voz se expresa la respuesta del Padre, que confirma las palabras anteriores de Jesús: «Es llegada la hora en que el Hijo del Hombre será glorificado» (*Jn* 12, 25).

El Hijo del Hombre que se acerca a su «hora» pascual, es Aquel de quien la voz de lo alto proclamaba en el bautismo y en la transfiguración: «*Mi Hijo amado* en quien tengo mis complacencias... el elegido». En esta voz se contenía el testimonio del Padre sobre el Hijo. El autor de la segunda Carta de Pedro, recogiendo el testimonio ocular del Jefe de los Apóstoles, escribe para consolar a los cristianos en un momento de dura persecución: «(Jesucristo)... al *recibir de Dios Padre honor y gloria* de la majestuosa gloria le sobrevino una voz (que hablaba) en estos términos: 'Éste es mi Hijo, el Amado, en quien tengo mis complacencias'. Y esta voz bajada del cielo la oímos los que con Él estábamos en el monte santo» (*2 Pe* 1, 16-18).

15. PRÓLOGO DEL EVANGELIO DE SAN JUAN*

1. En la anterior catequesis hemos mostrado, a base de los Evangelios sinópticos, que la fe en la filiación divina de Cristo se va formando, por Revelación del Padre, en la conciencia de sus discípulos y oyentes, y ante todo en la conciencia de los Apóstoles. Al crear la convicción de que Jesús es el Hijo de Dios en el sentido estricto y pleno (no metafórico) de esta palabra, contribuye sobre todo *el testimonio del mismo Padre, que «revela» en Cristo* a su Hijo («Mi Hijo») a través de las teofanías que tuvieron lugar en el bautismo en el Jordán, y luego, durante la transfiguración en el monte Tabor. Vimos además que la revelación de la verdad sobre la filiación divina de Jesús alcanza, por obra del Padre, las mentes y los corazones de los Apóstoles, según se ve en las palabras de Jesús a Pedro: «No es la carne ni la sangre quien esto te ha revelado, sino mi Padre que está en los cielos» (*Mt* 16, 17).

2. A la luz de esta fe en la filiación divina de Cristo, fe que tras la resurrección adquirió una fuerza mucho mayor, hay que leer todo *el Evangelio de Juan,* y de un modo especial su prólogo (*Jn* 1, 1-18). Éste constituye una *síntesis* singular que expresa la fe de la Iglesia apostólica: de aquella primera generación de discípulos, a la que había sido dado tener contactos con Cristo, o de forma directa o a través de los Apóstoles que hablaban de lo que habían oído y visto personalmente, y en lo cual descubrían la realización de todo lo que el Antiguo Testamento había predicho sobre Él. Lo que había sido *revelado ya anteriormente,* pero que en cierto sentido se hallaba *cubierto por un velo,* ahora, *a la luz de los hechos de Jesús,* y especialmente en virtud de los acontecimientos pascuales, *adquiere transparencia,* se hace claro y comprensible.

* Audiencia general, 3-VI-1987.

De esta forma, el Evangelio de Juan (que, de los cuatro Evangelios, fue el último escrito), constituye en cierto sentido el testimonio más completo sobre Cristo como Hijo de Dios, *Hijo «consubstancial» al Padre.* El Espíritu Santo prometido por Jesús a los Apóstoles, y que debía «enseñarles todo» (cfr *Jn* 14, 16), permite realmente al Evangelista «escrutar las profundidades de Dios» (cfr *1 Cor* 2, 10) y expresarlas en el texto inspirado del prólogo.

3. «Al principio era el Verbo, y el Verbo estaba en Dios y el Verbo era Dios. Él estaba al principio en Dios. *Todas las cosas fueron hechas por Él,* y sin Él no se hizo nada de cuanto ha sido hecho» (*Jn* 1, 1-3). «Y el Verbo se hizo carne y habitó entre nosotros, y hemos visto su gloria, gloria como de Unigénito del Padre, lleno de gracia y de verdad» (*Jn* 1, 14)... «Estaba en el mundo y por Él fue hecho el mundo, pero el mundo *no lo conoció.* Vino a los suyos, pero los suyos no le recibieron» (*Jn* 1, 1011). «Mas a cuantos le recibieron *dioles poder de venir a ser hijos de Dios:* a aquellos que creen en su nombre; que no de la sangre, ni de la voluntad carnal, ni de la voluntad del varón, sino de Dios, son nacidos» (*Jn* 1, 12-13). «A Dios nadie lo vio jamás; el Hijo Unigénito, que está en el seno del Padre, ése le ha dado a conocer» (*Jn* 1, 18).

4. El prólogo de Juan es ciertamente el texto clave, en el que la verdad sobre la filiación divina de Cristo halla expresión plena.

El que «se hizo carne», es decir, hombre *en el tiempo, es desde la eternidad el Verbo* mismo, es decir, el Hijo unigénito: el Dios, «que está en el seno del Padre». Es el Hijo «de la misma naturaleza que el Padre», es «Dios de Dios». Del Padre recibe la plenitud de la gloria. Es el Verbo por quien «todas las cosas fueron hechas». Y por ello todo cuanto existe le debe a Él aquel «principio» del que habla el libro del Génesis (cfr *Gen* 1, 1), el principio de la obra de la creación. El mismo Hijo eterno, cuando viene al mundo como «Verbo que se hizo carne», trae consigo a la humanidad *la plenitud «de gracia y de verdad»*. Trae la plenitud de la verdad porque instruye acerca del Dios verdadero a quien «nadie ha visto jamás». Y trae la plenitud de la gracia, porque a cuantos le acogen les da la fuerza para renacer de Dios: para llegar a ser hijos de Dios. Desgraciadamente, constata el Evangelista, «el mundo no lo conoció», y, aunque «vino a los suyos», muchos «no le recibieron».

5. La verdad contenida en el prólogo joánico es la misma que encontramos *en otros libros del Nuevo Testamento.* Así, por ejemplo, leemos en la *Carta a los Hebreos*, que Dios «últimamente, en estos días, nos habló por su Hijo, a quien constituyó heredero de todo, por quien también hizo los siglos; que, siendo la irradiación de su gloria y la impronta de su sustancia y el que con su poderosa palabra sustenta todas las cosas, después de hacer la purificación de los pecados, se sentó a la diestra de la Majestad en las alturas» (*Heb* 1, 2-3).

6. El prólogo del Evangelio de Juan (lo mismo que, de otro modo, la *Carta a los Hebreos*), expresa, pues, bajo la forma de alusiones bíblicas, *el cumplimiento en Cristo de todo cuanto se había dicho en la Antigua Alianza,* comenzando por el libro del Génesis, pasando por la ley de Moisés (cfr *Jn* 1, 17) y los Profetas, hasta los libros sapienciales. La expresión «el Verbo» (que «estaba en el principio en Dios»), corresponde a la palabra hebrea *«dabar»*. Aunque en griego encontramos el término *«logos»*, el patrón es, con todo, vétero-testamentario. Del Antiguo Testamento toma simultáneamente dos dimensiones: la de *«hochma»*, es decir, la sabiduría, entendida como «designio» de Dios sobre la creación, y la de *«dabar»* (Logos), entendida como realización de ese designio. La coincidencia con la palabra «Logos», tomada de la filosofía griega, facilitó a

su vez la aproximación de estas verdades a las mentes formadas en esa filosofía.

7. Permaneciendo ahora en el ámbito del Antiguo Testamento, precisamente en Isaías, leemos: La «*palabra que sale de mi boca,* no vuelve a mí vacía, sino que hace lo que yo quiero y cumple su misión» (*Is* 55, 11). De donde se deduce que la «dabar-Palabra» bíblica no es sólo «palabra», sino además «realización» (acto). Se puede afirmar que ya en los libros de la Antigua Alianza se encuentra cierta personificación del «verbo» (*dabar, logos*); lo mismo que de la «Sabiduría» (*Sofia*). Efectivamente, en el libro de la Sabiduría leemos: (La Sabiduría) «está en los secretos de la ciencia de Dios y es la que discierne sus obras» (*Sab* 8, 4); y en otro texto: «Contigo está la sabiduría, conocedora de tus obras, que te asistió cuando hacías al mundo, y que sabe lo que es grato a tus ojos y lo que es recto... *Mándala* de los santos cielos, y de tu trono de gloria envíala, para que me asista en mis trabajos y venga yo a saber lo que te es grato» (*Sab* 9, 9-10).

8. Estamos, pues, muy cerca de las primeras palabras del prólogo de Juan. Aún más cerca se hallan estos versículos del libro de la Sabiduría que dicen: «Un profundo silencio lo envolvía todo, y en el preciso momento de la medianoche, *tu Palabra omnipotente de los cielos,* de tu trono real... se lanzó en medio de la tierra destinada a la ruina llevando por aguda espada tu decreto irrevocable» (*Sab* 18, 14-15). Sin embargo, esta «Palabra» a la que aluden los libros sapienciales, esa Sabiduría que desde el principio está en Dios, se considera en relación con el mundo creado que ella ordena y dirige (cfr *Prov* 8, 22-27). *En el Evangelio de Juan, por el contrario, «el Verbo» no sólo está «al principio»,* sino que se revela como vuelto completamente hacia Dios (pros ton Theon) y siendo *Dios Él mismo. «El Verbo era Dios».* Él es el «Hijo unigénito, que

está en el seno del Padre», es decir, Dios-Hijo. Es en Persona la Expresión pura de Dios, la «irradiación de su gloria» (cfr *Heb* 1, 3), «consubstancial al Padre».

9. Precisamente este Hijo, el Verbo que se hizo carne, es Aquel de quien *Juan da testimonio en el Jordán.* De Juan Bautista leemos en el prólogo: «Hubo un hombre enviado por Dios de nombre Juan. Vino éste a dar testimonio de la luz...» (*Jn* 1, 6-7). Esa luz es Cristo, como Verbo. Efectivamente, en el prólogo leemos: «*En Él estaba la vida y la vida era la luz* de los hombres» (*Jn* 1, 4). Ésta es «la luz verdadera que... ilumina a todo hombre» (*Jn* 1, 9). La luz que «luce en las tinieblas, pero las tinieblas no la acogieron» (*Jn* 1, 5).

Así, pues, según el prólogo del Evangelio de Juan, Jesucristo es Dios porque es Hijo unigénito de Dios Padre. El Verbo. Él viene al mundo como fuente de vida y de santidad. Verdaderamente nos encontramos aquí en el punto central y decisivo de nuestra profesión de fe: «El Verbo se hizo carne y habitó entre nosotros».

16. JESUCRISTO, EL HIJO ENVIADO POR EL PADRE*

1. El prólogo del Evangelio de Juan, al que dedicamos la anterior catequesis, al hablar de Jesús como Logos, Verbo, Hijo de Dios, expresa sin ningún tipo de dudas el núcleo esencial de la verdad sobre Jesucristo; verdad que constituye el contenido central de la autorrevelación de Dios en la Nueva Alianza y como tal es profesada solemnemente por la Iglesia. Es *la fe en el Hijo de Dios,* que es «*de la misma naturaleza del Padre*» *como Verbo eterno,* eternamente «engendrado», «Dios de Dios y Luz de Luz»

* Audiencia general, 24-VI-1987.

y no «creado» (ni adoptado). El prólogo manifiesta además la verdad *sobre la preexistencia divina de Jesucristo* como «Hijo Unigénito» que está «en el seno del Padre». Sobre esta base adquiere pleno relieve la verdad sobre la venida del Dios-Hijo al mundo («el Verbo se hizo carne y habitó entre nosotros», *Jn* 1, 14), para llevar a cabo una *misión* especial de parte del Padre. Esta misión (missio Verbi) *tiene una importancia esencial en el plan divino de salvación.* En ella se contiene la realización suprema y definitiva del designio salvífico de Dios sobre el mundo y sobre el hombre.

2. En todo el Nuevo Testamento hallamos expresada la verdad sobre el envío del Hijo por parte del Padre, que se concreta en la misión mesiánica de Jesucristo. En este sentido, son particularmente significativos los numerosos *pasajes del Evangelio de Juan,* a los que es preciso recurrir en primer lugar.

Dice Jesús hablando con los discípulos y con sus mismos adversarios: «*Yo he salido* y vengo *de Dios,* pues yo no he venido de mí mismo, antes es Él quien me ha mandado» (*Jn* 8, 42). «No estoy solo, sino yo y el Padre que me ha mandado» (*Jn* 8, 16). «Yo soy el que da testimonio de mí mismo, *y el Padre, que me ha enviado,* da testimonio de mí» (*Jn* 8, 18). «Pero el que me ha enviado es veraz, aunque vosotros no le conocéis. Yo le conozco porque *procedo de Él* y Él me ha enviado» (*Jn* 7, 28-29). «Estas obras que yo hago, dan en favor mío testimonio de que el Padre me ha enviado» (*Jn* 5, 36). «Mi alimento es *hacer la voluntad del que me envió y acabar su obra*» (*Jn* 4, 34).

3. Muchas veces, como se ve en el Evangelio joánico, Jesús habla de Sí mismo –*en primera persona*– como de alguien mandado por el Padre. La misma verdad aparecerá, de modo especial, en la *oración sacerdotal,* donde Jesús, encomendando sus discípulos al Padre, subraya:

«Ellos... *conocieron verdaderamente* que yo salí de ti, y creyeron *que tú me has enviado*» (*Jn* 17, 8). Y continuando esta oración, la víspera de su pasión, Jesús dice: «Como tú me enviaste al mundo, *así los envié yo a ellos al mundo*» (*Jn* 17, 18). Refiriéndose de forma casi directa a la oración sacerdotal, las primeras palabras dirigidas a los discípulos la tarde del día de la resurrección, dicen así: «Como me envió mi Padre, así os envío yo» (*Jn* 20, 21).

4. Aunque la verdad sobre Jesús como Hijo mandado por el Padre la ponen de relieve sobre todo los textos joánicos, también se encuentra en los Evangelios sinópticos. De ellos se deduce, por ejemplo, que Jesús dijo: «Es preciso que anuncie el reino de Dios también en otras ciudades, porque *para esto he sido enviado*» (*Lc* 4, 43). Particularmente iluminadora resulta la parábola de los *viñadores homicidas*. Éstos tratan mal a los siervos mandados por el dueño de la viña «para percibir de ellos la parte de los frutos de la viña» y matan incluso a muchos. Por último, *el dueño de la viña decide enviarles a su propio hijo:* «Le quedaba todavía uno, un hijo amado, y se lo envió también el último diciendo: A mi hijo le respetarán. Pero aquellos viñadores se dijeron para sí: Éste es el heredero. !Ea! Matémosle y será nuestra la heredad. Y asiéndole, le mataron y le arrojaron fuera de la viña» (*Mc* 12, 6-8). Comentando esta parábola, Jesús se refiere a *la expresión del Salmo 117/118 so*bre la piedra desechada por los constructores: precisamente esta piedra se ha convertido en cabeza de esquina (es decir, piedra angular) (cfr *Sal* 117/118, 22).

5. La parábola del hijo mandado a los viñadores aparece en todos los sinópticos (cfr *Mc* 12, 1-12; *Mt* 21, 33-46; *Lc* 20, 9-19). En ella se manifiesta con toda evidencia la verdad sobre Cristo como Hijo mandado por el Padre. Es más, se subraya con toda claridad *el carácter sacrificial y redentor de este envío.* El Hijo es verdaderamente «...Aquel

a quien el Padre santificó y envió al mundo» (*Jn* 10, 36). Así, pues, Dios no sólo «nos ha hablado por medio del Hijo... en los últimos tiempos» (cfr *Heb* 1,1-2), sino que a este *Hijo lo ha entregado* por nosotros, en un acto inconcebible de amor, *mandándolo al mundo.*

6. Con este lenguaje sigue hablando de modo muy intenso el Evangelio de Juan: «Porque tanto amó Dios al mundo, que le dio a *su unigénito Hijo, para que todo el que* crea en Él no perezca, sino que tenga la vida eterna» (*Jn* 3, 16). Y añade: «*El Padre mandó a su Hijo como salvador del mundo*». En otro lugar escribe Juan: «*Dios es amor.* En esto se ha manifestado el amor que Dios nos tiene: Dios ha mandado a su Hijo unigénito al mundo para que tuviéramos vida por Él»; «no hemos sido nosotros quienes hemos amado a Dios, sino que Él nos ha amado y ha enviado a su Hijo *como víctima de expiación por nuestros pecados*». Por ello añade que, acogiendo a Jesús, acogiendo su Evangelio, su muerte y su resurrección, «hemos reconocido y creído en el amor que Dios nos tiene. Dios es amor, y el que vive en amor permanece en Dios y Dios en él» (cfr *1 Jn* 4, 8-16).

7. Pablo expresará esta misma verdad en la Carta a los Romanos: «*El que no perdonó a su propio Hijo* (es decir, Dios), antes le *entregó por todos nosotros,* ¿cómo no nos ha de dar con Él todas las cosas?» (*Rom* 8, 32). Cristo ha sido entregado por nosotros, como leemos en *Jn* 3, 16; ha sido «entregado» en sacrificio «por todos nosotros» (*Rom* 8, 32). El Padre «envió a su Hijo, como propiciación por nuestros pecados» (*1 Jn* 4, 10). El Símbolo profesa esta misma verdad: «Por nosotros los hombres y por nuestra salvación (el Verbo de Dios) bajó del cielo».

8. La verdad sobre Jesucristo como Hijo enviado por el Padre para la redención del mundo, para la salvación y

la liberación del hombre prisionero del pecado (y por consiguiente de las potencias de las tinieblas), constituye el contenido central de la Buena Nueva. Cristo Jesús es el «*Hijo Unigénito*» (*Jn* 1, 18), que, para llevar a cabo su misión mesiánica «*no reputó como botín (codiciable) el ser igual a Dios,* antes se anonadó tomando la forma de siervo, haciéndose semejante a los hombres... haciéndose obediente hasta la muerte» (*Flp* 2, 6-8). Y en esta situación de hombre, de siervo del Señor, libremente aceptada, proclamaba: «*El Padre es mayor que yo*» (*Jn* 14, 28), y: «*Yo hago siempre lo que es de su agrado*» (*Jn* 8, 29).

Pero precisamente esta *obediencia* hacia el Padre, libremente aceptada, esta sumisión al Padre, en antítesis con la «desobediencia» del primer Adán, *continúa siendo la expresión de la unión más profunda entre el Padre y el Hijo,* reflejo de la unidad trinitaria: «Conviene que el mundo conozca que yo amo al Padre y que según el mandato que me dio el Padre, así hago» (*Jn* 14, 31). Más todavía, esta unión de voluntades en función de la salvación del hombre, revela definitivamente *la verdad sobre Dios, en su Esencia íntima: el Amor;* y al mismo tiempo revela la fuente originaria de la salvación del mundo y del hombre: la «Vida que es la luz de los hombres» (cfr *Jn* 1, 4).

17. «ABBÁ»*

1. Posiblemente no haya una palabra que exprese mejor la autorrevelación de Dios en el Hijo que la palabra «*Abbá-Padre*». «Abbá» es una expresión aramea, que se ha conservado en el texto griego del Evangelio de Marcos (14, 36). Aparece precisamente cuando Jesús se dirige al Padre. Y aunque esta palabra se puede traducir a cual-

* Audiencia general, 1-VII-1987.

quier lengua, con todo, *en labios de Jesús de Nazaret* permite percibir mejor su contenido único, irrepetible.

2. Efectivamente, «Abbá» expresa no sólo la alabanza tradicional de Dios «Yo te doy gracias, Padre, Señor del cielo y de la tierra» (cfr *Mt* 11, 25), sino que, en labios de Jesús, revela asimismo *la conciencia de la relación única y exclusiva* que existe entre el Padre y Él, entre Él y el Padre. Expresa la misma realidad a la que alude Jesús de forma tan sencilla y al mismo tiempo tan extraordinaria con las palabras conservadas en el texto del Evangelio de Mateo (*Mt* 11, 27) y también en el de Lucas (*Lc* 10, 22): «Nadie conoce al Hijo sino el Padre, y nadie conoce al Padre sino el Hijo y aquel a quien el Hijo quisiere revelárselo». Es decir, la palabra *«Abbá»* no sólo manifiesta el misterio de la vinculación recíproca entre el Padre y el Hijo, sino que sintetiza de algún modo *toda la verdad de la vida íntima* de Dios *en su profundidad trinitaria:* el conocimiento recíproco del Padre y del Hijo, del cual emana el eterno Amor.

3. *La palabra «Abbá»* forma parte del lenguaje de la familia y testimonia esa particular *comunión de personas* que existe *entre el padre y el hijo engendrado por él,* entre el hijo que ama al padre y al mismo tiempo es amado por él. Cuando, para hablar de Dios, Jesús utilizaba esta palabra, debía de causar admiración e incluso escandalizar a sus oyentes. Un israelita no la habría utilizado ni en la oración. Sólo quien se consideraba Hijo de Dios en un sentido propio podría hablar así de Él y dirigirse a Él como Padre. *«Abbá»* es decir, *«padre mío», «papaíto», «papá».*

4. En un texto de Jeremías se habla de que Dios espera que se le invoque como Padre: «Vosotros me diréis: 'padre mío'» (*Jer* 3, 19). Es como una profecía que se cumpliría en los tiempos mesiánicos. Jesús de Nazaret la ha realiza-

do y superado al hablar de Sí mismo en su relación con Dios como de Aquel que «conoce al Padre», y utilizando para ello la expresión filial «Abbá». Jesús habla constantemente del Padre, invoca al Padre como quien tiene derecho a dirigirse a Él sencillamente con el apelativo: «Abbá-Padre mío».

5. Todo esto lo han señalado los Evangelistas. En el Evangelio de Marcos, de forma especial, se lee que durante la oración en Getsemaní, Jesús exclamó: «Abbá, Padre, todo te es posible. Aleja de mí este cáliz; mas no sea lo que yo quiero, sino lo que tú quieras» (*Mc* 14, 36). El pasaje paralelo de Mateo dice: «Padre mío», o sea, «Abbá», aunque no se nos transmita literalmente el término arameo (cfr *Mt* 26, 39-42). Incluso en los casos en que el texto evangélico se limita a usar la expresión «Padre», sin más (como en *Lc* 22, 42 y, además, en otro contexto, en *Jn* 12, 27), el contenido esencial es idéntico.

6. Jesús fue acostumbrando a sus oyentes para que entendieran que en sus labios la palabra «Dios» y, en especial, la palabra «Padre», significaba «*Abbá-Padre mío*». Así, desde su infancia, cuando tenía sólo doce años, Jesús dice a sus padres que lo habían estado buscando durante tres días: «¿No sabíais que es preciso que me ocupe en las cosas *de mi Padre?*» (*Lc* 2, 49). Y al final de su vida, en la oración sacerdotal con la que concluye su misión, insiste en pedir a Dios: «Padre, ha llegado la hora, glorifica a tu Hijo, para que tu Hijo te glorifique a ti» (*Jn* 17, 1). «Padre Santo, guarda en tu nombre a éstos que me has dado» (*Jn* 17, 11). «Padre justo, si el mundo no te ha conocido, yo te conocí...» (*Jn* 17, 25). Ya en el anuncio de las realidades últimas, hecho con la parábola sobre el juicio final, se presenta como Aquel que proclama: «venid a mí, benditos de mi Padre...» (*Mt* 25, 34). Luego pronuncia en la cruz sus últimas palabras: «Padre, *en tus manos encomiendo*

mi Espíritu» (*Lc* 23, 46). Por último, una vez resucitado anuncia a los discípulos: «Yo os envío *la promesa de mi Padre»* (*Lc* 24, 49).

7. Jesucristo, que «conoce al Padre» tan profundamente, ha venido para «dar a conocer su nombre a los hombres que el Padre le ha dado» (cfr *Jn* 17, 6). Un *momento* singular de esta revelación del Padre lo constituye la respuesta que da Jesús a sus discípulos cuando le piden: «Enséñanos a orar» (cfr *Lc* 11, 1). Él les dicta entonces la oración que comienza con las palabras *«Padre nuestro»* (*Mt* 6, 9-13), o también «Padre» (*Lc* 11, 2-4). Con la revelación de esta oración los discípulos descubren que ellos participan de un modo especial en la filiación divina, de la que el Apóstol Juan dirá en el prólogo de su Evangelio. «A cuantos le recibieron (es decir, a cuantos recibieron al Verbo que se hizo carne), Jesús les dio poder de llegar a ser hijos de Dios» (*Jn* 1, 12). Por ello, según su propia enseñanza, oran con toda razón diciendo «Padre nuestro».

8. Ahora bien, Jesús establece siempre una distinción entre *«Padre mío»* y «Padre vuestro». Incluso después de la resurrección, dice a María Magdalena: «Ve a mis hermanos y diles: Subo a mi Padre y a vuestro Padre, a mi Dios y a vuestro Dios» (*Jn* 20, 17). Se debe notar, además, que en ningún pasaje del Evangelio se lee que Jesús recomendara a los discípulos orar usando la palabra *«Abbá»*. Ésta se refiere *exclusivamente a su personal relación filial con el Padre.* Pero al mismo tiempo, el «Abbá» de Jesús es en realidad el mismo que es también «Padre nuestro», como se deduce de la oración enseñada a los discípulos. Y lo es *por participación* o, mejor dicho, *por adopción,* como enseñaron los teólogos siguiendo a San Pablo, que en la *Carta a los Gálatas* escribe: «Dios envió a su Hijo... para que recibiésemos la adopción» (*Gal* 4, 4 y ss.; cfr *S. Th.* III q. 23, aa. 1 y 2).

9. En este contexto conviene leer e interpretar también las palabras que siguen en el mencionado texto de la *Carta de Pablo a los Gálatas*: «Y puesto que sois hijos, *envió Dios a nuestros corazones el Espíritu de su Hijo que clama 'Abbá, Padre'*» (*Gal* 4, 6); y las de la *Carta a los Romanos*: «No habéis recibido el espíritu de siervos... antes habéis recibido el espíritu de adopción, por el que clamamos: *'Abbá, Padre'*» (*Rom* 8, 15). Así, pues, cuando, en nuestra condición de hijos adoptivos (adoptados en Cristo): «hijos en el Hijo», dice San Pablo (cfr *Rom* 8, 19), gritamos a Dios «Padre», «Padre nuestro», estas palabras se refieren al mismo Dios a quien Jesús con intimidad incomparable le decía: «Abbá..., Padre mío». Unión íntima entre el Padre y el Hijo.

18. JESUCRISTO: HIJO ÍNTIMAMENTE UNIDO AL PADRE*

1. «Abbá-Padre mío»: Todo lo que hemos dicho en la catequesis anterior, nos permite penetrar más profundamente *en la única y excepcional relación del Hijo con el Padre,* que encuentra su expresión en los Evangelios, tanto en los Sinópticos como en San Juan, y en todo el Nuevo Testamento. Si en el Evangelio de Juan son más numerosos los pasajes que ponen de relieve esta relación (podríamos decir «en primera persona»), en los Sinópticos (*Mt* y *Lc*) se encuentra, sin embargo, la frase que parece contener la clave de esta cuestión: «Nadie conoce al Hijo sino el Padre, y nadie conoce al Padre sino el Hijo y aquel a quien el Hijo se lo quiera revelar» (*Mt* 11, 27 y *Lc* 10, 22).

El Hijo, pues, *revela al Padre* como Aquel que lo *«conoce»* y lo ha mandado como Hijo para «hablar» a los hombres por medio suyo (cfr *Heb* 1, 2) de forma nueva y definitiva. Más aún: precisamente este Hijo unigénito el

* Audiencia general, 8-VII-1987.

Padre «lo ha dado» a los hombres para la salvación del mundo, con el fin de que el hombre alcance la vida eterna en Él y por medio de Él (cfr *Jn* 3, 16).

2. Muchas veces, pero especialmente durante la Última Cena, Jesús insiste en dar a conocer a sus discípulos que está unido al Padre *con un vínculo de pertenencia particular. «Todo lo mío es tuyo, y lo tuyo mío»,* dice en la oración sacerdotal, al despedirse de los Apóstoles para ir a su pasión. Y entonces pide la unidad para sus discípulos, actuales y futuros, con palabras que ponen de relieve la relación de esa unión y «comunión» como la que existe sólo entre el Padre y el Hijo. En efecto, pide: «Que todos *sean uno, como tú, Padre, estás en mí y yo en ti,* para que también ellos sean en nosotros y el mundo crea que tú me has enviado. Yo les he dado la gloria que tú me diste, a fin de que sean uno *como nosotros somos uno.* Yo en ellos y tú en mí, para que sean perfectamente uno y conozca el mundo que tú me enviaste y amaste a éstos como me amaste a mí» (*Jn* 17, 21-23).

3. Al rezar por la unidad de sus discípulos y testigos, al revelar Jesús al mismo tiempo qué unidad, qué «comunión» existe entre Él y el Padre: el Padre está «en el» Hijo y el Hijo «en el» Padre. Esta particular «inmanencia», la compenetración recíproca –expresión de la comunión de las personas– revela la medida de la recíproca pertenencia y la *intimidad* de la recíproca *realización del Padre y del Hijo.* Jesús la explica cuando afirma: «Todo lo mío es tuyo, y lo tuyo mío» (*Jn* 17, 10). Es una relación *de posesión recíproca* en la unidad de esencia, y al mismo tiempo es una relación *de don.* De hecho dice Jesús: «Ahora saben que todo cuanto me diste viene de ti» (*Jn* 17, 7).

4. Se pueden captar en el Evangelio de Juan los indicios de la atención, del asombro y del recogimiento con

que los Apóstoles escucharon estas palabras de Jesús en el Cenáculo de Jerusalén, la víspera de los sucesos pascuales. Pero la verdad de la oración sacerdotal de algún modo ya se había *expresado públicamente* con anterioridad el día de la solemnidad de la dedicación del templo. Al desafío de los que se habían congregado: «Si eres el Mesías, dínoslo claramente», Jesús responde: «Os lo dije y no creéis; *las obras que yo hago en nombre de mi Padre, ésas dan testimonio de mí*». Y a continuación afirma Jesús que los que lo escuchan y creen en Él, pertenecen a su rebaño en virtud de un don del Padre: «Mis ovejas oyen mi voz y yo las conozco... Lo que mi Padre me dio es mejor que todo, y nadie podrá arrebatar nada de la mano de mi Padre. *Yo y el Padre somos una sola cosa*» (*Jn* 10, 24-30).

5. La reacción de los adversarios en este caso es violenta: «De nuevo los judíos trajeron piedras para apedrearlo». Jesús les pregunta por qué obras provenientes del Padre y realizadas por Él lo quieren apedrear, y ellos responden: «*Por la blasfemia,* porque *tú, siendo hombre, te haces Dios*». La respuesta de Jesús es inequívoca: «Si no hago las obras de mi Padre no me creéis; pero si las hago, ya que no me creéis a mí, creed a la obras, para que sepáis y conozcáis *que el Padre está en mí y yo en el Padre*» (cfr *Jn* 10, 31-38).

6. Tengamos bien en cuenta el significado de este punto crucial de la vida y de la revelación de Cristo. La verdad sobre el particular vínculo, la particular unidad que existe entre el Hijo y el Padre, encuentra la oposición de los judíos: Si tú eres el Hijo en el sentido que se deduce de tus palabras, entonces tú, siendo hombre, te haces Dios. En tal caso profieres la mayor blasfemia. Por lo tanto, los que lo escuchaban *comprendieron el sentido de las palabras de Jesús de Nazaret:* como Hijo, Él es «Dios de Dios» –«de la misma naturaleza que el Padre»–, pero precisamente por eso no las aceptaron, sino que las rechazaron de la forma

más absoluta, con toda firmeza. Aunque en el conflicto de ese momento no se llega a apedrearlo (cfr *Jn* 10, 39); sin embargo, al día siguiente de la oración sacerdotal en el Cenáculo, Jesús será sometido a muerte en la cruz. Y los judíos presentes gritarán: «Si eres Hijo de Dios, baja de la cruz» (*Mt* 27, 40), y comentarán con escarnio: «Ha puesto su confianza en Dios; que Él lo libre ahora, si es que lo quiere, puesto que ha dicho: soy el Hijo de Dios» (*Mt* 27, 42-43).

7. También en la hora del Calvario Jesús afirma la unidad con el Padre. Como leemos en la *Carta a los Hebreos*: «*Y aunque era Hijo, aprendió por sus padecimientos la obediencia*» (*Heb* 5, 8). Pero esta «obediencia hasta la muerte» (cfr *Flp* 2, 8) era la ulterior y definitiva expresión de la intimidad de la unión con el Padre. En efecto, según el texto de Marcos, durante la agonía en la cruz, «Jesús... gritó: 'Eloì, Eloì, lamà sabactàni?' que quiere decir: Dios mío, Dios mío, ¿por qué me has abandonado?» (*Mc* 15, 34). Este grito –aunque las palabras manifiestan el sentido del abandono probado en su psicología de hombre sufriente por nosotros– *era la expresión de la más íntima unión del Hijo con el Padre* en el cumplimiento de su mandato: «He llevado a cabo la obra que me encomendaste realizar» (cfr *Jn* 17, 4). En este momento la unidad del Hijo con el Padre se manifestó con una definitiva profundidad divino-humana en el misterio de la redención del mundo.

8. También en el Cenáculo, Jesús dice a los Apóstoles: «Nadie viene *al Padre sino por mí*. Si me habéis conocido, conoceréis también a mi Padre... Felipe, le dijo: Señor, muéstranos al Padre y nos basta. Jesús le dijo: Felipe, ¿tanto tiempo ha que estoy con vosotros y aún no me habéis conocido? El que me ha visto (ve) a mí ha visto (ve) al Padre... ¿No crees que yo estoy en el Padre y el Padre en mí?» (*Jn* 14, 6-10).

«Quien me ve a mí, ve al Padre» El Nuevo Testamento está todo plagado de la luz de esta verdad evangélica. El Hijo es «irradiación de su (del Padre) gloria», e «impronta de su substancia» (*Heb* 1, 3). Es «imagen del Dios invisible» (*Col* 1, 15). Es *la epifanía de Dios*. Cuando se hizo hombre, asumiendo «la condición de siervo» y «haciéndose obediente hasta la muerte» (cfr *Flp* 2, 7-8), al mismo tiempo *se hizo para todos* los que lo escucharon «el camino»: el camino al Padre, con el que es «la verdad y la vida» (*Jn* 14, 6).

En la fatigosa subida para conformarse a la imagen de Cristo, los que creen en Él, como dice San Pablo, «se revisten del hombre nuevo...», y «se renuevan sin cesar, para lograr el perfecto conocimiento de Dios» (cfr *Col* 3, 10), según la imagen del Aquel que es «modelo». Éste es el sólido fundamento de la esperanza cristiana.

19. JESUCRISTO: HIJO QUE «VIVE PARA EL PADRE»*

1. En la catequesis consideramos a Jesucristo como Hijo íntimamente unido al Padre. Esta unión le permite y le exige decir: «*El Padre está en mí y yo estoy en el Padre*», no sólo en la conversación confidencial del Cenáculo, sino también en la declaración pública hecha durante la celebración de la fiesta de los Tabernáculos (cfr *Jn* 7, 28-29). Es más, Jesús llega a decir aún con más claridad: «*Yo y el Padre somos una sola cosa*» (*Jn* 10, 30). Esas palabras son consideradas blasfemas y provocan la reacción violenta de los que lo escuchan: «Trajeron piedras para apedrearlo» (cfr *Jn* 10, 31). En efecto, según la ley de Moisés la blasfemia se debía castigar con la muerte (cfr *Dt* 13, 10-11).

2. Ahora bien, es importante reconocer que existe un vínculo orgánico entre la verdad de esta íntima unión del

* Audiencia general, 15-VII-1987.

Hijo con el Padre y el hecho de que *Jesús-Hijo vive totalmente «para el Padre»*. Sabemos que, efectivamente, toda la vida, toda *la existencia* terrena de Jesús está *dirigida constantemente hacia el Padre,* es una *donación al Padre* sin reservas. Ya a los doce años, Jesús, hijo de María, tiene una conciencia precisa de su relación con el Padre y toma una actitud coherente con esta certeza interior. Por eso, ante la reprobación de su Madre, cuando ella y José lo encuentran en el templo después de haberlo buscado durante tres días, responde: «¿No sabíais que tenía que ocuparme de las cosas de mi Padre?» (*Lc* 2, 49).

3. En la catequesis de hoy también haremos referencia, sobre todo, al texto del cuarto evangelio, porque la conciencia y la actitud manifestadas por Jesús a los doce años, encuentran su profunda *raíz* en lo que leemos al comienzo del gran discurso de despedida que, según Juan, pronunció durante la Última Cena, al final de su vida, cuando estaba dando cumplimiento a su misión mesiánica. El evangelista dice de Él: «viendo que llegaba su hora... *(sabía) que el Padre había puesto en sus manos todas las cosas y que había salido de Dios y a Él volvía*» (*Jn* 13, 3).

La *Carta a los Hebreos* pone de relieve la misma verdad, refiriéndose en cierto modo a la misma pre-existencia de Jesús-Hijo de Dios: «Entrando en este mundo, dice: ...Los holocaustos y sacrificios por el pecado no los recibiste. Entonces yo dije: *'Heme aquí que vengo* –en el volumen del libro está escrito de mí– *para hacer, oh Dios, tu voluntad'*» (*Heb* 10, 5-7).

4. «*Hacer la voluntad*» del Padre, en las palabras y en las obras de Jesús, quiere decir: «*vivir totalmente para*» *el Padre.* «Así como me envió el Padre que tiene la vida..., vivo yo para mi Padre» (*Jn* 6, 57), dice Jesús en el contexto del anuncio de la institución de la Eucaristía. Que cumplir la voluntad del Padre sea para Cristo su misma vida,

lo manifiesta Él personalmente con las palabras dirigidas a los discípulos después del encuentro con la Samaritana: «*Mi alimento es hacer la voluntad del que me envió y acabar su obra*» (*Jn* 4, 34). Jesús vive de la voluntad del Padre. Éste es su «alimento».

5. Y Él vive de este modo –o sea, totalmente orientado hacia el Padre–, porque «ha salido del Padre y va al Padre», sabiendo que *el Padre* «ha puesto en su mano todas las cosas» (*Jn* 3, 35). Dejándose guiar en todo por esa conciencia, Jesús proclama ante los hijos de Israel: «Pero yo tengo un testimonio mayor que el de Juan (es decir, mayor que el que les ha dado Juan el Bautista): porque *las obras que mi Padre me dio a hacer,* esas obras que yo hago, dan en favor mío testimonio de que el Padre me ha enviado» (*Jn* 5, 36). Y en el mismo contexto: «En verdad, en verdad, os digo que no puede el Hijo hacer nada por Sí mismo, sino lo que ve hacer al Padre; porque *lo que éste hace, lo hace igualmente el Hijo*» (*Jn* 5, 19). Y añade: «Como el Padre resucita a los muertos y les da vida, así también el Hijo da la vida a los que quiere» (*Jn* 5, 21).

6. El pasaje del discurso eucarístico (de *Jn* 6), que hemos citado hace poco: «Así como me envió el Padre que tiene la vida... *yo vivo por el Padre*», a veces se traduce de este otro modo: «*Yo vivo por medio del Padre*» (*Jn* 6, 57). Las palabras de *Jn* 5, que acabamos de decir, se armonizan con esta segunda interpretación. Jesús vive «por medio del Padre» en el sentido de que todo lo que hace *corresponde plenamente a la voluntad del Padre:* es lo que *hace el mismo Padre.* Precisamente por eso, la vida humana del Hijo, su quehacer, su existencia terrena, está dirigida de forma tan completa hacia el Padre: porque en Él la fuente de todo es *su eterna unidad con el Padre:* «Yo y el Padre somos una sola cosa» (*Jn* 10, 30). Sus obras son la prueba de la estrecha comunión de las divinas Personas.

En ellas *la misma divinidad se manifiesta como unidad* del Padre y del Hijo: la verdad que ha provocado tanta oposición entre los que le escuchan.

7. Jesús, casi previendo las ulteriores consecuencias de esa oposición, dice en otro momento de su conflicto con los judíos: «Cuando levantéis en alto al Hijo del hombre, entonces conoceréis que Yo soy, y no hago nada de mí mismo, sino que, según me enseñó mi Padre, así hablo. El que me envió está conmigo; no me ha dejado solo, porque Yo hago siempre lo que es de su agrado» (*Jn* 8, 28-29).

8. Verdaderamente Jesús cumplió la voluntad del Padre hasta el final. Con la pasión y muerte en cruz confirmó «que hacía siempre lo que agrada al Padre»: cumplió *la voluntad salvífica para la redención del mundo, en la que el Padre y el Hijo están unidos eternamente,* porque son «son una sola cosa» (*Jn* 10, 30). Cuando estaba muriendo en la cruz, Jesús, «dando una gran voz dijo: 'Padre, en tus manos entrego mi espíritu'» (cfr *Lc* 23, 46); estas últimas palabras testificaban que, hasta el final, toda su existencia terrena había estado orientada al Padre. Viviendo –como Hijo– «por (medio del) Padre», vivía totalmente «para el Padre». Y *el Padre,* tal como había predicho, «no lo dejó solo». En el misterio pascual de la muerte y de la resurrección se cumplieron las palabras: «Cuando levantéis en alto al Hijo del hombre, entonces conoceréis que Yo soy». «Yo soy»: las mismas palabras con las que una vez el Señor –el Dios vivo– había contestado a la pregunta de Moisés a propósito de su nombre (cfr *Ex* 3, 13 y ss).

9. En la *Carta a los Hebreos* leemos frases ciertamente muy reconfortantes: «Es, por tanto, perfecto su poder de salvar a *los que por Él se acercan a Dios,* y siempre vive para interceder por ellos» (*Heb* 7, 25). El que, como Hijo «de la misma naturaleza que el Padre», vive «por (medio

del) Padre», ha revelado al hombre el camino de la salvación eterna. Tomemos también nosotros este camino y marchemos por él, participando en esa *vida «para el Padre» cuya plenitud dura* por siempre *en Cristo.*

20. EL HIJO SE DIRIGE AL PADRE EN LA ORACIÓN*

1. Jesucristo es el Hijo íntimamente unido al Padre; el Hijo que «vive totalmente para el Padre» (cfr *Jn* 6, 57); el Hijo, cuya existencia terrena total se da al Padre sin reservas. A estos temas desarrollados en las últimas catequesis, se une estrechamente el de la oración de Jesús: tema de la catequesis de hoy. Es, pues, *en la oración donde encuentra su particular expresión* el hecho de que *el Hijo esté íntimamente unido al Padre, esté dedicado a Él, se dirija a Él* con toda su existencia humana. Esto significa que el tema de la oración de Jesús ya está contenido implícitamente en los temas precedentes, de modo que podemos decir perfectamente que Jesús de Nazaret «oraba en todo tiempo sin desfallecer» (cfr *Lc* 18, 1). La oración era *la vida de su alma,* y toda su vida *era oración.* La historia de la humanidad no conoce ningún otro personaje que con esa plenitud –de ese modo– se relacionara con Dios en la oración como Jesús de Nazaret, Hijo del hombre, y al mismo tiempo Hijo de Dios, «de la misma naturaleza que el Padre».

2. Sin embargo, hay pasajes en los Evangelios que *ponen de relieve la oración de Jesús,* declarando explícitamente que «Jesús rezaba». Esto sucede en diversos momentos del día y de la noche y en varias circunstancias. He aquí algunas: «A la mañana, mucho antes de amanecer, se levantó, salió y se fue a un lugar desierto, y allí oraba» (*Mc* 1, 35). No sólo lo hacía al comenzar el día (la

* Audiencia general, 22-VII-1987.

«oración de la mañana»), *sino tam*bién *durante el día y por la tarde, y especialmente de noche.* En efecto, leemos: «Concurrían numerosas muchedumbres para oírle y ser curados de sus enfermedades, pero Él se retiraba a lugares solitarios y se daba a la oración» (*Lc* 5, 15-16). Y en otra ocasión: «Una vez que despidió a la muchedumbre, subió a un monte apartado para orar, y llegada la noche, estaba allí solo» (*Mt* 14, 23).

3. Los evangelistas subrayan el hecho de que *la oración acompañe los acontecimientos de particular importancia* en la vida de Cristo: «Aconteció, pues, que, bautizado Jesús y orando, se abrió el cielo...» (*Lc* 3, 21), y continúa la descripción de la teofanía que tuvo lugar *durante el bautismo* de Jesús en el Jordán. De forma análoga, la oración hizo de introducción en la teofanía *del monte de la transfiguración:* «...tomando a Pedro, a Juan y a Santiago, subió a un monte para orar. Mientras oraba, el aspecto de su rostro se transformó...» (*Lc* 9, 28-29).

4. La oración también constituía *la preparación para decisiones importantes* y para momentos de gran relevancia *de cara a la misión mesiánica de Cristo.* Así, en el momento de comenzar su ministerio público, se retira al desierto a ayunar y rezar (cfr *Mt* 4, 1-11 y paral.); y también, *antes de la elección de los Apóstoles,* «Jesús salió hacia la montaña para orar, y pasó la noche orando a Dios. Cuando se hizo de día, llamó a sí a los discípulos y escogió a doce de ellos, a quienes dio el nombre de apóstoles» (*Lc* 6, 12-13). Así también, antes de la confesión de Pedro, cerca de Cesarea de Filipo: «... aconteció que orando Jesús a solas, estaban con Él los discípulos, a los cuales preguntó: ¿Quién dicen las muchedumbres que soy yo? Respondiendo ellos, le dijeron: 'Unos, que Juan Bautista; otros, que Elías; otros, que uno de los antiguos Profetas ha resucita-

do'. Díjoles Él: 'Y vosotros, ¿quién decís que soy yo?'. Respondiendo Pedro, dijo: 'El Ungido de Dios'» (*Lc* 9, 18-20).

5. Profundamente conmovedora es *la oración de antes de la resurrección de Lázaro:* «Y Jesús, alzando los ojos al cielo, dijo: 'Padre: te doy gracias porque me has escuchado; yo sé que siempre me escuchas, pero por la muchedumbre que me rodea lo digo, para que crean que tú me has enviado'» (*Jn* 11, 41-42).

6. La oración *en la Última Cena (la llamada oración sacerdotal),* habría que citarla toda entera. Intentaremos al menos tomar en consideración los pasajes que no hemos citado en las anteriores catequesis. Son estos: «... Levantando sus ojos al cielo, añadió (Jesús): '*Padre,* llegó la hora; *glorifica a tu Hijo para que tu Hijo te glorifique,* según el poder que le diste sobre toda carne, para que a todos los que tú le diste les dé Él la vida eterna'» (*Jn* 17, 1-2). Jesús reza por la finalidad esencial de su misión: la gloria de Dios y la salvación de los hombres. Y añade: «Ésta es la vida eterna: *que te conozcan a ti, único Dios Verdadero,* y a tu enviado, Jesucristo. Yo te he glorificado sobre la tierra, *llevando a cabo la obra* que me encomendaste realizar. Ahora, tú, Padre glorifícame cerca de ti mismo con la gloria que tuve cerca de ti antes que el mundo existiese» (*Jn* 17, 3-5).

7. Continuando la oración, el Hijo casi rinde cuentas al Padre por su misión en la tierra: «*He manifestado tu nombre a los hombres* que de este mundo me has dado. Tuyos eran, y tú me los diste, y han guardado tu palabra. Ahora saben que todo cuanto me diste viene de ti» (*Jn* 17, 6-7). Después añade: «Yo ruego por ellos, no ruego por el mundo, sino por los que tú me diste, porque son tuyos...» (*Jn* 17, 9). Ellos son los que «acogieron» la palabra de Cristo, los que «creyeron» que el Padre lo envió. Jesús

ruega sobre todo por ellos, porque *«ellos están en el mundo, mientras yo voy a ti»* (*Jn* 17, 11). Ruega para que «sean uno», para que «no perezca ninguno de ellos» (y aquí el Maestro recuerda «al hijo de la perdición»), para que «tengan mi gozo cumplido en sí mismos» (*Jn* 17, 13). En la perspectiva de su partida, mientras los discípulos han de permanecer en el mundo y estarán expuestos al odio porque «ellos no son del mundo», igual que su Maestro, Jesús ruega: «No pido que los saques del mundo, sino que los libres del mal» (*Jn* 17, 15).

8. También en la oración del Cenáculo Jesús pide por sus discípulos: «*Santifícalos en la verdad,* pues tu palabra es verdad. Como tú me enviaste al mundo, así yo los envié al mundo, y yo por ellos me santifico, para que ellos sean santificados en la verdad» (*Jn* 17, 17-19). A continuación Jesús abraza *con la misma oración a las futuras generaciones* de sus discípulos. Sobre todo ruega por *la unidad,* para que «conozca el mundo que tú me enviaste y amaste a éstos como tú me amaste a mí» (*Jn* 17, 25). Al final de su invocación, Jesús vuelve a los pensamientos principales dichos antes, poniendo todavía más de relieve su importancia. En ese contexto *pide por todos* los que el Padre le «ha dado» para que «*estén ellos también conmigo, para que vean mi gloria, que tú me has dado;* porque me amaste antes de la creación del mundo» (*Jn* 17, 24).

9. Verdaderamente la «oración sacerdotal» de Jesús es la síntesis de esa autorrevelación de Dios en el Hijo, que se encuentra en el centro de los Evangelios. *El Hijo habla al Padre en el nombre de esa unidad que forma con Él* («Tú, Padre, estás en mí y yo en ti»: *Jn* 17, 21). Y al mismo tiempo ruega para que se propaguen entre los hombres los frutos de la misión salvífica por la que vino al mundo. De este modo revela el *mysterium Ecclesiae,* que nace de su misión salvífica, y reza por su futuro desarrollo en medio

del «mundo». Abre *la perspectiva de la gloria,* a la que están llamados con Él todos los que «acogen» su palabra.

10. Si en la oración de la Última Cena se oye a Jesús hablar al Padre como Hijo suyo «consubstancial», en la *oración del Huerto,* que viene a continuación, resalta sobre todo su verdad de Hijo del Hombre. «Triste está mi alma hasta la muerte. Permaneced aquí y velad» (*Mc* 14, 34), dice a sus amigos al llegar al huerto de los olivos. Una vez solo, se postra en tierra y *las palabras de su oración manifiestan la profundidad del sufrimiento.* Pues dice: «Abbá, Padre, todo te es posible; aleja de mí este cáliz, mas no se haga lo que yo quiero sino lo que tú quieres» (*Mt* 14, 36).

11. Parece que se refieren a esta oración de Getsemaní las palabras de la *Carta a los Hebreos*: «Él ofreció en los días de su vida mortal oraciones y súplicas con poderosos clamores y lágrimas al que era poderoso para salvarle de la muerte». Y aquí el Autor de la *Carta* añade que *«fue escuchado por su reverencial temor»* (*Heb* 5, 7). Sí. También la oración de Getsemaní fue escuchada, porque también en ella –con toda la verdad de su actitud humana de cara al sufrimiento– se hace sentir sobre todo la unión de Jesús con el Padre en la voluntad de redimir al mundo, que constituye el origen de su misión salvífica.

12. Ciertamente Jesús oraba en las distintas circunstancias que *surgían de la tradición y de la ley religiosa de Israel,* como cuando, al tener doce años, subió con los padres al templo de Jerusalén (cfr *Lc* 2, 41 ss.), o cuando, como refieren los evangelistas, entraba «los sábados en la sinagoga, según la costumbre» (cfr *Lc* 4, 16). Sin embargo, merece una atención especial lo que dicen los Evangelios de la oración personal de Cristo. La Iglesia nunca lo ha olvidado y vuelve a encontrar en el diálogo personal de

Cristo con Dios la fuente, la inspiración, la fuerza de su misma oración. En Jesús orante, pues, se expresa del modo más personal el misterio del Hijo, que «vive totalmente para el Padre», en íntima unión con Él.

21. EL HIJO VIVE EN ACTITUD DE ACCIÓN DE GRACIAS AL PADRE*

1. La oración de Jesús como Hijo «salido del Padre» expresa de modo especial el hecho de que Él «va al Padre» (cfr *Jn* 16, 28). «Va», y conduce al Padre a todos aquellos que el Padre «le ha dado» (cfr *Jn* 17). Además, a todos les deja *el patrimonio duradero de su oración filial:* «Cuando oréis, decid: 'Padre nuestro...'» (*Mt* 6, 9; cfr *Lc* 11, 2). Como aparece en esta fórmula que enseñó Jesús, su oración al Padre se caracteriza por algunas notas fundamentales: es una oración llena de alabanza, llena de un abandono ilimitado a la voluntad del Padre, y, por lo que se refiere a nosotros, llena de súplica y petición de perdón. En este contexto se sitúa de modo especial la oración de acción de gracias.

2. Jesús dice: «Yo te alabo, Padre, Señor del cielo y tierra, porque ocultaste estas cosas a los sabios y discretos y las revelaste a los pequeñuelos...» (*Mt* 11, 25). Con la expresión «Te alabo», Jesús quiere significar *la gratitud por el don de la revelación de Dios,* porque «nadie conoce al Padre sino el Hijo y aquel a quien el Hijo quisiere revelárselo» (*Mt* 11, 27). También *la oración sacerdotal* (que hemos analizado en la última catequesis), si bien posee el carácter de una gran petición que el Hijo hace al Padre al final de su misión terrena, al mismo tiempo está también *impregnada de un profundo sentido de acción de gracias.* Se puede incluso decir que la acción de gracias constituye

* Audiencia general, 29-VII-1987.

el contenido esencial no sólo de la oración de Cristo, sino de la misma *intimidad existencial suya con el Padre.* En el centro de todo lo que Jesús hace y dice, se encuentra la conciencia del don: todo es don de Dios, creador y Padre; y una respuesta adecuada al don es la gratitud, la *acción de gracias.*

3. Hay que prestar atención a los pasajes evangélicos, especialmente a los de San Juan, donde esta acción de gracias se pone claramente de relieve. Tal es, por ejemplo, la oración *con motivo de la resurrección de Lázaro:* «Padre te doy gracias porque me has escuchado» (*Jn* 11, 41). En la multiplicación de los panes (junto a Cafarnaún) «*Jesús tomó los panes y, dando gracias, dio a los que estaban recostados, e igualmente de los peces...*» (*Jn* 6, 11). Finalmente, *en la institución de la Eucaristía,* Jesús, antes de pronunciar las palabras de la institución sobre el pan y el vino «dio gracias» (*Lc* 22, 17; cfr, también *Mc* 14, 23; *Mt* 26, 27). Esta expresión la usa respecto al cáliz del vino, mientras que con referencia al pan se habla igualmente de la «bendición». Sin embargo, según el Antiguo Testamento, «*bendecir a Dios*» significa también *darle gracias,* además de «alabar a Dios», «confesar al Señor».

4. En la oración de acción de gracias se prolonga la tradición bíblica, que se expresa de modo especial en los Salmos. «Bueno es alabar a Yahvéh y cantar para tu nombre, oh Altísimo... Pues me has alegrado, oh Yahvéh, con tus hechos, y me gozo en las obras de tus manos» (*Sal* 91/92, 2-5). «Alabad a Yahvéh, porque es *bueno,* porque *es eterna su misericordia.* Digan así los rescatados de Yahvéh... Den gracias a Dios por su piedad y por los maravillosos favores que hace a los hijos de los hombres. Y ofrézcanle *sacrificios de alabanza» (zebah todah)* (*Sal* 106/107, 1. 2. 21-22). «Alabad a Yahvéh porque es bueno, porque es eterna su misericordia... Te alabo porque me oíste y fuiste para mí la salva-

ción... Tú eres mi Dios, yo te alabaré; mi Dios, yo te ensalzaré» (*Sal* 117/118, 1. 21. 28). «¿Qué podré yo dar a Yahvéh por todos los beneficios que me ha hecho? Te ofreceré sacrificios de alabanza e invocaré el nombre de Yahvéh» (*Sal* 115/116, 12. 17). «*Te alabaré por el maravilloso modo con que me hiciste;* admirables son tus obras, conoces del todo mi alma (*Sal* 138/139, 14). «Quiero ensalzarte, Dios mío, Rey, y bendecir tu nombre por los siglos» (*Sal* 144/145, 1).

5. En el Libro del Eclesiástico se lee también: «Bendecid al Señor en todas sus obras. Ensalzad su nombre, *y uníos en la confesión de sus alabanzas...* Alabadle así con alta voz: Las obras del Señor son todas buenas, sus órdenes se cumplen a tiempo, pues todas se hacen desear a su tiempo... No ha lugar a decir: ¿Qué es esto, para qué esto? Todas las cosas fueron creadas para sus fines» (*Eclo* 39, 19-21. 26). La exhortación del Eclesiástico a «bendecir al Señor» tiene un tono didáctico.

6. Jesús acogió esta *herencia* tan significativa para el Antiguo Testamento explicitando en el filón de la bendición-confesión-alabanza la dimensión de acción de gracias. Por eso se puede decir que el momento culminante de esta tradición bíblica tuvo lugar en la Última Cena cuando Cristo instituyó el sacramento de su Cuerpo y de su Sangre el día antes de ofrecer ese Cuerpo y esa Sangre en el Sacrificio de la cruz. Como escribe San Pablo: «El Señor Jesús, en la noche en que fue entregado, *tomó el pan y, después de dar gracias,* lo partió y dijo: 'Esto es mi Cuerpo, que se da por vosotros; haced esto en memoria mía'» (*1 Cor* 11, 23-24). Del mismo modo, los evangelistas sinópticos hablan también de la acción de gracias sobre el cáliz: «*Tomando el cáliz* después *de dar gracias,* se lo entregó, y bebieron de él todos. Y les dijo: 'ésta es mi Sangre de la Alianza, que es derramada por muchos'» (*Mc* 14, 23-24; cfr *Mt* 26, 27; Lc 22, 17).

7. El original griego de la expresión «dar gracias» es (de «eujaristein»), de donde *Eucaristía.* Así pues, el Sacrificio del Cuerpo y de la Sangre instituido como el Santísimo Sacramento de la Iglesia, constituye el cumplimiento y al mismo tiempo la superación de los sacrificios de bendición y de alabanza, de los que se habla en los Salmos *(zebah todah).* Las comunidades cristianas, desde los tiempos más antiguos, unían *la celebración de la Eucaristía a la acción de gracias,* como demuestra el texto de la «*Didajé*» (escrito y compuesto entre finales del siglo I y principios del II, probablemente en Siria, quizá en la misma Antioquía):

«*Te damos gracias,* Padre nuestro, *por la santa vida de David* tu Siervo, que nos has hecho desvelar por Jesús tu Siervo...».

«*Te damos gracias,* Padre nuestro, *por la vida y el conocimiento* que nos has hecho desvelar por Jesucristo, tu Siervo».

«*Te damos gracias,* Padre santo, *por tu santo nombre,* que has hecho habitar en nuestros corazones, *y por el conocimiento, la fe y la inmortalidad* que nos has hecho desvelar por Jesucristo tu Siervo» (*Didajé* 9, 2-3; 10, 2).

8. El canto de acción de gracias de la Iglesia que acompaña la celebración de la Eucaristía, nace de lo íntimo de su corazón, y *del Corazón mismo del Hijo, que vivía en acción de gracias.* Por eso podemos decir que su oración, y toda su existencia terrena, se convirtió en revelación de esta verdad fundamental enunciada por la Carta de Santiago: «Todo buen don y toda dádiva perfecta viene de arriba, desciende del Padre de las luces» (*Sant* 1, 17). Viviendo en la acción de gracias, Cristo, el Hijo del hombre, el nuevo «Adán», derrotaba en su raíz misma el pecado que bajo el influjo del «padre de la mentira» había sido concebido en el espíritu «del primer Adán» (cfr *Gen* 3). La acción de gracias restituye al hombre la conciencia del

don entregado por Dios «desde el principio» y al mismo tiempo expresa *la disponibilidad a intercambiar el don:* darse a Dios, con todo el corazón y darle todo lo demás. Es como una restitución, porque todo tiene en Él su principio y su fuente.

«*Gratias agamus* Domino Deo nostro»: es la invitación que la Iglesia pone en el centro de la liturgia eucarística. También en esta exhortación resuena fuerte el eco de la acción de gracias, del que vivía en la tierra el Hijo de Dios. Y la voz del Pueblo de Dios responde con un humilde y gran testimonio coral: «Dignum et iustum est», «es justo y necesario».

22. JESUCRISTO VIENE EN LA POTENCIA DEL ESPÍRITU SANTO*

1. «Salí del Padre y vine al mundo; de nuevo dejo el mundo y me voy al Padre» (*Jn* 16, 28). Jesucristo tiene el conocimiento de su origen del Padre: es el Hijo porque proviene del Padre. Como Hijo ha venido al mundo, mandado por el Padre. Esta misión, *(missio)* que se basa en el origen eterno del Cristo-Hijo, de la misma naturaleza que el Padre, está radicada en Él. Por ello en esta misión el Padre revela el Hijo y da testimonio de Cristo como su Hijo, mientras que al mismo tiempo el Hijo revela al Padre. Nadie, efectivamente «conoce al Hijo sino el Padre, y nadie conoce al Padre sino el Hijo y aquel a quien el Hijo quisiere revelárselo» (*Mt* 11, 27). El *Hijo,* que «ha salido del Padre», *expresa y confirma la propia filiación en cuanto «revela al Padre»* ante el mundo. Y lo hace no sólo con las palabras del Evangelio, sino también con su vida, por el hecho de que Él completamente «vive por el Padre», y esto hasta el sacrificio de su vida en la cruz.

* Audiencia general, 5-VIII-1987.

2. *Esta misión salvífica del Hijo de Dios como Hombre se lleva a cabo «en la potencia» del Espíritu Santo.* Lo atestiguan numerosos pasajes de los Evangelios y todo el Nuevo Testamento. En el Antiguo Testamento, la verdad sobre la estrecha relación entre la misión del Hijo y la venida del Espíritu Santo (que es también su «misión») estaba escondida, aunque también, en cierto modo, ya anunciada. Un presagio particular son *las palabras de Isaías,* a las cuales Jesús hace referencia al inicio de su actividad mesiánica en Nazaret: «*El Espíritu del Señor está sobre mí,* porque me ungió para evangelizar a los pobres; *me envió* a predicar a los cautivos la libertad, a los ciegos la recuperación de la vista; para poner en libertad a los oprimidos, para anunciar un año de gracia del Señor» (*Lc* 4, 17-19; cfr *Is* 61, 1-2).

Estas palabras hacen referencia al Mesías: *palabra que significa «consagrado con unción»* («ungido»), es decir, *aquel que viene de la potencia del Espíritu del Señor.* Jesús afirma delante de sus paisanos que estas palabras se refieren a Él: «Hoy se cumple esta Escritura que acabáis de oír» (cfr *Lc* 4, 21).

3. Esta verdad sobre el Mesías que viene en el poder del Espíritu Santo encuentra su confirmación *durante el bautismo de Jesús en el Jordán,* también al comienzo de su actividad mesiánica. Particularmente denso es el texto de Juan que refiere las palabras del Bautista: «*Yo he visto el Espíritu* descender del cielo como paloma y *posarse sobre Él.* Yo no le conocía; pero el que me envió a bautizar en agua me dijo: Sobre quien vieres descender el Espíritu y posarse sobre Él, ése es el *que bautiza en el Espíritu Santo.* Y yo vi, y doy testimonio de que éste es el Hijo de Dios» (*Jn* 1, 32-34).

Por consiguiente, Jesús es el Hijo de Dios, aquel que «ha salido del Padre y ha venido al mundo» (cfr *Jn* 16, 28), para llevar el Espíritu Santo: «para bautizar en el Espíritu Santo» (cfr *Mc* 1, 8), es decir, para instituir la nueva realidad de un nuevo nacimiento, por el poder de Dios, de los hijos de Adán manchados por el pecado. La venida del Hijo de Dios al mundo, *su concepción humana y su nacimiento virginal se han cumplido por obra del Espíritu Santo.* El Hijo de Dios se ha hecho hombre y ha nacido de la Virgen María por obra del Espíritu Santo, en su potencia.

4. El testimonio que Juan da de Jesús como Hijo de Dios está en estrecha relación con el texto del Evangelio de Lucas donde leemos que en la Anunciación María oye decir que Ella «concebirá y dará a luz en su seno un hijo que será llamado Hijo del Altísimo» (cfr *Lc* 1, 31-32). Y cuando pregunta: «¿Cómo podrá ser esto, pues yo no conozco varón?», recibe la respuesta. «*El Espíritu Santo vendrá sobre ti* y la virtud del Altísimo te cubrirá con su sombra, y por esto el hijo engendrado será santo, *será llamado Hijo de Dios*» (*Lc* 1, 34-35).

Si, entonces, el «salir del Padre y venir al mundo» (cfr *Jn* 16, 28) del Hijo de Dios como hombre (el Hijo del hombre), se ha efectuado en el poder el Espíritu Santo, esto manifiesta el misterio de la vida trinitaria de Dios. Y este poder vivificante del Espíritu Santo *está confirmado* desde el comienzo de la actividad mesiánica de Jesús, como aparece en los textos de los Evangelios, sea de los sinópticos (*Mc* 1, 10; *Mt* 3, 16; *Lc* 3, 22) como de Juan (*Jn* 1, 32-34).

5. Ya en el Evangelio de la infancia, cuando se dice de Jesús que «la gracia de Dios estaba en Él» (*Lc* 2, 40), se pone de relieve la presencia santificante del Espíritu Santo. Pero es en el momento del bautismo en el Jordán cuando los Evangelios hablan mucho más expresamente de la actividad de Cristo en la potencia del Espíritu: «enseguida (después del bautismo) el Espíritu le empujó hacia el desierto...» dice Marcos (*Mc* 1, 12). Y en el desierto, después de un período de cuarenta días de ayuno, el Espí-

ritu de Dios permitió que Jesús fuese tentado por el espíritu de las tinieblas, de forma que obtuviese sobre él la primera victoria mesiánica (cfr *Lc* 4, 1-14). También durante su actividad pública, Jesús manifiesta numerosas veces la misma potencia del Espíritu Santo respecto a los endemoniados. Él mismo lo resalta con aquellas palabras suyas: «*si yo arrojo los demonios con el Espíritu de Dios,* entonces es que ha llegado a vosotros el reino de Dios» (*Mt* 12, 28). La conclusión de todo el combate mesiánico contra las fuerzas de las tinieblas ha sido el acontecimiento pascual: la muerte en cruz y la resurrección de Quien ha venido del Padre en la potencia del Espíritu Santo.

6. También, después de la Ascensión, Jesús permaneció, en la conciencia de sus discípulos, como aquel a quien «ungió Dios con el Espíritu Santo y con poder» (*Hch* 10, 38). Ellos recuerdan que gracias a este poder los hombres, escuchando las enseñanzas de Jesús, alababan a Dios y decían : «un gran profeta se ha levantado entre nosotros y Dios ha visitado a su pueblo» (*Lc* 7, 16). «Jamás hombre alguno habló como éste» (*Jn* 7, 46), y atestiguaban que, gracias a este poder, Jesús «hacía milagros, prodigios y señales» (cfr *Hch* 2, 22), de esta manera «toda la multitud buscaba tocarle, porque salía de Él una virtud que sanaba a todos» (*Lc* 6, 19). En todo lo que Jesús de Nazaret, el Hijo del hombre, hacía o enseñaba, se cumplían las palabras del profeta Isaías (cfr *Is* 42, 1) sobre el Mesías: «He aquí a mi siervo a quien elegí; mi amado en quien mi alma se complace. Haré descansar mi espíritu sobre él...» (*Mt* 12, 18).

7. Este poder del Espíritu Santo se ha manifestado hasta el final *en el sacrificio redentor de Cristo* y en su resurrección. Verdaderamente Jesús es el Hijo de Dios «que el Padre santificó y envió al mundo» (cfr *Jn* 10, 36). Respondiendo a la voluntad del Padre, Él mismo se ofrece a

Dios *mediante el Espíritu como víctima inmaculada* y esta víctima purifica nuestra conciencia de las obras muertas, para que podamos servir al Dios viviente (cfr *Heb* 9, 14). El mismo Espíritu Santo como testimonia el Apóstol Pablo «*resucitó a Cristo Jesús de entre los muertos*» (*Rom* 8, 11), y mediante este «resurgir de los muertos», Jesucristo recibe la plenitud de la potencia mesiánica y es definitivamente *revelado* por el Espíritu Santo *como «Hijo de Dios con potencia»* (literalmente): «constituido Hijo de Dios, poderoso según el Espíritu de Santidad a partir de la resurrección de entre los muertos» (*Rom* 1, 4).

8. Así pues, Jesucristo, el Hijo de Dios, viene al mundo por obra del Espíritu Santo, y como Hijo del hombre cumple totalmente su misión mesiánica en la fuerza del Espíritu Santo. Pero si *Jesucristo actúa por este poder* durante toda su actividad salvífica y al final en la pasión y en la resurrección, entonces es *el mismo Espíritu Santo el que revela que Él es el Hijo de Dios.* De modo que hoy, gracias al Espíritu Santo, la divinidad del Hijo, Jesús de Nazaret, resplandece ante el mundo. Y «nadie –como escribe San Pablo– puede decir: 'Jesús es el Señor', sino en el Espíritu Santo» (1 *Cor* 12, 3).

23. JESUCRISTO TRAE EL ESPÍRITU SANTO A LA IGLESIA Y A LA HUMANIDAD*

1. Jesucristo, el Hijo de Dios, que ha sido mandado por el Padre al mundo, llega a ser hombre por obra del Espíritu Santo en el seno de María, la Virgen de Nazaret, y *en la fuerza del Espíritu Santo cumple como hombre su misión mesiánica* hasta la cruz y la resurrección.

En relación a esta verdad (que constituía el objeto de

* Audiencia general, 12-VIII-1987.

la catequesis precedente), es oportuno recordar *el texto de San Ireneo* que escribe: «El Espíritu Santo descendió sobre el Hijo de Dios, que se hizo Hijo del hombre; *habituándose* junto a Él a habitar en el género humano, a descansar en los hombres, las obras de Dios, llevando a cabo en ellos la voluntad del Padre y transformando su vetustez en la novedad de Cristo» (*Adv. haer.* III, 17, 1).

Es un pasaje muy significativo que repite con otras palabras lo que hemos tomado del Nuevo Testamento, es decir, que el Hijo de Dios se ha hecho hombre por obra del Espíritu Santo y en su potencia ha desarrollado la misión mesiánica, para *preparar* de esta manera *el envío y la venida a las almas humanas de este espíritu,* que «todo lo escudriña, hasta las profundidades de Dios» (*1 Cor* 2, 10), para renovar y consolidar su presencia y su acción santificante en la vida del hombre. Es interesante esta expresión de Ireneo, según la cual, el Espíritu Santo, obrando en el Hijo del hombre, *«se habituaba junto a Él a habitar en el género humano».*

2. En el Evangelio de Juan leemos que «el último día, el día grande de la fiesta, se detuvo Jesús y gritó diciendo: 'Si alguno tiene sed, *venga a mí y beba.* Al que cree en mí, según dice la Escritura, *ríos de agua viva manarán de sus entrañas'.* Esto dijo del Espíritu, que habían de recibir los que creyeran en Él, pues aún no había sido dado el Espíritu porque Jesús no había sido glorificado» (*Jn* 7, 37-39).

Jesús anuncia la venida del Espíritu Santo, sirviéndose de la metáfora del «agua viva», porque «el espíritu es el que da la vida...» (*Jn* 6, 63). Los discípulos recibirán este Espíritu de Jesús mismo en el tiempo oportuno, cuando Jesús sea «glorificado»: el Evangelista tiene en mente la glorificación pascual mediante la cruz y la resurrección.

3. Cuando este tiempo –o sea, la «hora» de Jesús– está ya cercano, *durante el discurso en el Cenáculo,* Cristo repite

su anuncio, y varias veces promete a los Apóstoles la venida del Espíritu Santo como nuevo Consolador (Paráclito).

Les dice así: «yo rogaré al Padre y os dará *otro Abogado* que estará con vosotros para siempre: *el Espíritu de verdad,* que el mundo no puede recibir, porque no le ve ni le conoce; vosotros le conocéis, porque permanece con vosotros» (*Jn* 14, 16-17). «El Abogado, el Espíritu Santo, *que el Padre enviará en mi nombre,* ése os lo enseñará todo y os traerá a la memoria todo lo que yo os he dicho» (*Jn* 14, 26). Y más adelante: «Cuando venga el Abogado, *que yo os enviaré de parte del Padre,* el Espíritu de verdad, que procede del Padre, Él dará testimonio de mí...» (*Jn* 15, 26).

Jesús concluye así: «Si no me fuere, el Abogado no vendrá a vosotros; pero, *si me fuere, os lo enviaré.* Y al venir éste, amonestará al mundo sobre el pecado, la justicia y el juicio...» (*Jn* 16, 7-8).

4. En los textos reproducidos se contiene de una manera densa la revelación de la verdad sobre el Espíritu Santo, que procede del Padre y del Hijo. (Sobre este tema me he detenido ampliamente en la Encíclica *Dominum et Vivificantem*). En síntesis, hablando a los Apóstoles en el Cenáculo, la vigilia de su pasión, *Jesús une su partida, ya cercana, con la venida del Espíritu Santo.* Para Jesús se da una relación causal: El debe irse a través de la cruz y de la resurrección, para que el Espíritu de verdad pueda descender sobre los Apóstoles y sobre la Iglesia entera como el Abogado. Entonces el Padre mandará el Espíritu «en nombre del Hijo», lo mandará en la potencia del misterio de la Redención, que debe cumplirse por medio de este Hijo, Jesucristo. Por ello, es justo afirmar, como hace Jesús, que también *el mismo Hijo lo mandará:* «el Abogado que *yo os enviaré* de parte del Padre» (*Jn* 15, 26).

5. Esta promesa hecha a los Apóstoles en la vigilia de su pasión y muerte, Jesús la ha realizado *el mismo día de*

su resurrección. Efectivamente, el Evangelio de Juan narra que, presentándose a los discípulos que estaban aún refugiados en el Cenáculo, Jesús los saludó y mientras ellos estaban asombrados por este acontecimiento extraordinario, «*sopló y les dijo:* 'Recibid el Espíritu Santo; a quien perdonareis los pecados, les serán perdonados; a quien se los retuviereis, les serán retenidos'» (*Jn* 20, 22-23).

En el texto de Juan existe un subrayado teológico, que conviene poner de relieve: Cristo resucitado es el que se presenta a los Apóstoles y les «trae» el Espíritu Santo, el que *en cierto sentido* lo «*da*» a ellos en los signos de su muerte en cruz («les mostró las manos y el costado»: *Jn* 20, 20). Y siendo «el Espíritu que da la vida» (*Jn* 6, 63), los Apóstoles reciben junto con el Espíritu Santo la capacidad y el poder de perdonar los pecados.

6. Lo que acontece de modo tan significativo el mismo día de la resurrección, los otros Evangelistas lo distribuyen de alguna manera a lo largo de los días sucesivos, en los que Jesús continúa preparando a los Apóstoles para el gran momento, cuando en virtud de su partida el Espíritu Santo descenderá sobre ellos de una forma definitiva, de modo que *su venida* se hará *manifiesta al mundo.*

Éste será también *el momento* del nacimiento de la Iglesia: «recibiréis el poder del Espíritu Santo, que vendrá sobre vosotros, y seréis mis testigos en Jerusalén, en toda Judea, en Samaria y hasta el extremo de la tierra» (*Hch* 1, 8). Esta promesa, que tiene relación directa con la venida del Paráclito, se ha cumplido el día de Pentecostés.

7. En síntesis, podemos decir que Jesucristo es aquel que proviene del Padre como eterno Hijo, es aquel que «*ha salido*» del Padre haciéndose hombre por obra del Espíritu Santo. Y después de haber cumplido su misión mesiánica como Hijo del hombre, en la fuerza del Espíritu Santo, «va al Padre» (cfr *Jn* 14, 21). Marchándose allí

como Redentor del Mundo, «da» a sus discípulos y manda sobre la Iglesia para siempre el mismo Espíritu en cuya potencia Él actuaba como hombre. De este modo Jesucristo, como aquel que «va al Padre» *por medio del Espíritu Santo conduce «al Padre» a todos* aquellos que lo seguirán en el transcurso de los siglos.

8. «Exaltado a la diestra de Dios y recibida del Padre la promesa del Espíritu Santo, (Jesucristo) *le derramó*» (*Hch* 2, 33), dirá el Apóstol Pedro el día de Pentecostés. «Y, puesto que sois hijos, *envió Dios a vuestros corazones el Espíritu de su Hijo,* que grita: ¡Abbá!, ¡Padre!» (*Gal* 4, 6), escribía el Apóstol Pablo. El Espíritu Santo, que «procede del Padre» (cfr *Jn* 15, 26), es, al mismo tiempo, el Espíritu de Jesucristo: el Espíritu del Hijo.

9. Dios ha dado «sin medida» a Cristo el Espíritu Santo, proclama Juan Bautista, según el IV Evangelio. Y Santo Tomás de Aquino explica en su claro comentario que los profetas recibieron el Espíritu «con medida», y por ello, profetizaban «parcialmente». *Cristo, por el contrario, tiene el Espíritu Santo «sin medida»:* ya como Dios, en cuanto que el Padre mediante la generación eterna le da el espirar (soplar) el Espíritu sin medida; ya como hombre, en cuanto que, mediante la plenitud de la gracia, Dios lo ha colmado de Espíritu Santo, para que lo efunda en todo creyente (cfr *Super Evang. S. Ioannis Lectura,* c. III, l. 6, nn. 541-544). El Doctor Angélico se refiere al texto de Juan (*Jn* 3, 34): «Porque aquel a quien Dios ha enviado habla palabras de Dios, pues Dios *no le dio el espíritu con medida*» (según la traducción propuesta por ilustres biblistas). Verdaderamente podemos exclamar con íntima emoción, uniéndolos al Evangelista Juan: «De su plenitud todos hemos recibido» (*Jn* 1, 16); verdaderamente hemos sido hechos partícipes de la vida de Dios en el Espíritu Santo.

Y en este mundo de hijos del primer Adán, destinados a la muerte, vemos erguirse potente a Cristo, el «último Adán», convertido en «Espíritu vivificante» (*1 Cor* 15, 45).

24. JESUCRISTO, REVELADOR DE LA TRINIDAD*

1. Las catequesis sobre Jesucristo encuentran su núcleo en este tema central que nace de la Revelación: *Jesucristo,* el hombre nacido de la Virgen María, es el Hijo de Dios. Todos los Evangelios y los otros libros del Nuevo Testamento documentan esta fundamental verdad cristiana, que en las catequesis precedentes hemos intentado explicar, desarrollando sus varios aspectos. *El testimonio evangélico* constituye la base del Magisterio solemne de la Iglesia en los Concilios, el cual se refleja en los símbolos de la fe (ante todo en el niceno-constantinopolitano) y también, naturalmente, en la constante enseñanza ordinaria de la Iglesia, en su liturgia, en la oración y en la vida espiritual guiada y promovida por ella.

2. La verdad sobre Jesucristo, Hijo de Dios, constituye, en la autorrevelación de Dios, *el punto clave mediante el cual se desvela el indecible misterio de un Dios único en la Santísima Trinidad.* De hecho, según la *Carta a los Hebreos,* cuando Dios, «últimamente en estos días, nos habló por su Hijo» (*Heb* 1, 2), ha desvelado la realidad de su vida íntima, de esta vida en la que Él permanece en absoluta unidad en la divinidad, y al mismo tiempo *es Trinidad,* es decir, *divina comunión de tres Personas.* De esta comunión da testimonio directo el Hijo que «ha salido del Padre y ha venido al mundo» (cfr *Jn* 16, 28). Solamente Él. El Antiguo Testamento, cuando Dios «habló... por ministerio de los profetas» (*Heb* 1, 1), no conocía este miste-

* Audiencia general, 19-VIII-1987.

rio íntimo de Dios. Ciertamente, *algunos elementos de la revelación veterotestamentaria* constituían la preparación de la evangélica y, sin embargo, sólo el Hijo podía introducirnos en este misterio. Ya que «a Dios nadie lo vio jamás»: nadie ha conocido el misterio íntimo de su vida. *Solamente el Hijo:* «el Hijo unigénito, que está en el seno del Padre, ése le ha dado a conocer» (*Jn* 1, 18).

3. En el curso de las precedentes catequesis hemos considerado los principales aspectos de esta revelación, gracias a la cual la verdad sobre la filiación divina de Jesucristo nos aparece con plena claridad. Concluyendo ahora este ciclo de meditaciones, es bueno *recordar algunos momentos,* en los cuales, junto a la verdad sobre la filiación divina del Hijo del hombre, Hijo de María, se desvela el misterio del Padre y del Espíritu Santo.

El primero cronológicamente es ya *en el momento de la Anunciación,* en Nazaret. Según el Ángel, de hecho quien debe nacer de la Virgen es el Hijo del Altísimo, el Hijo de Dios. Con estas palabras, Dios es revelado como Padre y el Hijo de Dios es presentado como aquel que debe nacer por obra del Espíritu Santo: «El Espíritu Santo vendrá sobre ti» (*Lc* 1, 35). Así, en la narración de la Anunciación se contiene el misterio trinitario: Padre, Hijo y Espíritu Santo.

Tal misterio está presente también en la *teofanía ocurrida durante el bautismo de Jesús en el Jordán,* en el momento que el Padre, a través de una voz de lo alto, da testimonio del Hijo «predilecto», y ésta va acompañada por el Espíritu «que bajó sobre Jesús en forma de paloma» (*Mt* 3, 16). Esta teofanía es casi una confirmación «visiva» de las palabras del profeta Isaías, a las que Jesús hizo referencia *en Nazaret,* al inicio de su actividad mesiánica: «El Espíritu del Señor está sobre mí, porque me ungió... me envió...» (*Lc* 4, 18; cfr *Is* 61, 1).

4. Luego, durante el ministerio, encontramos *las palabras con las cuales Jesús mismo introduce* a sus oyentes *en el misterio de la divina Trinidad,* entre las cuales está la «gozosa declaración» que hallamos en los Evangelios de Mateo (11, 25-27) y de Lucas (10, 21-22). Decimos «gozosa» ya que, como leemos en el texto de Lucas, «en aquella hora se sintió *inundado de gozo en el Espíritu Santo*» (*Lc* 10, 21) y dijo: «Yo te alabo, Padre, Señor del cielo y de la tierra, porque ocultaste estas cosas a los sabios y discretos y las revelaste a los pequeñuelos. Sí, Padre, porque así te plugo. Todo me ha sido entregado por mi Padre, y nadie conoce al *Hijo* sino el Padre, y nadie conoce al *Padre* sino el Hijo y aquel a quien el Hijo quisiere revelárselo» (*Mt* 11, 25-27).

Gracias a esta inundación de «gozo en el Espíritu Santo», somos introducidos en las «profundidades de Dios», en las «profundidades» que sólo el Espíritu escudriña: en la íntima unidad de la vida de Dios, en la inescrutable comunión de las Personas.

5. Estas palabras, tomadas de Mateo y de Lucas, *armonizan perfectamente con muchas afirmaciones de Jesús que encontramos en el Evangelio de Juan,* como hemos visto ya en las catequesis precedentes. Sobre todas ellas, domina la aserción de Jesús que desvela su unidad con el Padre: «Yo y el Padre somos una sola cosa» (*Jn* 10, 30). Esta afirmación se toma de nuevo y se desarrolla en la oración sacerdotal (*Jn* 17) y en todo el discurso con el que Jesús en el Cenáculo prepara a los Apóstoles para su partida en el curso de los acontecimientos pascuales.

6. Y propiamente aquí, en la óptica de esta «partida», Jesús pronuncia las palabras que de una manera definitiva revelan el *misterio del Espíritu Santo y la relación en la que Él se encuentra con respecto al Padre y el Hijo.* El Cristo que dice: «Yo estoy en el Padre y el Padre está en mí»,

anuncia al mismo tiempo a los Apóstoles la venida del Espíritu Santo y afirma: Éste es «el Espíritu de verdad, *que procede del Padre*» (*Jn* 15, 26). Jesús añade que «rogará al Padre» para que este Espíritu de verdad sea dado a los Apóstoles, para que «permanezca con ellos para siempre» como «Consolador» (cfr *Jn* 14, 16). Y asegura a los Apóstoles: «el Espíritu Santo que el Padre enviará en mi nombre» (cfr *Jn* 14, 26), para «dar testimonio de mí» (cfr *Jn* 15, 26). Todo ello, concluye Jesús, tendrá lugar después de su partida, durante los acontecimientos pascuales, mediante la cruz y la resurrección: *«Si me fuere, os lo enviaré»* (*Jn* 16, 7).

7. «En aquel día *vosotros sabréis que yo estoy en el Padre...*», afirma aún Jesús, o sea, por obra del Espíritu Santo se clarificará plenamente el misterio de la unidad del Padre y del Hijo: «Yo en el Padre y el Padre en mí». Tal misterio, de hecho, lo puede aclarar sólo «el Espíritu que escudriña las profundidades de Dios» (cfr *1 Cor* 2, 10), donde en la comunión de las Personas se constituye la unidad de la vida divina en Dios. Así se ilumina también *el misterio de la Encarnación del Hijo,* en relación con los creyentes y con la Iglesia, también por obra del Espíritu Santo. Dice de hecho Jesús: «En aquel día (cuando los Apóstoles reciban el Espíritu de verdad) conoceréis (no solamente) que yo estoy en el Padre, (sino también que) vosotros (estáis) *en mí y yo en vosotros*» (*Jn* 14, 20). La Encarnación es, pues, el fundamento de nuestra filiación divina por medio de Cristo, es la base del misterio de la Iglesia como cuerpo de Cristo.

8. Pero aquí es importante hacer notar que la Encarnación, aunque hace referencia directamente al Hijo, es *«obra»* de Dios Uno y Trino (Concilio Lat. IV). Lo testimonia ya el contenido mismo de la anunciación (cfr *Lc* 1, 26-38). Y después, durante todas sus enseñanzas, Jesús ha

ido «abriendo perspectivas cerradas a la razón humana» (*Gaudium et spes,* 24), las de la vida íntima del Dios Uno en la Trinidad del Padre, del Hijo y del Espíritu Santo. Finalmente, cumplida su misión mesiánica, Jesús, al dejar definitivamente a los Apóstoles, *cuarenta días después del día de la resurrección,* realizó hasta el final lo que había anunciado: «Como me envió mi Padre, así os envío yo» (*Jn* 20, 21). De hecho, les dice: «Id, pues; enseñad a todas las gentes, *bautizándolas en el nombre del Padre, y del Hijo, y del Espíritu Santo*» (*Mt* 28, 19).

Con estas palabras conclusivas del Evangelio, y antes de iniciarse el camino de la Iglesia en el mundo, Jesucristo entregó a ella la verdad suprema de su revelación: la indivisible Unidad en la Trinidad.

Y desde entonces, la Iglesia, admirada y adorante, puede confesar con el evangelista Juan, en la conclusión del prólogo del cuarto Evangelio, siempre con íntima conmoción: «A Dios nadie le vio jamás; Dios unigénito, que está en el seno del Padre, ése le ha dado a conocer» (*Jn* 1, 18).

25. JESUCRISTO, VERDADERO DIOS Y VERDADERO HOMBRE*

1. «Creo... en Jesucristo, su único Hijo (= de Dios Padre), nuestro Señor; que fue concebido por obra y gracia del Espíritu Santo, y nació de Santa María Virgen». El ciclo de catequesis sobre Jesucristo, que desarrollamos aquí, hace referencia constante a la verdad expresada en las palabras del Símbolo Apostólico que acabamos de citar. Nos presentan a *Cristo como verdadero Dios Hijo del Padre y, al mismo tiempo, como verdadero Hombre, Hijo de María Virgen.* Las catequesis anteriores nos han permitido ya acercarnos a esta verdad fundamental de la fe. Ahora,

* Audiencia general, 26-VIII-1987.

sin embargo, debemos tratar de profundizar su contenido esencial: debemos preguntarnos qué significa verdadero Dios y verdadero Hombre. Es ésta una realidad que se desvela ante los ojos de nuestra fe mediante la autorrevelación de Dios en Jesucristo. Y dado que ésta –como cualquier otra verdad revelada– sólo se puede acoger rectamente mediante la fe, entra aquí en juego el *«rationabile obsequium fidei»* el obsequio razonable de la fe. Las próximas catequesis, centradas en el misterio del Dios-Hombre, quieren favorecer una fe así.

2. Ya anteriormente hemos puesto de relieve que Jesucristo hablaba a menudo de sí, utilizando el apelativo de «Hijo del hombre» (cfr *Mt* 16, 28; *Mc* 2, 28). Dicho título estaba vinculado a la tradición mesiánica del Antiguo Testamento, y al mismo tiempo, respondía a aquella *«pedagogía de la fe»,* a la que Jesús recurría voluntariamente. En efecto, deseaba que sus discípulos y los que le escuchaban llegasen por sí solos al descubrimiento de que *«el Hijo del hombre» era al mismo tiempo el verdadero Hijo de Dios.* De ello tenemos una demostración muy significativa en la profesión de Simón Pedro, hecha en los alrededores de Cesarea de Filipo, a la que nos hemos referido en las catequesis anteriores. Jesús provoca a los Apóstoles con preguntas, y cuando Pedro llega al reconocimiento explícito de su identidad divina, confirma su testimonio llamándolo «bienaventurado tú, porque no es la carne ni la sangre quien esto te ha revelado sino mi Padre» (cfr *Mt* 16, 17). Es el Padre, el que da testimonio del Hijo, porque sólo Él conoce al Hijo (cfr *Mt* 11, 27).

3. Sin embargo, a pesar de la discreción con que Jesús actuaba aplicando ese principio pedagógico de que se ha hablado, la verdad de su filiación divina se iba haciendo cada vez más patente, *debido a lo que Él decía y especialmente a lo que hacía.* Pero si para unos esto constituía ob-

jeto de fe, para otros era causa de contradicción y de acusación. Esto se manifestó de forma definitiva durante el proceso ante el Sanedrín. Narra el Evangelio de Marcos: «El Pontífice le preguntó y dijo: ¿Eres tú el Mesías, el Hijo del Bendito? Jesús dijo: *Yo soy,* y veréis al Hijo del hombre sentado a la diestra del Poder y venir sobre las nubes del cielo» (*Mc* 14, 61-62). En el Evangelio de Lucas la pregunta se formula así: «Luego, *¿eres tú el Hijo de Dios?* Díjoles: vosotros lo decís, yo soy» (*Lc* 22, 70).

4. La reacción de los presentes es concorde: «Ha blasfemado... Acabáis de oír la blasfemia... Reo es de muerte» (*Mt* 26, 65-66). Esta acusación es, por decirlo así, fruto de una interpretación material de la ley antigua.

Efectivamente, leemos en el *Libro del Levítico*: «Quien blasfemare el nombre de Yahvéh será castigado con la muerte; toda la asamblea lo lapidará» (*Lev* 24, 16). Jesús de Nazaret, que ante los representantes oficiales del Antiguo Testamento *declara ser* el verdadero *Hijo de Dios,* pronuncia según la convicción de ellos *una blasfemia.* Por eso «reo es de muerte», y la condena se ejecuta, si bien no con la lapidación según la disciplina veterotestamentaria, sino con la crucifixión, de acuerdo con la legislación romana. Llamarse a sí mismo «Hijo de Dios» quería decir «hacerse Dios» (cfr *Jn* 10, 33), lo que suscitaba una protesta radical por parte de los custodios del monoteísmo del Antiguo Testamento.

5. Lo que al final se llevó a cabo en el proceso intentado contra Jesús, en realidad había sido ya antes objeto de amenaza, como refieren los Evangelios, particularmente el de Juan. Leemos en él repetidas veces que los que lo escuchaban *querían apedrear a Jesús,* cuando lo que oían de su boca les parecía una blasfemia. Descubrieron una tal blasfemia, por ejemplo, en sus palabras sobre el tema del Buen Pastor (cfr *Jn* 10, 27-29), y en la conclusión a la que

llegó en esa circunstancia: «Yo y el Padre somos una sola cosa» (*Jn* 10, 30). La narración evangélica prosigue así: «De nuevo los judíos trajeron piedras para apedrearle. Jesús les respondió: Muchas obras os he mostrado de parte de mi Padre; ¿por cuál de ellas me apedreáis? Respondiéronle los judíos: Por ninguna obra buena te apedreamos, sino por la blasfemia, *porque tú, siendo hombre, te haces Dios*» (*Jn* 10, 31-33).

6. Análoga fue la reacción a estas otras palabras de Jesús: «Antes que Abraham naciese, era yo» (*Jn* 8, 58). También aquí Jesús se halló ante una pregunta y una acusación idéntica: «¿Quién pretendes ser?» (*Jn* 8, 53), y la respuesta a tal pregunta tuvo como consecuencia la amenaza de lapidación (cfr *Jn* 8, 59).

Está, pues, claro, que si bien Jesús hablaba de sí mismo sobre todo como del «Hijo del hombre», sin embargo todo el conjunto de lo que hacía y enseñaba daba testimonio de *que Él era el Hijo de Dios* en el sentido literal de la palabra: es decir, que era una sola cosa con el Padre, y por tanto: *también Él era Dios, como el Padre.* Del contenido unívoco de este testimonio es prueba tanto el hecho de que Él fue reconocido y escuchado por unos: «muchos creyeron en Él»: (cfr por ejemplo *Jn* 8, 30); como, todavía más, el hecho de que halló en otros una oposición radical, más aún, la acusación de blasfemia con la disposición a infligirle la pena prevista para los blasfemos en la Ley del Antiguo Testamento.

7. Entre las afirmaciones de Cristo relativas a este tema, resulta especialmente significativa *la expresión:* «*YO SOY*». El contexto en el que viene pronunciada indica que Jesús recuerda aquí la respuesta dada por Dios mismo a Moisés, cuando le dirige la pregunta sobre su Nombre: «Yo soy el que soy... Así responderás a los hijos de Israel: *Yo soy me manda a vosotros*» (*Ex* 3, 14). Ahora

bien, Cristo se sirve de la misma expresión «Yo soy» en contextos muy significativos. Aquel del que se ha hablado, concerniente a Abraham: «Antes que Abraham naciese, ERA YO»; pero no sólo ése. Así, por ejemplo: «Si no creyereis que YO SOY, moriréis en vuestros pecados» (*Jn* 8, 24), y también: «Cuando levantéis en alto al Hijo del hombre, entonces conoceréis que YO SOY» (*Jn* 8, 28), y asimismo: «Desde ahora os lo digo, antes de que suceda, *para que, cuando suceda, creáis que YO SOY*» (*Jn* 13, 19).

Este «Yo soy» se halla también en otros lugares de los Evangelios sinópticos (por ejemplo *Mt* 28, 20; *Lc* 24, 39); pero en las afirmaciones que hemos citado *el uso del Nombre de Dios, propio del Libro del Éxodo,* aparece particularmente límpido y firme. Cristo habla de su «elevación» pascual mediante la cruz y la sucesiva resurrección: «Entonces conoceréis que YO SOY». Lo que quiere decir: entonces se manifestará claramente que yo soy aquel al que compete el Nombre de Dios. Por ello, con dicha expresión Jesús indica que es el verdadero Dios. Y aun antes de su pasión Él ruega al Padre así: «Todo lo mío es tuyo, y lo tuyo mío» (*Jn* 17, 10), que es otra manera de afirmar: «Yo y el Padre somos una sola cosa» (*Jn* 10, 30).

Ante Cristo, Verbo de Dios encarnado, unámosnos también nosotros a Pedro y repitamos con la misma elevación de fe: «Tú eres el Mesías, el Hijo de Dios vivo» (*Mt* 16, 16).

26. JESUCRISTO, VERBO ETERNO DE DIOS PADRE*

1. En la catequesis anterior hemos dedicado una atención especial a las afirmaciones en las que Cristo habla de Sí utilizando la expresión «YO SOY». El contexto en el que aparecen tales afirmaciones, sobre todo en el Evange-

* Audiencia general, 2-IX-1987.

lio de Juan, nos permite pensar que al recurrir a dicha expresión *Jesús hace referencia al Nombre* con el que el Dios de la Antigua Alianza *se califica a Sí mismo* ante Moisés, en el momento de confiarle la misión a la que está llamado: «Yo soy el que soy... responderás a los hijos de Israel: YO SOY me manda a vosotros» (*Ex* 3, 14).

De este modo Jesús habla de Sí, por ejemplo en el marco de la discusión sobre Abraham: «Antes que Abraham naciese, YO SOY» (*Jn* 8, 58). Ya esta expresión nos permite comprender que «el Hijo del Hombre» *da testimonio de su divina preexistencia.* Y tal afirmación no está aislada.

2. Más de una vez Cristo habla del misterio de su Persona y la expresión más sintética parece ser ésta: «*Salí del Padre y vine al mundo; de nuevo dejo el mundo y me voy al Padre*» (*Jn* 16, 28). Jesús dirige estas palabras a los Apóstoles en el discurso de despedida, la vigilia de los acontecimientos pascuales. Indican claramente que *antes de «venir» al mundo Cristo «estaba» junto al Padre como Hijo.* Indican, pues, su preexistencia en Dios. Jesús da a comprender claramente que su existencia terrena no puede separarse de dicha preexistencia en Dios. Sin ella su realidad personal no se puede entender correctamente.

3. Expresiones semejantes las hay numerosas. Cuando Jesús alude a la propia venida desde el Padre al mundo, sus palabras hacen referencia generalmente a su preexistencia divina. Esto está claro de modo especial en el Evangelio de Juan. Jesús dice ante Pilato: «Yo para esto he nacido y para esto he venido al mundo, para dar testimonio de la verdad» (*Jn* 18, 37); y quizá no carece de importancia el hecho de que Pilato le pregunte más tarde: «¿De dónde eres tú?» (*Jn* 19, 9). Y antes aún leemos: «Mi testimonio es verdadero, *porque sé de dónde vengo y adónde voy*» (*Jn* 8, 14). A propósito de ese «¿De dónde eres

tú?», en el coloquio nocturno con Nicodemo podemos escuchar una declaración significativa: «Nadie sube al cielo sino el que bajó del cielo, el Hijo del hombre, que está en el cielo» (*Jn* 3, 13). Esta «venida» del cielo, del Padre, indica la «preexistencia» divina de Cristo incluso en relación con su «marcha»: «¿Qué sería si vierais al Hijo del hombre *subir allí donde estaba antes?*», pregunta Jesús en el contexto del «discurso eucarístico» en las cercanías de Cafarnaúm (cfr *Jn* 6, 62).

4. Toda la existencia terrena de Jesús como Mesías resulta de aquel «antes» y a él se vincula de nuevo como a una «dimensión» fundamental, según la cual el Hijo es «una sola cosa» con el Padre. ¡Cuán elocuentes son, desde este punto de vista, las palabras de la «oración sacerdotal» en el Cenáculo!: «Yo te he glorificado sobre la tierra llevando a cabo la obra que me encomendaste realizar. Ahora tú, *Padre, glorifícame cerca de ti mismo con la gloria que tuve cerca de ti antes que el mundo existiese*» (*Jn* 17, 4-5).

También los Evangelios sinópticos hablan en muchos pasajes sobre la «venida» del Hijo del hombre para la salvación del mundo (cfr por ejemplo *Lc* 19, 10; *Mc* 10, 45; *Mt* 20, 28); sin embargo, los textos de Juan contienen una referencia especialmente clara a la preexistencia de Cristo.

5. La síntesis más plena de esta verdad está contenida en el *Prólogo del cuarto Evangelio*. Se puede decir que en dicho texto la verdad sobre la preexistencia divina del Hijo del hombre adquiere una ulterior explicitación, en cierto sentido definitiva: «Al principio era el Verbo, y el Verbo estaba en Dios, y el Verbo era Dios. Él estaba al principio en Dios. Todas las cosas fueron hechas por Él... En Él estaba la vida, y la vida era la luz de los hombres. La luz luce en las tinieblas, pero las tinieblas no la acogieron» (*Jn* 1, 1-5).

En estas frases el Evangelista confirma lo que Jesús de-

cía de Sí mismo, cuando declaraba: «Salí del Padre y vine al mundo» (*Jn* 16, 28), cuando rogaba al Padre lo glorificase con la gloria que Él tenía cerca de Él antes que el mundo existiese (cfr *Jn* 17, 5). Al mismo tiempo la preexistencia del Hijo en el Padre se vincula estrechamente con *la revelación del misterio trinitario de Dios:* el Hijo es el Verbo eterno, es «Dios de Dios», de la misma naturaleza que el Padre (como se expresará el Concilio de Nicea en el Símbolo de la fe). La fórmula conciliar refleja precisamente el Prólogo de Juan: «El Verbo estaba en Dios, y el Verbo era Dios». Afirmar la preexistencia de Cristo en el Padre equivale a reconocer su divinidad. A su naturaleza, como a la naturaleza del Padre, pertenece la eternidad. Esto se indica con la referencia a la preexistencia eterna en el Padre.

6. *El prólogo de Juan,* mediante la revelación de la verdad sobre el Verbo contenida en él, constituye como *el complemento definitivo de lo que ya el Antiguo Testamento había dicho de la Sabiduría.* Véanse, por ejemplo, las siguientes afirmaciones: «Desde el principio y antes de los siglos me creó y hasta el fin no dejaré de ser» (*Eclo* 24, 14); «El que me creó reposó en mi tienda. Y me dijo: Pon tu tienda en Jacob» (*Eclo* 24, 12-13). La *Sabiduría* de que habla el *Antiguo Testamento,* es una criatura y al mismo tiempo tiene atributos que la colocan *por encima de todo lo creado:* «Siendo una, todo lo puede, y permaneciendo la misma, todo lo renueva» (*Sab* 7, 27).

La verdad sobre el Verbo contenida en el Prólogo de Juan, confirma en cierto sentido la revelación acerca de la sabiduría presente en el Antiguo Testamento, y *al mismo tiempo la transciende* de modo definitivo: el Verbo no sólo «está en Dios» sino que «es Dios». Al venir a este mundo en la persona de Jesucristo, el Verbo *«viene entre su gente»,* puesto que «el mundo fue hecho por medio de Él» (cfr *Jn* 1, 10-11). Vino a los «suyos», porque es «la luz verdadera que ilumina a todo hombre» (cfr *Jn* 1, 9). La autorrevelación de Dios en Jesucristo consiste en esta «venida» al mundo del Verbo, que es el Hijo eterno.

7. «*El Verbo se hizo carne y habitó entre nosotros,* y hemos visto su gloria como de Unigénito del Padre, lleno de gracia y de verdad» (*Jn* 1, 14). Digámoslo una vez más: el Prólogo de Juan es el eco eterno de las palabras con las que Jesús dice: «salí del Padre y vine al mundo» (*Jn* 16, 28), y de aquellas con las que ruega que el Padre lo glorifique con la gloria que Él tenía cerca de Él antes que el mundo existiese (cfr *Jn* 17, 5). El Evangelio tiene ante los ojos la revelación veterotestamentaria *acerca de la Sabiduría y al mismo tiempo todo el acontecimiento pascual:* la marcha mediante la cruz y la resurrección, en las que la verdad sobre Cristo, Hijo del hombre y verdadero Dios, se ha hecho completamente clara a cuantos han sido sus testigos oculares.

8. En estrecha relación con la revelación del Verbo, es decir con la divina preexistencia de Cristo, halla también *confirmación la verdad sobre el Emmanuel.* Esta palabra –que en traducción literal significa «Dios con nosotros»– expresa *una presencia* particular y personal *de Dios en el mundo.* Ese «YO SOY» de Cristo manifiesta precisamente esta presencia ya preanunciada por Isaías (cfr *Is* 7, 14), proclamada siguiendo las huellas del Profeta en el Evangelio de Mateo (cfr *Mt* 1, 23) y confirmada en el Prólogo de Juan: «El Verbo se hizo carne y habitó entre nosotros» (*Jn* 1, 14). El lenguaje de los Evangelistas es multiforme, pero la verdad que expresan es la misma. *En los sinópticos Jesús pronuncia su «yo estoy con vosotros»* especialmente en los momentos difíciles, como por ejemplo: *Mt* 14, 27; *Mc* 6, 50; *Jn* 6, 20, con ocasión de la tempestad que se calma, como también en la perspectiva de la misión apostólica de la Iglesia: «Yo estaré con vosotros siempre hasta la consumación del mundo» (*Mt* 28, 20).

9. La expresión de Cristo: «Salí del Padre y vine al mundo» (*Jn* 16, 28) contiene un *significado salvífico, soteriológico.* Todos los Evangelistas lo manifiestan. El Prólogo de Juan lo expresa en las palabras: «A cuantos lo recibieron (= al Verbo), dióles poder de venir a ser hijos de Dios», la posibilidad de ser engendrados de Dios (cfr *Jn* 1, 12-13).

Ésta es la verdad central de toda la soteriología cristiana, vinculada orgánicamente con la realidad revelada del Dios-Hombre. Dios se hizo hombre a fin de que el hombre pudiese participar realmente de la vida de Dios, más aún, pudiese llegar a ser él mismo, en cierto sentido, Dios. Ya los antiguos Padres de la Iglesia tuvieron claro conocimiento de ello. Baste recordar a San Ireneo, el cual, exhortando a seguir a Cristo, único maestro verdadero y seguro, afirmaba: «Por su inmenso amor Él se ha hecho lo que nosotros somos, para darnos la posibilidad de ser lo que Él es» (cfr *Adversus haereses,* V, *Praef.; PG* 7, 1120).

Esta verdad nos abre horizontes ilimitados, en los cuales situar la expresión concreta de nuestra vida cristiana, a la luz de la fe en Cristo, Hijo de Dios, Verbo del Padre.

B. JESUCRISTO, VERDADERO DIOS

27. «YO SOY EL CAMINO, LA VERDAD Y LA VIDA»*

1. El ciclo de las catequesis sobre Jesucristo tiene como centro la realidad revelada del *Dios-Hombre.* Jesucristo es verdadero Dios y verdadero hombre. Ésta es la realidad expresada coherentemente en la verdad *de la unidad inseparable de la persona de Cristo.* Sobre esta verdad no podemos tratar de modo desarticulado y, mucho menos, separando un aspecto del otro. Sin embargo, por el carácter analítico y progresivo del conocimiento humano y,

* Audiencia general, 9-IX-1987.

también en parte, por el modo de proponer esta verdad, que encontramos en la fuente misma de la Revelación –ante todo la Sagrada Escritura–, debemos intentar indicar aquí, en primer lugar, lo que demuestra la divinidad, y, por tanto, lo que demuestra la humanidad del único Cristo.

2. *Jesucristo es verdadero Dios.* Es Dios-Hijo, consubstancial al Padre (y al Espíritu Santo). En la expresión «YO SOY», que Jesucristo utiliza al referirse a su propia persona, encontramos un eco del nombre con el cual Dios se ha manifestado a Sí mismo hablando a Moisés (cfr *Ex* 3, 14). Ya que Cristo se aplica a Sí mismo aquel «YO SOY» (cfr *Jn* 13, 19), hemos de recordar que este nombre define a Dios no solamente *en cuanto Absoluto* (Existencia en sí del Ser por Sí mismo), sino también como *él que ha establecido la Alianza con Abraham* y con su descendencia y que, en virtud de la Alianza, envía a Moisés a liberar a Israel (es decir, a los descendientes de Abraham) de la esclavitud de Egipto. Así pues, aquel «YO SOY» contiene en sí también un *significado soteriológico,* habla del Dios de la Alianza que está con el hombre (como con Israel) para salvarlo. Indirectamente habla del Emmanuel (cfr *Is* 7, 14), el «Dios con nosotros».

3. El «YO SOY» de Cristo (sobre todo en el Evangelio de Juan) debe entenderse del mismo modo. Sin duda indica la Preexistencia divina del Verbo-Hijo (hemos hablado de este tema en la catequesis precedente), pero al mismo tiempo, reclama el cumplimiento de la profecía de Isaías sobre el Emmanuel, el «Dios con nosotros». «*YO SOY*» significa pues tanto en el Evangelio de Juan como en los Evangelios sinópticos, también «Yo estoy con vosotros» (cfr *Mt* 28, 20). «Salí del Padre y vine al mundo» (*Jn* 16, 28), «...a buscar y salvar lo que estaba perdido» (*Lc* 19, 10). La verdad sobre la salvación (*la soteriología*), ya presente en el Antiguo Testamento mediante la revelación del

nombre de Dios, *se reafirma y expresa hasta el fondo* por la autorrevelación de Dios en Jesucristo. Justamente en este sentido «el Hijo del hombre» es verdadero Dios, Hijo de la misma naturaleza del Padre que ha querido estar «con nosotros» para salvarnos.

4. Hemos de tener constantemente presentes estas consideraciones preliminares cuando intentamos recabar del Evangelio todo lo que revela la Divinidad de Cristo. Algunos pasajes evangélicos importantes desde este punto de vista, son los siguientes: ante todo, el último coloquio del Maestro con los Apóstoles, en la vigilia de la pasión, cuando habla de «la casa del Padre», en la cual Él va a prepararles un lugar (cfr *Jn* 14, 1-3). Respondiendo a Tomás que le preguntaba sobre el camino, Jesús dice: «Yo soy el camino, la verdad y la vida». Jesús es el camino porque ninguno va al Padre sino por medio de Él (cfr *Jn* 14, 6). Más aún: quien lo ve a Él, ve al Padre (cfr *Jn* 14, 9). «¿No crees que yo estoy en el Padre y el Padre en mí?» (*Jn* 14, 10). Es bastante fácil darse cuenta de que, en tal contexto, ese proclamarse «verdad» y «vida» equivale a referir a Sí mismo atributos propios del Ser divino: Ser-Verdad, Ser-Vida.

Al día siguiente Jesús dirá a Pilato: «Yo para esto he nacido y para esto he venido al mundo, para dar testimonio de la verdad» (*Jn* 18, 37). El testimonio de la verdad puede darlo el hombre, *pero «ser la verdad»* es un atributo exclusivamente divino. Cuando Jesús, en cuanto verdadero hombre, da testimonio de la verdad, tal testimonio tiene su fuente en el hecho de que Él mismo «es» la verdad en la subsistente verdad de Dios: «Yo soy... la verdad». Por esto Él puede decir también que es *«la luz del mundo»*, y así, quien lo sigue, «no anda en tinieblas, sino que tendrá luz de vida» (cfr *Jn* 8, 12).

5. Análogamente, todo esto es válido también para la

otra palabra de Jesús: «Yo soy ... la vida» (*Jn* 14, 6). El hombre que es una criatura, puede «tener vida», la puede incluso «dar», de la misma manera que Cristo «da» su vida para la salvación del mundo (cfr *Mc* 10, 45 y paralelos). Cuando Jesús habla de este «dar la vida» se expresa como verdadero hombre. Pero Él *«es la vida» porque es verdadero Dios.* Lo afirma Él mismo antes de resucitar a Lázaro, cuando dice a la hermana del difunto, Marta: *«Yo soy la resurrección y la vida»* (*Jn* 11, 25). En la resurrección confirmará definitivamente que la vida que Él tiene como Hijo del hombre no está sometida a la muerte. Porque Él *es la Vida,* y, por tanto, es Dios. Siendo la Vida, Él puede hacer partícipes de ésta a los demás: «El que cree en mí, aunque muera vivirá» (*Jn* 11, 25). Cristo puede convertirse también –en la Eucaristía– en *«el pan de la vida»* (cfr *Jn* 6, 35. 48), «el pan vivo bajado del cielo» (*Jn* 6, 51). También en este sentido Cristo se compara con *la vid* la cual vivifica los sarmientos que permanecen injertados en Él (cfr *Jn* 15, 1), es decir, a todos los que forman parte de su Cuerpo místico.

6. A estas expresiones tan transparentes sobre el misterio de la Divinidad escondida en el «Hijo del hombre», podemos añadir alguna otra, en la que el mismo concepto aparece revestido de imágenes que pertenecen ya al Antiguo Testamento y, especialmente, a los Profetas, y que Jesús atribuye a Sí mismo.

Éste es el caso, por ejemplo, de la *imagen del Pastor.* Es muy conocida la parábola del Buen Pastor en la que Jesús habla de Sí mismo y de su misión salvífica: «Yo soy el buen pastor; el buen pastor da su vida por las ovejas» (*Jn* 10, 11). En el libro de Ezequiel leemos: «Porque así dice el Señor Yahvéh: Yo mismo iré a buscar a mis ovejas y las reuniré... Yo mismo apacentaré a mis ovejas y yo mismo las llevaré a la majada... buscaré la oveja perdida, traeré a la extraviada, vendaré la perniquebrada y curaré la enferma... apacentaré con justicia» (*Ez* 34, 11. 15-16). «Rebaño mío, vosotros *sois las ovejas de mi grey,* y yo soy *vuestro Dios*» (*Ez* 34, 31). Una imagen parecida la encontramos también en Jeremías (cfr 23, 3).

7. Hablando de Sí mismo como del Buen Pastor, Cristo indica su misión redentora («Doy la vida por las ovejas»); al mismo tiempo, dirigiéndose a los oyentes que conocían las profecías de Ezequiel y de Jeremías, *indica* con bastante claridad *su identidad con Aquel* que en el Antiguo Testamento había hablado de Sí mismo como de un Pastor diligente, declarando: «Yo soy vuestro Dios» (*Ez* 34, 31).

En la enseñanza de los Profetas, el Dios de la Antigua Alianza se ha presentado también como el Esposo de Israel, su pueblo. «Porque tu marido es tu Hacedor, Yahvéh de los ejércitos es su nombre, y tu Redentor es el Santo de Israel» (*Is* 54, 5; cfr también *Os* 2, 21-22). Jesús hace referencia más de una vez a esta semejanza de sus enseñanzas (cfr *Mc* 2, 19-20 y paralelos; *Mt* 25, 1-12; *Lc* 12, 36; también *Jn* 3, 27-29). Éstas serán sucesivamente desarrolladas por San Pablo, que en sus *Cartas* presenta a *Cristo como el Esposo* de su Iglesia (cfr *Ef* 5, 25-29).

8. Todas estas expresiones, y otras similares, usadas por Jesús en sus enseñanzas, adquieren significado pleno si las releemos *en el contexto de lo que Él hacía y decía*. Estas expresiones constituyen las «unidades temáticas» que, en el ciclo de las presentes catequesis sobre Jesucristo, han de estar constantemente unidas al conjunto de las meditaciones sobre el Hombre-Dios.

Cristo: verdadero Dios y verdadero Hombre. «YO SOY» como nombre de Dios indica la Esencia divina, cuyas propiedades o *atributos* son: la *Verdad,* la *Luz,* la *Vida,* y lo que se expresa también mediante las imágenes del *Buen Pastor* o del *Esposo.* Aquel que dijo de Sí mismo: «Yo soy el que soy» (*Ex* 3, 14), se presentó también como el *Dios de la Alianza,* como el Creador y, a la vez, el Redentor, como el Emmanuel: *Dios que salva.* Todo esto se confirma y actúa en la *Encarnación* de Jesucristo.

28. JESUCRISTO TIENE EL PODER DE JUZGAR*

1. *Dios es el juez de vivos y muertos.* El juez último. El juez de todos.

En la catequesis que precede a la venida del Espíritu Santo sobre los paganos, San Pedro proclama que Cristo «por Dios ha sido instituido juez de vivos y muertos» (*Hch* 10, 42). Este divino *poder (exousia) está vinculado con el Hijo del hombre* ya en la enseñanza de Cristo. El conocido texto sobre el juicio final, que se halla en el Evangelio de Mateo, comienza con las palabras: «Cuando el Hijo del hombre venga en su gloria y todos los ángeles con Él, se sentará sobre su trono de gloria, y se reunirán en su presencia todas las gentes, y separará a unos de otros, como el Pastor separa a las ovejas de los cabritos» (*Mt* 25, 31-32). El texto *habla luego del desarrollo del proceso y anuncia la sentencia,* la de aprobación: «Venid, benditos de mi Padre, tomad posesión del reino preparado para vosotros desde la creación del mundo» (*Mt* 25, 34); y la de condena: «Apartaos de mí, malditos, al fuego eterno, preparado para el diablo y para sus ángeles» (*Mt* 25, 41).

2. Jesucristo, que es Hijo del hombre, es al mismo tiempo *verdadero Dios porque tiene el poder divino* de juzgar las obras y las conciencias humanas, y este poder es definitivo y universal. Él mismo explica por qué precisamente tiene este poder diciendo: «El Padre no juzga a nadie, sino que ha entregado al Hijo todo su poder de juzgar.

* Audiencia general, 30-IX-1987.

Para que todos honren al Hijo como honran al Padre» (*Jn* 5, 22-23).

Jesús vincula este poder a la facultad de dar la Vida. «Como el Padre resucita a los muertos y les da vida, así también el Hijo a los que quiere les da la vida» (*Jn* 5, 21). «Así como el Padre tiene la vida en sí mismo, así dio también al Hijo tener vida en sí mismo, y le dio poder de juzgar, por cuanto Él es el Hijo del hombre» (*Jn* 5, 26-27). Por tanto, según esta afirmación de Jesús, *el poder divino de juzgar ha sido vinculado a la misión de Cristo como Salvador, como Redentor* del mundo. Y el mismo juzgar pertenece a la obra de la salvación, al orden de la salvación: es un acto salvífico definitivo. En efecto, el fin del juicio es la participación plena en la Vida divina como último don hecho al hombre: *el cumplimiento definitivo de su vocación eterna.* Al mismo tiempo el poder de juzgar se vincula con la revelación exterior de la gloria del Padre en su Hijo como Redentor del hombre. «Porque el Hijo del hombre ha de venir en la gloria de su Padre... *y entonces dará a cada uno según sus obras*» (*Mt* 16, 27). El orden de la justicia ha sido inscrito, desde el principio, en el orden de la gracia. El juicio final debe ser la confirmación definitiva de esta vinculación: Jesús dice claramente que «los justos brillarán como el sol en el reino de su Padre» (*Mt* 13, 43), pero anuncia también no menos claramente el rechazo de los que han obrado la iniquidad (cfr *Mt* 7, 23).

En efecto, como resulta de la parábola de los talentos (*Mt* 25, 14-30), *la medida del juicio* será la *colaboración con el don* recibido de Dios, colaboración con la gracia o bien rechazo de ésta.

3. El poder divino de juzgar a todos y a cada uno pertenece al Hijo del hombre. El texto clásico en el Evangelio de Mateo (25, 31-46) pone de relieve en especial el hecho de que *Cristo ejerce este poder no sólo como Dios-Hijo,* sino también como Hombre lo ejerce –y pronuncia la senten-

cia– en nombre de la solidaridad con todo hombre, que recibe de los otros el bien o el mal: «Tuve hambre y me disteis de comer» (*Mt* 25, 35), o bien: «Tuve hambre y no me disteis de comer» (*Mt* 25, 42). *Una «materia» fundamental del juicio son las obras de caridad con relación al hombre-prójimo. Cristo se identifica* precisamente *con este prójimo:* «Cuantas veces hicisteis eso a uno de estos mis hermanos menores, a mí me lo hicisteis» (*Mt* 25, 40); «Cuando dejasteis de hacer eso..., conmigo dejasteis de hacerlo» (*Mt* 25, 45).

Según este texto de Mateo, cada uno será juzgado sobre todo *por el amor.* Pero no hay duda de que los hombres serán juzgados *también* por su *fe:* «A quien *me confesare* delante de los hombres, el Hijo del hombre le confesará delante de los ángeles de Dios» (*Lc* 12, 8); «Quien se avergonzare de mí y de mis palabras, de él se avergonzará el Hijo del hombre cuando venga en su gloria y en la del Padre» (*Lc* 9, 26; cfr también *Mc* 8, 38).

4. Así, pues, del Evangelio aprendemos esta verdad –que es una de las verdades fundamentales de fe–, es decir, que Dios es juez de todos los hombres de modo definitivo y universal y que este poder *lo ha entregado el Padre al Hijo* (cfr *Jn* 5, 22) en estrecha relación con su misión de salvación. Lo atestiguan de modo muy elocuente las palabras que Jesús pronunció durante el coloquio nocturno con Nicodemo: «Dios no ha enviado a su Hijo al mundo *para que juzgue al mundo,* sino *para que el mundo sea salvado por Él»* (*Jn* 3, 17).

Si es verdad que Cristo, como nos resulta especialmente de los Sinópticos, es juez en el sentido escatológico, es igualmente verdad que *el poder divino de juzgar* está *conectado con la voluntad salvífica de Dios* que se manifiesta en la entera misión mesiánica de Cristo, como lo subraya especialmente Juan: «Yo he venido al mundo para un juicio, para que los que no ven vean y los que ven se vuelvan ciegos» (*Jn* 9, 39). «Si alguno escucha mis palabras y no las guarda, *yo no le juzgo,* porque no he venido a juzgar al mundo, sino a salvar al mundo» (*Jn* 12, 47).

5. Sin duda Cristo es y se presenta sobre todo como *Salvador.* No considera su misión *juzgar a los hombres* según principios solamente humanos (cfr *Jn* 8, 15). Él es, ante todo, *el que enseña el camino de la salvación* y no *el acusador de los culpables.* «No penséis que vaya yo a acusaros ante mi Padre; hay otro que os acusará, Moisés..., pues de mí escribió él» (*Jn* 5, 45-46). ¿En qué consiste, pues, el juicio? Jesús responde: «*El juicio consiste en que vino la luz al mundo, y los hombres amaron más las tinieblas que la luz,* porque sus obras eran malas» (*Jn* 3, 19).

6. Por tanto, hay que decir que ante esta Luz que es Dios revelado en Cristo, ante tal Verdad, en cierto sentido, las mismas obras juzgan a cada uno. *La voluntad de salvar al hombre* por parte de Dios tiene su manifestación definitiva en la palabra y en la obra de Cristo, en todo el Evangelio hasta el misterio pascual de la cruz y de la resurrección. Se convierte, al mismo tiempo, *en el fundamento más profundo,* por así decir, *en el criterio* central *del juicio* sobre las obras y conciencias humanas. Sobre todo en este sentido «el Padre... ha entregado al Hijo todo el poder de juzgar» (*Jn* 5, 22), ofreciendo en Él a todo hombre la posibilidad de salvación.

7. Por desgracia, en este mismo sentido el hombre ha sido ya *condenado,* cuando rechaza la posibilidad que se le ofrece: «el que cree en Él no es juzgado; el que no cree, ya está juzgado» (*Jn* 3, 18). No creer quiere decir precisamente: *rechazar la salvación ofrecida al hombre en Cristo* («no creyó en el nombre del Unigénito Hijo de Dios»: *Ibid.*). Es la misma verdad a la que se alude en la profecía del anciano Simeón, que aparece en el Evangelio de Lucas cuando

anunciaba que Cristo «está para *caída y levantamiento de muchos* en Israel» (*Lc* 2, 34). Lo mismo se puede decir de la alusión a la «piedra que reprobaron los edificadores» (cfr *Lc* 20, 17-18).

8. Pero es verdad de fe que «el Padre... ha entregado al Hijo todo el poder de juzgar» (*Jn* 5, 22). Ahora bien, si el poder divino de juzgar pertenece a Cristo, es signo de que Él *–el Hijo del hombre– es verdadero Dios,* porque sólo a Dios pertenece el juicio, y puesto que este poder de juicio está profundamente unido a la voluntad de salvación, como nos resulta del Evangelio, este poder es una nueva revelación del Dios de la Alianza, *que viene* a los hombres como Emmanuel, *para librarlos de la esclavitud* del mal. Es la revelación cristiana del Dios que es Amor.

Queda así corregido ese modo demasiado humano de concebir el juicio de Dios, visto sólo como fría justicia, o incluso como venganza. En realidad, dicha expresión, que tiene una clara derivación bíblica, aparece como el último anillo del amor de Dios. Dios juzga porque ama y en vistas al amor. El juicio que el Padre confía a Cristo es según la medida del amor del Padre y de nuestra libertad.

29. JESUCRISTO TIENE EL PODER DE PERDONAR LOS PECADOS*

1. Unido al *poder divino de juzgar* que, como vimos en la catequesis anterior, Jesucristo se atribuye y los Evangelistas, especialmente Juan, nos dan a conocer, va el poder de *perdonar los pecados.* Vimos que el poder divino de juzgar a cada uno y a todos –puesto de relieve especialmente en la descripción apocalíptica del juicio final– está en profunda conexión con la voluntad divina de salvar al hom-

* Audiencia general, 7-X-1987.

bre en Cristo y por medio de Cristo. El primer momento de realización de la salvación es el perdón de los pecados.

Podemos decir que la verdad revelada sobre el poder de juzgar tiene su continuación en todo lo que los Evangelios dicen sobre el *poder de perdonar los pecados.* Este poder pertenece sólo a Dios. Si Jesucristo –el Hijo del hombre– tiene el mismo poder quiere decir que Él es Dios, conforme a lo que Él mismo ha dicho: «Yo y el Padre somos una sola cosa» (*Jn* 10, 30). En efecto, Jesús, desde el principio de su misión mesiánica, no se limita a proclamar la necesidad de la conversión («Convertíos y creed en el Evangelio»: *Mc* 1, 15) y a enseñar que el Padre está dispuesto a perdonar a los pecadores arrepentidos, sino que *Él mismo perdona los pecados.*

2. Precisamente en esos momentos es cuando brilla con más claridad el poder que Jesús declara poseer, atribuyéndolo a Sí mismo, sin vacilación alguna. Él afirma, por ejemplo: «El Hijo del hombre tiene poder en la tierra para perdonar los pecados» (cfr *Mc* 2, 10). Lo afirma ante los escribas de Cafarnaúm, cuando le llevan a un paralítico para que lo cure. El Evangelista Marcos escribe que Jesús, al ver la fe de los que llevaban al paralítico, quienes habían hecho una abertura en el techo para descolgar la camilla del pobre enfermo delante de Él, dijo al paralítico: «Hijo, tus pecados te son perdonados» (*Mc* 2, 5). Los escribas que estaban allí, pensaban entre sí: «¿Cómo habla éste así? Blasfema. ¿Quién puede perdonar pecados sino sólo Dios?» (2, 7). Jesús, que leía en su interior, parece querer reprenderlos: «¿Por qué pensáis así en vuestros corazones? ¿Qué es más fácil: decir al paralítico: Tus pecados te son perdonados, o decirle: levántate, toma tu camilla y vete? Pues para que veáis que el Hijo del hombre tiene poder en la tierra para perdonar los pecados –se dirige al paralítico–, yo te digo: Levántate, toma tu camilla y vete a tu casa» (2, 8-11). La gente que vio el milagro, llena

de estupor, glorificó a Dios diciendo: «Jamás hemos visto cosa igual» (2, 12).

Es comprensible la admiración por esa extraordinaria curación, y también el sentido de temor o reverencia que, según Mateo, sobrecogió a la multitud ante la manifestación de ese poder de curar que Dios había dado a los hombres (cfr *Mt* 9, 8) o, como escribe Lucas, ante las «cosas increíbles» que habían visto ese día (*Lc* 5, 26). Pero para aquellos que reflexionan sobre el desarrollo de los hechos, el milagro de la curación aparece como la confirmación de la verdad proclamada por Jesús e intuida y contestada por los escribas: «El Hijo del hombre tiene poder en la tierra para perdonar los pecados».

3. Hay que notar también la puntualización de Jesús sobre su poder de perdonar los pecados *en la tierra:* es un poder, que Él ejerce ya en su vida histórica, mientras se mueve como «Hijo del hombre» por los pueblos y calles de Palestina y no sólo a la hora del juicio escatológico, después de la glorificación de su humanidad. Jesús es ya en la tierra el «Dios con nosotros», el *Dios-hombre* que perdona los pecados.

Hay que notar, además, cómo siempre que Jesús habla de perdón de los pecados, los presentes manifiestan contestación y escándalo. Así, en el texto donde se describe el episodio de la pecadora, que se acerca al Maestro cuando estaba sentado a la mesa en casa del fariseo, Jesús dice a la pecadora: «Tus pecados te son perdonados» (*Lc* 7, 48). Es significativa la reacción de los comensales que «comenzaron a decir entre sí: ¿Quién es éste para perdonar los pecados?» (*Lc* 7, 49).

4. También en el episodio de la mujer «sorprendida en flagrante adulterio» y llevada por los escribas y fariseos a la presencia de Jesús para provocar un juicio suyo en base a la ley de Moisés, encontramos algunos detalles muy sig-

nificativos, que el Evangelista Juan quiso registrar. Ya la primera respuesta de Jesús a los que acusaban a la mujer: «El que de vosotros esté sin pecado, arrójele la piedra primero» (8, 7), nos manifiesta su consideración realista de la condición humana, comenzando por la de sus interlocutores, que, de hecho, van marchándose uno tras otro. Démonos cuenta, además, de la profunda humanidad de Jesús al tratar a aquella desdichada, cuyos errores ciertamente desaprueba (pues de hecho le recomienda: «Vete y no peques más»: 8, 11), pero que no la aplasta bajo el peso de una condena sin apelación. En las palabras de Jesús podemos ver la reafirmación de su poder de perdonar los pecados y, por tanto, de la trascendencia de su Yo divino, cuando después de haber preguntado a la mujer: «¿Nadie te ha condenado?» y haber obtenido la respuesta: «Nadie, Señor», declara: «*Ni yo tampoco* te condeno; vete y no peques más» (8, 10-11). En ese «*ni yo tampoco*» vibra el poder de juicio y de perdón que el Verbo tiene en comunión con el Padre y que ejerce en su encarnación humana para la salvación de cada uno de nosotros.

5. Lo que cuenta para todos nosotros en esta economía de la salvación y del perdón de los pecados, es que se ame con toda el alma a Aquel que viene a nosotros como eterna Voluntad de amor y de perdón. Nos lo enseña el mismo Jesús cuando, al sentarse a la mesa con los fariseos y verlos admirados porque acepta las piadosas manifestaciones de veneración por parte de la pecadora, les cuenta la parábola de los dos deudores, uno de los cuales debía al acreedor quinientos denarios, el otro cincuenta, y a los dos les condona la deuda: «¿Quién, pues, lo amará más?» (*Lc* 7, 42). Responde Simón: «Supongo que aquel a quien condonó más». Y Él añadió: «Bien has respondido... ¿Ves a esta mujer? ... Le son perdonados sus muchos pecados, porque amó mucho. Pero a quien poco se le perdona, poco ama» (cfr *Lc* 7, 42-47).

La compleja psicología de la relación entre el acreedor y el deudor, entre el amor que obtiene el perdón y el perdón que genera nuevo amor, entre la medida rigurosa del dar y del tener y la generosidad del corazón agradecido que tiende a dar sin medida, se condensa en estas palabras de Jesús que son para nosotros una invitación a tomar la actitud justa ante el Dios-Hombre que ejerce su poder divino de perdonar los pecados para salvarnos.

6. Puesto que todos estamos en deuda con Dios, Jesús incluye en la oración que enseñó a sus discípulos y que ellos transmitieron a todos los creyentes, esa petición fundamental al Padre: «Perdónanos nuestras deudas» (*Mt* 6, 12), que en la redacción de Lucas suena: «Perdónanos nuestros pecados» (*Lc* 11, 1). Una vez más Él quiere inculcarnos la verdad de que sólo Dios tiene el poder de perdonar los pecados (*Mc* 2, 7). Pero al mismo tiempo Jesús ejerce este poder divino en virtud de la otra verdad que también nos enseñó, a saber, que el Padre no sólo «ha entregado al Hijo todo el poder para juzgar» (*Jn* 5, 22), sino que le ha conferido también el poder para perdonar los pecados. Evidentemente, no se trata de un simple «ministerio» confiado a un puro hombre que lo desempeña por mandato divino: el significado de las palabras con que Jesús se atribuye a Sí mismo el poder de perdonar los pecados –y que de hecho los perdona en muchos casos que narran los Evangelios–, es más fuerte y más comprometido para las mentes de los que escuchan a Cristo, los cuales de hecho rebaten su pretensión de hacerse Dios y lo acusan de blasfemia, de modo tan encarnizado, que lo llevan a la muerte de cruz.

7. Sin embargo, el «ministerio» del perdón de los pecados lo confiará Jesús a los Apóstoles (y a sus sucesores), cuando se les aparezca después de la resurrección: «Recibid el Espíritu Santo, a quienes perdonareis los pecados

les serán perdonados» (*Mt* 20, 22-23). Como Hijo del hombre, que se identifica en cuanto a la persona con el Hijo de Dios, Jesús perdona los pecados por propio poder, que el Padre le ha comunicado en el misterio de la comunión trinitaria y de la unión hipostática; como Hijo del hombre que sufre y muere en su naturaleza humana por nuestra salvación, Jesús expía nuestros pecados y nos consigue su perdón de parte del Dios Uno y Trino; como Hijo del hombre que en su misión mesiánica ha de prolongar su acción salvífica hasta la consumación de los siglos, Jesús confiere a los Apóstoles el poder de perdonar los pecados para ayudar a los hombres a vivir sintonizados en la fe y en la vida con esta Voluntad eterna del Padre, «rico en misericordia» (*Ef* 2, 4).

En esta infinita misericordia del Padre, en el sacrificio de Cristo, Hijo de Dios y del hombre que murió por nosotros, en la obra del Espíritu Santo que, por medio del ministerio de la Iglesia, realizó continuamente en el mundo «el perdón de los pecados» (cfr Encíclica *Dominum et Vivificantem*), se apoya nuestra esperanza de salvación.

30. JESUCRISTO, LEGISLADOR DIVINO*

1. En los Evangelios encontramos otro hecho que atestigua la conciencia que tenía Jesús de poseer una autoridad divina, y la persuasión que tuvieron de esa autoridad los evangelistas y la primera comunidad cristiana. En efecto, los Sinópticos concuerdan al decir que los que escuchaban a Jesús «se maravillaban de su doctrina, *pues les enseñaba como quien tiene autoridad* y no como los escribas» (*Mc* 1, 22; y *Mt* 7, 29; *Lc* 4, 32). Es una información preciosa que Marcos nos da ya al comienzo de su Evangelio. Ella nos atestigua que la gente había captado

* Audiencia general, 14-X-1987.

enseguida la diferencia entre la enseñanza de Cristo y la de los escribas israelitas, y no *sólo en el modo, sino en la misma sustancia:* los escribas apoyaban su enseñanza en el texto de la ley mosaica, de la que eran intérpretes y glosadores; y Jesús no seguía el método de uno «que enseña» o de un «comentador» de la Ley Antigua, sino que se comportaba *como un Legislador* y, en definitiva, como quien tiene autoridad sobre la ley. Notemos que los que escuchaban sabían bien que se trataba de la *Ley Divina,* que dio Moisés en virtud de un poder que Dios mismo le había concedido como a su representante y mediador ante el pueblo de Israel.

Los Evangelistas y la primera comunidad cristiana, que reflexionaban sobre esa observación de los que habían escuchado la enseñanza de Jesús, se daban cuenta todavía más de su significado integral, porque podían confrontarla con todo el ministerio sucesivo de Cristo. Para los Sinópticos y para sus lectores era, pues, lógico el paso de la afirmación de un poder sobre la ley mosaica y sobre todo el Antiguo Testamento a la afirmación de la presencia de una autoridad divina en Cristo. Y no sólo como un Enviado o Legado de Dios, como había sido en el caso de Moisés: Cristo, al atribuirse el poder de completar e interpretar con autoridad o, más aún, de dar la Ley de Dios de un modo nuevo, mostraba su conciencia de ser «igual a Dios» (cfr *Flp* 2, 6).

2. Que el poder, que Cristo se atribuye sobre la Ley, comporte una autoridad divina lo demuestra el hecho de que *Él no crea otra Ley aboliendo la antigua:* «No penséis que he venido a abrogar la ley o los Profetas; no he venido a abrogarla, sino a consumarla» (*Mt* 5, 17). Es claro que Dios no podría «abrogar» la Ley que Él mismo dio. Pero puede –como hace Jesucristo– *aclarar su pleno significado,* hacer comprender su justo sentido, corregir las falsas interpretaciones y las aplicaciones arbitrarias, a las que la

ha sometido el pueblo y sus mismos maestros y dirigentes, cediendo a las debilidades y limitaciones de la condición humana.

Para ello Jesús anuncia, proclama y reclama una «justicia» superior a la de los escribas y fariseos (cfr *Mt* 5, 20), la «justicia» que Dios mismo ha propuesto y exige con la observancia fiel de la Ley en orden al «reino de los cielos». El Hijo del hombre actúa, pues, como un Dios que restablece lo que Dios quiso y puso de una vez para siempre.

3. De hecho, sobre la Ley de Dios Él proclama ante todo: «en verdad os digo que mientras no pasen el cielo y la tierra, ni una jota ni una tilde pasará (desapercibida) de la Ley hasta que todo se cumpla» (*Mt* 5, 18). Es una declaración drástica con la que Jesús quiere afirmar tanto la inmutabilidad sustancial de la Ley mosaica como el cumplimiento mesiánico que recibe en su palabra. Se trata de una «plenitud» de la Ley antigua que Él, enseñando «como quien tiene autoridad» sobre la Ley, hace ver que *se manifiesta* sobre todo *en el amor a Dios y al prójimo:* «De estos dos preceptos penden la Ley y los Profetas» (*Mt* 22, 40). Se trata de un «cumplimiento» que corresponde al «espíritu» de la Ley, que ya se deja ver desde la «letra» del Antiguo Testamento, que Jesús recoge, sintetiza y propone con la autoridad de quien es Señor también de la Ley. Los preceptos del amor, y también de la fe generadora de esperanza en la obra mesiánica, que Él añade a la Ley antigua explicitando su contenido y desarrollando sus virtualidades escondidas, son también un cumplimiento.

Su vida es *un modelo de este cumplimiento,* de modo que Jesús puede decir a sus discípulos no sólo y no tanto: Seguid mi Ley, sino: *Seguidme a mí, imitadme, caminad a la luz que viene de mí.*

4. *El sermón de la montaña,* como lo trae Mateo, es el lugar del Nuevo Testamento donde se ve afirmado clara-

mente y ejercido decididamente por Jesús el poder sobre la Ley que Israel ha recibido de Dios como quicio de la Alianza. Allí es donde, después de haber declarado el valor perenne de la Ley y el deber de observarla (cfr *Mt* 5, 18-19), Jesús pasa a afirmar la necesidad de una «justicia» superior a «la de los escribas y fariseos», o sea, de una observancia de la Ley animada por el nuevo espíritu evangélico de caridad y de sinceridad.

Los ejemplos concretos son conocidos. El primero consiste en la victoria sobre la ira, el resentimiento, la animadversión que anidan fácilmente en el corazón humano, aun cuando se puede exhibir una observancia exterior de los preceptos de Moisés, uno de los cuales es el de no matar: «Habéis oído que se dijo a los antiguos: No matarás; el que matare será reo de juicio. Pero yo os digo que todo el que se irrita contra su hermano será reo de juicio» (*Mt* 5, 21-22). Lo mismo vale para el que haya ofendido a otro con palabras injuriosas, con escarnio y burla. Es la condena de cualquier cesión ante el instinto de la aversión, que potencialmente ya es un acto de lesión y hasta de muerte, al menos espiritual, porque viola la economía del amor en las relaciones humanas y hace daño a los demás; y a esta condena Jesús intenta contraponer la Ley de la caridad que purifica y reordena al hombre hasta en los más íntimos sentimientos y movimientos de su espíritu. De la fidelidad a esta Ley hace Jesús una condición indispensable de la misma práctica religiosa: «Si vas, pues, a presentar una ofrenda ante el altar y allí te acuerdas de que tu hermano tiene algo contra ti, deja allí tu ofrenda ante el altar, ve primero a reconciliarte con tu hermano y luego vuelve a presentar tu ofrenda» (*Mt* 5, 23- 24). Tratándose de una Ley de amor, no hay que dar importancia a todo lo que se tenga en el corazón contra el otro: el amor que Jesús predicó iguala y unifica a todos en querer el bien, en establecer o restablecer la armonía en las relaciones con el prójimo, hasta en los casos de contiendas o de procedimientos judiciales (cfr *Mt* 5, 25).

5. Otro ejemplo de perfeccionamiento de la Ley es el del sexto mandamiento del Decálogo, en el que Moisés prohibía el adulterio. Con un lenguaje hiperbólico y hasta paradójico, adecuado para llamar la atención e impresionar a los que lo escuchaban, Jesús anuncia: «Habéis oído que fue dicho. No adulterarás. Pero yo os digo...» (*Mt* 5, 27): y condena también las miradas y los deseos impuros, mientras recomienda la huida de las ocasiones, la valentía de la mortificación, la subordinación de todos los actos y comportamientos a las exigencias de la salvación del alma y de todo el hombre (cfr *Mt* 5, 29-30).

A este ejemplo se une también en cierto modo otro que Jesús afronta enseguida: «También se ha dicho: El que repudiare a su mujer déle libelo de repudio. *Pero yo os digo...*» y declara abolida la concesión que hacía la Ley antigua al pueblo de Israel «por la dureza del corazón» (cfr *Mt* 19, 8), prohibiendo también esta forma de violación de la Ley del amor en armonía con el restablecimiento de la indisolubilidad del matrimonio (cfr *Mt* 19, 9).

6. Con el mismo procedimiento Jesús contrapone a la antigua prohibición de perjurar la de no jurar de ninguna manera (*Mt* 5, 33-38), y la razón que emerge con bastante claridad está fundada también en el amor: no debemos ser incrédulos o desconfiados con el prójimo, cuando es habitualmente franco y leal, sino que más bien hace falta que una y otra parte sigan la ley fundamental del hablar y del obrar: «Sea vuestra palabra: *sí,* sí; *no,* no; todo lo que pasa de esto, de mal procede» (*Mt* 5, 37).

7. Y también: «Habéis oído que se dijo: Ojo por ojo y diente por diente; *pero yo os digo:* No me hagáis frente al malvado...» (*Mt* 5, 38-39), y con lenguaje metafórico Jesús enseña a poner la otra mejilla, a ceder no sólo la túnica, sino también el manto, a no responder con violencia a las vejaciones de los demás, y sobre todo: «Da a quien te pida

y no vuelvas la espalda a quien desea de ti algo prestado» (*Mt* 5, 42). Radical exclusión de la Ley del talión en la vida personal del discípulo de Jesús, cualquiera que sea el deber de la sociedad de defender a los propios miembros de los malhechores y de castigar a los culpables de violación de los derechos de los ciudadanos y del mismo Estado.

8. Y ésta es la perfección definitiva en la que encuentran el centro dinámico todas las demás: «Habéis oído que fue dicho: Amarás a tu prójimo y aborrecerás a tu enemigo. *Pero yo os digo:* Amad a vuestros enemigos y orad por los que os persiguen, para que seáis hijos de vuestro Padre, que está en los cielos, que hace salir el sol sobre malos y buenos y llueve sobre justos e injustos...» (*Mt* 5, 43-45). A la interpretación vulgar de la Ley antigua que identificaba al prójimo con el israelita y más aún con el israelita piadoso, Jesús opone la interpretación auténtica del mandamiento de Dios y le añade la dimensión religiosa de la referencia al Padre celestial, clemente y misericordioso, que beneficia a todos y es, por lo tanto, el ejemplo supremo del amor universal.

En efecto, Jesús concluye: «Sed... perfectos como perfecto es vuestro Padre celestial» (*Mt* 5, 48). Él pide a sus seguidores la perfección del amor. La nueva Ley que Él ha traído tiene su síntesis en el amor. Este amor hará que el hombre, en sus relaciones con los demás, supere la clásica contraposición amigo-enemigo, y tenderá, desde dentro de los corazones, a traducirse en las correspondientes formas de solidaridad social y política, incluso institucionalizadas. Será, pues muy amplia en la historia, la irradiación del «mandamiento nuevo» de Jesús.

9. En este momento nos vemos obligados sobre todo a manifestar que en los fragmentos importantes del «sermón de la montaña» se repite la contraposición: «*Habéis oído que se dijo... Pero yo os digo*»; y esto no para «abro-

gar» la Ley divina de la Antigua Alianza, sino para indicar su «perfecto cumplimiento», según el sentido entendido por Dios-Legislador, que Jesús ilumina con luz nueva y explica con todo su valor generador de nueva vida y creador de nueva historia: y lo hace atribuyéndose una autoridad que es la misma del Dios-Legislador. Podemos decir que en esa expresión suya repetida seis veces: *Yo os digo,* resuena el eco de esa autodefinición de Dios que Jesús también se ha atribuido: *«Yo soy»* (cfr *Jn* 8, 58).

10. Finalmente hay que recordar la respuesta que dio Jesús a los fariseos que reprobaban a sus discípulos el que arrancasen las espigas de los campos llenos de grano para comérselas en día de sábado, violando así la Ley mosaica. Primero Jesús les cita el ejemplo de David y de sus compañeros, que no dudaron en comer los «panes de la proposición» para quitarse el hambre, y el de los sacerdotes que el día de sábado no observan la ley del descanso porque desempeñan las funciones en el templo. Después concluye con dos afirmaciones perentorias, inauditas para los fariseos: «Pues yo os digo, que lo que hay aquí es *más grande que el templo...*»; y «El Hijo del Hombre es señor del sábado» (*Mt* 12, 6, 8; cfr *Mc* 2, 27-28). Son declaraciones que revelan con toda claridad la conciencia que Jesús tenía de su autoridad divina. El que se definiera «como superior al templo» era una alusión bastante clara a su trascendencia divina. Y proclamarse «señor del sábado», o sea, de una Ley dada por Dios mismo a Israel, era la proclamación abierta de la propia autoridad como cabeza del reino mesiánico y promulgador de la nueva Ley. No se trataba, pues, de simples derogaciones de la Ley mosaica, admitidas también por los rabinos en casos muy restringidos, sino de una reintegración, de un complemento y de una renovación que Jesús enuncia como inacabables: «El cielo y la tierra pasarán, pero mis palabras no pasarán» (*Mt* 24, 35). Lo que viene de Dios es eterno, como eterno es Dios.

31. «CREED EN DIOS, CREED TAMBIEN EN MÍ»*

1. Los hechos que hemos analizado en la catequesis anterior son en su conjunto elocuentes y prueban la conciencia de la propia divinidad, que Jesús demuestra tener cuando se aplica a Sí mismo el nombre de Dios, los atributos divinos, el poder juzgar al final sobre las obras de todos los hombres, el poder perdonar los pecados, el poder que tiene sobre la misma ley de Dios. Todos son aspectos de la única verdad que Él afirma con fuerza, la *de ser verdadero Dios,* una sola cosa con el Padre. Es lo que dice abiertamente a los judíos, al conversar libremente con ellos en el templo, el día de la fiesta de la Dedicación: «Yo y el Padre somos una misma cosa» (*Jn* 10, 30). Y, sin embargo, al atribuirse lo que es propio de Dios, Jesús habla de Sí mismo como del «Hijo del hombre», tanto por la unidad personal del hombre y de Dios en Él, como por seguir la pedagogía elegida de conducir gradualmente a los discípulos, casi tomándolos de la mano, a las alturas y profundidades misteriosas de su verdad. Como Hijo del hombre no duda en pedir: «Creed en Dios, creed en mí» (*Jn* 14, 1).

El desarrollo de todo el discurso de los capítulos 14-17 de Juan, y especialmente las respuestas que da Jesús a Tomás y a Felipe, demuestran que cuando pide que crean en Él, se trata *no sólo de la fe en el Mesías* como el Ungido y el Enviado por Dios, sino de la fe en el Hijo que es de la misma naturaleza que el *Padre.* «Creed en Dios, creed también en mí» (*Jn* 14, 1).

2. Estas palabras hay que examinarlas en el contexto del diálogo de Jesús con los Apóstoles en la Última Cena, narrado en el Evangelio de Juan. Jesús dice a los Apóstoles que *va a prepararles un lugar* en la casa del Padre (cfr *Jn* 14, 2-3). Y cuando Tomás le pregunta por el camino

* Audiencia general, 21-X-1987.

para ir a esa casa, a ese nuevo reino, Jesús responde que *Él es el camino,* la verdad y la vida (cfr *Jn* 14, 6). Cuando Felipe le pide que muestre el Padre a los discípulos, Jesús replica de modo absolutamente unívoco: «El que me ha visto a mí, ha visto al Padre; ¿cómo dices tú: Muéstranos al Padre? ¿No crees que yo estoy en el Padre y el Padre en mí? Las palabras que yo os digo no las hablo de mí mismo; el Padre que mora en mí hace sus obras. *Creedme, que yo estoy en el Padre y el Padre en mí;* a lo menos, creedlo por las obras» (*Jn* 14, 9-11).

La inteligencia humana no puede rechazar esta declaración de Jesús, si no es partiendo ya *a priori* de un prejuicio antidivino. A los que admiten al Padre, y más aún, lo buscan piadosamente, Jesús se manifiesta a Sí mismo y les dice: ¡Mirad, el Padre está en mí!

3. En todo caso, para ofrecer motivos de credibilidad, Jesús apela a *sus obras:* a todo lo que ha llevado a cabo en presencia de los discípulos y de toda la gente. Se trata de obras santas y muchas veces milagrosas, realizadas como signos de su verdad. Por esto merece que se tenga fe en Él. Jesús lo dice no sólo en el círculo de los Apóstoles, sino ante todo el pueblo. En efecto, leemos que, al día siguiente de la entrada triunfal en Jerusalén, la gran multitud que había llegado para las celebraciones pascuales, discutía sobre la figura de Cristo y la mayoría no creía en Jesús, «aunque había hecho tan grandes milagros en medio de ellos» (*Jn* 12, 37). En un determinado momento «Jesús, clamando, dijo: El que cree en mí, no cree en mí, sino en el que me ha enviado, y el que me ve, ve al que me ha enviado» (*Jn* 12, 44). Así, pues, podemos decir que Jesucristo se identifica con Dios como objeto de la fe que pide y propone a sus seguidores. Y les explica: «Las cosas que yo hablo, las hablo según el Padre me ha dicho» (*Jn* 12, 50): alusión clara a la fórmula eterna por la que el Padre genera al Verbo-Hijo en la vida trinitaria.

Esta fe, ligada a las obras y a las palabras de Jesús, se convierte en una «consecuencia lógica» para los que honradamente escuchan a Jesús, observan sus obras, reflexionan sobre sus palabras. Pero éste es también el presupuesto y la condición indispensable que exige el mismo Jesús a los que quieren convertirse en sus discípulos o beneficiarse de su poder divino.

4. A este respecto, es significativo lo que Jesús dice al padre del niño epiléptico, poseído desde la infancia por un «espíritu mudo» que se desenfrenaba en él de modo impresionante. El pobre padre suplica a Jesús: «Si algo puedes, ayúdanos por compasión hacia nosotros. Díjole Jesús: ¡Si puedes! Todo es posible al que cree. Al instante, gritando, dijo el padre del niño: ¡Creo! Ayuda a mi incredulidad» (*Mc* 9, 22-23). Y Jesús cura y libera a ese desventurado. Sin embargo, pide al padre del muchacho una apertura del alma a la fe. Eso es lo que le han dado a lo largo de los siglos tantas criaturas humildes y afligidas que, como el padre del epiléptico, se han dirigido a Él para pedirle ayuda en las necesidades temporales, y sobre todo en las espirituales.

5. Pero allí donde los hombres, cualquiera que sea su condición social y cultural, oponen una resistencia derivada del orgullo e incredulidad, Jesús castiga esta actitud suya no admitiéndolos a los beneficios concedidos por su poder divino. Es significativo e impresionante lo que se lee de los nazarenos, entre los que Jesús se encontraba porque había vuelto después del comienzo de su ministerio, y de haber realizado los primeros milagros. Ellos no sólo se admiraban de su doctrina y de sus obras, sino que además «se escandalizaban de Él», o sea, hablaban de Él y lo trataban con desconfianza y hostilidad, como persona no grata.

«Jesús les decía: ningún profeta es tenido en poco sino

en su patria y entre sus parientes y en su familia. Y no pudo hacer allí ningún milagro fuera de que a algunos pocos dolientes les impuso las manos y los curó. Él se admiraba de su incredulidad» (*Mc* 6, 4-6). Los milagros son signos del poder divino de Jesús. Cuando hay obstinada cerrazón al reconocimiento de ese poder, el milagro pierde su razón de ser. Por lo demás, también Él responde a los discípulos, que después de la curación del epiléptico preguntan a Jesús por qué ellos, que también habían recibido el poder del mismo Jesús, no consiguieron expulsar al demonio. Él respondió: «Por vuestra poca fe: porque en verdad os digo, que si tuvierais fe como un grano de mostaza, diríais a este monte: Vete de aquí a allá, y se iría, y nada os sería imposible» (*Mt* 17, 19-20). Es un lenguaje figurado e hiperbólico, con el que Jesús quiere inculcar a sus discípulos la necesidad y la fuerza de la fe.

6. Es lo mismo que Jesús subraya como conclusión del milagro de la curación del ciego de nacimiento, cuando lo encuentra y le pregunta: «¿Crees en el Hijo del hombre? Respondió él y dijo: ¿Quién es, Señor, para que crea en él? Díjole Jesús: le estás viendo; es el que habla contigo. Dijo él: Creo, Señor, y se postró ante él» (*Jn* 9, 35-38). Es el acto de fe de un hombre humilde, imagen de todos los humildes que buscan a Dios (cfr *Dt* 29, 3; *Is* 6, 9 ss.; *Jer* 5, 21; *Ez* 12, 2): él obtiene la gracia de una visión no sólo física, sino espiritual, porque reconoce al «Hijo del hombre», a diferencia de los autosuficientes que confían únicamente en sus propias luces y rechazan la luz que viene de lo alto y por lo tanto se autocondenan, ante Cristo y ante Dios, a la ceguera (cfr *Jn* 9, 39-41).

7. La decisiva importancia de la fe aparece aún con mayor evidencia en el diálogo entre Jesús y Marta ante el sepulcro de Lázaro: «Díjole Jesús: Resucitará tu hermano. Marta le dijo: Sé que resucitará en la resurrección, en el

último día. Díjole Jesús: Yo soy la resurrección y la vida; el que cree en mí, aunque muera, vivirá; y todo el que vive y cree en mí, no morirá para siempre. ¿Crees tú esto? Díjole ella (Marta): Sí, Señor; yo creo que tú eres el Mesías, el *Hijo de Dios que ha venido a este mundo*» (*Jn* 11, 23-27). Y Jesús resucita a Lázaro como signo de su poder divino, no sólo de resucitar a los muertos porque es Señor de la vida, sino de vencer la muerte, Él, que, como dijo a Marta, ¡*es* la resurrección y la vida!

8. La enseñanza de Jesús sobre la fe *como condición de su acción salvífica* se resume y consolida en el coloquio nocturno con Nicodemo, «un jefe de los judíos» bien dispuesto hacia Él y a reconocerlo como «maestro de parte de Dios» (*Jn* 3, 2). Jesús mantiene con él un largo discurso sobre la «vida nueva» y, en definitiva, sobre la nueva economía de la salvación fundada en la fe en el Hijo del hombre que ha de ser levantado «para que todo el que crea en él tenga la vida eterna. Porque tanto amó Dios al mundo, que le dio a su unigénito Hijo, para que *todo el que crea en él* no perezca, sino que *tenga la vida eterna*» (*Jn* 3, 15-16). Por lo tanto, la fe en Cristo es *condición constitutiva de la salvación,* de la vida eterna. Es la fe en el Hijo unigénito –consubstancial al Padre– en quien se manifiesta el amor del Padre. En efecto, «Dios no ha enviado a su Hijo al mundo para que juzgue al mundo, sino para que el mundo sea salvo por él» (*Jn* 3, 17). En realidad, el juicio es inmanente a la elección que se hace, a la adhesión o al rechazo de la fe en Cristo: «El que cree en él no será juzgado; el que no cree, ya está juzgado, porque no creyó en el nombre del unigénito Hijo de Dios» (*Jn* 3, 18).

Al hablar con Nicodemo, Jesús indica en el *misterio pascual* el punto central de la fe que salva: «Es preciso que sea levantado el Hijo del hombre, para que todo el que creyere en él tenga vida eterna» (*Jn* 3, 14-15). Podemos decir también que éste es el «punto crítico» de la fe en Cristo. La cruz ha sido la *prueba definitiva de la fe* para los Apóstoles y los discípulos de Cristo. Ante esa «elevación» habían que quedar conmovidos, como en parte sucedió. Pero el hecho de que Él «resucitó al tercer día» les permitió salir victoriosos de la prueba final. Incluso Tomás, que fue el último en superar la prueba pascual de la fe, durante su encuentro con el Resucitado, prorrumpió en esa maravillosa profesión de fe: «¡Señor mío y Dios mío!» (*Jn* 20, 28). Como ya en ese otro tiempo Pedro en Cesarea de Filipo (cfr *Mt* 16, 16), así también Tomás en este encuentro pascual deja explotar el grito de la fe que viene del Padre: Jesús crucificado y resucitado es «Señor y Dios».

9. Inmediatamente después de haber hecho esta profesión de fe y de la respuesta de Jesús proclama la bienaventuranza de aquellos «que sin ver creyeron» (*Jn* 20, 29). Juan ofrece una primera conclusión de su Evangelio: «Muchas otras señales hizo Jesús en presencia de los discípulos, que no están escritas en este libro *para que creáis* que Jesús es el Mesías, Hijo de Dios, y para que creyendo tengáis vida en su nombre» (*Jn* 20, 30-31).

Así pues, *todo lo que Jesús hacía y enseñaba,* todo lo que los Apóstoles predicaron y testificaron, y los Evangelistas escribieron, todo lo que la Iglesia conserva y repite de su enseñanza, *debe servir a la fe,* para que, creyendo, se alcance la salvación. La salvación –y por lo tanto la vida eterna– está ligada a la misión mesiánica de Jesucristo, de la cual deriva toda la «lógica» y la *«economía» de la fe cristiana.* Lo proclama el mismo Juan desde el prólogo de su Evangelio: «A cuantos lo recibieron (al Verbo) dioles poder de venir a ser hijos de Dios: a aquellos que creen en su nombre» (*Jn* 1, 12).

32. «QUIEN PIERDA LA VIDA POR MÍ Y POR EL EVANGELIO, ÉSE SE SALVARÁ*

1. En nuestra búsqueda de los signos evangélicos que revelan la conciencia que tenía Cristo de su Divinidad, hemos subrayado en la catequesis anterior la interpelación que hace a sus discípulos de que *tengan fe en Él:* «Creed en Dios, creed también en mí» (*Jn* 14, 1): una interpelación que sólo puede hacer Dios. Jesús exige esta fe cuando manifiesta un poder divino que supera todas las fuerzas de la naturaleza, por ejemplo, en la resurrección de Lázaro (cfr *Jn* 11, 38-44); la exige también en el momento de la prueba, *como fe en el poder salvífico de su cruz,* tal como afirma en el coloquio con Nicodemo (cfr *Jn* 3, 14-15); y es fe en su Divinidad: «El que me ha visto a mí ha visto al Padre» (*Jn* 14, 9).

La fe se refiere a una realidad invisible, que está por encima de los sentidos y de la experiencia, y supera los límites del mismo intelecto humano (*argumentum non apparentium:* «prueba de las *cosas* que no se ven»: cfr *Heb* 11, 1); se refiere, como dice San Pablo, a «esas cosas que *el ojo no vio,* ni el oído oyó, ni vino a la mente del hombre», pero que Dios ha preparado para los que lo aman (cfr *1 Cor* 2, 9). Jesús exige una fe así cuando el día antes de morir en la cruz, humanamente ignominiosa, dice a los Apóstoles que va a prepararles un lugar en la casa del Padre (cfr *Jn* 14, 2).

2. Estas cosas misteriosas, esta realidad invisible, se identifica con el Bien infinito de Dios, Amor eterno, sumamente digno de ser amado sobre todas las cosas. Por eso, junto a la interpelación de fe, Jesús coloca *el mandamiento del amor a Dios «sobre todas las cosas»,* que ya estaba en el Antiguo Testamento, pero que Jesús repite y corrobora en

* Audiencia general, 28-X-1987.

una nueva clave. Es verdad que cuando responde a la pregunta: «¿Cuál es el mandamiento más grande de la ley?» Jesús cita las palabras de la ley mosaica: «*Amarás al Señor tu Dios* con todo tu corazón, con toda tu alma y con toda tu mente» (*Mt* 22, 37; cfr *Dt* 6, 5). Pero el pleno sentido que toma el mandamiento en la boca de Jesús emerge de la referencia a otros elementos del contexto en el que se mueve y enseña. No hay duda que Él quiere inculcar que sólo Dios puede y debe ser amado sobre todo lo creado; *y sólo de cara a Dios puede haber dentro del hombre la exigencia de un amor sobre todas las cosas.* Sólo Dios, en virtud de esta exigencia de amor radical y total, puede llamar al hombre para que «lo siga» sin reservas, sin limitaciones, de forma indivisible, tal como leemos ya en el Antiguo Testamento: «Habéis de ir tras de Yahvéh, vuestro Dios... habéis de guardar sus mandamientos..., *servirle y allegaros a Él*» (*Dt* 13, 4). En efecto, sólo Dios «es bueno» en el sentido absoluto (cfr *Mc* 10, 18; también *Mt* 19, 17). Sólo Él «es amor» (*1 Jn* 4, 16) por esencia y por definición. Pero aquí hay un elemento nuevo y sorprendente en la vida y en la enseñanza de Cristo.

3. Jesús llama a seguirle personalmente. Podemos decir que esta llamada está *en el centro mismo del Evangelio.* Por una parte Jesús lanza esta llamada; por otra oímos hablar a los Evangelistas de hombres que lo siguen, y aún más, dc algunos de ellos que lo dejan todo para seguirlo.

Pensemos en todas las llamadas de las que nos han dejado noticia los Evangelistas: «Un discípulo le dijo: Señor, permíteme ir primero a sepultar a mi padre; pero Jesús le respondió: Sígueme y deja a los muertos sepultar a sus muertos» (*Mt* 8, 21-22), forma drástica de decir: déjalo todo inmediatamente por Mí. Ésta es la redacción de Mateo. Lucas añade la connotación apostólica de esta vocación: «Tú vete y anuncia el reino de Dios» (*Lc* 9, 60). En otra ocasión, al pasar junto a la mesa de los impuestos, dijo y casi impuso a Mateo, quien nos atestigua el hecho: «Sígueme. Y él, levantándose lo siguió» (*Mt* 9, 9; cfr *Mc* 2, 13-14).

Seguir a Jesús significa muchas veces no sólo dejar las ocupaciones y romper los lazos que hay en el mundo, sino también distanciarse de la agitación en que se encuentra e incluso dar los propios bienes a los pobres. No todos son capaces de hacer ese desgarrón radical: no lo fue el joven rico, a pesar de que desde niño había observado la ley y quizá había buscado seriamente un camino de perfección, pero «al oír esto (es decir, la invitación de Jesús), se fue triste, porque tenía muchos bienes» (*Mt* 19, 22; *Mc* 10, 22). Sin embargo, otros no sólo aceptan el «Sígueme», sino que, como Felipe de Betsaida, sienten la necesidad de comunicar a los demás su convicción de haber encontrado al Mesías (cfr *Jn* 1, 43 ss.). Al mismo Simón es capaz de decirle desde el primer encuentro: «Tú serás llamado Cefas (que quiere decir Pedro)» (*Jn* 1, 42). El Evangelista Juan hace notar que Jesús «fijó la vista en él»: en esa mirada intensa estaba el «Sígueme» más fuerte y cautivador que nunca. Pero parece que Jesús, dada la vocación totalmente especial de Pedro (y quizá también su temperamento natural), quiera hacer madurar poco a poco su capacidad de valorar y aceptar esa invitación. En efecto, el «Sígueme» literal llegará para Pedro después del lavatorio de los pies, durante la Última Cena (cfr *Jn* 13, 36), y luego, de modo definitivo, después de la resurrección, a la orilla del lago de Tiberíades (cfr *Jn* 21, 19).

4. No cabe duda que Pedro y los Apóstoles –excepto Judas– comprenden y aceptan la llamada a seguir a Jesús como una donación total de sí y de sus cosas para la causa del anuncio del reino de Dios. Ellos mismos recordarán a Jesús por boca de Pedro: «Pues nosotros lo hemos dejado todo y te hemos seguido» (*Mt* 19, 27). Lucas añade: «todo lo que teníamos» (*Lc* 18, 28). Y el mismo Jesús

parece que quiere precisar de «qué» se trata al responder a Pedro. «En verdad os digo que ninguno que haya dejado casa, mujer, hermanos, padres e hijos por amor al reino de Dios dejará de recibir mucho más en este siglo, y la vida eterna en el venidero» (*Lc* 18, 29-30).

En Mateo se especifica también el dejar hermanas, madre, campos «por amor de mi nombre»; a quien lo haya hecho Jesús le promete que «recibirá el céntuplo y heredará la vida eterna» (*Mt* 19, 29).

En Marcos hay una especificación posterior sobre el abandonar todas las cosas «por mí y por el Evangelio», y sobre la recompensa: «El céntuplo ahora en este tiempo en casas, hermanos, hermanas, madre e hijos y campos, con persecuciones, y la vida eterna en el siglo venidero» (*Mc* 10, 29-30).

Dejando a un lado de momento el lenguaje figurado que usa Jesús, nos preguntamos: ¿Quién es ése que pide que lo sigan y que promete a quien lo haga darle muchos premios y hasta «la vida eterna»? ¿Puede un simple Hijo del hombre, prometer tanto, y ser creído y seguido, y tener tanto atractivo no sólo para aquellos discípulos fieles, sino para millares y millones de hombres en todos los siglos?

5. En realidad los discípulos recordaron bien la autoridad con que Jesús les había llamado a seguirlo sin dudar en pedirles una dedicación radical, expresada en términos que podían parecer paradójicos, como cuando decía que había venido a traer «no la paz, sino la espada», es decir, a separar y dividir a las mismas familias para que lo siguieran, y luego afirmaba: «El que ama al padre o a la madre más que a mí, *no es digno de mí;* y el que ama al hijo o a la hija más que a mí, no es digno de mí; y el que no toma su cruz y sigue en pos de mí, no es digno de mí» (*Mt* 10, 37-38). Aún es más fuerte y casi dura la formulación de Lucas: «Si alguno viene a mí y no *aborrece a* (expresión del hebreo para decir: no se aparte de) su padre,

su madre, su mujer, sus hermanos, sus hermanas y aun su propia vida, no puede ser mi discípulo» (*Lc* 14, 26).

Ante estas expresiones de Jesús no podemos dejar de reflexionar sobre lo excelsa y ardua que es la vocación cristiana. No cabe duda que las formas concretas de seguir a Cristo están graduadas por Él mismo según las condiciones, las posibilidades, las misiones, los carismas de las personas y de los grupos. Las palabras de Jesús, como Él dice, son «espíritu y vida» (cfr *Jn* 6, 63), y no podemos pretender concretarlas de forma idéntica para todos. Pero según Santo Tomás de Aquino, la exigencia evangélica de renuncias heroicas como las de los consejos evangélicos de pobreza, castidad y renuncia de sí por seguir a Jesús –y podemos decir igual de la oblación de sí mismo en el martirio, antes que traicionar la fe y el seguimiento de Cristo– compromete a todos «secundum praeparationem animi» (cfr *S. Th.* II-II q. 184, a. 7, ad 1), o sea, según la disponibilidad del espíritu para cumplir lo que se le pide en cualquier momento que se le llame, y por lo tanto comportan para todos un desapego interior, una oblación, una autodonación a Cristo, sin las cuales no hay un verdadero espíritu evangélico.

6. Del mismo Evangelio podemos deducir que hay vocaciones particulares, que dependen de una elección de Cristo: como la de los Apóstoles y de muchos discípulos, que Marcos señala con bastante claridad cuando escribe: «Subió a un monte, y llamando a los que quiso, vinieron a Él, y designó a doce para que lo acompañaran...» (*Mc* 3, 13-14). El mismo Jesús, según Juan, dice a los Apóstoles en el discurso final: «No me habéis elegido vosotros a mí, sino yo os he elegido a vosotros...» (*Jn* 15, 16).

No se deduce que Él condenara definitivamente al que no aceptó seguirlo por un camino de total dedicación a la causa del Evangelio (cfr el caso de joven rico: *Mc* 10, 17-27). Hay algo más que pone en juego la libre generosidad de cada uno. Pero no hay duda que la vocación a la fe y al amor cristiano es universal y obligatoria: fe en la Palabra de Jesús, amor a Dios sobre todas las cosas y también al prójimo como a nosotros mismos, porque «el que no ama a su hermano a quien ve, no es posible que ame a Dios a quien no ve» (*1 Jn* 4, 20).

7. Jesús, al establecer la exigencia de la respuesta a la vocación a seguirlo, no esconde a nadie que su seguimiento requiere sacrificio, a veces incluso el sacrificio supremo. En efecto, dice a sus discípulos: «El que quiera venir en pos de mí, niéguese a sí mismo, tome su cruz y sígame. Pues el que quiera salvar su vida la perderá, y el que pierda su vida por mí la salvará...» (*Mt* 16, 24-25).

Marcos subraya que Jesús había convocado con los discípulos también a la multitud, y habló a todos de la renuncia que pide a quien quiera seguirlo, de cargar con la cruz y de perder la vida «por mí y el Evangelio» (*Mc* 8, 34-35). ¡Y esto después de haber hablado de su próxima pasión y muerte! (cfr *Mc* 8, 31-32).

8. Pero, al mismo tiempo, Jesús proclama la bienaventuranza de los que son perseguidos «por amor del Hijo del hombre» (*Lc* 6, 22): «Alegraos y regocijaos, porque grande será en los cielos vuestra recompensa» (*Mt* 5, 12).

Y nosotros nos preguntamos una vez más: ¿Quién es éste que llama con autoridad a seguirlo, predice odio, insultos y persecuciones de todo género (cfr *Lc* 6, 22), y promete «recompensa en los cielos»? Sólo un Hijo del hombre que tenía la conciencia de ser Hijo de Dios podía hablar así. En este sentido lo entendieron los Apóstoles y los discípulos, que nos transmitieron su revelación y su mensaje. En este sentido queremos entenderlo nosotros también, diciéndole de nuevo con el Apóstol Tomás: «Señor mío y Dios mío».

33. «YO DISPONGO DEL REINO EN FAVOR VUESTRO, COMO MI PADRE HA DISPUESTO DE ÉL EN FAVOR MÍO»*

1. Estamos recorriendo los temas de las catequesis sobre Jesús «Hijo del hombre», que al mismo tiempo hace que lo *conozcamos como verdadero «Hijo de Dios»:* «Yo y el Padre somos una sola cosa» (*Jn* 10, 30). Hemos visto que Él refería a Sí mismo el nombre y los atributos divinos; hablaba de su divina pre-existencia en la unidad con el Padre (y con el Espíritu Santo, como explicaremos en un posterior ciclo de catequesis); se atribuía *el poder sobre la ley* que Israel había recibido de Dios por medio de Moisés en la Antigua Alianza (especialmente en el sermón de la montaña: *Mt* 5); y junto a ese poder se atribuía también el de *perdonar los pecados* (cfr *Mc* 2, 1-12 y paral.; *Lc* 7, 48; *Jn* 8, 11) y de *juzgar al final* las conciencias y las obras de todos los hombres (cfr por ejemplo, *Mt* 25, 31-46; *Jn* 5, 27-29). Finalmente enseñaba como uno que tiene autoridad y pedía creer en su palabra, invitaba a seguirlo hasta la muerte y prometía como recompensa la «vida eterna». Al llegar a este punto, tenemos a nuestra disposición todos los elementos y todas las razones para afirmar que Jesucristo se ha revelado a Sí mismo como Aquel *que instaura el reino de Dios en la historia de la humanidad.*

2. El terreno de la revelación del reino de Dios *había sido preparado* ya en el Antiguo Testamento, especialmente en la segunda fase de la historia de Israel, narrada en los textos de los Profetas y de los Salmos que siguen al exilio y las otras experiencias dolorosas del Pueblo elegido. Recordemos especialmente los cantos de los salmistas a Dios que es Rey de toda la tierra, que «reina sobre las gentes» (*Sal* 46/47, 8-9); y el reconocimiento exultante: «Tu reino es reino de todos los siglos, y tu señorío de ge-

* Audiencia general, 4-XI-1987.

neración en generación» (*Sal* 144/145, 13). El Profeta Daniel, a su vez, habla del reino de Dios «que no será destruido jamás..., destruirá y desmenuzará a todos esos reinos, más él permanecerá por siempre». Este *reino* que se hará surgir del «Dios de los cielos» (= el reino de los cielos), quedará bajo el dominio del mismo Dios y «no pasará a poder de otro pueblo» (cfr 2, 44).

3. Insertándose en esta tradición y compartiendo esta concepción de la Antigua Alianza, *Jesús de Nazaret* proclama desde el comienzo de su misión mesiánica precisamente este reino: «Cumplido es el tiempo, y el reino de Dios está cercano» (*Mc* 1, 15). De este modo, recoge uno de los motivos constantes de la espera de Israel, pero *da una nueva dirección a la esperanza escatológica,* que se había dibujado en la última fase del Antiguo Testamento, al proclamar que ésta tiene su cumplimiento inicial ya aquí en la tierra, porque Dios es el Señor de la historia: ciertamente su reino se proyecta hacia un cumplimiento final más allá del tiempo, pero comienza a realizarse ya aquí en la tierra y se desarrolla en cierto sentido, «dentro» de la historia. En esta perspectiva Jesús anuncia y revela que el tiempo de las antiguas promesas, esperas y esperanzas, «se ha cumplido», y que el reino de Dios «está cercano», más aún, está ya presente en su misma persona.

4. *En efecto, Jesucristo no sólo adoctrina sobre el reino de Dios,* haciendo de él la verdad central de su enseñanza, sino que *instaura este reino en la historia* de Israel y de toda la humanidad. Y en esto se revela su poder divino, su soberanía respecto a todo lo que en el tiempo y en el espacio lleva en sí los signos de la creación antigua y de la llamada a ser criaturas nuevas (cfr *2 Cor* 5, 17; *Gal* 6, 15), en las que ha vencido, en Cristo y por medio de Cristo, todo lo caduco y lo efímero, y ha establecido para siempre el verdadero valor del hombre y de todo lo creado.

Es un poder único y eterno que Jesucristo –crucificado y resucitado– se atribuye al final de su misión terrena, cuando declara a los Apóstoles: «Me ha *sido dado todo poder en el cielo y en la tierra*», y en virtud de este poder suyo les manda: «Id, pues; enseñad a todas las gentes, bautizándolas en el nombre del Padre, y del Hijo, y del Espíritu Santo, enseñándoles a observar todo cuanto yo os he mandado. Yo estaré con vosotros siempre hasta la consumación del mundo» (*Mt* 28, 18-20).

5. Antes de llegar a este acto definitivo de la proclamación y revelación de la soberanía divina del «Hijo del hombre», Jesús anuncia muchas veces que el reino de Dios ha venido al mundo. Más aún, en el conflicto con los adversarios que no dudan en atribuir un poder demoníaco a las obras de Jesús, Él los confunde con una argumentación que concluye afirmando lo siguiente: «*Pero si expulso a los demonios por el dedo de Dios, sin duda que el reino de Dios ha llegado a vosotros*» (*Lc* 11, 20). En Él y por Él, pues, el espacio espiritual del dominio divino toma su consistencia: el reino de Dios entra en la historia de Israel y de toda la humanidad, y Él es capaz de revelarlo y de mostrar que tiene el poder de decidir sobre sus actos. Lo muestra liberando de los demonios: todo el espacio psicológico y espiritual queda así reconquistado para Dios.

6. También el mandato definitivo, que Cristo crucificado y resucitado da a los Apóstoles (*Mt* 28, 18-20), fue preparado por Él bajo todos los aspectos. Momento clave de la preparación fue la vocación de los Apóstoles: «Designó a doce para que le acompañaran y para enviarlos a predicar, con poder de expulsar demonios» (*Mc* 3, 14-15). En medio de los Doce, *Simón Pedro se convierte en destinatario de un poder especial en orden al reino:* «Y yo te digo a ti que tú eres Pedro, y sobre esta piedra edificaré yo mi Iglesia, y las puertas del infierno no prevalecerán contra

ella. Yo te daré las llaves del reino de los cielos, y cuanto atares en la tierra quedará atado en los cielos, y cuanto desatares en la tierra quedará desatado en los cielos» (*Mt* 16, 18-19). Quien habla de este modo está convencido de poseer el reino, de tener su soberanía total, y de poder confiar sus «llaves» a un representante y vicario suyo, más aún de lo que haría un rey de la tierra con su lugarteniente o primer ministro.

7. Esta convicción evidente de Jesús explica porqué Él, durante su ministerio, habla de su obra presente y futura como de un nuevo *reino* introducido en la historia humana: no sólo como *verdad anunciada,* sino como *realidad viva,* que se desarrolla, crece y fermenta toda la masa humana, como leemos en la parábola de la levadura (cfr *Mt* 13, 33; *Lc* 13, 21). Ésta y las demás parábolas del reino (cfr especialmente *Mt* 13), dan testimonio de que ésta ha sido la idea central de Jesús pero también la sustancia de su obra mesiánica, que Él quiere que se prolongue en la historia, incluso después de su vuelta al Padre, mediante una estructura visible cuya cabeza es Pedro (cfr *Mt* 16, 18-19).

8. *La instauración* de esa estructura del reino de Dios *coincide con la transmisión que Cristo hace de la misma a los Apóstoles* escogidos por Él: «Yo dispongo (latín: *dispono;* algunos traducen: «transmito») del reino en favor vuestro, como mi Padre ha dispuesto de él en favor mío» (*Lc* 22, 29). Y la transmisión del reino es al mismo tiempo una *misión:* «Como tú me enviaste al mundo, así yo los envié a ellos al mundo» (*Jn* 17, 18). Después de la resurrección, al aparecerse Jesús a los Apóstoles, les repetirá: «*Como me envió mi Padre, así os envío yo*... Recibid el Espíritu Santo; a quien perdonareis los pecados les serán perdonados, a quienes se los retuviereis le serán retenidos» (*Jn* 20, 21-23).

Prestemos atención: en el pensamiento de Jesús, en su

obra mesiánica, en su mandato a los Apóstoles, *la inauguración del reino* en este mundo está estrechamente unida a su poder *de vencer el pecado,* de anular el poder de Satanás en el mundo y en cada hombre. Así, pues, está ligado al misterio pascual, a la cruz y resurrección de Cristo. *Agnus Dei qui tollit peccata mundi...,* y como tal se estructura en la misión histórica de los Apóstoles y de sus sucesores. *La instauración del reino de Dios tiene su fundamento en la reconciliación del hombre con Dios, llevada a cabo en Cristo y por Cristo* en el misterio pascual (cfr *2 Cor* 5, 19; *Ef* 13-18; *Col* 1, 19-20).

9. La instauración del reino de Dios en la historia de la humanidad es la finalidad de la vocación y de la misión de los Apóstoles –y por lo tanto de la Iglesia– en todo el mundo (cfr *Mc* 16, 15; *Mt* 28, 19-20). Jesús sabía *que esta misión,* a la vez que su misión mesiánica, *habría encontrado y suscitado fuertes oposiciones.* Desde los primeros días en que envió a los Apóstoles a las primeras experiencias de colaboración con Él, les advertía: «Os envío como ovejas en medio de lobos; sed, pues, prudentes como serpientes y sencillos como palomas» (*Mt* 10, 16).

En el texto de Mateo se condensa también lo que Jesús habría dicho a continuación respecto a la suerte de sus misioneros (cfr *Mt* 10, 17-25); tema sobre el que vuelve en uno de últimos discursos polémicos con los «escribas y fariseos», afirmando: «Por esto os envío yo profetas, sabios y escribas, y a unos los mataréis y los crucificaréis, a otros los azotaréis en vuestras sinagogas y los perseguiréis de ciudad en ciudad» (*Mt* 23, 34). Suerte que, por lo demás, ya les había tocado a los Profetas y a otros personajes de la Antigua Alianza, a que se refiere el texto (cfr *Mt* 23, 35). Pero Jesús daba a sus seguidores la seguridad de la duración de su obra y de ellos mismos: *et portae inferi non praevalebunt...*

A pesar de las oposiciones y contradicciones que habría de conocer en su devenir histórico, *el reino de Dios, instaurado* una vez para siempre en el mundo *con el poder de Dios mismo* mediante el Evangelio y el misterio pascual del Hijo, traería siempre no sólo los signos de su pasión y muerte, sino también el sello de su poder divino, que deslumbró en la resurrección. Lo demostraría la historia. Pero la certeza de los Apóstoles y de todos los creyentes está fundada en la revelación del poder divino de Cristo, histórico, escatológico y eterno, del que enseña el Concilio Vaticano II: «Cristo, haciéndose obediente hasta la muerte y habiendo sido por ello exaltado por el Padre (cfr *Flp* 2, 8-9), entró en la gloria de su reino. *A Él están sometidas todas las cosas, hasta* que Él se *someta* a Sí mismo y todo lo creado al Padre, a fin de que Dios *sea todo en todas las cosas* (cfr *1 Cor* 15, 27-28)» (*Lumen gentium,* 39).

C) LOS MILAGROS DE JESÚS COMO SIGNO DE SU DIVINIDAD

34. LOS MILAGROS DE JESÚS: EL HECHO Y EL SIGNIFICADO*

1. *El día de Pentecostés,* después de haber recibido la luz y el poder del Espíritu Santo, *Pedro da un franco y valiente testimonio de Cristo* crucificado y resucitado: «Varones israelitas, escuchad estas palabras: 'Jesús de Nazaret, varón probado por Dios entre vosotros con milagros, prodigios y señales... a éste... después de fijarlo (en la cruz)..., le disteis muerte. Al cual Dios lo resucitó después de soltar las ataduras de la muerte'» (*Hch* 2, 22-24).

En este testimonio se mantiene una síntesis de toda la actividad mesiánica de Jesús de Nazaret, que Dios ha acreditado «con milagros, prodigios y señales». Constitu-

* Audiencia general, 11-XI-1987.

ye también un esbozo de la primera catequesis cristiana que nos ofrece la misma Cabeza del Colegio de los Apóstoles, Pedro.

2. Después de casi dos mil años el actual Sucesor de Pedro, en el desarrollo de sus catequesis sobre Jesucristo, debe afrontar ahora el contenido de esa *primera catequesis apostólica* que se desarrolló el mismo día de Pentecostés. Hasta ahora hemos hablado del Hijo del hombre, que con su enseñanza, daba a conocer que era verdadero Dios-Hijo, que era con el Padre «una sola cosa» (cfr *Jn* 10, 30). Su palabra *estaba acompañada por «milagros, prodigios y señales»*. Estos hechos acompañaban a las palabras no sólo siguiéndolas para confirmar su autenticidad sino que muchas veces las precedían tal como nos dan a entender los *Hechos de los Apóstoles* cuando habla de «todo lo que Jesús *hizo y enseñó* desde el principio» (*Hch* 1, 1). Eran esas mismas obras, y particularmente «prodigios y señales» los que testificaban que *«el reino de Dios estaba cercano»* (cfr *Mc* 1, 15), es decir, que había entrado con Jesús en la historia terrena del hombre y hacía violencia para entrar en cada espíritu humano. Al mismo tiempo testificaban que Aquel que las realizaba era verdaderamente el Hijo de Dios. Por eso es necesario vincular las presentes *catequesis sobre los milagros-signos de Cristo* con las anteriores, concernientes a su filiación divina.

3. Antes de proceder gradualmente al análisis del significado de estos «prodigios y señales» (como los definió de forma muy específica San Pedro el día de Pentecostés), hay que constatar que *estos* (prodigios y signos) pertenecen con seguridad al con*tenido integral* de los Evangelios como testimonios de Cristo, que provienen de testigos oculares. Efectivamente, no es posible excluir los milagros del texto y del contexto evangélico. El *análisis* no sólo del texto, sino también del *contexto,* habla a favor de

su carácter «histórico», *atestigua que son hechos* ocurridos en realidad, y verdaderamente realizados por Cristo. Quien se acerca a ellos con honradez intelectual y pericia científica, no puede desembarazarse de éstos con cualquier palabra, como de puras invenciones posteriores.

4. A este propósito está bien observar que esos *hechos* no sólo son atestiguados y narrados por los Apóstoles y por los discípulos de Jesús, sino que también son confirmados en muchos casos *por sus adversarios*. Por ejemplo, es muy significativo que estos últimos no negaran los milagros realizados por Jesús, sino que más bien pretendieran *atribuirlos al poder del «demonio»*. En efecto, decían: «Está poseído de Beelcebul, y por virtud del príncipe de los demonios echa a los demonios» (*Mc* 3, 22; cfr también *Mt* 8, 32; 12, 24; *Lc* 11, 14-15). Y es conocida la *respuesta de Jesús* a esta objeción, demostrando su íntima contradicción: «Si, pues, Satanás se levanta contra sí mismo y se divide, no puede sostenerse, sino que ha llegar a su fin» (*Mc* 3, 26). Pero lo que en este momento cuenta más para nosotros es el hecho de que tampoco *los adversarios de Jesús puedan negar* sus «milagros, prodigios y signos», como realidad, como «hechos» que verdaderamente han sucedido.

Es elocuente también la circunstancia de que los adversarios observaban a Jesús para ver si curaba en sábado o para poderlo acusar así de violación de la ley del Antiguo Testamento. Esto sucedió, por ejemplo, en el caso del hombre que tenía una mano seca (cfr *Mc* 3, 1-2).

5. Hay que tomar también en consideración la respuesta que dio Jesús, no ya a sus adversarios, sino esta vez a los *mensajeros de Juan Bautista,* a los que mandó para preguntarle: «¿Eres tú el que ha de venir o hemos de esperar a otro?» (*Mt* 11, 3). Entonces Jesús respondió: «Id y referid a Juan lo que habéis oído y visto: *los ciegos* ven, *los cojos* andan, *los leprosos* quedan limpios, *los sordos* oyen, *los*

muertos resucitan y *los pobres* son evangelizados» (*Mt* 11, 4-5; cfr también *Lc* 7, 22). Jesús en la respuesta hace referencia a la profecía de Isaías sobre el futuro Mesías (cfr *Is* 35, 5-6), que sin duda podía entenderse en el sentido de una renovación y de una curación espiritual de Israel y de la humanidad, pero que en el contexto evangélico en el que se pone en boca de Jesús, indica hechos comúnmente conocidos y que los discípulos del Bautista pueden referirlos como signos de la mesianidad de Cristo.

6. *Todos los Evangelios registran los hechos* a que hace referencia Pedro en Pentecostés: «Milagros, prodigios, señales» (*Hch* 2, 22). *Los Sinópticos* narran muchos acontecimientos en particular, pero a veces usan también *fórmulas generalizadoras*. Así por ejemplo en el Evangelio de Marcos: «Curó a muchos pacientes de diversas enfermedades y echó a muchos demonios» (1, 34). De modo semejante Mateo y Lucas: «Curando en el pueblo toda enfermedad y dolencia» (*Mt* 4, 23); «Salía de él una virtud que sanaba a todos» (*Lc* 6, 19). Son expresiones que dejan entender el gran número de milagros realizados por Jesús. *En el Evangelio de Juan* no encontramos formas semejantes, sino más bien *la descripción detallada de siete acontecimientos* que el Evangelista llama «señales» (y no milagros). Con esa expresión él quiere indicar lo que es más esencial en esos hechos: la demostración de la acción de Dios en persona, presente en Cristo, mientras que la palabra «milagro» indica más bien el aspecto «extraordinario» que tienen esos acontecimientos a los ojos de quienes los han visto u oyen hablar de ellos. Sin embargo, también Juan, antes de concluir su Evangelio, nos dice que «*muchas otras señales* hizo Jesús en presencia de los discípulos que no están presentes en este libro» (*Jn* 20, 30). Y da la razón de la elección que ha hecho: «Éstas han sido escritas para que creáis que Jesús es el Mesías, Hijo de Dios, y para que creyendo tengáis vida en su nombre» (*Jn* 20, 31). A es-

to se dirigen tanto los Sinópticos como el cuarto Evangelio: mostrar a través de los milagros la verdad del Hijo de Dios y llevar a la fe que es principio de salvación.

7. Por lo demás, cuando *el Apóstol Pedro, el día de Pentecostés,* da testimonio de toda la misión de Jesús de Nazaret, acreditada por Dios por medio de «milagros, prodigios y señales», no puede más que recordar que el mismo *Jesús fue crucificado y resucitado* (*Hch* 2, 22-24). Así indica el acontecimiento pascual en el que se ofreció *el signo más completo* de la acción salvadora y redentora de Dios en la historia de la humanidad. Podríamos decir que en este signo se contiene el «anti-milagro» de la muerte en cruz y el «milagro» de la resurrección (milagro de los milagros) que se funden en un solo misterio, para que el hombre pueda leer en él hasta el fondo la autorrevelación de Dios en Jesucristo y, adhiriéndose con la fe, entrar en el camino de la salvación.

35. «NIÑA, A TI TE LO DIGO, LEVÁNTATE»*

1. Si observamos atentamente los «milagros, prodigios y señales» con que acreditó Dios la misión de Jesucristo, según las palabras pronunciadas por el Apóstol Pedro el día de Pentecostés en Jerusalén, constatamos que Jesús, al *obrar estos milagros-señales actuó en nombre propio,* convencido de su poder divino, y, al mismo tiempo, de la más íntima *unión con el Padre.* Nos encontramos, pues, todavía y siempre, ante el misterio del «Hijo del hombre-Hijo de Dios», cuyo Yo trasciende todos los límites de la condición humana, aunque a ella pertenezca por libre elección, y todas las posibilidades humanas de realización e incluso de simple conocimiento.

* Audiencia general, 18-XI-1987.

2. Una ojeada a algunos acontecimientos particulares, presentados por los Evangelistas, nos permite darnos cuenta de la presencia arcana en cuyo nombre Jesucristo obra sus milagros. Helo ahí cuando, respondiendo *a las súplicas de un leproso,* que le dice: «si quieres, puedes limpiarme», Él, en su humanidad, *«enternecido»,* pronuncia una palabra de orden que en un caso como aquél, corresponde a Dios, no a un simple hombre: «Quiero, *sé limpio.* Y al instante desapareció la lepra y quedó limpio» (cfr *Mc* 1, 40-42). Algo semejante encontramos *en el caso del paralítico* que fue bajado por un agujero realizado en el techo de la casa: «Yo te digo... levántate, toma tu camilla y vete a tu casa» (cfr *Mc* 2, 11-12).

Y también: en el caso de la *hija de Jairo* leemos que «Él (Jesús)... tomándola de la mano le dijo: 'Talitha kumi', que quiere decir: 'Niña, *a ti te lo digo, levántate'.* Y al instante se levantó la niña y echó a andar» (*Mc* 5, 41-42). En el caso *del joven muerto de Naím:* «Joven, a ti te hablo, levántate. Sentóse el muerto y comenzó a hablar» (*Lc* 7, 14-15).

¡En cuántos de estos episodios vemos brotar de las palabras de Jesús la expresión de una *voluntad* y de un *poder* al que Él se apela interiormente y que expresa, se podría decir, con la máxima naturalidad, como si perteneciese a su condición más íntima, el poder de dar a los hombres la salud, la curación e incluso la resurrección y la vida!

3. Una atención particular merece *la resurrección de Lázaro,* descrita detalladamente por el cuarto Evangelista. Leemos: «Jesús, alzando los ojos al cielo, dijo: Padre, *te doy gracias porque me has escuchado;* yo sé que siempre me escuchas, pero por la muchedumbre que me rodea lo digo, para que crean que Tú me has enviado. Diciendo esto, *gritó con fuerte voz: Lázaro, sal fuera.* Y salió el muerto» (*Jn* 11, 41-44). En la descripción cuidadosa de este episodio se pone de relieve que Jesús resucitó a su amigo Lázaro con el propio poder y en unión estrechísima con el

Padre. Aquí hallan su confirmación las palabras de Jesús: «El Padre sigue obrando todavía, y por eso obro yo también» (*Jn* 5, 17), y tiene una demostración, que se puede decir preventiva, lo que Jesús dirá en el Cenáculo, durante la conversación con los Apóstoles en la Última Cena, sobre sus relaciones con el Padre y, más aún, sobre su identidad sustancial con Él.

4. Los Evangelios muestran con *diversos milagros-señales* cómo el poder divino que actúa en Jesucristo se extiende más allá del mundo humano y se manifiesta como *poder de dominio también sobre las fuerzas de la naturaleza.* Es significativo el caso de la tempestad calmada: «Se levantó un fuerte vendaval», los Apóstoles-pescadores asustados despiertan a Jesús que estaba durmiendo en la barca. Él, «despertando, *mandó al viento* y dijo al mar: calla, enmudece. Y se aquietó el viento y se hizo completa calma... Y sobrecogidos de gran temor, se decían unos a otros: ¿Quién será éste, que hasta el viento y el mar le obedecen?» (cfr *Mc* 4, 37-41).

En este orden de acontecimientos entran también las *pescas milagrosas* realizadas, por la palabra de Jesús *(in verbo tuo),* después de intentos precedentes malogrados (cfr *Lc* 5, 4-6; *Jn* 21, 3-6). Lo mismo se puede decir por lo que respecta a la estructura del acontecimiento, del *«primer signo» realizado en Caná de Galilea,* donde Jesús ordena a los criados llenar las tinajas de agua y llevar después «el agua convertida en vino» al maestresala (cfr *Jn* 2, 7-9). Como en las pescas milagrosas, también en Caná de Galilea, *actúan los hombres:* los pescadores-apóstoles en un caso, los criados de las bodas en otro; pero está claro que *el efecto* extraordinario *de la acción no proviene de ellos,* sino de Aquel que les ha dado la orden de actuar y que obra con su misterioso poder divino. Esto queda confirmado por la reacción de los Apóstoles, y particularmente de Pedro, que después de la pesca milagrosa «se postró a los pies de Jesús, diciendo: Señor, apártate de mí, que soy un pecador» (*Lc* 5, 8). Es uno de los tantos casos de emoción que toma la forma de temor reverencial o incluso miedo, ya sea en los Apóstoles como Simón Pedro ya sea en la gente, cuando se sienten acariciados por el ala del misterio divino.

5. Un día, *después de la Ascensión,* se sentirán invadidos por un «temor» semejante los que vean los *«prodigios y señales» realizados* «por los Apóstoles» (cfr *Hch* 2, 43). Según el libro de los *Hechos,* la gente sacaba «a las calles los enfermos, poniéndolos en lechos y camillas, para que, llegando Pedro, siquiera su sombra los cubriese» (*Hch* 5, 15). Sin embargo, estos «prodigios y señales», que acompañaban los comienzos de la Iglesia Apostólica, eran realizados por los Apóstoles, no en nombre propio, sino *en el nombre de Jesucristo,* y eran, por tanto, una *confirmación ulterior* de su poder divino. Uno queda impresionado cuando lee la respuesta y el mandato de Pedro al tullido que le pedía una limosna junto a la puerta del templo de Jerusalén: «No tengo oro ni plata; lo que tengo, eso te doy; *en nombre de Jesucristo Nazareno,* anda. Y tomándole de la diestra, le levantó, y al punto sus pies y sus talones se consolidaron» (*Hch* 3, 6-7). O lo que el mismo Pedro dice a un paralítico de nombre Eneas: «Jesucristo te sana; levántate y toma tu camilla. Y al punto se irguió» (*Hch* 9, 34).

También el otro Príncipe de los Apóstoles, Pablo, cuando recuerda en la Carta a los Romanos lo que él ha realizado «como ministro de Cristo entre los paganos», se apresura a añadir que en aquel *ministerio* consiste su único mérito: «No me atreveré a hablar de cosa que Cristo no haya obrado por mí para la obediencia (de la fe) de los gentiles, de obra o de palabra, mediante el poder de milagros y prodigios y el poder del Espíritu Santo» (15, 18-19).

6. En la Iglesia de los primeros tiempos, y especialmente en la evangelización del mundo llevada a cabo por

los Apóstoles, abundaron estos «milagros, prodigios y señales», como el mismo Jesús les había prometido (cfr *Hch* 2, 22). Pero se puede decir que éstos se han repetido siempre en la historia de la salvación, especialmente *en los momentos decisivos para la realización del designio de Dios.* Así fue ya en el Antiguo Testamento con relación al «*Éxodo*» de Israel *de la esclavitud de Egipto* y a la marcha hacia la tierra prometida, bajo la guía de Moisés. Cuando, *con la encarnación del Hijo de Dios,* «llegó la plenitud de los tiempos» (cfr *Gal* 4, 4), estas *señales* milagrosas del obrar divino adquieren un valor nuevo y una eficacia nueva por la autoridad divina de Cristo y por la referencia a su Nombre –y, por consiguiente, a su verdad, a su promesa, a su mandato, a su gloria– por el que los Apóstoles y tantos santos los realizan en la Iglesia. También hoy se obran milagros y en cada uno de ellos se dibuja el rostro del «Hijo del hombre-Hijo de Dios» y se afirma en ellos un don de gracia y de salvación.

36. MEDIANTE LOS SIGNOS-MILAGROS, CRISTO REVELA SU PODER DE SALVADOR*

1. Un texto de San Agustín nos ofrece la clave interpretativa de *los milagros de Cristo* como señales de su poder salvífico. «El haberse hecho hombre por nosotros ha contribuido más a nuestra salvación que los milagros que ha realizado en medio de nosotros; el haber curado las enfermedades del alma es más importante que el haber curado las enfermedades del cuerpo destinado a morir» (San Agustín, *In Io. Ev. Tr.,* 17, 1). En orden a esta salvación del alma y a la redención del mundo entero Jesús cumplió también milagros de orden corporal. Por tanto, el tema de la presente catequesis es el siguiente: mediante

* Audiencia general, 25-XI-1987.

los «milagros, prodigios y señales» que ha realizado, *Jesucristo ha manifestado su poder de salvar al hombre del mal* que amenaza al alma inmortal y su vocación a la unión con Dios.

2. Es lo que se revela en modo particular en la *curación del paralítico de Cafarnaúm.* Las personas que lo llevaban, no logrando entrar por la puerta en la casa donde Jesús estaba enseñando, bajaron al enfermo a través de un agujero abierto en el techo, de manera que el pobrecillo vino a encontrase a los pies del Maestro. «Viendo Jesús la fe de ellos, dijo al paralítico: *'Hijo, tus pecados te son perdonados'*». Estas palabras suscitan en algunos de los presentes la sospecha de blasfemia: «Blasfema. ¿Quién puede perdonar pecados sino sólo Dios?». Casi en respuesta a los que habían pensado así, Jesús se dirige a los presentes con estas palabras: «*¿Qué es más fácil, decir al paralítico: tus pecados te son perdonados, o decirle:* levántate, toma tu camilla y vete? Pues para que veáis que el Hijo del hombre tiene poder en la tierra para perdonar los pecados –se dirige al paralítico–, *yo te digo: levántate, toma tu camilla* y vete a tu casa. Él se levantó y, tomando luego la camilla, salió a la vista de todos» (cfr *Mc* 2, 1-12; análogamente, *Mt* 9, 1-8; *Lc* 5, 18-26: «Se marchó a casa glorificando a Dios» 5, 25).

Jesús mismo explica en este caso que el milagro de la curación del paralítico es signo del poder salvífico por el cual Él perdona los pecados. *Jesús realiza esta señal para manifestar* que ha venido como salvador del mundo, que tiene como *misión principal librar al hombre del mal espiritual,* el mal que separa al hombre de Dios e impide la salvación en Dios, como es precisamente el pecado.

3. Con la misma clave se puede explicar esta categoría especial de los milagros de Cristo que es «*arrojar los demonios*». «Sal, espíritu inmundo, de ese hombre», conmi-

na Jesús, según el Evangelio de Marcos, cuando encontró a un endemoniado en la región de los gerasenos (*Mc* 5, 8). En esta ocasión asistimos a un coloquio insólito. Cuando aquel *«espíritu inmundo» se siente amenazado por Cristo,* grita contra Él: «¿Qué hay entre ti y mí, Jesús, Hijo del Dios Altísimo? Por Dios te conjuro que no me atormentes». A su vez, Jesús «le preguntó: '¿Cuál es tu nombre?'. Él le dijo: Legión es mi nombre, porque somos muchos» (cfr *Mc* 5, 7-9). Estamos, pues, a orillas de un mundo oscuro, donde entran en juego factores físicos y psíquicos que, sin duda, tienen su peso en causar condiciones patológicas en las que se inserta esta realidad demoníaca, representada y descrita de manera variada en el lenguaje humano, pero radicalmente hostil a Dios y, por consiguiente, al hombre y a Cristo que ha venido para librarlo de este poder maligno. Pero, muy a su pesar, también el «espíritu inmundo», en el choque con *la otra presencia,* prorrumpe en esta admisión que proviene de una mente perversa, pero, al mismo tiempo, lúcida: «Hijo del Dios Altísimo».

4. En el Evangelio de Marcos encontramos también la descripción del acontecimiento denominado habitualmente como *la curación del epiléptico.* En efecto, los síntomas referidos por el Evangelista son característicos también de esta enfermedad («espumarajos, rechinar de dientes, quedarse rígido»). Sin embargo, el padre del epiléptico presenta a Jesús a su hijo como poseído por un espíritu maligno, el cual lo agita con convulsiones, lo hace caer por tierra y se revuelve echando espumarajos. Y es muy posible que en un estado de enfermedad como éste se infiltre y obre el maligno, pero, admitiendo que se trate de un caso de epilepsia, de la que *Jesús cura al muchacho* considerado endemoniado por su padre, es sin embargo, significativo que Él realice esta curación ordenando al «espíritu mudo y sordo»: «*Sal de él* y no vuelvas a entrar

más en él» (cfr *Mc* 9, 17-27). Es una reafirmación de su misión y de su poder de librar al hombre del mal del alma desde las raíces.

5. Jesús da a conocer claramente esta misión suya de *librar al hombre del mal* y, antes que nada, del *pecado,* mal espiritual. Es una misión que comporta y explica *su lucha con el espíritu maligno* que es el primer autor del mal en la historia del hombre. Como leemos en los Evangelios, Jesús repetidamente declara que tal es el sentido de su obra y de la de sus Apóstoles. Así, en Lucas: «Veía yo a Satanás caer del cielo como un rayo. Yo os he dado poder para andar... sobre todo poder enemigo y nada os dañará» (*Lc* 10, 18-19). Y según Marcos, Jesús, después de haber constituido a los Doce, les manda «a predicar, *con poder de expulsar a los demonios*» (*Mc* 3, 14-15). Según Lucas, también los setenta y dos discípulos, después de su regreso de la primera misión, refieren a Jesús: «Señor, hasta los demonios se nos sometían *en tu nombre*» (*Lc* 10, 17).

Así se manifiesta *el poder del Hijo del hombre sobre el pecado y sobre el autor del pecado.* El *nombre de Jesús,* que somete también a los demonios, significa *Salvador.* Sin embargo, esta potencia salvífica alcanzará su cumplimiento definitivo en el sacrificio de la cruz. La cruz sellará la victoria total sobre Satanás y sobre el pecado, porque éste es el designio del Padre, que su Hijo unigénito realiza haciéndose hombre: vencer en la debilidad, y alcanzar la gloria de la resurrección y de la vida a través de la humillación de la cruz. También en este hecho paradójico resplandece su poder divino, que puede justamente llamarse la «potencia de la cruz».

6. Forma parte también de esta potencia y pertenece a la misión del Salvador del mundo manifestada en los «*milagros, prodigios y señales*», la victoria sobre la muerte, dramática consecuencia del pecado. La victoria *sobre el*

pecado y sobre la muerte marca el camino de la misión mesiánica de Jesús desde Nazaret hasta el Calvario. Entre las «*señales*» que indican particularmente el camino hacia la victoria sobre la muerte, están sobre todo las resurrecciones: «*los muertos resucitan*» (*Mt* 11, 5), responde, en efecto, Jesús a la pregunta acerca de su mesianidad que le hacen los mensajeros de Juan el Bautista (cfr *Mt* 11, 3). Y entre los varios «muertos», resucitados por Jesús, merece especial atención *Lázaro de Betania,* porque su resurrección es como un «preludio» de la cruz y de la resurrección de Cristo, en el que se cumple la victoria definitiva sobre el pecado y la muerte.

7. El Evangelista Juan nos ha dejado una descripción pormenorizada del acontecimiento. Bástenos referir el momento conclusivo. Jesús pide que se quite la losa que cierra la tumba («Quitad la piedra»). Marta, la hermana de Lázaro, indica que su hermano está desde hace ya cuatro días en el sepulcro y el cuerpo ha comenzado ya, sin duda, a descomponerse. Sin embargo, Jesús, *gritó con fuerte voz: «¡Lázaro, sal fuera!»*. «Salió el muerto», atestigua el Evangelista (cfr *Jn* 11, 38-43). El hecho suscita la fe en muchos de los presentes. Otros, por, el contrario, van a los representantes del Sanedrín para denunciar lo sucedido. Los sumos sacerdotes y los fariseos se quedan preocupados, piensan en una posible reacción *del ocupante romano* («vendrán los romanos y destruirán nuestro lugar santo y nuestra nación»: cfr *Jn* 11, 45-48). Precisamente entonces se dirigen al Sanedrín las famosas palabras de Caifás: «Vosotros no sabéis nada; ¿no comprendéis que *conviene que muera un hombre por todo el pueblo* y no que perezca todo el pueblo?». Y el Evangelista anota: «No dijo esto de sí mismo, sino que, como era pontífice aquel año, profetizó». ¿De qué profecía se trata? He aquí que Juan nos da la lectura cristiana de aquellas palabras, que son de una dimensión inmensa: «Jesús había de morir por el

pueblo y no sólo por el pueblo, sino para reunir en uno todos los hijos de Dios que estaban dispersos» (cfr *Jn* 11, 49-52).

8. Como se ve, la descripción joánica de la resurrección de Lázaro contiene también *indicaciones esenciales referentes al significado salvífico de este milagro.* Son indicaciones definitivas, precisamente porque entonces tomó el Sanedrín la decisión sobre la muerte de Jesús (cfr *Jn* 11, 53). Y será *la muerte redentora «por el pueblo»* y «para reunir en uno todos los hijos de Dios que estaban dispersos» para la salvación del mundo. Pero Jesús dijo ya que aquella muerte llegaría a ser también la *victoria* definitiva *sobre la muerte.* Con motivo de la resurrección de Lázaro, dijo a Marta: «Yo soy la resurrección y la vida; el que cree en mí, aunque muera vivirá, *y todo el que vive y cree en mí no morirá para siempre»* (*Jn* 11, 25-26).

9. Al final de nuestra catequesis volvemos una vez más al texto de San Agustín: «Si consideramos ahora los hechos realizados por el Señor y Salvador nuestro, Jesucristo, vemos que los ojos de los ciegos, abiertos milagrosamente, fueron cerrados por la muerte, y los miembros de los paralíticos, liberados del maligno, fueron nuevamente inmovilizados por la muerte: todo lo que temporalmente fue sanado en el cuerpo mortal, al final, fue deshecho; pero el alma que creyó, pasó a la vida eterna. Con este enfermo, el Señor ha querido dar un gran signo al alma que habría creído, para cuya remisión de los pecados había venido, y para sanar sus debilidades Él se había humillado» (San Agustín, *In Io. Ev. Tr.*, 17, 1).

Sí, todos los «milagros, prodigios y señales» de Cristo están en función de la revelación de Él como Mesías, de Él como Hijo de Dios: de *Él, que, solo, tiene el poder de liberar al hombre del pecado y de la muerte, de Él que verdaderamente es el Salvador del mundo.*

37. LOS MILAGROS DE JESÚS COMO «SIGNOS SALVÍFICOS»*

1. No hay duda sobre el *hecho* de que, en los Evangelios, los milagros de Cristo son presentados como signos del reino de Dios, que ha irrumpido en la historia del hombre y del mundo. «Mas si yo arrojo a los demonios con el Espíritu de Dios, entonces es que ha llegado a vosotros el reino de Dios», dice Jesús (*Mt* 12, 28). Por muchas que sean las discusiones que se puedan entablar o, de hecho, se hayan entablado acerca de los milagros (a las que, por otra parte, han dado respuesta los apologistas cristianos), es cierto que no se pueden separar los «milagros, prodigios y señales», atribuidos a Jesús e incluso a sus Apóstoles y discípulos que obraban «en su nombre», *del contexto auténtico del Evangelio.* En la predicación de los Apóstoles, de la cual principalmente toman origen los Evangelios, los primeros cristianos oían narrar de labios de testigos oculares los hechos extraordinarios acontecidos en tiempos recientes y, por tanto, controlables bajo el aspecto que podemos llamar crítico-histórico, de manera que no se sorprendían de su inserción en los Evangelios. Cualesquiera que hayan sido en los tiempos sucesivos las contestaciones, de las fuentes genuinas de la vida y enseñanza de Jesús emerge una primera certeza: los Apóstoles, los Evangelistas y toda la Iglesia primitiva veían en cada uno de los milagros *el supremo poder de Cristo sobre la naturaleza y sobre las leyes.* Aquel que revela a Dios como Padre Creador y Señor de lo creado, cuando realiza estos milagros con su propio poder, se revela a Sí mismo como Hijo consubstancial con el Padre e igual a Él en su señorío sobre la creación.

2. Sin embargo, algunos milagros presentan también otros aspectos complementarios al significado fundamen-

* Audiencia general, 2-XII-1987.

tal de prueba del poder divino del Hijo del hombre en orden a la economía de la salvación.

Así, hablando de la primera «señal» realizada *en Caná de Galilea,* el Evangelista Juan hace notar que, a través de ella, Jesús «manifestó su gloria y creyeron en Él sus discípulos» (*Jn* 2, 11). El milagro, pues, es realizado con una finalidad de fe, pero tiene lugar durante la fiesta de unas bodas. Por ello, se puede decir que, al menos en la intención del Evangelista, la *«señal»* sirve para poner de relieve toda *la economía divina de la alianza y de la gracia* que en los libros del Antiguo y del Nuevo Testamento se expresa a menudo con la imagen del matrimonio. El milagro de Caná de Galilea, por tanto, podría estar en relación con la parábola del banquete de bodas, que un rey preparó para su hijo, y con el «reino de los cielos» escatológico que «es semejante» precisamente a un banquete (cfr *Mt* 22, 2). El primer milagro de Jesús podría leerse como una «señal» de este reino, sobre todo, si se piensa que, no habiendo llegado aún «la hora de Jesús», es decir, la hora de su pasión y de su glorificación (*Jn* 2, 4; cfr 7, 30; 8, 20; 12, 23, 27; 13, 1; 17, 1), que ha de ser preparada con la predicación del «Evangelio del reino» (cfr *Mt* 4, 23; 9, 35), el milagro, obtenido por la intercesión de María, puede considerarse como una «señal» y un anuncio simbólico de lo que está para suceder.

3. Como una «señal» de la economía salvífica se presta a ser leído, aún con mayor claridad, el milagro de la *multiplicación de los panes,* realizado en los parajes cercanos a Cafarnaúm. Juan enlaza un poco más adelante con el discurso que tuvo Jesús el día siguiente, en el cual insiste sobre la necesidad de procurarse «el alimento que permanece hasta la vida eterna», mediante la fe «en Aquel que Él ha enviado» (*Jn* 6, 29), y habla de Sí mismo como del Pan verdadero que «da la vida al mundo» (6, 33) y también que Aquel que da su carne «para vida del mundo» (*Jn* 6,

51). Está claro el preanuncio de la pasión y muerte salvífica, no sin referencia y preparación de la *Eucaristía* que había de instituirse el día antes de su pasión, como sacramento-pan de vida eterna (cfr *Jn* 6, 52-58).

4. A su vez, la tempestad calmada en el lago de Genesaret puede releerse como *«señal» de una presencia constante de Cristo* en la «barca» de la Iglesia, que, muchas veces, en el discurrir de la historia, está sometida a la furia de los vientos en los momentos de tempestad. Jesús, despertado por sus discípulos, ordena a los vientos y al mar, y se hace una gran bonanza. Después les dice: «¿Por qué sois tan tímidos? *¿Aún no tenéis fe?»* (*Mc* 4, 40). En éste, como en otros episodios, se ve la voluntad de Jesús de inculcar en los Apóstoles y discípulos la fe en su propia presencia operante y protectora, incluso en los momentos más tempestuosos de la historia, en los que se podría infiltrar en el espíritu la duda sobre la asistencia divina. De hecho, en la homilética y en la espiritualidad cristiana, el milagro se ha interpretado a menudo como «señal» de la presencia de Jesús y garantía de la confianza en Él por parte de los cristianos y de la Iglesia.

5. Jesús, que va hacia los discípulos caminando sobre las aguas, ofrece otra *«señal»* de su presencia, y asegura una *vigilancia constante sobre sus discípulos y su Iglesia*. «Soy yo, no temáis», dice Jesús a los Apóstoles que lo habían tomado por un fantasma (cfr *Mc* 6, 49-50; cfr *Mt* 14, 26-27; *Jn* 6, 16-21). Marcos hace notar el estupor de los Apóstoles «pues no se habían dado cuenta de lo de los panes: su corazón estaba embotado» (*Mc* 6, 52). Mateo presenta la pregunta de Pedro que quería bajar de la barca para ir al encuentro de Jesús, y nos hace ver su miedo y su invocación de auxilio, cuando ve que se hunde: Jesús lo salva, pero lo amonesta dulcemente: «Hombre de poca fe, ¿por qué has dudado?» (*Mt* 14, 31). Añade también que

los que estaban en la barca «se postraron ante Él, diciendo: Verdaderamente, tú eres Hijo de Dios» (*Mt* 14, 33).

6. *Las pescas milagrosas* son para los Apóstoles y para la Iglesia las «señales» de la fecundidad de su misión, si se mantienen profundamente unidas al poder salvífico de Cristo (cfr *Lc* 5, 4-10; *Jn* 21, 3-6). Efectivamente, Lucas inserta en la narración el hecho de Simón Pedro que se arroja a los pies de Jesús exclamando: «Señor, apártate de mí, que soy hombre pecador» (*Lc* 5, 8), y la respuesta de Jesús es: «No temas, en adelante vas a ser pescador de hombres» (*Lc* 5, 10). Juan, a su vez, tras la narración de la pesca después de la resurrección, coloca el mandato de Cristo a Pedro: «Apacienta mis corderos, apacienta mis ovejas» (cfr *Jn* 21, 15-17). Es un acercamiento significativo.

7. Se puede, pues, decir que los milagros de Cristo, *manifestación de la omnipotencia divina respecto de la creación,* que se revela en su poder mesiánico sobre hombres y cosas, son, al mismo tiempo, *las «señales» mediante las cuales se revela la obra divina de la salvación,* la economía salvífica que con Cristo se introduce y se realiza de manera definitiva en la historia del hombre y se inscribe así en este mundo visible, que es también obra *divina.* La gente –como los Apóstoles en el lago–, viendo los milagros de Cristo, se pregunta: «¿Quién será éste, que hasta el viento y el mar le obedecen?» (*Mc* 4, 41), mediante estas «señales», queda *preparada para acoger la salvación que Dios ofrece al hombre en su Hijo.*

Éste es el fin esencial de todos los milagros y señales realizados por Cristo a los ojos de sus contemporáneos, y de todos los milagros que a lo largo de la historia serán realizados por sus Apóstoles y discípulos con referencia al poder salvífico de su nombre: «En nombre de Jesús Nazareno, anda» (*Hch* 3, 6).

38. LOS MILAGROS DE CRISTO COMO MANIFESTACIÓN DEL AMOR MISERICORDIOSO*

1. «Signos» de la omnipotencia divina y del poder salvífico del Hijo del hombre, los milagros de Cristo, narrados en los Evangelios, son también la revelación del *amor de Dios hacia el hombre,* particularmente hacia el hombre que sufre, que tiene necesidad, que implora la curación, el perdón, la piedad. Son, pues, «signos» del *amor misericordioso* proclamado en el Antiguo y Nuevo Testamento (cfr Encíclica *Dives in misericordia*). Especialmente, la lectura del Evangelio nos hace comprender y casi «sentir» que los milagros de Jesús tienen su fuente en el corazón amoroso y misericordioso de Dios que vive y vibra en su mismo corazón humano. Jesús los realiza *para superar toda clase de mal existente en el mundo:* el mal físico, el mal moral, es decir, el pecado, y, finalmente, a aquel que es «padre del pecado» en la historia del hombre: a Satanás.

Los milagros, por tanto, son «para el hombre». Son obras de Jesús que, en armonía con la finalidad redentora de su misión, restablecen el bien allí donde se anida el mal, causa de desorden y desconcierto. Quienes los reciben, quienes los presencian se dan cuenta de este hecho, de tal modo que, según Marcos, «sobremanera se admiraban, diciendo: '*Todo lo ha hecho bien;* a los sordos hace oír y a los mudos hablar'» (*Mc* 7, 37).

2. Un estudio atento de los textos evangélicos nos revela que ningún otro motivo, a no ser el amor hacia el hombre, el amor misericordioso, puede explicar los «milagros y señales» del Hijo del hombre. En el Antiguo Testamento, Elías se sirve del «fuego del cielo» para confirmar su poder de Profeta y castigar la incredulidad (cfr *2 Re* 1, 10). Cuando los Apóstoles Santiago y Juan intentan inducir a Jesús

* Audiencia general, 9-XII-1987.

a que castigue con «fuego del cielo» a una aldea samaritana que les había negado hospitalidad, Él *les prohibió decididamente* que hicieran semejante petición. Precisa el Evangelista que, «volviéndose Jesús, los reprendió» (*Lc* 9, 55). (Muchos códices y la Vulgata añaden: «Vosotros no sabéis de qué espíritu sois. Porque el Hijo del hombre no ha venido a perder las almas de los hombres, sino a salvarlas»). Ningún milagro *ha sido realizado por Jesús para castigar a nadie, ni siquiera a los que eran culpables.*

3. Significativo a este respecto es el detalle relacionado con el arresto de Jesús *en el huerto* de Getsemaní. Pedro se había aprestado a defender al Maestro con la espada, e incluso «hirió a un siervo del pontífice, cortándole la oreja derecha. Este siervo se llamaba Malco» (*Jn* 18, 10). Pero Jesús le prohibió empuñar la espada. Es más, «tocando la oreja, lo curó» (*Lc* 22, 51). Es esto una confirmación de que Jesús *no se sirve de la facultad de obrar milagros para su propia defensa.* Y confía a los suyos que no pide al Padre que le mande «más de doce legiones de ángeles» (cfr *Mt* 26, 53) para que lo salven de las insidias de sus enemigos. Todo lo que Él hace, también en la realización de los milagros, lo hace en estrecha unión con el Padre. Lo hace con motivo del reino de Dios y de la salvación del hombre. Lo hace por amor.

4. Por esto, ya al comienzo de su misión mesiánica, rechaza todas las «propuestas» de milagros que el Tentador le presenta, comenzando por la del trueque de las piedras en pan (cfr *Mt* 4, 31). El poder de Mesías se le ha dado no para *fines que busquen sólo el asombro o al servicio de la vanagloria.* El que ha venido «para dar testimonio de la verdad» (*Jn* 18, 37), es más, el que es «la verdad» (cfr *Jn* 14, 6), obra siempre en conformidad absoluta con su misión salvífica. Todos sus «milagros y señales» expresan esta conformidad en el cuadro del «misterio mesiánico» del

Dios que casi se ha escondido en la naturaleza de un Hijo del hombre, como muestran los Evangelios, especialmente el de Marcos. Si en los milagros hay casi siempre un relampagueo del poder divino, que los discípulos y la gente a veces logran aferrar, hasta el punto de reconocer y exaltar en Cristo al Hijo de Dios, de la misma manera se descubre en ellos la bondad, la sobriedad y la sencillez, que son las dotes más visibles del «Hijo del hombre».

5. El mismo modo de realizar los milagros hace notar la *gran sencillez*, y se podría decir humildad, talante, delicadeza de trato de Jesús. Desde este punto de vista pensemos, por ejemplo, en las palabras que acompañan a la resurrección de la hija de Jairo: «La niña no ha muerto, duerme» (*Mc* 5 39), como si quisiera «quitar importancia» al significado de lo que iba a realizar. Y, a continuación, añade: «Les recomendó mucho que nadie supiera aquello» (*Mc* 5, 43). Así hizo también en otros casos, por ejemplo, después de la curación de un sordomudo (*Mc* 7, 36), y tras la confesión de fe de Pedro (*Mc* 8, 29-30).

Para curar al sordomudo es significativo el hecho de que Jesús lo tomó «aparte, lejos de la turba». Allí, «mirando al cielo, *suspiró*». Este «suspiro» parece ser *un signo de compasión y, al mismo tiempo, una oración*. La palabra «efeta» («¡ábrete!») hace que se abran los oídos y se suelte «la lengua» del sordomudo (cfr 7, 33-35).

6. Si Jesús realiza *en sábado* algunos de sus milagros, lo hace no para violar el carácter sagrado del día dedicado a Dios sino para demostrar que este *día* santo *está marcado de modo particular por la acción salvífica de Dios*. «Mi Padre sigue obrando todavía, y por eso obro yo también» (*Jn* 5, 17). Y este obrar es para el bien del hombre; por consiguiente, no es contrario a la santidad del sábado, sino que más bien la pone de relieve: «El sábado *fue hecho*

a causa del hombre, y no el hombre por el sábado. Y el dueño del sábado es el Hijo del hombre» (*Mc* 2, 27-28).

7. Si se acepta la narración evangélica de los milagros de Jesús –y no hay motivos para no aceptarla, salvo el prejuicio contra lo sobrenatural– no se puede poner en duda *una lógica única,* que une todos estos «signos» y los hace emanar *de la economía salvífica de Dios:* estas señales sirven para la revelación de su amor hacia nosotros, de ese amor misericordioso que con el bien vence al mal, como demuestra la misma presencia y acción de Jesucristo en el mundo. En cuanto que están insertos en esta economía, los «milagros y señales» son objeto de nuestra fe en el plan de salvación de Dios y en el misterio de la redención realizada por Cristo.

Como *hecho,* pertenecen a la historia evangélica, cuyos relatos son creíbles en la misma y aún en mayor medida que los contenidos en otras obras históricas. Está claro que el verdadero obstáculo para aceptarlos como datos ya de historia ya de fe, radica en el prejuicio antisobrenatural al que nos hemos referido antes. Es el prejuicio de quien quisiera limitar el poder de Dios o restringirlo al orden natural de las cosas, casi como una auto-obligación de Dios a ceñirse a sus propias leyes. Pero esta concepción choca contra la más elemental idea filosófica y teológica de Dios, Ser infinito, subsistente y omnipotente, que no tiene límites, si no en el no-ser y, por tanto, en el absurdo.

Como conclusión de esta catequesis resulta espontáneo notar que esta infinitud en el ser y en el poder es también infinitud en el amor, como demuestran los milagros encuadrados en la economía de la Encarnación y en la Redención, «signos» del amor misericordioso por el que Dios ha enviado al mundo a su Hijo para que todo el que crea en Él no perezca, generoso con nosotros hasta la muerte. «Sic dilexit!» (*Jn* 3, 16).

Que a un amor tan grande no falte la respuesta generosa de nuestra gratitud, traducida en testimonio coherente de los hechos.

39. EL MILAGRO COMO LLAMADA A LA FE*

1. Los «milagros y los signos» que Jesús realizaba para confirmar su misión mesiánica y la venida del reino de Dios, están ordenados y estrechamente ligados a la *llamada a la fe.* Esta *llamada* con relación al milagro *tiene dos formas:* la fe precede al milagro, más aún, es condición para que se realice; la fe constituye un efecto del milagro, bien porque el milagro mismo la provoca en el alma de quienes lo han recibido, bien porque han sido testigos de él.

Es sabido que *la fe es una respuesta del hombre a la palabra de la revelación divina.* El milagro acontece en unión orgánica con esta Palabra de Dios que se revela. Es una «señal» de su presencia y de su obra, un signo, se puede decir, particularmente intenso. Todo esto explica de modo suficiente el vínculo particular que existe entre los «milagros-signos» de Cristo y la fe: vínculo tan claramente delineado en los Evangelios.

2. Efectivamente, encontramos en los Evangelios una larga serie de textos en los que la llamada a la fe aparece como un coeficiente indispensable y sistemático de los milagros de Cristo.

Al comienzo de esta serie es necesario nombrar las páginas concernientes a *la Madre de Cristo* con su comportamiento en Caná de Galilea, y aún antes –y sobre todo– en el momento de la Anunciación. Se podría decir que precisamente aquí se encuentra el punto culminante de su adhesión a la fe, que hallará su confirmación en las palabras

* Audiencia general, 16-XII-1987.

de Isabel durante la Visitación: «Dichosa la que ha creído que se cumplirá lo que se te he dicho de parte del Señor» (*Lc* 1, 45). Sí, María ha creído como ninguna otra persona, porque estaba convencida de que «para Dios nada hay imposible» (cfr *Lc* 1, 37).

Y en Caná de Galilea su fe anticipó, en cierto sentido, la hora de la revelación de Cristo. Por su intercesión, se cumplió aquel *primer milagro-signo,* gracias al cual los discípulos de Jesús «creyeron en él» (*Jn* 2, 11). Si el Concilio Vaticano II enseña que María precede constantemente al Pueblo de Dios por los caminos de la fe (cfr *Lumen gentium,* 58 y 63; *Redemptoris Mater,* 5-6), podemos decir que el fundamento primero de dicha afirmación se encuentra en el Evangelio que refiere los «milagros-signos» en María y por María en orden a la llamada a la fe.

3. *Esta llamada se repite muchas veces.* Al jefe de la sinagoga, Jairo, que había venido a suplicar que su hija volviese a la vida, Jesús le dice: «*No temas, ten sólo fe*». (Dice «no temas», porque algunos desaconsejaban a Jairo ir a Jesús) (*Mc* 5, 36).

Cuando el padre del epiléptico pide la curación de su hijo, diciendo: «Pero si algo puedes, ayúdanos...», Jesús le responde: «¡Si puedes! *Todo es posible al que cree*». Tiene lugar entonces el hermoso acto de fe en Cristo de aquel hombre probado: «*¡Creo!* Ayuda a mi incredulidad» (cfr *Mc* 9, 22-24). Recordemos, finalmente, el coloquio bien conocido de Jesús con Marta antes de la resurrección de Lázaro: «Yo soy la resurrección y la vida... *¿Crees esto?...* Sí, Señor, *creo...*» (cfr *Jn* 11, 25-27).

4. El mismo vínculo entre el «milagro-signo» y la fe se confirma por oposición con otros *hechos* de signo negativo. Recordemos algunos de ellos. En el Evangelio de Marcos leemos que Jesús de Nazaret «no pudo hacer... ningún milagro, fuera de que a algunos pocos dolientes les impu-

so las manos y los curó. Él se *admiraba de su incredulidad*» (*Mc* 6, 5-6).

Conocemos las delicadas palabras con que Jesús reprendió una vez a Pedro: «Hombre de poca fe, ¿por qué has dudado?». Esto sucedió cuando Pedro, que al principio caminaba valientemente sobre las olas hacia Jesús, al ser zarandeado por la violencia del viento, se asustó y comenzó a hundirse (cfr *Mt* 14, 29-31).

5. Jesús subraya más de una vez que los milagros que Él realiza están vinculados a la fe. «*Tu fe te ha curado*», dice a la mujer que padecía hemorragias desde hacía doce años y que, acercándose por detrás le había tocado el borde de su manto, quedando sana (cfr *Mt* 9, 20-22; y también *Lc* 8, 48; *Mc* 5, 34).

Palabras semejantes pronuncia Jesús mientras cura al ciego Bartimeo, que, a la salida de Jericó, pedía con insistencia su ayuda gritando: «¡Hijo de David, Jesús, ten piedad de mí!» (cfr *Mc* 10, 46-52). Según Marcos: «Anda, tu fe te ha salvado» le responde Jesús. Y Lucas precisa la respuesta: «Ve, tu fe te ha hecho salvo» (*Lc* 18, 42).

Una declaración idéntica hace al Samaritano *curado de la lepra* (*Lc* 17, 19). Mientras a los otros *dos ciegos* que invocan volver a ver, Jesús les pregunta: «¿Creéis que puedo yo hacer esto?». «Sí, Señor»... «Hágase en vosotros, según vuestra fe» (*Mt* 9, 28-29).

6. Impresiona de manera particular el episodio de la *mujer cananea* que no cesaba de pedir la ayuda de Jesús para su hija «atormentada cruelmente por un demonio». Cuando la cananea se postró delante de Jesús para implorar su ayuda, Él le respondió: «*No es bueno tomar el pan de los hijos y arrojarlo a los perrillos*» (Era una referencia a la diversidad étnica entre israelitas y cananeos que Jesús, Hijo de David, no podía ignorar en su comportamiento práctico, pero a la que alude con finalidad metodológica

para provocar la fe). Y he aquí que la mujer llega intuitivamente a un acto insólito de fe y de humildad. Y dice: «Cierto, Señor, *pero también los perrillos comen de las migajas* que caen de la mesa de sus señores». Ante esta respuesta tan humilde, elegante y confiada, Jesús replica: «*¡Mujer, grande es tu fe!* Hágase contigo como tú quieres» (cfr *Mt* 15, 21-28).

¡Es un suceso difícil de olvidar, sobre todo si se piensa en los innumerables «cananeos» de todo tiempo, país, color y condición social que tienden su mano para pedir comprensión y ayuda en sus necesidades!

7. Nótese cómo en la narración evangélica se pone continuamente de relieve el hecho de que Jesús, cuando «ve la fe», realiza el milagro. Esto se dice expresamente en el caso del paralítico que pusieron a sus pies desde un agujero abierto en el techo (cfr 2, 5; *Mt* 9, 2; *Lc* 5, 20). Pero la observación se puede hacer en tantos otros casos que los evangelistas nos presentan. El factor fe es indispensable; pero, apenas se verifica, el corazón de Jesús se proyecta a satisfacer las demandas de los necesitados que se dirigen a Él para que los socorra con su poder divino.

8. Una vez más constatamos que, como hemos dicho al principio, *el milagro es un «signo»* del poder y del amor de Dios que salvan al hombre en Cristo. Pero, precisamente por esto *es al mismo tiempo una llamada del hombre a la fe.* Debe llevar a creer sea al destinatario del milagro sea a los testigos del mismo.

Esto vale para los mismos Apóstoles, desde el primer «signo» realizado por Jesús en Caná de Galilea; fue entonces cuando «creyeron en Él» (*Jn* 2, 11). Cuando, más tarde, tiene lugar la *multiplicación milagrosa de los panes cerca de Cafarnaúm,* con la que está unido el preanuncio de la Eucaristía, el evangelista hace notar que «desde entonces muchos de sus discípulos se retiraron y ya no le seguían», porque no estaban en condiciones de acoger un lenguaje que les parecía demasiado «duro». Entonces Jesús preguntó a los Doce: «*¿Queréis iros vosotros también?*». Respondió Pedro: «Señor, ¿a quién iríamos? Tú tienes palabras de vida eterna, y nosotros hemos *creído* y sabemos que Tú eres el Santo de Dios» (cfr *Jn* 6, 66-69). Así, pues, el principio de la fe es fundamental en la relación con Cristo, ya como condición para obtener el milagro, ya como fin por el que el milagro se ha realizado. Esto queda bien claro al final del Evangelio de Juan donde leemos: «*Muchas otras* señales hizo Jesús en presencia de los discípulos que no están escritas en este libro; y éstas fueron escritas *para que creáis* que Jesús es el Mesías, Hijo de Dios, y para que creyendo tengáis vida en su nombre» (*Jn* 20, 30-31).

40. LOS MILAGROS COMO SIGNOS DEL ORDEN SOBRENATURAL*

1. Hablando de los milagros realizados por Jesús durante su misión en la tierra, San Agustín, en un texto interesante, los interpreta como signos del poder y del amor salvífico y como estímulos para elevarse al reino de las cosas celestes.

«Los milagros que hizo Nuestro Señor Jesucristo –escribe– son obras divinas que enseñan a la mente humana a elevarse por encima de las cosas visibles, para comprender lo que Dios es» (Agustín, *In Io. Ev. Tr.*, 24, 1).

2. A este pensamiento podemos referirnos al reafirmar la estrecha unión de los «milagros-signos» realizados por Jesús con la llamada a la fe. Efectivamente, tales *milagros demostraban la existencia del orden sobrenatural,* que es

* Audiencia general, 13-I-1988.

objeto de la fe. A quienes los observaban y, particularmente, a quienes en su persona los experimentaban, estos milagros les hacían constatar, casi con la mano, que el orden de la naturaleza no agota toda la realidad. El universo en el que vive el hombre no está encerrado solamente en el marco del orden de las cosas accesibles a los sentidos y al intelecto mismo condicionado por el conocimiento sensible. El milagro es *«signo» de que este orden es superado por el «Poder de lo alto»*, y, por consiguiente, *le está también sometido*. Este *«Poder de lo alto»* (cfr *Lc* 24, 49), es decir, Dios mismo, está por encima del orden entero de la naturaleza. Este poder dirige el orden natural y, al mismo tiempo, da a conocer que –mediante este orden y por encima de él– el destino del hombre es *el reino de Dios*. Los milagros de Cristo son «signos» de este reino.

3. Sin embargo, los milagros no están en contraposición con las *fuerzas y leyes de la naturaleza*, sino que implican solamente cierta «suspensión» experimentable de su función ordinaria, no su anulación. Es más, los milagros descritos en el Evangelio indican la existencia de un Poder que supera las fuerzas y las leyes de la naturaleza, pero que, al mismo tiempo, *obra en la línea de las exigencias de la naturaleza misma, aunque por encima de su capacidad normal actual*. ¿No es esto lo que sucede, por ejemplo, en toda curación milagrosa? La potencialidad de las fuerzas de la naturaleza es activada por la intervención divina, que la extiende más allá de la esfera de su posibilidad normal de acción. Esto no elimina ni frustra la causalidad que Dios ha comunicado a las cosas en la creación, ni viola las «leyes naturales» establecidas por Él mismo e inscritas en la estructura de lo creado, sino que exalta y, en cierto modo, ennoblece la capacidad del obrar o también de recibir los efectos de la operación del otro, como sucede precisamente en las curaciones descritas en el Evangelio.

4. La verdad sobre la creación es la verdad primera y fundamental de nuestra fe. Sin embargo, no es la única, ni la suprema. La fe nos enseña que la obra de la creación está encerrada en el ámbito de designio de Dios, que llega con su entendimiento mucho más allá de los límites de la creación misma. La *creación* –particularmente la criatura humana llamada a la existencia en el mundo visible– está abierta a un destino eterno, que ha sido revelado de manera plena en *Jesucristo*. También en Él la obra de la creación se encuentra completada por la obra de la salvación. Y *la salvación* significa una *creación nueva* (cfr *2 Cor* 5, 17; *Gal* 6, 15), una «creación de nuevo», una creación a medida del designio originario del Creador, un restablecimiento de lo que Dios había hecho y que en la historia del hombre había sufrido el desconcierto y la «corrupción», como consecuencia del pecado.

Los milagros de Cristo entran en el proyecto de la «creación nueva» y están, pues, *vinculados al orden de la salvación*. Son «signos» salvíficos que llaman a la conversión y a la fe, y en esta línea, a la renovación del mundo sometido a la «corrupción» (cfr *Rom* 8, 19-21). No se detienen, por tanto, en el orden ontológico de la creación (*creatio*), al que también afectan y al que restauran, sino que entran en el orden soteriológico de la creación nueva (*re-creatio totius universi*), del cual son coeficientes y del cual, como «signos», dan testimonio.

5. El orden soteriológico tiene su eje en la Encarnación; y también los «milagros-signos» de que hablan los Evangelios, encuentran su *fundamento en la realidad misma del Hombre-Dios*. Esta realidad-misterio abarca y supera todos los acontecimientos-milagros en conexión con la misión mesiánica de Cristo. Se puede decir que la Encarnación es el «milagro de los milagros», el «milagro» radical y permanente del orden nuevo de la creación. *La entrada de Dios en la dimensión de la creación se verifica en*

la realidad de la Encarnación de manera única y, a los ojos de la fe, llega a ser «signo» incomparablemente superior a todos los demás «signos-milagros» de la presencia y del obrar divino en el mundo. Es más, todos estos otros *«signos»* tienen su raíz *en la realidad de la Encarnación,* irradian de su fuerza atractiva, son testigos de ella. Hacen repetir a los creyentes lo que escribe el evangelista Juan al final del Prólogo sobre la Encarnación: *«Y hemos visto su gloria,* gloria como de Unigénito del Padre lleno de gracia y de verdad» (*Jn* 1, 14).

6. Si la Encarnación es el signo fundamental al que se refieren todos los «signos» que dan testimonio a los discípulos y a la humanidad de que «ha llegado... el reino de Dios» (cfr *Lc* 11, 20), hay también un *signo último y definitivo,* al que alude Jesús, haciendo referencia al Profeta Jonás: «Porque, como estuvo Jonás en el vientre del cetáceo tres días y tres noches, así estará el Hijo del hombre tres días y tres noches en el corazón de la tierra» (*Mt* 12, 40): es el «signo» de la resurrección.

Jesús prepara a los Apóstoles para este «signo» definitivo, pero lo hace gradualmente y con tacto, *recomendándoles discreción «hasta cierto tiempo».* Una alusión particularmente clara tiene lugar después de la transfiguración en el monte: «Bajando del monte, les prohibió contar a nadie lo que habían visto hasta que el Hijo del hombre resucitase de entre los muertos» (*Mc* 9, 9). Podemos preguntarnos el porqué de esta gradualidad. Se puede responder que Jesús sabía bien cómo se habrían de complicar las cosas si los Apóstoles y los demás discípulos hubiesen comenzado a discutir sobre la resurrección, para cuya comprensión no estaban suficientemente preparados, como se desprende del comentario que el evangelista mismo hace a continuación: «Guardaron aquella orden, y se preguntaban qué era aquello de 'cuando resucitase de entre los muertos'» (*Mc* 9, 10). Además, se puede decir que la resurrección de entre los muertos, aun anunciada una y otra vez, estaba en la cima de aquella especie de «secreto mesiánico» que Jesús quiso mantener a lo largo de todo el desarrollo de su vida y de su misión, hasta el momento del cumplimiento y de la revelación finales, que tuvieron lugar precisamente con el «milagro de los milagros», la Resurrección, que, según San Pablo, es el fundamento de nuestra fe (cfr *1 Cor* 15, 12-19).

7. Después de la Resurrección, la Ascensión y Pentecostés, los «milagros-signos» realizados por Cristo *se «prolongan»* a través de los Apóstoles, y después, a través de los santos que se suceden de generación en generación. Los *Hechos de los Apóstoles* nos ofrecen numerosos testimonios de los milagros realizados «en el nombre de Jesucristo» por parte de Pedro (cfr *Hch* 3, 1-8; 5, 15; 9, 32-41), de Esteban (*Hch* 6, 8), de Pablo (por ej., *Hch* 14, 8-10). La vida de los santos, la historia de la Iglesia, y, en particular, los procesos practicados para las causas de canonización de los Siervos de Dios, constituyen una documentación que, sometida al examen, incluso al más severo, de la critica histórica y de la ciencia médica, *confirma la existencia del poder de lo «alto»* que obra en el orden de la naturaleza y la supera. Se trata de «signos» milagrosos realizados desde los tiempos de los Apóstoles hasta hoy, cuyo fin esencial es hacer ver el destino y la vocación del hombre al reino de Dios. Así, mediante tales «signos», *se confirma* en los distintos tiempos y en las circunstancias más diversas la *verdad del Evangelio* y se demuestra *el poder salvífico de Cristo* que no cesa de llamar a los hombres (mediante la Iglesia) al camino de la fe. Este poder salvífico del Dios-Hombre, se manifiesta también cuando los «milagros-signos» se realizan *por intercesión de los hombres,* de los santos, de los devotos, así como el primer «signo» en Caná de Galilea se realizó por la intercesión de la Madre de Cristo.

D. JESUCRISTO, VERDADERO HOMBRE

41. HUMANIDAD DE JESÚS*

1. Jesucristo verdadero Dios y verdadero hombre: es el misterio central de nuestra fe y es también la verdad-clave de nuestras catequesis cristológicas. Esta mañana nos proponemos buscar el testimonio de esta verdad en la *Sagrada Escritura,* especialmente *en los Evangelios,* y *en la tradición cristiana.*

Hemos visto ya que, en los Evangelios Jesucristo se presenta y *se da a conocer como Dios-Hijo,* especialmente cuando declara: «Yo y el Padre somos una sola cosa» (*Jn* 10, 30), cuando se atribuye a Sí mismo el nombre de Dios «Yo soy» (cfr *Jn* 8, 58), y los atributos divinos; cuando afirma que le «ha sido dado todo poder en el cielo y en la tierra» (*Mt* 28, 18): el poder del juicio final sobre todos los hombres y el poder sobre la ley (*Mt* 5, 22. 28. 32. 34. 39. 44) que tiene su origen y su fuerza en Dios, y por último el poder de perdonar los pecados (cfr *Jn* 20, 22-23), porque aun habiendo recibido del Padre el poder de pronunciar el «juicio» final sobre el mundo (cfr *Jn* 5, 22), Él viene al mundo «a buscar y salvar lo que estaba perdido» (*Lc* 19, 10).

Para confirmar *su poder divino sobre la creación,* Jesús realiza «milagros», es decir, «signos» que testimonian que junto con Él ha venido al mundo el reino de Dios.

2. Pero este Jesús que, a través de todo lo que «hace y enseña», da testimonio de Sí como Hijo de Dios, a la vez se presenta a Sí mismo y se da a conocer como *verdadero hombre.* Todo el Nuevo Testamento y en especial los Evangelios atestiguan de modo inequívoco esta verdad, de la cual Jesús tiene un conocimiento clarísimo y que los Apóstoles y Evangelistas conocen, reconocen y transmi-

* Audiencia general, 27-I-1988.

ten sin ningún género de duda. Por tanto, debemos dedicar la catequesis de hoy a recoger y a comentar al menos en *un breve bosquejo* los datos evangélicos sobre *esta verdad,* siempre en conexión con cuanto hemos dicho anteriormente sobre Cristo como verdadero Dios.

Este modo de aclarar la verdadera humanidad del Hijo de Dios es hoy indispensable, dada la tendencia tan difundida a ver y a presentar a Jesús *sólo como hombre:* un hombre insólito y extraordinario, pero siempre y sólo un hombre. Esta tendencia característica de los tiempos modernos es en cierto modo antitética a la que se manifestó bajo formas diversas en los primeros siglos del cristianismo y que tomó el nombre de *«docetismo»*. Según los «docetas», *Jesucristo* era *un hombre «aparente»,* es decir, tenía la apariencia de un hombre, pero en realidad era solamente Dios.

Frente a estas tendencias opuestas, la Iglesia profesa y *proclama* firmemente *la verdad sobre Cristo como Dios-hombre:* verdadero Dios y verdadero Hombre; una sola Persona –la divina del Verbo– subsistente en dos naturalezas, la divina y la humana, como enseña el catecismo. Es un profundo misterio de nuestra fe: pero encierra en sí muchas luces.

3. *Los testimonios bíblicos* sobre la verdadera humanidad de Jesucristo son numerosos y claros. Queremos reagruparlos ahora para explicarlos después en las próximas catequesis.

El punto de arranque es aquí la verdad de la Encarnación: «Et incarnatus est», profesamos en el Credo. Más distintamente se expresa esta verdad en el prólogo del Evangelio de Juan: *«Y el Verbo se hizo carne y habitó entre nosotros»* (*Jn* 1, 14). Carne (en griego «sarx») significa el hombre en concreto, que comprende la corporeidad y, por tanto, la precariedad, la debilidad, en cierto sentido la caducidad («Toda carne es hierba», leemos en el libro de Isaías 40, 6).

Jesucristo es hombre en este significado de la palabra «*carne*». Esta carne –y por tanto la naturaleza humana– la ha recibido Jesús de su Madre, María, la Virgen de Nazaret. Si San Ignacio de Antioquía llama a Jesús «sarcóforos» (*Ad Smirn.*, 5), con esta palabra indica claramente *su nacimiento humano de una mujer,* que le ha dado la «carne humana». San Pablo había dicho ya que «envió Dios a su Hijo, nacido de mujer» (*Gal* 4, 4).

4. El Evangelista Lucas habla de este nacimiento de una mujer cuando describe los acontecimientos de la noche de Belén: «Estando allí se cumplieron los días de su parto y dio a luz a su hijo primogénito y le envolvió en pañales y lo acostó en un pesebre» (*Lc* 2, 6-7). El mismo Evangelista nos da a conocer que el octavo día después del nacimiento, el Niño fue *sometido a la circuncisión* ritual y «le dieron el nombre de Jesús» (*Lc* 2, 21). El día cuadragésimo fue *ofrecido* como «primogénito» en el templo jerosolimitano según la ley de Moisés (cfr *Lc* 2, 22-24).

Y, como cualquier otro niño, también *este «Niño crecía y se fortalecía lleno de sabiduría»* (*Lc* 2, 40). «Jesús crecía en sabiduría y edad y gracia ante Dios y ante los hombres» (*Lc* 2, 52).

5. Veámoslo de adulto, como nos lo presentan más frecuentemente los Evangelios. Como verdadero hombre, hombre de carne (sarx), Jesús *experimentó el cansancio, el hambre y la sed.* Leemos: «Y habiendo ayunado cuarenta días y cuarenta noches, al fin tuvo hambre» (*Mt* 4, 2). Y en otro lugar: «Jesús, fatigado del camino, se sentó sin más junto a la fuente... Llega una mujer de Samaria a sacar agua y Jesús le dice: «dame de beber» (*Jn* 4, 6).

Jesús tiene, pues, un *cuerpo sometido al cansancio, al sufrimiento, un cuerpo mortal.* Un cuerpo que al final sufre las torturas del martirio mediante la flagelación, la coronación de espinas y, por último, la crucifixión. Durante *la terrible agonía,* mientras moría en el madero de la cruz, Jesús pronuncia aquel su «Tengo sed» (*Jn* 19, 28), en el cual está contenida una última, dolorosa y conmovedora expresión de la verdad de su humanidad.

6. *Sólo un verdadero hombre ha podido sufrir* como sufrió Jesús en el Gólgota, sólo un verdadero hombre *ha podido morir* como murió verdaderamente Jesús. Esta muerte la constataron muchos testigos oculares, no sólo amigos y discípulos, sino, como leemos en el Evangelio de San Juan, los mismos soldados que «llegando a Jesús, como le vieron ya muerto, no le rompieron las piernas sino que uno de los soldados le atravesó con su lanza el costado, y al instante salió sangre y agua» (*Jn* 19, 33-34).

«Nació de Santa María Virgen, padeció bajo el poder de Poncio Pilato, *fue crucificado, muerto y sepultado*»: con estas palabras del Símbolo de los Apóstoles la Iglesia profesa la verdad del nacimiento y de la muerte de Jesús. La verdad de la resurrección se atestigua inmediatamente después con las palabras: *«al tercer día resucitó de entre los muertos»*.

7. La resurrección confirma de un modo nuevo que Jesús es verdadero hombre: si el Verbo para nacer en el tiempo «se hizo carne», cuando resucitó volvió a tomar el propio cuerpo de hombre. Sólo un verdadero hombre ha podido sufrir y morir en la cruz, *sólo un verdadero hombre ha podido resucitar.* Resucitar quiere decir volver a la vida en el cuerpo. Este cuerpo puede ser transformado, dotado de nuevas cualidades y potencias, y al final incluso *glorificado* (como en la Ascensión de Cristo y en la futura resurrección de los muertos), pero es cuerpo *verdaderamente humano.* En efecto, Cristo resucitado se pone en contacto con los Apóstoles, ellos lo ven, lo miran, tocan las cicatri-

ces que quedaron después de la crucifixión y Él no sólo habla y se entretiene con ellos, sino que incluso acepta su comida: «Le dieron un trozo de pez asado y tomándolo comió delante de ellos» (*Lc* 24, 42-43). Al *final* Cristo, con este cuerpo resucitado y ya glorificado, pero siempre cuerpo de verdadero hombre, asciende al cielo para sentarse «a la derecha del Padre».

8. Por tanto, verdadero Dios y verdadero hombre. No un *hombre aparente,* no un «fantasma» (*homo phantasticus*), sino hombre *real.* Así lo conocieron los Apóstoles y el grupo de creyentes que constituyó la Iglesia de los comienzos. Así nos hablaron en su testimonio.

Notamos desde ahora que, así las cosas, *no existe* en Cristo *una antinomia entre lo que es «divino» y lo que es «humano».* Si el hombre, desde el comienzo, ha sido creado a imagen y semejanza de Dios (cfr *Gen* 1, 27; 5, 1), y por tanto lo que es «humano» puede manifestar también lo que es «divino», mucho más ha podido ocurrir esto en Cristo. Él *reveló su divinidad mediante la humanidad,* mediante una vida auténticamente humana. Su «humanidad» sirvió para revelar su «divinidad»: su Persona de Verbo-Hijo.

Al mismo tiempo Él como Dios-Hijo *no era,* por ello, *«menos» hombre.* Para revelarse como Dios no estaba obligado a ser «menos» hombre. Más aún: por este hecho Él era *«plenamente» hombre,* o sea, en la asunción de la naturaleza humana en unidad con la Persona divina del Verbo, Él realizaba en plenitud la perfección humana. Es una dimensión antropológica de la cristología sobre la que volveremos a hablar.

42. JESUCRISTO, «SEMEJANTE A NOSOTROS EN TODO, MENOS EN EL PECADO»

1. Jesucristo es *verdadero hombre.* Continuamos la catequesis anterior dedicada a este tema. Se trata de una verdad fundamental de *nuestra fe.* Fe basada en la palabra de Cristo mismo, confirmada por el testimonio de los Apóstoles y discípulos, transmitida de generación en generación en la enseñanza de la Iglesia: «Credimus... *Deum verum et hominem verum...* non phantasticum, sed unum et unicum Filium Dei» (Concilio Lugdunense II: *DS,* 852).

Más recientemente, el Concilio Vaticano II ha recordado siempre la misma doctrina al subrayar la relación nueva que el Verbo, encarnándose y haciéndose hombre como nosotros, ha inaugurado con todos y cada uno: «El Hijo de Dios con su encarnación se ha unido, en cierto modo, con todo hombre. *Trabajó con manos de hombre, pensó con inteligencia de hombre, obró con voluntad de hombre, amó con corazón de hombre.* Nacido de la Virgen María, se hizo verdaderamente uno de nosotros, semejante en todo a nosotros, excepto en el pecado» (*Gaudium et spes,* 22).

2. Ya en el marco de la catequesis precedente hemos intentado hacer ver esta *«semejanza» de Cristo con nosotros,* que se deriva del hecho de que Él era verdadero hombre: «El Verbo se hizo carne», y «carne» («sarx») indica precisamente el hombre en cuanto ser corpóreo (sarkikos), que viene a la luz mediante el nacimiento «de una mujer» (cfr *Gal* 4, 4). *En su corporeidad,* Jesús de Nazaret, como cualquier hombre, ha experimentado el cansancio, el hambre y la sed. Su cuerpo era pasible, vulnerable, sensible al dolor físico. Y precisamente en esta carne («sarx»), fue sometido Él a torturas terribles, para ser fi-

* Audiencia general, 3-II-1988.

nalmente, crucificado: «Fue crucificado, murió y fue sepultado».

El texto conciliar citado más arriba, completa todavía esta imagen cuando dice: «Trabajó con manos de hombre, pensó con inteligencia de hombre, obró con voluntad de hombre, *amó con corazón de hombre*» (*Gaudium et spes,* 22).

3. Prestemos hoy una atención particular a esta última afirmación, que nos hace entrar en el mundo interior de la vida psicológica de Jesús. Él *experimentaba verdaderamente los sentimientos humanos: la alegría, la tristeza, la indignación, la admiración, el amor.* Leemos, por ejemplo, que Jesús «se sintió inundado de gozo en el Espíritu Santo» (*Lc* 10, 21); que *lloró sobre Jerusalén:* «Al ver la ciudad, lloró sobre ella, diciendo: ¡Si al menos en este día conocieras lo que hace a la paz tuya!» (*Lc* 9, 41-42); lloró también después de *la muerte de su amigo Lázaro:* «Viéndola llorar Jesús (a María), y que lloraban también los judíos que venían con ella, se conmovió hondamente y se turbó, y dijo ¿Dónde le habéis puesto? Dijéronle: Señor, ven y ve. Lloró Jesús...» (*Jn* 11, 33-35).

4. *Los sentimientos de tristeza* alcanzan en Jesús una intensidad particular *en el momento de Getsemaní.* Leemos: «Tomando consigo a Pedro, a Santiago y a Juan comenzó a sentir temor y angustia, y les decía: Triste está mi alma hasta la muerte» (*Mc* 14, 33-34; cfr también *Mt* 26, 37). En Lucas leemos: «*Lleno de angustia,* oraba con más insistencia; y sudó como gruesas gotas de sangre, que corrían hasta la tierra» (*Lc* 22, 44). Un hecho de orden psico-físico que atestigua, a su vez, la realidad humana de Jesús.

5. Leemos, asimismo, episodios de *indignación de Jesús.* Así, cuando se presenta a Él, para que lo cure, un

hombre con la mano seca, en día de sábado, Jesús, en primer lugar, hace a los presentes esta pregunta: «¿Es lícito en sábado hacer bien o mal, salvar una vida o matarla?, y ellos callaban. Y *dirigiéndoles una mirada airada, entristecido por la dureza de su corazón,* dice al hombre: Extiende tu mano. La extendió y fuele restituida la mano» (*Mc* 3, 5).

La misma indignación vemos en el episodio de los vendedores arrojados del templo. Escribe Mateo que «*arrojó de allí a cuantos vendían y compraban en él,* y derribó las mesas de los cambistas y los asientos de los vendedores de palomas, diciéndoles: escrito está: 'Mi casa será llamada Casa de oración' pero vosotros la habéis convertido en cueva de ladrones» (*Mt* 21, 12-13; cfr *Mc* 11, 15).

6. En otros lugares leemos que Jesús «se admira»: «Se admiraba de su incredulidad» (*Mc* 6, 6). Muestra también admiración cuando dice: «Mirad los lirios cómo crecen... ni Salomón en toda su gloria se vistió como uno de ellos» (*Lc* 12, 27). *Admira también la fe de la mujer cananea:* «Mujer, ¡qué grande es tu fe!» (*Mt* 15, 28).

7. Pero en los Evangelios resulta, sobre todo, que *Jesús ha amado.* Leemos que durante el coloquio con el joven que vino a preguntarle qué tenía que hacer para entrar en el reino de los cielos, «Jesús *poniendo en él los ojos, lo amó*» (*Mc* 10, 21). El Evangelista Juan escribe que «*Jesús amaba a Marta y a su hermana y a Lázaro*» (*Jn* 11, 5), y se llama a sí mismo «el discípulo a quien Jesús amaba» (*Jn* 13, 23).

Jesús amaba a los niños: «Presentáronle unos niños para que los tocase... y abrazándolos, los bendijo imponiéndoles las manos» (*Mc* 10, 13-16). Y cuando proclamó el mandamiento del amor, *se refiere al amor con el que Él mismo ha amado:* «Éste es mi precepto: que os améis unos a otros como yo os he amado» (*Jn* 15, 12).

8. La hora de la pasión, especialmente la agonía en la cruz, constituye, puede decirse, *el cenit del amor* con que Jesús, «habiendo amado a los suyos que estaban en el mundo, los amó hasta el fin» (*Jn* 13, 1). «Nadie tiene amor mayor que éste de dar uno la vida por sus amigos» (*Jn* 15, 13). Contemporáneamente, éste es también *el cenit de la tristeza y del abandono* que Él ha experimentado en su vida terrena. Una expresión penetrante de este abandono, permanecerán por siempre aquellas palabras: «Eloí, Eloí, lama sabachtani?... Dios mío, Dios mío, ¿por qué me has abandonado?» (*Mc* 15, 34). Son palabras que Jesús toma del Salmo 22 (22, 2) y con ellas expresa el desgarro supremo de su alma y de su cuerpo, incluso la sensación misteriosa de un abandono momentáneo por parte de Dios. ¡El clavo más dramático y lacerante de toda la pasión!

9. Así, pues, Jesús *se ha hecho verdaderamente semejante a los hombres,* asumiendo la condición de siervo, como proclama la *Carta a los Filipenses* (cfr 2, 7). Pero la *Epístola a los Hebreos*, al hablar de Él como «Pontífice de los bienes futuros» (*Heb* 9, 11), confirma y precisa que «*no es nuestro Pontífice tal que no pueda compadecerse de nuestras flaquezas,* antes fue tentado en todo a semejanza nuestra, fuera del pecado» (*Heb* 4, 15). Verdaderamente «*no había conocido el pecado*», aunque San Pablo dirá que Dios, «a quien no conoció el pecado, le hizo pecado por nosotros para que en Él fuéramos justicia de Dios» (*2 Cor* 5, 21).

El mismo Jesús pudo lanzar el desafío: «¿Quién de vosotros me argüirá de pecado?» (*Jn* 8, 46). Y he aquí la fe de la Iglesia: «Sine peccato conceptus, natus et mortuus». Lo proclama en armonía con toda la Tradición el Concilio de Florencia (*Decreto pro Iacob.: DS,* 1347): Jesús «fue concebido, nació y murió sin mancha de pecado». Él es el hombre verdaderamente justo y santo.

10. Repetimos con el Nuevo Testamento, con el Símbolo y con el Concilio: «Jesucristo se ha hecho *verdaderamente uno de nosotros,* en todo semejante a nosotros, excepto en el pecado» (cfr *Heb* 4, 15). Y precisamente, *gracias a una semejanza tal:* «Cristo, el nuevo Adán..., *manifiesta plenamente el hombre al propio hombre* y le descubre la sublimidad de su vocación» (*Gaudium et spes,* 22).

Se puede decir que, mediante esta constatación, el Concilio Vaticano II da respuesta, una vez más, a la pregunta fundamental que lleva por título el célebre tratado de San Anselmo: *Cur Deus homo?* Es una pregunta del intelecto que ahonda en el misterio del Dios-Hijo, el cual *se hace verdadero hombre* «por nosotros, los hombres, y *por nuestra salvación*», como profesamos en el Símbolo de fe niceno-constantinopolitano.

Cristo manifiesta «plenamente» el hombre al propio hombre por el hecho de que Él *«no había conocido el pecado».* Puesto que el pecado no es de ninguna manera un enriquecimiento del hombre. Todo lo contrario: lo deprecia, lo disminuye, lo priva de la plenitud que le es propia (cfr *Gaudium et spes,* 13). La recuperación, la salvación del hombre caído es la respuesta fundamental a la pregunta sobre el porqué de la Encarnación.

43. JESÚS, «AMIGO DE LOS PECADORES» HOMBRE SOLIDARIO CON TODOS LOS HOMBRES*

1. *Jesucristo,* verdadero hombre, es *«semejante a nosotros en todo excepto en el pecado».* Este ha sido el tema de la catequesis precedente. Él pecado está esencialmente excluido de Aquel que, siendo verdadero hombre, es también verdadero Dios («verus homo», pero no «merus homo»).

Toda la vida terrena de Cristo y todo el desarrollo de su

* Audiencia general, 10-II-1988.

misión testimonian la verdad de su absoluta impecabilidad. El mismo lanzó el reto: «¿Quién de vosotros me argüirá de pecado?» (*Jn* 8, 46). Hombre *«sin pecado»,* Jesucristo, durante toda su vida, *lucha con el pecado* y con todo lo que engendra el pecado, comenzando por Satanás, que es el «padre de la mentira», en la historia del hombre «desde el principio» (cfr *Jn* 8, 44). Esta lucha queda delineada ya al principio de la misión mesiánica de Jesús, *en el momento de la tentación* (cfr *Mc* 1, 13; *Mt* 4, 1-11; *Lc* 4, 1-13), *y alcanza su culmen en la cruz y en la resurrección.* Lucha que, finalmente, termina con la victoria.

2. Esta lucha contra el pecado y sus raíces no aleja a Jesús del hombre. Muy al contrario, *lo acerca a los hombres,* a cada hombre. En su vida terrena Jesús solía mostrarse particularmente cercano *de quienes,* a los ojos de los demás, *pasaban por pecadores.* Esto lo podemos ver en muchos pasajes del Evangelio.

3. Bajo este aspecto, es importante la «comparación» que hace Jesús entre su persona misma y Juan el Bautista. Dice Jesús: «*Porque vino Juan,* que no comía ni bebía, y dicen: Está poseído del demonio. *Vino el Hijo del hombre,* comiendo y bebiendo, y dicen: *Es un comilón y bebedor de vino, amigo de publicanos y pecadores*» (*Mt* 11, 18-19).

Es evidente el carácter «polémico» de estas palabras contra los que antes criticaban a Juan el Bautista, profeta solitario y asceta severo que vivía y bautizaba a orillas del Jordán, y critican después a Jesús porque se mueve y actúa en medio de la gente. Pero resulta igualmente transparente, a la luz de estas palabras, la verdad sobre el modo de ser, de sentir, de comportarse Jesús hacia los pecadores.

4. Lo acusaban de «ser amigo de publicanos (es decir, los recaudadores de impuestos, de mala fama, odiados y considerados no observantes: cfr *Mt* 5, 46; 9, 11; 18, 17) y

pecadores». Jesús no rechaza radicalmente este juicio, cuya verdad –aun excluida toda connivencia y toda reticencia– aparece confirmada en muchos episodios registrados por el Evangelio. Así, por ejemplo, el episodio referente al jefe de los publicanos de Jericó, Zaqueo, a cuya casa Jesús, por así decirlo, se autoinvitó: «*Zaqueo, baja pronto* –Zaqueo, siendo de pequeña estatura estaba subido sobre un árbol para ver mejor a Jesús cuando pasara– *porque hoy me hospedaré en tu casa*». Y cuando el publicano bajó lleno de alegría, y *ofreció a Jesús la hospitalidad de su propia casa,* oyó que Jesús le decía: «Hoy ha venido la salud a tu casa, por cuanto éste es también hijo de Abraham; pues el Hijo del hombre ha venido a buscar y salvar lo que estaba perdido» (cfr *Lc* 19, 1-10). De este texto se desprende no sólo la familiaridad de Jesús con publicanos y pecadores, sino también el motivo por el que Jesús los buscara y tratara con ellos: su salvación.

5. *Un acontecimiento parecido* queda vinculado *al nombre de Leví,* hijo de Alfeo. El episodio es tanto más significativo cuanto que este hombre, que Jesús había visto «sentado al mostrador de los impuestos», fue llamado para ser uno de los Apóstoles: «Sígueme», le había dicho Jesús. Y él, levantándose, lo siguió. Su nombre aparece en la lista de los doce como Mateo y sabemos que es el autor de uno de los Evangelios. El Evangelista Marcos dice que Jesús «*estaba sentado a la mesa en casa de éste*» y que «muchos publicanos y pecadores estaban recostados con Jesús y con sus discípulos» (cfr *Mc* 2, 13-15). También en este caso «los escribas de la secta de los fariseos» presentaron sus quejas a los discípulos; pero Jesús les dijo: «No tienen necesidad de médico los sanos, sino los enfermos; ni he venido yo a llamar a los justos, sino a los pecadores» (*Mc* 2, 17).

6. Sentarse a la mesa con otros –incluidos «los publicanos y los pecadores»– es un modo de ser humano, que se

nota en Jesús desde el principio de su actividad mesiánica. Efectivamente, una de las primeras ocasiones en que Él manifestó su poder mesiánico fue durante el banquete nupcial de Caná de Galilea, al que asistió acompañado de su Madre y de sus discípulos (cfr *Jn* 2, 1-12). Pero también más adelante Jesús solía aceptar las invitaciones a la mesa no sólo de los «publicanos», sino *también de los «fariseos»*, que eran sus adversarios más encarnizados. Veámoslo, por ejemplo, en Lucas: «Le invitó un fariseo a comer con él, y entrando en su casa, se puso a la mesa» (*Lc* 7, 36).

7. Durante esta comida sucede un hecho que arroja todavía nueva luz sobre el comportamiento de Jesús con la pobre humanidad, formada por tantos y tantos «pecadores», despreciados y condenados por los que se consideran «justos». He aquí que *una mujer conocida en la ciudad como pecadora* se encontraba entre los presentes y, llorando, besaba los pies de Jesús y los ungía con aceite perfumado. Se entabla entonces un coloquio entre Jesús y el amo de la casa, durante el cual establece Jesús un vínculo esencial entre la remisión de los pecados y el amor que se inspira en la fe: «...le son perdonados sus muchos pecados, porque amó mucho... Tus pecados te son perdonados... Tu fe te ha salvado, ¡vete en paz!» (cfr *Lc* 7, 36-50).

8. No es el único caso de este género. Hay otro que, en cierto modo, es dramático: es el de *«una mujer sorprendida en adulterio»* (cfr *Jn* 8, 1-11). También este acontecimiento –como el anterior– explica en qué sentido era Jesús «amigo de publicanos y de pecadores». Dice a la mujer: «Vete y no peques más» (*Jn* 8, 11). Él, que era «semejante a nosotros en todo excepto en el pecado *se mostró cercano a los pecadores y pecadoras para alejar de ellos el pecado.* Pero consideraba este fin mesiánico de una manera completamente «nueva» respecto del rigor con que trataban a los «pecadores» los que los juzgaban sobre la base de la Ley

antigua. Jesús obraba *con el espíritu de un amor grande hacia el hombre,* en virtud de la solidaridad profunda, que nutría en Sí mismo, con quien había sido creado por Dios a su imagen y semejanza (cfr *Gen* 1, 27; 5, 1).

9. ¿En qué consiste esta solidaridad? Es la *manifestación del amor* que tiene su fuente en Dios mismo. El Hijo de Dios ha venido al mundo para revelar este amor. Lo revela ya *por el hecho mismo de hacerse hombre:* uno como nosotros. Esta unión con nosotros en la humanidad por parte de Jesucristo, *verdadero hombre,* es la expresión fundamental de su solidaridad con todo hombre, porque habla elocuentemente del amor con que Dios mismo nos ha amado a todos y a cada uno. *El amor es reconfirmado aquí de una manera del todo particular:* El que ama desea *compartirlo todo con el amado.* Precisamente por esto el Hijo de Dios se hace hombre. De Él había predicho Isaías: «Él tomó nuestras enfermedades y cargó con nuestras dolencias» (*Mt* 8, 17; cfr *Is* 53, 4). De esta manera, Jesús comparte con cada hijo e hija del género humano la misma condición existencial. Y en esto *revela* Él también *la dignidad esencial del hombre:* de cada uno y de todos. Se puede decir que la Encarnación es una «revalorización» inefable del hombre y de la humanidad.

10. Este «amor-solidaridad» sobresale en toda la vida y misión terrena del Hijo del hombre *en relación, sobre todo, con los que sufren* bajo el peso de cualquier tipo de miseria física o moral. En el vértice de su camino estará «la entrega de su propia vida para rescate de muchos» (cfr *Mc* 10, 45): el sacrificio redentor de la cruz. Pero, a lo largo del camino, que lleva a este sacrificio supremo, *la vida entera* de Jesús es una *manifestación multiforme de su solidaridad con el hombre,* sintetizada en estas palabras: «El Hijo del hombre no ha venido para ser servido, sino a servir y a dar su vida en rescate por muchos» (*Mc* 10, 45).

Era niño como todo niño humano. Trabajó con sus propias manos junto a José de Nazaret, de la misma manera como trabajan los demás hombres (cfr *Laborem Exercens,* 26). Era un hijo de Israel, participaba en la cultura, tradición, esperanza y sufrimiento de su pueblo. Conoció también lo que a menudo acontece en la vida de los hombres llamados a una determinada misión: la incomprensión e incluso la traición de uno de los que Él había elegido como sus Apóstoles y continuadores; y probó también por esto un profundo dolor (cfr *Jn* 13, 21).

Y cuando se acercó el momento en que debía «dar su vida en rescate por muchos» (*Mt* 20, 28), se ofreció voluntariamente a Sí mismo (cfr *Jn* 10, 18), consumando así el misterio de su solidaridad en el sacrificio. El gobernador romano, para definirlo ante los acusadores reunidos, no encontró otra palabra fuera de éstas: «Ahí tenéis al hombre» (*Jn* 19, 5).

Esta palabra de un pagano, desconocedor del misterio, pero no insensible a la fascinación que se desprendía de Jesús incluso en aquel momento, lo dice todo sobre la realidad humana de Cristo: Jesús es el hombre; un *hombre verdadero* que, semejante a nosotros en todo menos en el pecado, se ha hecho víctima por el pecado y *solidario con todos hasta la muerte de cruz.*

44. JESUCRISTO: AQUEL QUE «SE DESPOJÓ A SÍ MISMO»*

1. «*Aquí tenéis al hombre*» (*Jn* 19, 5). Hemos recordado en la catequesis anterior estas palabras que pronunció Pilato al presentar a Jesús a los sumos sacerdotes y a los guardias, después de haberlo hecho flagelar y antes de pronunciar la condena definitiva a la muerte de cruz. Jesús, llagado, coronado de espinas, vestido con un manto

* Audiencia general, 17-II-1988.

de púrpura, escarnecido y abofeteado por los soldados, cercano ya a la muerte, es el emblema de la humanidad sufriente.

«Aquí tenéis al hombre». Esta expresión *encierra* en cierto sentido *toda la verdad sobre Cristo verdadero hombre:* sobre Aquel que se ha hecho «en todo semejante a nosotros excepto en el pecado»; sobre Aquel que «se ha unido en cierto modo con todo hombre» (cfr *Gaudium et spes,* 22). Lo llamaron «amigo de publicanos y pecadores». Y justamente *como víctima por el pecado* se hace *solidario con todos,* incluso con los «pecadores», hasta la muerte de cruz. Pero precisamente en esta condición de víctima, resalta un último aspecto de su humanidad, que debe ser aceptado y meditado profundamente a la luz del misterio de su «despojamiento» (kenosis). Según San Pablo, Él, «siendo de condición divina, no retuvo ávidamente el ser igual a Dios. Sino que *se despojó de sí mismo tomando condición de siervo, haciéndose semejante a los hombres* y apareciendo en su porte como hombre, y *se humilló a sí mismo obedeciendo hasta la muerte y muerte de cruz*» (*Flp* 2, 6-8).

2. El texto paulino de la *Carta a los Filipenses* nos introduce en el misterio de la «kenosis» de Cristo. Para expresar este misterio, el Apóstol *utiliza* primero la palabra «se despojó», y ésta *se refiere* sobre todo *a la realidad de la Encarnación:* «la Palabra se hizo carne» (*Jn* 1, 14). ¡Dios-Hijo asumió la naturaleza humana, la humanidad, *se hizo verdadero hombre, permaneciendo Dios*! La verdad sobre Cristo-hombre debe considerarse siempre en relación a Dios-Hijo. Precisamente esta referencia permanente la señala el texto de Pablo. «Se despojó de sí mismo» no significa en ningún modo que *cesó de ser Dios:* ¡sería un absurdo! Por el contrario significa, como se expresa de modo perspicaz el Apóstol, que «no retuvo ávidamente el ser igual a Dios», sino que «siendo de condición divina» («in

forma Dei») –como verdadero Dios-Hijo–, Él asumió una naturaleza humana privada de gloria, sometida al sufrimiento y a la muerte, en la cual poder vivir la obediencia al Padre hasta el extremo sacrificio.

3. En este contexto, el *hacerse semejante a los hombres* comportó *una renuncia voluntaria,* que se extendió incluso a los «privilegios», que Él habría podido gozar como hombre. Efectivamente, asumió «la condición de siervo». No *quiso pertenecer a las categorías de los poderosos,* quiso ser como el que sirve: pues «el Hijo del hombre no ha venido a ser servido, sino a servir» (*Mc* 10, 45).

4. De hecho vemos en los Evangelios que *la vida* terrena *de Cristo* estuvo marcada desde el comienzo con *el sello de la pobreza.* Esto se pone de relieve ya en la narración del nacimiento, cuando el Evangelista Lucas hace notar que «no tenían sitio (María y José) en el alojamiento» y que Jesús fue dado a luz en un establo y *acostado en un pesebre* (cfr *Lc* 2, 7). Por Mateo sabemos que ya en los primeros meses de su vida experimentó la suerte del prófugo (cfr *Mt* 2, 13-15). La vida escondida en Nazaret se desarrolló en condiciones extremadamente modestas, las de una familia cuyo jefe era un carpintero (cfr *Mt* 13, 55), y en el mismo oficio trabajaba Jesús con su padre putativo (cfr *Mc* 6, 3). Cuando comenzó su enseñanza, *una extrema pobreza* siguió acompañándolo, como atestigua de algún modo Él mismo refiriéndose a la precariedad de sus condiciones de vida, impuestas por su ministerio de evangelización. «Las zorras tienen guaridas y las aves del cielo nidos; pero el Hijo del hombre no tiene dónde reclinar la cabeza» (*Lc* 9, 58).

5. *La misión mesiánica de Jesús* encontró desde el principio objeciones e incomprensiones, a pesar de los «signos» que realizaba. Estaba bajo observación y era

perseguido por los que ejercían el poder y tenían influencia sobre el pueblo. *Por último, fue acusado, condenado y crucificado:* la más infamante de todas las clases de penas de muerte, que se aplicaba sólo en los casos de crímenes de extrema gravedad, a los que no eran ciudadanos romanos y a los esclavos. También por esto se puede decir con el Apóstol que Cristo asumió, literalmente, la «condición de siervo» (*Flp* 2, 7).

6. Con este «*despojamiento* de sí mismo», que *caracteriza* profundamente *la verdad sobre Cristo* verdadero *hombre,* podemos decir que se restablece la verdad del hombre universal: se restablece y se «repara». Efectivamente, cuando leemos que el Hijo «no retuvo ávidamente el ser igual a Dios», no podemos dejar de percibir en estas palabras una *alusión* a la primera y originaria tentación a la que el hombre y la mujer cedieron «en el principio»: «*seréis como dioses, conocedores del bien y del mal*» (*Gen* 3, 5). El hombre había caído en la tentación para ser «igual a Dios», aunque era sólo una criatura. *Aquel que es Dios-Hijo, «no retuvo ávidamente el ser igual a Dios»,* y al hacerse hombre «se despojó de sí mismo», rehabilitando con esta opción a todo hombre, por pobre y despojado que sea en su dignidad originaria.

7. Pero para expresar este misterio de la «kenosis», de Cristo, San Pablo utiliza también otra palabra: «*se humilló a sí mismo*». Esta palabra la inserta él en el contexto de la realidad de la redención. Efectivamente, escribe que Jesucristo «se humilló a sí mismo, *obedeciendo hasta la muerte* y muerte *de cruz*» (*Flp* 2, 8). Aquí se describe la «kenosis» de Cristo en su dimensión definitiva. Desde el punto de vista humano es *la dimensión del despojamiento* mediante la pasión y la muerte infamante. Desde el punto de vista divino es *la redención* que realiza el amor misericordioso del Padre por medio del Hijo que obedeció vo-

luntariamente por amor al Padre y a los hombres a los que tenía que salvar. En ese momento se produjo un nuevo comienzo de la gloria de Dios en la historia del hombre: la gloria de Cristo, su Hijo hecho hombre. En efecto, el texto paulino dice: «Por lo cual *Dios le exaltó* y le otorgó el Nombre, que está sobre todo nombre» (*Flp* 2, 9).

8. He aquí cómo comenta San Atanasio este texto de la *Carta a los Filipenses*: «Esta expresión *le exaltó* no pretende significar que haya sido exaltada la naturaleza del Verbo: en efecto, este último ha sido y será siempre igual a Dios. Por el contrario, quiere indicar la exaltación de la naturaleza humana. Por tanto estas palabras no fueron pronunciadas sino después de la Encarnación del Verbo para que apareciese claro que términos como *humillado y exaltado* se refieren únicamente a la dimensión humana. Efectivamente, sólo lo que es humilde es susceptible de ser ensalzado» (Atanasio, *Adversus Arianos Oratio 1,* 41). Aquí añadiremos solamente que toda la naturaleza humana, toda la humanidad humillada en la condición penosa a la que la redujo el pecado, halla en la exaltación de Cristo-hombre la fuente de su nueva gloria.

9. No podemos terminar sin hacer una última alusión al hecho de que Jesús ordinariamente habló de Sí mismo como del «Hijo del hombre» (por ejemplo, *Mc* 2, 10. 28; 14, 67; *Mt* 8, 20; 16, 27; 24, 27; *Lc* 9, 22; 11, 30; *Jn* 1, 51; 8, 28; 13, 31, etc.). Esta expresión, según la sensibilidad del lenguaje común de entonces, podía indicar también que Él es verdadero hombre como todos los demás seres humanos y, sin duda, contiene la referencia a su real humanidad.

Sin embargo, *el significado estrictamente bíblico,* también en este caso, se debe establecer teniendo en cuenta el contexto histórico resultante de la tradición de Israel, expresada e influenciada por la profecía de *Daniel* que da origen a esa formulación de un concepto mesiánico (cfr

Dn 7, 13-14). «Hijo del hombre» en este contexto no significa sólo un hombre común perteneciente al género humano, sino que se refiere a un personaje que recibirá de Dios una dominación universal y que transciende cada uno de los tiempos históricos, en la era escatológica.

En la boca de Jesús y en los textos de los Evangelistas la fórmula está, por tanto, cargada de un sentido pleno que abarca lo divino y lo humano, cielo y tierra, historia y escatología, como el mismo Jesús nos hace comprender cuando, testimoniando ante Caifás que era Hijo de Dios, predice con fuerza: «a partir de ahora veréis al Hijo del hombre *sentado a la diestra del Padre y venir sobre las nubes del cielo*» (*Mt* 26, 64). En el Hijo del hombre está por consiguiente inmanente el poder y la gloria de Dios. Nos hallamos nuevamente ante el único HombreDios, verdadero Hombre y verdadero Dios. La catequesis nos lleva continuamente a Él para que creamos y, creyendo, oremos y adoremos.

Sección IV
LA FORMULACIÓN DOGMÁTICA DE LA FE EN JESUCRISTO

45. LA FE EN JESUCRISTO EN LA PRIMERA COMUNIDAD CRISTIANA*

1. *La fe es la respuesta por parte del hombre a la palabra de la Revelación divina.* Las catequesis sobre Jesucristo, que estamos desarrollando en el ámbito del presente ciclo, hacen referencia a los símbolos de la fe, especialmente al Símbolo apostólico y al nicenoconstantinopolitano. Con su ayuda, la Iglesia expresa y profesa la fe que se formó en su seno desde el principio, como respuesta *a la palabra de la Revelación de Dios en Jesucristo.* A lo largo de todo el ciclo de estas catequesis hemos recurrido a esta palabra para extraer *la verdad* en ella revelada sobre Cristo mismo. Jesús de Nazaret es el Mesías anunciado en la Antigua Alianza. El Mesías (es decir, el Cristo) –verdadero hombre (el «Hijo del hombre»)– es, en su misma persona, Hijo de Dios, verdadero Dios. Esta verdad sobre Él emerge *del conjunto de las obras y palabras* que culminan definitivamente en el acontecimiento pascual de la muerte en cruz y de la resurrección.

2. Este conjunto vivo de datos de la Revelación (la autorrevelación de Dios en Jesucristo) *se encuentra con la*

* Audiencia general, 2-III-1988.

respuesta de la fe, en primer lugar en la persona de los que han sido testigos directos de la vida y magisterio del Mesías, en la persona de los que «han visto y oído»... y cuyas manos «tocaron» la realidad corpórea del Verbo de la vida (cfr *1 Jn* 1, 1); y, más tarde, en las generaciones de creyentes en Cristo que se han ido sucediendo en el seno *de la comunidad de la Iglesia.* ¿Cómo se ha formado la fe de la Iglesia en Jesucristo? A este problema dedicaremos las próximas catequesis. Intentaremos ver especialmente cómo se ha formado y expresado esta *fe en los comienzos mismos de la Iglesia,* a lo largo de los *primeros siglos,* que tuvieron una importancia particular para la formación de la fe de la Iglesia, porque representan el primer desarrollo de la Tradición viva que proviene de los Apóstoles.

3. Antes, es necesario hacer notar que todos *los testimonios escritos* sobre este tema *provienen del periodo que siguió a la salida de Cristo de esta tierra.* Ciertamente se ve reflejado e impreso en estos documentos el conocimiento directo de los acontecimientos definitivos: la muerte en la cruz y la resurrección de Cristo. Al mismo tiempo, sin embargo, estos testimonios escritos hablan también de toda la actividad de Jesús, es más, de toda su vida, comenzando por su nacimiento e infancia. Vemos, además, que estos documentos testimonian un hecho: que *la fe de los Apóstoles* y, por consiguiente, la fe de la primerísima comunidad de la Iglesia, *se formó ya* en la *etapa prepascual* de la vida y ministerio de Cristo, para manifestarse con potencia definitiva después de Pentecostés.

4. Una expresión particularmente significativa de este hecho la encontramos en la *respuesta de Pedro* a la pregunta que Jesús hizo un día a los Apóstoles en los alrededores de Cesarea de Filipo: «¿Quién dicen los hombres que es el Hijo del hombre?». Y a continuación: «Y vosotros ¿quién decís que soy yo?» (*Mt* 16, 13. 15). Y he aquí la

respuesta: «Tú eres *el Cristo* (= el Mesías), el Hijo de Dios vivo» (*Mt* 16, 16). Así suena la respuesta que registra Mateo. En el texto de los otros dos sinópticos se habla de Cristo (*Mc* 3, 29) o del Cristo de Dios (*Lc* 9, 20), expresiones a las que corresponde también el «Tú eres el Santo de Dios», como nos dice Juan (*Jn* 6, 69). En Mateo encontramos la respuesta más completa: Jesús de Nazaret es el Cristo, es decir, el Mesías, el Hijo de Dios.

5. *La misma expresión* de esta *fe* originaria *de la Iglesia* la hallamos en las primeras palabras del Evangelio según Marcos: «Comienzo del Evangelio de Jesucristo, Hijo de Dios» (*Mc* 1, 1). Se sabe que el Evangelista estaba estrechamente vinculado a Pedro. La misma fe se encuentra a continuación *a lo largo de toda la enseñanza del Apóstol Pablo,* el cual desde el tiempo de su conversión, «se puso a predicar a Jesús en las sinagogas», anunciando «que él era el Hijo de Dios» (*Hch* 9, 20). Y después en muchas de sus *Cartas* expresaba la misma fe de distintos modos (cfr *Gal* 4, 4; *Rom* 1, 3-4; *Col* 1, 15-18; *Flp* 2, 6-11, también *Heb* 1, 14). Se puede decir que en el origen de esta fe de la Iglesia están los príncipes de los Apóstoles, Pedro y Pablo.

6. También *el Apóstol Juan,* autor del último Evangelio, escrito después de los demás, lo cierra con las famosas palabras, con las que da testimonio de que esto se ha escrito «para que creáis que Jesús es el Cristo, el Hijo de Dios, y para que creyendo tengáis vida en su nombre» (*Jn* 20, 31). Porque «quien confiese que Jesús es el Hijo de Dios, Dios permanece en él y él en Dios» (*1 Jn* 4, 15). Así, pues, también la autorizada voz de este Evangelista nos da a conocer lo que se profesaba sobre Jesucristo en la Iglesia primitiva.

7. *Jesús de Nazaret es el Hijo de Dios.* Ésta es la verdad fundamental de la fe en Cristo (Mesías), que se formó en-

tre los Apóstoles a partir de las obras y palabras de su Maestro en el periodo prepascual. Después de la resurrección, la fe se consolidó aún más profundamente y encontró expresión en los testimonios escritos. Es, con todo, muy significativo que la confesión «verdaderamente éste era Hijo de Dios» (*Mt* 27, 54), la oímos, también a los pies de la cruz, de labios del *centurión* romano, es decir, de labios de un pagano (cfr *Mc* 15, 39). En aquella hora suprema, ¡qué misterio de gracia y de inspiración divina actuaba en los ánimos tanto de israelitas como de paganos, en una palabra, de los hombres!

8. Después de la resurrección, uno de los Apóstoles, *Tomás,* hace una confesión que se refiere aún más directamente a la divinidad de Cristo. Él, que no había querido creer en la resurrección, viendo ante sí al Resucitado, exclama: «*¡Señor mío y Dios mío!*» (*Jn* 20, 28). Significativo en esta expresión no es solamente el «Dios mío», sino también el «Señor mío». Puesto que «*Señor*» (= Kyrios) significaba ya en la tradición veterotestamentaria también «*Dios*». En efecto, cada vez que se leía en la Biblia el «inefable» nombre propio de Dios, Yahvéh, se pronunciaba en su lugar, «*Adonai*», equivalente a «Señor mío». Por tanto también para Tomás, Cristo es «Señor», es decir, Dios. A la luz de esta multiplicidad de testimonios apostólicos cobran su sentido pleno aquellas *palabras* pronunciadas por Pedro el día de Pentecostés, en el primer discurso que dirige a la muchedumbre reunida en torno a los Apóstoles: «Dios ha constituido *Señor y Cristo* a este Jesús a quien vosotros habéis crucificado» (*Hch* 2, 36). En otros términos: Jesús de Nazaret, verdadero hombre, que como tal ha sufrido la muerte de cruz, no sólo es el Mesías esperado, sino que es también «el Señor» (Kyrios); es, por tanto, verdadero Dios.

9. «Jesús es Señor: el Señor... el Señor Jesús»: esta confesión resuena en los labios del primer mártir, Este-

ban, mientras es lapidado (cfr *Hch* 7, 59-60). Es la confesión que resuena también frecuentemente *en el anuncio de Pablo,* como podemos ver en muchos pasajes de sus Cartas (cfr *1 Cor* 12, 3; *Rom* 10, 9; *1 Cor* 16, 22-23; 8, 6; 10, 21; *1 Tes* 1, 8; 4, 15; *2 Cor* 3, 18).

En la *Primera carta a los Corintios* (12, 3), el Apóstol afirma: «*nadie puede decir: ¡Jesús es Señor!* sino con el Espíritu Santo». Ya Pedro, después de su confesión de fe en Cesarea, había podido escuchar de labios de Jesús: «porque no te ha revelado esto la carne ni la sangre, sino mi Padre» (*Mt* 16, 17). Jesús había advertido: «sólo el Padre conoce al Hijo» (cfr *Mt* 11, 27). Y solamente el Espíritu de Verdad puede dar de Él testimonio adecuado (cfr *Jn* 15, 26).

10. Podemos decir, pues, que la fe en Cristo, en los comienzos de la Iglesia, se expresa en estas dos palabras: «*Hijo de Dios*» y «*Señor*» (es decir, *Kyrios-Adonai*). Ésta es fe en la divinidad del Hijo del hombre. En este sentido pleno, Él, y sólo *Él,* es el «Salvador», es decir, el Artífice y Dador de la salvación que sólo Dios puede conceder al hombre. Esta salvación consiste no sólo en la liberación del mal y del pecado, sino también en el don de una nueva vida: *una participación en la vida de Dios mismo.* En este sentido «en ningún otro hay salvación» (cfr *Hch* 4, 12), según las palabras del Apóstol Pedro en su primera evangelización. La misma fe halla expresión en otros numerosos textos de los tiempos apostólicos, como en los Hechos (por ej.: *Hch* 5, 31; 13, 23), en las *Cartas Paulinas* (*Rom* 10, 9-13; *Ef* 5, 23; *Flp* 3, 20 ss.; *1 Tim* 1, 1; 2, 3-4; 4, 10; *2 Tim* 1, 10; *Tit* 1, 3 ss.; 2, 13; 3, 6), en las *Cartas de Pedro* (*1 Pe* 1, 11; *Pe* 2, 20; 3, 18), de *Juan* (*1 Jn* 4, 14) y también de *Judas* (v. 25) Se encuentra igualmente en el Evangelio de la infancia (cfr *Mt* 1, 21; *Lc* 2, 11).

11. Podemos concluir: el Jesús de Nazaret que habitualmente se llamaba a Sí mismo «el Hijo del hombre», es

el Cristo (es decir, el Mesías), es el Hijo de Dios, es el Señor (Kyrios), es el Salvador: *tal es la fe de los Apóstoles, que está en la base de la Iglesia desde el comienzo.* La Iglesia ha custodiado esta fe con sumo amor y veneración, transmitiéndola a las nuevas generaciones de discípulos y seguidores de Cristo bajo la guía del Espíritu de Verdad. La Iglesia ha *enseñado y defendido esta fe,* procurando a lo largo de los siglos no sólo custodiar íntegramente su contenido esencial revelado, sino *profundizar en él constantemente* y *explicarlo* según las necesidades y posibilidades de los hombres. Ésta es la tarea que la Iglesia está llamada a realizar hasta el momento de la venida definitiva de su Salvador y Señor.

46. LOS PRIMEROS CONCILIOS ECUMÉNICOS*

1. «Creemos... en un solo Señor Jesucristo Hijo de Dios, nacido unigénito *(monogene)* del Padre, es decir, la sustancia del Padre. Dios de Dios, luz de luz, Dios verdadero de Dios verdadero, engendrado, no creado, *consubstancial al Padre (omoousion),* por quien todas las cosas fueron hechas, las que hay en el cielo y las que hay en la tierra, que por nosotros los hombres y por nuestra salvación bajó del cielo y se encarnó, *se hizo hombre,* padeció y resucitó al tercer día, subió a los cielos, y ha de venir a juzgar a los vivos y a los muertos...» (cfr *DS,* 125).

Éste es el texto de la definición con la que el Concilio de Nicea (año 325) enunció la fe de la Iglesia en Jesucristo: verdadero Dios y verdadero hombre; Dios-Hijo, consubstancial al Padre Eterno y hombre verdadero, con una naturaleza como la nuestra. Este texto conciliar entró casi al pie de la letra en la *profesión de fe* que repite la Iglesia en la liturgia y en otros momentos solemnes, en la ver-

* Audiencia general, 9-III-1988.

sión del Símbolo nicenoconstantinopolitano (año 381; cfr *DS,* 150), en torno al cual gira todo el ciclo de nuestras catequesis.

2. El texto de la definición dogmática conciliar reproduce *los elementos esenciales de la cristología bíblica,* que hemos venido analizando a lo largo de las Catequesis precedentes de este ciclo. Estos elementos constituían, desde el principio, el contenido de la fe viva de la Iglesia de los tiempos apostólicos como ya hemos visto en la última catequesis. *Siguiendo el testimonio de los Apóstoles, la Iglesia creía y profesaba,* desde el principio que Jesús de Nazaret, hijo de María, y, por tanto, verdadero hombre, crucificado y resucitado, es el Hijo de Dios, es el Señor *(Kyrios),* es el único Salvador del mundo, dado a la humanidad al cumplirse la «plenitud de los tiempos» (cfr *Gal* 4, 4).

3. La Iglesia ha *custodiado,* desde el principio, esta fe y la ha *transmitido* a las sucesivas generaciones cristianas. *La ha enseñado y la ha defendido,* intentando –bajo la guía del Espíritu de Verdad– profundizar en ella y explicar su contenido esencial, encerrado en los datos de la Revelación. *El Concilio de Nicea* (año 325) ha sido, en este itinerario de conocimiento y formulación del dogma, una auténtica piedra miliar. Ha sido un acontecimiento importante y solemne, que señaló, desde entonces, el camino de la fe verdadera *a todos los seguidores de Cristo,* mucho antes de las divisiones de la cristiandad en tiempos sucesivos. Es particularmente significativo el hecho de que este Concilio se reuniera poco después de que la Iglesia (año 313) hubiera adquirido libertad de acción en la vida pública sobre todo el territorio del Imperio romano, como si quisiera significar con ello la voluntad de permanecer en la *una fides* de los Apóstoles, cuando se abrían al cristianismo nuevas vías de expansión.

4. En aquella época, *la definición conciliar* refleja no sólo la verdad sobre Jesucristo, heredada de los Apóstoles y fijada en los libros del Nuevo Testamento sino que refleja también, de igual manera, *la enseñanza de los Padres* del periodo postapostólico, que –como se sabe– era también el periodo de las persecuciones y de las catacumbas. Es un deber, aunque agradable, para nosotros, nombrar aquí al menos a los dos primeros Padres que, con su enseñanza y santidad de vida, contribuyeron decididamente a transmitir la tradición y el patrimonio permanente de la Iglesia: *San Ignacio de Antioquía,* arrojado a las fieras en Roma, en el año 107 o 106, y *San Ireneo de Lyon,* que sufrió el martirio probablemente en el año 202. Fueron ambos Obispos y Pastores de sus Iglesias. De San Ireneo queremos recordar aquí que, al enseñar que Cristo es «verdadero hombre y verdadero Dios», escribía: «*¿Cómo podrían los hombres lograr la salvación,* si Dios no hubiese obrado su salvación sobre la tierra? ¿O cómo habría ido el hombre a Dios, si Dios no hubiese venido al hombre?» (*Adv. Haer.* IV, 33. 4). *Argumento* –como se ve– *sotereológico,* que, a su vez, halló también expresión en la definición del Concilio de Nicea.

5. El texto de San Ireneo que acabamos de citar está tomado de la obra «*Adversus haereses*», o sea, de un libro que salía en defensa de la verdad cristiana contra los errores de los herejes, que, en este caso, eran los *ebionitas.* Los Padres apostólicos, en su enseñanza, tenían que asumir muy a menudo *la defensa* de la auténtica verdad revelada frente a los errores que continuamente se oían de modos diversos. A principios del siglo IV, fue famoso *Arrio,* quien dio origen a una herejía que tomó el nombre de *arrianismo.* Según Arrio, Jesucristo no es Dios: aunque es preexistente al nacimiento del seno de María, fue creado en el tiempo. *El Concilio de Nicea rechazó este error de Arrio* y, al hacerlo, explicó y formuló la verdadera doctrina de la fe

de la Iglesia con las palabras que citábamos al comienzo de esta catequesis. Al afirmar que Cristo, como Hijo unigénito de Dios, es *consubstancial al Padre (omoousion),* el Concilio expresó, en una fórmula adaptada a la cultura (griega) de entonces, la verdad que encontramos en todo el Nuevo Testamento. En efecto, sabemos que Jesús dice de Sí mismo que es «uno» con el Padre («Yo y el Padre somos uno»: *Jn* 10, 31), y lo afirma en presencia de un auditorio que, por esta causa, quiere apedrearlo por blasfemo. Lo afirma ulteriormente durante el juicio, ante *el Sanedrín,* hecho éste que va a costarle la condena a muerte. Una relación más detallada de los lugares bíblicos sobre este tema se encuentra en las catequesis precedentes. De su conjunto, resulta claramente que *el Concilio de Nicea,* al hablar de Cristo como Hijo de Dios, «de la misma substancia que el Padre» *(ex tes ousias tou Patros)* «Dios de Dios», eternamente «nacido, no hecho», no hace sino *confirmar una verdad precisa, contenida en la Revelación divina,* hecha verdad de fe de la Iglesia, verdad central de todo el cristianismo.

6. Cuando el Concilio la definió, se puede decir que ya estaba todo maduro en el pensamiento y en la conciencia de la Iglesia para llegar a una definición como ésta. Se puede decir igualmente que la definición *no cesa de ser actual* también para nuestros tiempos, en los que antiguas y nuevas tendencias a reconocer a Cristo solamente como un hombre, aunque sea como un hombre extraordinario, y no como Dios, se manifiestan de muchos modos. Admitirlas o secundarlas sería destruir el dogma cristológico, pero significaría, al mismo tiempo, *la aniquilación de toda la soteriología cristiana.* Si Cristo no es verdadero Dios, entonces no transmite a la humanidad la vida divina. No es, por consiguiente, el Salvador del hombre en el sentido puesto de relieve por *la Revelación* y *la Tradición.* Al violar esta verdad de fe de la Iglesia, se desmorona toda la cons-

trucción del dogma cristiano, se anula la lógica integral de la fe y de la vida cristiana, porque se elimina la piedra angular de todo el edificio.

7. Pero hemos de añadir inmediatamente, que al confirmar de modo solemne y definitivo esta verdad, *en el Concilio de Nicea* la Iglesia, al mismo tiempo, sostuvo, enseñó y defendió la verdad sobre *la verdadera humanidad de Cristo.* También esta otra verdad había llegado a ser objeto de opiniones erradas y de teorías heréticas. En particular, hay que recordar en este punto el *docetismo* (de la expresión griega *«dokey»* = parecer). Esta concepción anulaba la naturaleza humana de Cristo, sosteniendo que *Él no poseía un cuerpo verdadero,* sino *solamente una apariencia de carne humana.* Los docetas consideraban que Dios no habría podido nacer realmente de una mujer, que no habría podido morir verdaderamente en la cruz. De esta posición se seguía que en toda la esfera de la encarnación y de la redención teníamos sólo *una ilusión de la carne,* en abierto contraste con la Revelación contenida en los distintos textos del Nuevo Testamento, entre los cuales se encuentra el de San Juan: *«...Jesucristo, venido en carne»* (*1 Jn* 4, 21); «El Verbo se hizo carne» (*Jn* 1, 14), y aquel otro de San Pablo, según el cual, en esta carne, Cristo se hizo «obediente hasta la muerte y una muerte de cruz» (cfr *Flp* 2, 8).

8. Según la fe de la Iglesia, sacada de la Revelación, Jesucristo era verdadero hombre. Precisamente por esto, *su cuerpo humano estaba animado por un alma verdaderamente humana.* Al testimonio de los Apóstoles y de los Evangelistas, unívoco sobre este punto, correspondía la enseñanza de la Iglesia primitiva, como también la de los primeros escritores eclesiásticos, por ejemplo, *Tertuliano* (*De carne Christi,* 13, 4), que escribía: «En Cristo... encontramos alma y carne, es decir, un alma alma (humana) y

una carne carne». Sin embargo, corrían opiniones contrarias también sobre este punto, en particular, las de Apolinar, obispo de Laodicea (nacido alrededor del año 310 en Laodicea de Siria y muerto alrededor del 390), y sus seguidores (llamados apolinaristas), según los cuales no habría habido en Cristo una verdadera alma humana, porque habría sido sustituida por el Verbo de Dios. Pero está claro que también en este caso se negaba la verdadera humanidad de Cristo.

9. De hecho, el Papa Dámaso I (366-384), en una carta dirigida a los obispos orientales (a. 374), indicaba y rechazaba contemporáneamente los errores tanto de Arrio como de Apolinar: «Aquellos (o sea, los arrianos) ponen en el Hijo de Dios una divinidad imperfecta; éstos (es decir, los apolinaristas) afirman falsamente una humanidad incompleta en el Hijo del hombre. Pero, si verdaderamente ha sido asumido un hombre incompleto, imperfecta es la obra de Dios, imperfecta nuestra salvación, porque no ha sido salvado todo el hombre... Y nosotros, que sabemos que hemos sido salvados en la plenitud del ser humano, según la fe de la Iglesia católica, profesamos que Dios, en la plenitud de su ser, ha asumido al hombre en la plenitud de su ser». El documento damasiano, redactado cincuenta años después de Nicea, iba principalmente contra los apolinaristas (cfr *DS*, 146). Pocos años después, el *Concilio I de Constantinopla* (año 381) condenó todas las herejías del tiempo, incluidos el arrianismo y el apolinarismo confirmando lo que el Papa Dámaso I había enunciado sobrc la humanidad de Cristo, a la que pertenece por su naturaleza, una verdadera alma humana (y, por tanto, un verdadero intelecto humano, una libre voluntad) (cfr *DS*, 146, 149, 151).

10. El argumento soteriológico con el que el Concilio de Nicea explicó la encarnación, enseñando que el Hijo,

consubstancial al Padre, se hizo hombre, *«por nosotros los hombres y por nuestra salvación»*, halló nueva expresión en la defensa de la verdad íntegra sobre Cristo, tanto frente al arrianismo como contra el apolinarismo, por parte del Papa Dámaso y del Concilio de Constantinopla. En particular, respecto de los que negaban la verdadera humanidad del Hijo de Dios, el argumento soteriológico fue presentado de un modo nuevo: *para que el hombre entero pudiera ser salvado, la entera* (perfecta) *humanidad debía ser asumida en la unidad del Hijo:* «quod non est assumptum non est sanatum» (cfr San Gregorio Nacianceno, *Ep. 101 ad Cledon.*).

11. *El Concilio de Calcedonia* (año 451), al condenar una vez más el apolinarismo, completó en cierto sentido el Símbolo niceno de la fe, proclamando a Cristo *«perfectum in deitate, eumdem perfectum in humanitate»:* «nuestro Señor Jesucristo, perfecto en su humanidad, verdadero Dios y verdadero hombre (compuesto) de alma racional y del cuerpo, consubstancial al Padre por la divinidad, y consubstancial a nosotros por la humanidad *(omoousios emyn ... kataten antropoteta),* 'semejante a nosotros en todo menos en el pecado' (cfr *Heb* 4, 15), engendrado por el Padre antes de los siglos según la divinidad y en estos últimos tiempos, *por nosotros y nuestra salvación,* de María la Virgen y Madre de Dios, según la humanidad, uno y mismo Cristo Señor unigénito...» (*Symbolum Chalcedonense, DS,* 301).

Como se ve, la fatigosa elaboración del dogma cristológico realizada por los Padres y Concilios, nos remite siempre al misterio del único Cristo, Verbo encarnado por nuestra salvación, como nos lo ha hecho conocer la Revelación, para que creyendo en Él y amándolo seamos salvados y tengamos la vida (cfr *Jn* 20, 31).

47. JESUCRISTO, DIOS Y HOMBRE, HIJO DE MARÍA*

1. Los grandes Concilios cristológicos de Nicea y Constantinopla formularon la verdad fundamental de nuestra fe, fijada también en el Símbolo: Jesucristo, verdadero Dios y verdadero hombre, consubstancial al Padre en lo que concierne a la divinidad, de nuestra misma naturaleza en lo que concierne a la humanidad. Al llegar aquí, en nuestra catequesis, es necesario hacer notar que, después de las explicaciones conciliares acerca de la verdad revelada sobre la verdadera divinidad y la verdadera humanidad de Cristo, *surgió el interrogante sobre la comprensión correcta de la unidad de Cristo,* que es, al mismo tiempo, plenamente Dios y plenamente hombre.

La cuestión estaba en relación directa con el contenido esencial del misterio de la Encarnación y, por consiguiente, con la concepción y nacimiento humano de Cristo en el seno de la Virgen María. Desde el siglo III se había extendido el uso de dirigirse a la Virgen con el nombre de *Theotokos = Madre de Dios:* expresión que se encuentra, por otra parte, en la más antigua oración mariana que conocemos «Sub tuum praesidium»: «Bajo tu amparo nos acogemos, *Santa Madre de Dios...*». Es una antífona que la Iglesia ha venido recitando con mucha frecuencia hasta el día de hoy: el texto más antiguo de esta plegaria se conserva en un papiro encontrado en Egipto, que se puede datar en el periodo a caballo entre los siglos III y IV.

2. Pero precisamente esta invocación, *Theotokos,* fue objeto de *contestación por parte de Nestorio* y sus discípulos, *a comienzos del siglo V.* Sostenía Nestorio que María puede ser llamada solamente *Madre de Cristo* y no *Madre de Dios* (Engendradora de Dios). Esta posición formaba parte de la actitud de Nestorio con relación al problema

* Audiencia general, 16-III-1988.

de *la unidad de Cristo.* Según Nestorio, la divinidad y la humanidad no se habían unido, como en un solo sujeto personal, en el ser terreno que había comenzado a existir en el seno de la Virgen María desde el momento de la Anunciación. En contraposición al arrianismo, que presentaba al Hijo de Dios como inferior al Padre, y al docetismo, que reducía la humanidad de Cristo a una simple apariencia, Nestorio hablaba de una presencia especial de Dios en la humanidad de Cristo, como en un *ser santo,* como en un templo, de manera que subsistía en Cristo una dualidad no sólo de naturaleza, sino también de persona, la divina y la humana; y la Virgen María, siendo Madre *de Cristo-hombre,* no podía ser considerada ni llamada Madre *de Dios.*

3. *El Concilio de Éfeso* (año 431) confirmó, contra las ideas nestorianas, *la unidad de Cristo* como resultaba de la Revelación y había sido creída y afirmada por la tradición cristiana –«sancti patres»– (cfr *DS,* 250-266), y definió que Cristo es el mismo Verbo eterno, Dios de Dios, que como Hijo es «engendrado» desde siempre por el Padre, y, según la carne, nació, en el tiempo, de la Virgen María. Por consiguiente, siendo Cristo un solo ser, *María tiene derecho pleno de gozar del título de Madre de Dios,* como se afirmaba ya desde hacía tiempo en la oración cristiana y en el pensamiento de los «padres» (cfr *DS,* 251).

4. La doctrina del Concilio de Éfeso fue formulada sucesivamente en el llamado «símbolo de la unión» (año 433), que puso fin a las controversias residuales del postconcilio con las siguientes palabras: «Confesamos, consiguientemente, a Nuestro Señor Jesucristo Hijo de Dios unigénito, *Dios perfecto y hombre perfecto* compuesto de alma racional y de cuerpo, antes de los siglos engendrado del Padre según la divinidad, y el mismo en los últimos días, por nosotros y por nuestra salvación, nacido de Ma-

ría Virgen según la humanidad, el mismo consubstancial con el Padre en cuanto a la divinidad y consubstancial con nosotros según la humanidad. Porque se hizo la unión de dos naturalezas (humana y divina), por lo cual confesamos a un solo Señor y a un solo Cristo» (*DS*, 272).

«Según la inteligencia de esta inconfundible unión, confesamos a la Santa Virgen por Madre de Dios, por haberse encarnado y hecho hombre el Verbo de Dios y por haber unido consigo, desde la misma concepción, en María, el templo que de ella tomó» (*DS*, 272). ¡Estupendo concepto de la humanidad-templo verdaderamente asunta por el Verbo en unidad de persona en el seno de María!

5. El documento que lleva el nombre de «formula unionis» fue el resultado de relaciones ulteriores entre el obispo Juan de Antioquía y *San Cirilo de Alejandría*, los cuales recibieron con este motivo las felicitaciones del Papa San Sixto III (432440). El texto hablaba ya de la unión de las dos naturalezas *en el mismo y único sujeto*, Jesucristo. Pero, puesto que habían surgido nuevas controversias, especialmente por obra de Eutiques y de los monofisitas –que sostenían la unificación y casi la fusión de las dos naturalezas en el único Cristo–, algunos años más tarde se reunió el Concilio de Calcedonia (año 451), que, en consonancia con la enseñanza del Papa San León Magno (440-461), para una mejor precisión del sujeto de esta unión de naturalezas, introdujo el término «persona». Fue ésta una nueva piedra miliar en el camino del dogma cristológico.

6. En la fórmula de la definición dogmática el Concilio de Calcedonia repetía la de Nicea y Constantinopla y hacía suya la doctrina de San Cirilo, en Éfeso, y la contenida en la «carta a Flaviano del prelado León, beatísimo y santísimo arzobispo de la grandísima y antiquísima ciudad de Roma... en armonía con la confesión del gran Pe-

dro... y para nosotros columna segura» (cfr *DS,* 300), y, finalmente, precisaba: «Siguiendo, pues, a los santos Padres, unánimemente enseñamos a confesar a un solo y mismo Hijo: el Señor Nuestro Jesucristo..., uno y mismo Cristo Señor unigénito: en dos naturalezas, sin confusión, inmutables, sin división, sin separación, en modo alguno borrada la diferencia de naturalezas por causa de la unión, sino conservando, más bien, cada naturaleza su propiedad y concurriendo *en una sola persona y en una sola hipóstasis,* no partido o dividido en dos personas, sino uno solo y el mismo Hijo unigénito, Dios Verbo, Señor Jesucristo, como de antiguo acerca de Él nos enseñaron los profetas, y el mismo Jesucristo, y nos lo ha transmitido el símbolo de los Padres» (cfr *DS,* 301-302).

Era una síntesis, clara y vigorosa, de la fe en el misterio de Cristo, recibida de la Sagrada Escritura y de la Sagrada Tradición («sanctos Patres sequentes»), que se servía de conceptos y expresiones racionales: *naturaleza, persona,* pertenecientes al lenguaje corriente. Posteriormente, sobre todo a raíz de dicha definición conciliar, estos términos se verán elevados a la dignidad de la terminología filosófica y teológica; pero el Concilio los asumía según el uso de la lengua corriente, sin referencia a un *sistema filosófico* particular. Hay que hacer notar también la preocupación de aquellos Padres conciliares por la elección precisa de los vocablos. En el texto griego la palabra *«prosopon»,* correspondiente a «persona», indicaba más bien el lado externo, fenomenológico (literalmente, la máscara en el teatro) del hombre, y, por esta razón, los Padres se servían, junto con esta palabra, de otro término: «hipóstasis» *(hipostasis),* que indicaba la especificidad óntica de la persona.

Renovemos también nosotros la profesión de la fe en Cristo, Salvador nuestro, con las palabras de aquella fórmula veneranda, a la que tantas y tantas generaciones de cristianos se han remitido, obteniendo de ella luz y fuerza para un testimonio, que los ha llevado, a veces, hasta la prueba suprema del derramamiento de la sangre.

48. LA FORMULACIÓN DE LA FE EN JESUCRISTO: DEFINICIONES CONCILIARES*

1. En nuestras catequesis estamos reflexionando sobre las antiguas definiciones conciliares con las que se ha venido formulando la fe de la Iglesia. En el desarrollo de esta formulación un punto firme lo constituye el Concilio de Calcedonia (año 451) el cual, con una definición solemne, precisó que en Jesucristo, *las dos naturalezas,* la divina y la humana, se han unido (sin confusión) en un único *Sujeto personal,* que es la *Persona divina del Verbo-Dios.* Con motivo del término «hipostasis» se ha solido hablar de *unión hipostática.* En efecto, la misma persona del Verbo-Hijo es engendrada eternamente por el Padre, en lo que concierne a su divinidad; por el contrario, en el tiempo esa misma Persona fue concebida y nació de la Virgen María en cuanto a su humanidad. Así pues, *la definición de Calcedonia reafirma, desarrolla y explica* lo que la Iglesia había enseñado en los Concilios precedentes y lo que habían testimoniado los Padres, por ejemplo, San Ireneo, que hablaba de «Cristo, uno y el mismo» (cfr, por ejemplo, *Adv. Haer.* III, 17, 4).

Hay que hacer notar aquí que, con la doctrina sobre la Persona divina del Verbo-Hijo, el cual, asumiendo la naturaleza humana, entró *en el mundo de las personas humanas,* el Concilio puso de relieve también la *dignidad* del hombre-persona y las relaciones existentes entre las distintas personas. Es más, se puede decir que se ha llamado la atención sobre la realidad y dignidad de cada hombre en particular, de cada hombre como sujeto inconfundible

* Audiencia general, 23-III-1988.

de existencia, de vida y, por consiguiente, de derechos y deberes. ¿Cómo no ver en esto el punto de partida de toda una nueva historia de pensamiento y de vida? Por ello, la encarnación del Hijo de Dios es el fundamento, la fuente y el modelo, tanto de un nuevo orden sobrenatural de existencia para todos los hombres, que precisamente de ese misterio obtienen la gracia que los santifica y los salva, como de una antropología cristiana, que se proyecta también en la esfera natural del pensamiento y de la vida con su exaltación del hombre como persona, colocada en el centro de la sociedad y –se puede decir– del mundo entero.

2. Volvamos al Concilio de Calcedonia para decir que este Concilio confirmó la enseñanza tradicional sobre las dos naturalezas en Cristo *contra la doctrina monofisita* (*mono-physis* = una naturaleza), que se había propagado después del mismo. Precisando que la unión de las dos naturalezas acontece en una Persona, el Concilio de Calcedonia *puso de relieve, aún en mayor medida,* la dualidad de estas dos naturalezas *(en duo physesin)* como leíamos ya en el texto de la definición de la que hacíamos mención precedentemente: «Enseñamos que ha de confesarse... que se debe reconocer al único y mismo Cristo, Hijo unigénito y Señor subsistente en las dos naturalezas, sin confusión, inmutable, indiviso, inseparable, no siendo suprimida de ningún modo la diferencia de las naturalezas a causa de la unión, es más, quedando salvaguardada la propiedad de una y otra naturaleza» (*DS,* 302). Esto significa que *la naturaleza humana,* de ningún modo, *ha sido «absorbida» por la divina.* Gracias a su naturaleza divina, Cristo es «consubstancial al Padre, según la divinidad»; gracias a su naturaleza humana, es «consubstancial también a nosotros, según la humanidad» *(omoousios emin ... kata ten antropoteta).*

Por tanto, Jesucristo es verdadero Dios y verdadero hombre. Por otra parte, la cualidad de las naturalezas *no hiere,* de manera alguna, *la unidad de Cristo,* que es dada por la unidad perfecta de la Persona divina.

3. Hay que observar aún que, según la lógica del dogma cristológico, el efecto de la dualidad de naturalezas en Cristo es *la dualidad de voluntades y operaciones,* aun en la unidad de la persona. Esta verdad fue definida por el *Concilio III de Constantinopla* (VI Concilio ecuménico), en el año 681 –como, por otra parte lo hizo ya el Concilio Lateranense del 649 (cfr *DS,* 500)– contra los errores de los monotelitas, que atribuían a Cristo una sola voluntad.

El Concilio condenó la «herejía de una sola voluntad y una sola operación en dos naturalezas... de Cristo», que mutilaba en el mismo Cristo una parte esencial de su humanidad, y «siguiendo a los cinco santos Concilios Ecuménicos y a los santos e insignes Padres», de acuerdo con ellos, «definía y confesaba» que en Cristo hay «dos voluntades naturales y dos operaciones naturales...; dos voluntades que no están en contraste entre sí..., sino (que son) tales que la voluntad humana permanece sin oposición o repugnancia, o mejor, esté sometida a su voluntad divina omnipotente..., según lo que Él mismo dice: 'Porque he bajado del cielo no para hacer mi voluntad, sino la voluntad del que me ha enviado' (*Jn* 6, 38)» (cfr *DS,* 556).

4. Ésta es la enseñanza de los primeros Concilios: en ellos, junto con la divinidad, queda totalmente clara la dimensión humana de Cristo. Él es verdadero hombre por naturaleza, capaz de actividad humana, conocimiento humano, voluntad humana, conciencia humana y, añadamos, de sufrimiento humano, paciencia, obediencia, pasión y muerte. Sólo por la fuerza de esta plenitud humana se pueden comprender y explicar los textos sobre la obediencia de Cristo hasta la muerte (cfr *Flp* 2, 8; *Rom* 5, 19; *Heb* 5, 8), y, sobre todo, la oración de Getsemaní: «...no se haga mi voluntad, sino la tuya» (*Lc* 22, 42; cfr *Mc* 11, 36).

Pero es verdad igualmente que *la voluntad humana y el obrar humano de Jesús pertenecen a la Persona divina del Hijo:* precisamente en Getsemaní tiene lugar la invocación: «Abbá, Padre» (*Mc* 14, 36). De su Persona divina Él es bien consciente, como revela por ejemplo, cuando declara: «Antes de que Abraham existiera, Yo Soy» (*Jn* 8, 58), y en otros pasajes evangélicos que examinamos ya a su debido tiempo. Es cierto que, como verdadero hombre, Jesús posee una conciencia específicamente humana, conciencia que descubrimos continuamente en los Evangelios. Pero, al mismo tiempo, *su conciencia humana pertenece a ese «Yo» divino,* por el cual puede decir: «Yo y el Padre *somos uno*» (*Jn* 10, 30). No hay ningún texto evangélico del que resulte que Cristo hable de Sí mismo como de una *persona humana,* aun cuando de buen grado se presenta como «Hijo del hombre»: palabra densa de significado que, bajo los velos de la expresión bíblica y mesiánica, parece indicar ya la pertenencia de Aquel que la aplica a Sí mismo a un orden diverso y superior al del común de los mortales en cuanto la realidad de su Yo. Palabra en la que resuena el testimonio de la conciencia íntima de su propia identidad divina.

5. Como conclusión de nuestra exposición de la cristología de los Grandes Concilios, podemos saborear toda la densidad de la página del Papa San León Magno en su Carta al obispo Flaviano de Constantinopla (*Tomus Leonis,* 13 de junio, 449), que fue como la premisa del Concilio de Calcedonia y que resume el dogma cristológico de la Iglesia antigua: «... el Hijo de Dios, bajando de su trono celeste, pero no alejándose de la gloria del Padre, entra en las flaquezas de este mundo, engendrado por nuevo orden, por nuevo nacimiento... Porque el que es verdadero Dios es también verdadero hombre, y no hay en esta unidad mentira alguna, al darse juntamente (realmente) la humildad del hombre y la alteza de la divinidad. Pues al modo

que Dios no se muda por la misericordia (con la que se hace hombre), así tampoco el hombre se aniquila por la dignidad (divina). Una y otra forma, en efecto, obra lo que le es propio en comunión con la otra; es decir, que el Verbo obra lo que pertenece al Verbo, la carne cumple lo que atañe a la carne. Uno de ellos resplandece por los milagros, el otro sucumbe por las injurias. Y así como el Verbo no se aparta de la igualdad de la gloria paterna, así tampoco la carne abandona la naturaleza de nuestro género». Y, después de referirse a numerosos textos evangélicos que constituyen la base de su doctrina, San León concluye: «No es de la misma naturaleza decir: 'Yo y el Padre somos uno' (*Jn* 10, 3), que decir 'El Padre es más grande que yo' (*Jn* 11, 28). De hecho, aunque en el Señor Jesucristo haya una sola persona de Dios y del hombre, sin embargo, una cosa es aquello de lo que se deriva para el uno y para el otro la ofensa, y otra cosa es aquello de lo que emana para el uno y para el otro la gloria. De nuestra naturaleza Él tiene una humanidad inferior al Padre; del Padre le deriva una divinidad igual a la del Padre» (cfr *DS,* 294-205).

Estas formulaciones del dogma cristológico, aun pudiendo aparecer difíciles, encierran y dejan traslucir el misterio del *Verbum caro factum,* anunciado en el prólogo del Evangelio de San Juan ante el cual sentimos la necesidad de postrarnos en adoración junto con aquellos altos espíritus que lo han honrado también con sus estudios y reflexiones para nuestra utilidad y la de toda la Iglesia.

49. LAS DEFINICIONES CRISTOLÓGICAS DE LOS CONCILIOS Y LA FE DE LA IGLESIA DE HOY*

1. En las últimas catequesis, resumiendo la doctrina cristológica de los Concilios Ecuménicos y de los Padres,

* Audiencia general, 13-IV-1988.

nos hemos podido dar cuenta del esfuerzo realizado por la mente humana para penetrar en el misterio del Hombre-Dios, y leer en Él las verdades de la naturaleza humana y de la naturaleza divina, de su dualidad y de su unión en la persona del Verbo, de las propiedades y facultades de la naturaleza humana y de su perfecta armonización y subordinación a la hegemonía del Yo divino. La traducción de esta lectura profunda se realizó en los Concilios con conceptos y términos tomados del lenguaje corriente, que era la expresión natural del modo común de conocer y razonar, anterior a la conceptualización de cualquier escuela filosófica o teológica. La búsqueda, la reflexión y el intento de perfeccionar la forma de expresión no faltaron en los Padres y no faltarían más tarde, en los siglos siguientes de la Iglesia, a lo largo de los cuales los conceptos y términos empleados en la cristología –especialmente el de «persona»– recibieron tratamientos más profundos y precisiones ulteriores de valor incalculable para el progreso del pensamiento humano. Pero su significado en la aplicación a la verdad revelada, que había que expresar, no estaba vinculado o condicionado por autores o escuelas particulares: era el que se podía captar en el lenguaje ordinario de los doctos y no doctos de cualquier tiempo, como se puede recabar del análisis de las definiciones formuladas en tales términos.

2. Es comprensible que en tiempos más recientes, queriendo traducir los datos revelados a un lenguaje que respondiera a concepciones filosóficas o científicas nuevas, algunos hayan encontrado cierta dificultad a la hora de emplear y aceptar aquella terminología antigua, de manera especial la que se refiere a la distinción entre *naturaleza* y *persona,* que es fundamental tanto en la cristología tradicional como en la teología de la Trinidad. Particularmente, quien quisiera buscar su inspiración en las posiciones de las distintas escuelas modernas, que insis-

ten en una filosofía del lenguaje y en una hermenéutica dependente de los presupuestos del relativismo, subjetivismo, existencialismo, estructuralismo, etc., será llevado a minusvalorar o incluso a rechazar los antiguos conceptos y términos por considerarlos imbuidos de escolasticismo, formalismo, estaticismo, ahistoricidad, etc., y, por consiguiente, inadecuados para expresar y comunicar hoy el misterio del *Cristo vivo*.

3. Pero, ¿qué ha sucedido después? En primer lugar, que algunos se han hecho prisioneros de una forma nueva de escolasticismo, inducidos por nociones y terminología vinculadas a las nuevas corrientes del pensamiento filosófico y científico, sin preocuparse de una confrontación auténtica con la forma de expresión de sentido común y, podemos decir, de la inteligencia universal, que sigue siendo indispensable, también hoy, para comunicarse los unos con los otros en el pensamiento y en la vida. En segundo lugar, como era previsible, se ha pasado de la crisis abierta sobre la cuestión del lenguaje a la relativización del dogma niceno y calcedoniano, considerado como un simple intento de lectura histórica, datado, superado y que no se puede proponer ya a la inteligencia moderna. Este paso ha sido y sigue siendo muy arriesgado y puede conducir a posturas difícilmente conciliables con los datos de la Revelación.

4. En efecto, este nuevo lenguaje ha llegado a hablar de la existencia de una «persona *humana*» en Jesucristo, basándose en la concepción fenomenológica de la personalidad, dada por un conjunto de momentos expresivos de la conciencia y de la libertad, sin consideración suficiente del sujeto ontológico que está en su origen. O bien se ha reducido la personalidad *divina* a la autoconciencia que Jesús tiene de lo «divino» que hay en Él, sin que se deba por esto entender la Encarnación como la asunción

de la naturaleza humana por parte de un Yo divino trascendente y preexistente. Estas concepciones, que se reflejan también sobre el dogma mariano y, de manera particular, sobre la maternidad divina de María, tan unida en los Concilios al dogma cristológico, incluyen casi siempre la negación de la distinción entre *naturaleza y persona,* términos que, según hemos dicho, los Concilios habían tomado del lenguaje común y elaborado teológicamente como clave interpretativa del misterio de Cristo.

5. Estos hechos que, como es obvio, aquí podemos sólo referir brevemente, nos hacen comprender cuán delicado sea el problema del nuevo lenguaje tanto para la teología como para la catequesis, sobre todo cuando, partiendo del rechazo –cargado de prejuicios– de categorías antiguas (por ejemplo, las presentadas como «helénicas»), se acaba por sufrir una dependencia tal de las nuevas categorías –o de las nuevas palabras– que, en su nombre, se puede llegar a manipular incluso la sustancia de la verdad revelada.

Esto no significa que no se pueda o no se deba seguir investigando sobre el misterio del Verbo Encarnado, o «buscando modos más apropiados de comunicar la doctrina cristiana», según las normas y el espíritu del Concilio Vaticano II, el cual, con Juan XXIII, subraya muy bien que «una cosa es el depósito mismo de la fe –o sea, sus verdades–, y otra cosa es el modo de formularlas, conservando el mismo sentido y el mismo significado» (*Gaudium et spes,* 62; cfr Juan XXIII, *Discurso de apertura del Concilio,* 11 de octubre de 1962).

La mentalidad del hombre moderno formada según los criterios y los métodos del conocimiento científico, debe entenderse teniendo muy presente su tendencia a la investigación en los distintos campos del saber, pero sin olvidar su aspiración, todavía profunda, a un «más allá» que supera cualitativamente todas las fronteras de lo experimentable y calculable, así como sus frecuentes manifestaciones de la necesidad de una *sabiduría* mucho más satisfactoria y estimulante que la que ofrece la *ciencia.* De este modo, la mentalidad contemporánea no se presenta de ninguna manera impenetrable al razonamiento sobre las «razones supremas» de la vida y su fundamento en Dios. De aquí nace también la posibilidad de un discurso serio y leal sobre el Cristo de los Evangelios y de la historia, formulado aun a sabiendas del misterio y, por consiguiente, casi balbuciendo, pero sin renunciar a la claridad de los conceptos elaborados con la ayuda del Espíritu por los Concilios y los Padres y transmitidos hasta nosotros por la Iglesia.

6. A este «depósito» revelado y transmitido deberá permanecer fiel la catequesis cristológica, la cual, estudiando y presentando la figura, la palabra, la obra del Cristo de los Evangelios, podrá poner magníficamente de relieve, precisamente en ese contenido de verdad y de vida, la afirmación de la preexistencia eterna del Verbo, el misterio de su *kénosis* (cfr *Flp* 2, 1), su predestinación y exaltación que es el fin verdadero de toda la economía de la salvación y que engloba *con* Cristo y *en* Cristo, Hombre-Dios, a toda la humanidad y, en cierto modo, a todo lo creado.

Esta catequesis deberá presentar la verdad integral de Cristo como Hijo y Verbo de Dios en la grandeza de la Trinidad (otro dogma fundamental cristiano), que se encarna por nuestra salvación y realiza así la máxima unión pensable y posible entre la creatura y el Creador, en el ser humano y en todo el universo. Dicha catequesis no podrá descuidar, además, la verdad de Cristo que tiene una propia realidad *ontológica* de humanidad perteneciente a la Persona divina, pero que tiene también una íntima *conciencia* de su divinidad, de la unidad entre su humanidad y su divinidad y de la misión salvífica que, como hombre, le fue confiada.

Aparecerá, así, la verdad por la cual en Jesús de Nazaret, en su experiencia y conocimiento interior, se da la realización más alta de la «personalidad» también en en su valor de *sensus sui*, de autoconciencia, como fundamento y centro vital de toda actividad interior y externa, pero realizada en la esfera infinitamente superior de la persona divina del Hijo.

Aparecerá igualmente la verdad del Cristo que pertenece a la historia como un personaje y un hecho particular («factum ex muliere, natum sub lege»: *Gal* 4, 4), pero que concretiza en Sí mismo el valor universal de la humanidad pensada y creada en el «consejo eterno» de Dios; la verdad de Cristo como realización total del proyecto eterno que se traduce en la «alianza» y en el «reino» –de Dios y del hombre– que conocemos por la profecía y la historia bíblica; la verdad de Cristo, Logos eterno, luz y razón de todas las cosas (cfr *Jn* 1, 4. 9 ss.), que se encarna y se hace presente en medio de los hombres y de las cosas, en el corazón de la historia, para ser –según el designio de Dios Padre– la cabeza ontológica del Universo, el Redentor y Salvador de todos los hombres, el Restaurador que recapitula todas las cosas del cielo y de la tierra (cfr *Ef* 1, 10).

7. Bien lejos de las tentaciones de cualquier forma de monismo materialista o panlógico, una nueva reflexión sobre este misterio de Dios que asume la humanidad para integrarla, salvarla y glorificarla en la comunión conclusiva de su gloria, no pierde nada de su fascinación y permite saborear su verdad y belleza profundas, si, desarrollada y explicada en el ámbito de la cristología de los Concilios y de la Iglesia, es llevada también a nuevas expresiones teológicas, filosóficas y artísticas (cfr *Gaudium et spes,* 62), por las que el espíritu humano pueda adquirir cada vez más y mejor lo que brota del abismo infinito de la revelación divina.

SEGUNDA PARTE

LA MISIÓN DE JESUCRISTO REDENTOR

Sección I
LA MISIÓN DE CRISTO

50. «ENVIADO A PREDICAR LA BUENA NUEVA A LOS POBRES»*

1. Comienza hoy la última fase de nuestras catequesis sobre Jesucristo (que venimos haciendo durante las audiencias generales de los miércoles). Hasta ahora hemos intentado demostrar *quién* es Jesucristo. Lo hemos hecho, en un primer momento, a la luz de la Sagrada Escritura, sobre todo a la luz de los Evangelios, y, después, en las últimas catequesis, hemos examinado e ilustrado la respuesta de fe que la Iglesia ha dado a la revelación de Jesús mismo y al testimonio y predicación de los Apóstoles, a lo largo de los primeros siglos, durante la elaboración de las definiciones cristológicas de los primeros Concilios (entre los siglos IV y VII).

Jesucristo –*verdadero Dios y verdadero hombre*–, consubstancial al Padre (y al Espíritu Santo) en cuanto a la divinidad; consubstancial a nosotros en cuanto a la humanidad: Hijo de Dios y nacido de María Virgen. Éste es el dogma central de la fe cristiana en el que se expresa el misterio de Cristo.

2. *También la misión de Cristo pertenece a este misterio.* El símbolo de la fe relaciona esta misión con la verdad so-

* Audiencia general, 20-IV-1988.

bre el ser del Dios-Hombre *(Theandrikos),* Cristo, cuando dice, en modo conciso, que «*por nosotros, los hombres, y por nuestra salvación* bajó del cielo y se hizo hombre». Por esto, en nuestras catequesis, intentaremos desarrollar el contenido de estas palabras del Credo, meditando, uno tras otro, sobre los diversos aspectos de la misión de Jesucristo.

3. Desde el comienzo de la actividad mesiánica, Jesús manifiesta, en primer lugar, su misión profética. Jesús anuncia el Evangelio. Él mismo dice que «ha venido» (del Padre) (cfr *Mc* 1, 38), que «ha sido enviado» para «anunciar la Buena Nueva del reino de Dios» (cfr *Lc* 4, 43).

A diferencia de su precursor Juan el Bautista, que enseñaba a orillas del Jordán, en un lugar desierto, a quienes iban allí desde distintas partes, Jesús sale al encuentro *de aquellos a quienes Él debe anunciar la Buena Nueva.* Se puede ver en este movimiento hacia la gente un reflejo del dinamismo propio del misterio mismo de la Encarnación: el ir de Dios hacia los hombres. Así, los Evangelistas nos dicen que Jesús «recorría toda Galilea, enseñando en sus sinagogas» (*Mt* 4, 23), y que «*iba por ciudades y pueblos*» (*Lc* 8, 1). De los textos evangélicos resulta que la predicación de Jesús se desarrolló casi exclusivamente en el territorio de la Palestina, es decir, entre Galilea y Judea, con visitas también a Samaria (cfr por ejemplo, *Jn* 4, 3-4), paso obligado entre las dos regiones principales. Sin embargo, el Evangelio menciona además la «región de Tiro y Sidón», o sea, Fenicia (cfr *Mc* 7, 31; *Mt* 15, 21) y también la Decápolis, es decir, «la región de los gerasenos», a la otra orilla del lago de Galilea (cfr *Mc* 5, 1 y *Mc* 7, 31). Estas alusiones prueban que Jesús salía, a veces, fuera de los límites de Israel (en sentido étnico), a pesar de que Él subrayaba repetidamente que *su misión se dirige principalmente «a la casa de Israel»* (*Mt* 15, 24). Asimismo, cuando envía a los discípulos a una primera prueba de apostolado misionero, les recomienda explícitamente: «No toméis caminos de gentiles ni entréis en ciudad de samaritanos; dirigíos más bien a las ovejas perdidas de la casa de Israel» (*Mt* 10, 5-6). Sin embargo, al mismo tiempo, Él mantiene uno de los coloquios mesiánicos de mayor importancia en Samaria, junto al pozo de Siquem (cfr *Jn* 4, 1-26).

Además, los mismos Evangelistas testimonian también que *las multitudes que seguían a Jesús* estaban formadas por gente proveniente no sólo de Galilea, Judea y Jerusalén, sino también «de Idumea, del otro lado del Jordán, de los alrededores de Tiro y Sidón» (*Mc* 3, 7-8; cfr también *Mt* 4, 12-15).

4. Aunque Jesús afirma claramente que su misión está ligada a la «casa de Israel», al mismo tiempo, da a entender, que la doctrina predicada por Él –la Buena Nueva– *está destinada a todo el género humano.* Así, por ejemplo, refiriéndose a la profesión de fe del centurión romano, Jesús preanuncia: «y os digo que vendrán muchos de Oriente y Occidente y se pondrán a la mesa con Abraham, Isaac y Jacob en el reino de los cielos» (*Mt* 8, 11). Pero, sólo después de la resurrección, ordena a los Apóstoles: «Id, pues, y haced discípulos a todas las gentes» (*Mt* 28, 19).

5. ¿Cuál es el contenido esencial de la enseñanza de Jesús? Se puede responder con una palabra: *el Evangelio, es decir, Buena Nueva.* En efecto, Jesús comienza su predicación con estas palabras: «El tiempo se ha cumplido y el reino de Dios está cerca; convertíos y creed en la Buena Nueva» (*Mc* 1, 15).

El término mismo «Buena Nueva» indica *el carácter fundamental del mensaje de Cristo.* Dios desea responder al deseo de bien y felicidad, profundamente enraizado en el hombre. Se puede decir que el Evangelio, que es esta respuesta divina, posee un carácter «optimista». Sin embargo, no se trata de un *optimismo puramente temporal, un eudemonismo superficial;* no es un anuncio del «paraíso en la tierra». La «Buena Nueva» de Cristo plantea a quien la oye *exigencias* esenciales *de naturaleza moral;* indica la necesidad de renuncias y sacrificios; está relacionada, en definitiva, con el misterio redentor de la cruz. Efectivamente, en el centro de la «Buena Nueva» está *el programa de las bienaventuranzas* (cfr *Mt* 5, 3-11), que precisa de la manera más completa la clase de felicidad que Cristo ha venido a anunciar y revelar a la humanidad, peregrina todavía en la tierra hacia sus destinos definitivos y eternos. Él dice: «Bienaventurados los pobres de espíritu, porque de ellos es el reino de los cielos». Cada una de las ocho bienaventuranzas tiene una estructura parecida a ésta. Con el mismo espíritu, *Jesús llama «bienaventurado»* al criado, cuyo amo «lo encuentre en vela –es decir, activo–, a su regreso» (cfr *Lc* 12, 37). Aquí se puede vislumbrar también la perspectiva escatológica y eterna de la felicidad revelada y anunciada por el Evangelio.

6. La bienaventuranza de la pobreza nos remonta al comienzo de la actividad mesiánica de Jesús, cuando, hablando en la sinagoga de Nazaret, dice: «El Espíritu del Señor sobre mí, porque me ha ungido para anunciar a los pobres la Buena Nueva» (*Lc* 4, 18). Se trata aquí de los que son pobres no sólo, y no tanto, en sentido económico-social (de «clase»), sino de los que están espiritualmente abiertos a acoger la verdad y la gracia, que provienen del Padre, como don de su amor, don gratuito *(«gratis» dato),* porque, interiormente, se sienten libres del apego a los bienes de la tierra y dispuestos a usarlos y compartirlos según las exigencias de la justicia y de la caridad. Por esta condición de los pobres según Dios ('anawîm), Jesús «da gracias al Padre», ya que «ha escondido estas cosas (= las grandes cosas de Dios) a los sabios y entendidos y *se las ha revelado a la gente sencilla*» (cfr *Lc* 10, 21). Pero esto no significa que Jesús aleja de Sí a las personas que se encuentran en mejor situación económica, como el publica-

no Zaqueo que había subido a un árbol para verlo pasar (cfr *Lc* 19, 2-9), o aquellos otros amigos de Jesús, cuyos nombres no nos transmiten los Evangelios. Según las palabras de Jesús son *«bienaventurados»* los *«pobres de espíritu»* (cfr *Mt* 5, 31) y «quienes *oyen la Palabra de Dios* y la guardan» (*Lc* 11, 23).

7. Otra característica de la predicación de Jesús es que Él intenta transmitir el mensaje a sus oyentes de manera adecuada a su mentalidad y cultura. Habiendo crecido y vivido entre ellos en los años de su vida oculta en Nazaret (cuando «progresaba en *sabiduría*»: *Lc* 2, 52), conocía la mentalidad, la cultura y la tradición de su pueblo, en la herencia del Antiguo Testamento.

8. Precisamente por esto, *muy a menudo da* a las verdades que anuncia *la forma de parábolas*, como nos resulta de los textos evangélicos, por ejemplo, de Mateo: «Todo esto dijo Jesús en parábolas a la gente, y nada les hablaba sin parábolas, para que se cumpliese el oráculo del profeta: 'Abriré en parábolas mi boca, publicaré lo que estaba oculto desde la creación del mundo' (*Sal* 77, 2)» (*Mt* 13, 34-35).

Ciertamente, el discurso en parábolas, al hacer referencia a los hechos y cuestiones de la vida diaria que estaban al alcance de todos, *conseguía conectar más fácilmente* con un auditorio generalmente poco instruido (cfr *S. Th.* III, q 42. a. 2). Y, sin embargo, «el misterio del reino de Dios», escondido en las parábolas, necesitaba de explicaciones particulares, requeridas, a veces, por los Apóstoles mismos (por ejemplo, cfr *Mc* 4, 11-12). Una *comprensión adecuada* de éstas no se podía obtener sin la ayuda de la luz interior que proviene del Espíritu Santo. Y Jesús prometía y daba esta luz.

9. Debemos hacer notar todavía una tercera característica de la predicación de Jesús, puesta de relieve en la Ex-

hortacion Apostólica *Evangelii nuntiandi,* publicada por Pablo VI después del Sínodo de 1974, con relación al tema de la evangelización. En esta Exhortación leemos: «Jesús mismo, Evangelio de Dios, ha sido el primero y más grande evangelizador. Lo ha sido hasta el final: hasta la perfección, hasta el sacrificio de su existencia terrena» (n. 7).

Sí, *Jesús no sólo anunciaba el Evangelio, sino que Él mismo era el Evangelio.* Los que creyeron en Él siguieron la palabra de su predicación, pero mucho más a Aquel que la predicaba. Siguieron a Jesús porque Él ofrecía «palabras de vida», como confesó Pedro después del discurso que tuvo el Maestro en la sinagoga de Cafarnaún: «Señor, ¿a quién vamos a ir? *Tú tienes palabras de vida eterna»* (*Jn* 6, 68). Esta identificación de la palabra y la vida, del predicador y el Evangelio predicado, se realizaba de manera perfecta sólo en Jesús. He aquí la razón por la que también nosotros creemos y lo seguimos, cuando se nos manifiesta como el «único Maestro» (cfr *Mt* 23, 8. 10).

51. «HA LLEGADO A VOSOTROS EL REINO DE DIOS»*

1. «El tiempo se ha cumplido y el reino de Dios está cerca; convertíos y creed en la Buena Nueva» (*Mc* 1, 15). Jesucristo fue enviado por el Padre «para anunciar a los pobres la Buena Nueva» (*Lc* 4, 18). Fue –y sigue siendo– el primer Mensajero del Padre, el primer Evangelizador, como decíamos ya en la catequesis anterior con las mismas palabras que Pablo VI emplea en la *Evangelii nuntiandi.* Es más, Jesús no es sólo el anunciador del Evangelio, de la Buena Nueva, sino que Él mismo es el Evangelio (cfr *Evangelii nuntiandi,* 7).

Efectivamente, en todo el conjunto de su misión, por medio de todo lo que hace y enseña y, finalmente, me-

* Audiencia general, 27-IV-1988.

diante la cruz y resurrección, «manifiesta plenamente el hombre al propio hombre» (cfr *Gaudium et spes,* 22), y le descubre las perspectivas de aquella felicidad a la que Dios lo ha llamado y destinado desde el principio. *El mensaje de las bienaventuranzas* resume el programa de vida propuesto a quien quiere seguir la llamada divina; es la síntesis de todo el «éthos» evangélico vinculado al misterio de la redención.

2. La misión de Cristo consiste, ante todo, en la revelación de la Buena Nueva (Evangelio) *dirigida al hombre.* Tiene como objeto, por tanto, el hombre, se puede decir que es «antropocéntrica»; pero al mismo tiempo, está profundamente *enraizada en la verdad del reino de Dios,* en el anuncio de su venida y de su cercanía: «El reino de Dios está cerca... creed en la Buena Nueva» (*Mc* 1, 15).

Éste es, pues, «el Evangelio del reino», cuya referencia al hombre, visible en toda la misión de Cristo, está enraizada en una *dimensión «teocéntrica»,* que se llama precisamente reino de Dios. Jesús anuncia el Evangelio de este reino, y, al mismo tiempo, *realiza el reino de Dios* a lo largo de todo el desarrollo de su misión, por medio de la cual el reino nace y se desarrolla ya en el tiempo, como germen inserto en la historia del hombre y del mundo. Esta realización del reino tiene lugar mediante la palabra del Evangelio y mediante toda la vida terrena del Hijo del hombre, coronada en el misterio pascual con la cruz y la resurrección. Efectivamente, con su «obediencia hasta la muerte» (cfr *Flp* 2, 8), Jesús dio comienzo a una nueva fase de la economía de la salvación, cuyo proceso se concluirá cuando Dios sea «todo en todos» (*1 Cor* 15, 28), de manera que *el reino de Dios ha comenzado* verdaderamente a realizarse en la historia del hombre y del mundo, aunque en el curso terreno de la vida humana nos encontremos y choquemos continuamente con aquel otro término fundamental de la dialéctica histórica: la «desobediencia del primer Adán», que sometió su espíritu al «principe de este mundo» (cfr *Rom* 5, 19; *Jn* 14, 30).

3. Tocamos aquí el punto central –y casi el punto crítico– de la realización de la misión de Cristo, Hijo de Dios, en la historia: cuestión ésta sobre la que será necesario volver en una etapa sucesiva de nuestra catequesis. Si en Cristo el reino de Dios *«está cerca»* –es más, está presente– de manera definitiva en la historia del hombre y del mundo, al mismo tiempo, *su cumplimiento sigue perteneciendo al futuro.* Por ello, Jesús nos manda que, en nuestra oración, digamos al Padre, «venga tu reino» (*Mt* 6, 10).

4. Esta cuestión hay que tenerla bien presente a la hora de ocuparnos del Evangelio de Cristo como «Buena Nueva» del reino de Dios. Éste era el tema «guía» del anuncio de Jesús cuando hablaba del reino de Dios, sobre todo, en sus numerosas parábolas. Particularmente significativa es la que nos presenta el reino de Dios *parecido a la semilla* que siembra el sembrador de la tierra... (cfr *Mt* 13, 3-9). La semilla está destinada «a dar fruto», por su propia virtualidad interior, sin duda alguna, pero el fruto depende también de la tierra en la que cae (cfr *Mt* 13, 19-23).

5. En otra ocasión Jesús compara el reino de Dios (el «reino de los cielos», según Mateo) *con un grano de mostaza,* que «es la más pequeña de todas las semillas», pero que, una vez crecida, se convierte en un árbol tan frondoso que los pájaros pueden anidar en las ramas (cfr *Mt* 13, 31-32). Y compara también el crecimiento del reino de Dios con la «levadura» que hace fermentar la masa para que se transforme en pan que sirva de alimento a los hombres (*Mt* 13, 35). Sin embargo, Jesús dedica todavía una parábola al problema del crecimiento del reino de Dios en el terreno que es este mundo. Se trata de la parábola del *trigo y la cizaña,* que el «enemigo» esparce en el

campo sembrado de semilla buena (*Mt* 13, 24-30): así, en el campo del mundo, el bien y el mal, simbolizados en el trigo y la cizaña, crecen juntos «hasta la hora de la siega» –es decir, hasta el día del juicio divino–, otra alusión significativa a la perspectiva escatológica de la historia humana. En cualquier caso, Jesús nos hace saber que el crecimiento de la semilla, que es la «Palabra de Dios», está condicionado por el modo en que es acogida en el campo *de los corazones humanos:* de esto depende que produzca fruto dando «uno ciento, otro sesenta, otro treinta» (*Mt* 13, 23), según las disposiciones y respuestas de aquellos que la reciben.

6. En su anuncio del reino de Dios, Jesús nos hace saber también que este reino no está destinado a una sola nación, o únicamente al «pueblo elegido», porque vendrán «de Oriente y Occidente» para «sentarse a la mesa con Abraham, Isaac y Jacob» (cfr *Mt* 8, 11). Esto significa, en efecto, que no se trata de un *reino en sentido temporal y político.* No es un reino «de este mundo» (cfr *Jn* 18, 36), aunque aparezca insertado, y en él deba desarrollarse y crecer. Por esta razón se aleja Jesús de la muchedumbre que quería hacerlo rey («Dándose cuenta Jesús de que intentaban venir a tomarle por la fuerza para hacerlo rey huyó de nuevo al monte Él solo»: *Jn* 6, 15). Y, poco antes de su pasión, estando en el Cenáculo, Jesús pide al Padre que conceda a los discípulos vivir según esa misma concepción del reino de Dios: «No te pido que los retires del mundo, sino que los guardes del Maligno. Ellos no son del mundo, como yo no soy del mundo» (*Jn* 17, 15-16). Y más aún: según la enseñanza y la oración de Jesús, el reino de Dios debe crecer en los corazones de los discípulos «en este mundo»; sin embargo, llegará a su cumplimiento en el mundo futuro: «cuando el Hijo del hombre venga en su gloria... Serán congregadas delante de Él todas las naciones» (*Mt* 25, 31-32). ¡Siempre en una perspectiva escatológica!

7. Podemos completar la noción del reino de Dios anunciado por Jesús, subrayando que *es el reino del Padre,* a quien Jesús nos enseña a dirigirnos con la oración para obtener su llegada: «Venga tu reino» (*Mt* 6, 10; *Lc* 11, 2). A su vez, el Padre celestial ofrece a los hombres, mediante Cristo y en Cristo, el perdón de sus pecados y la salvación, y, lleno de amor, espera su regreso, como el padre de la parábola esperaba el regreso del hijo pródigo (cfr *Lc* 13, 20-32) porque Dios es verdaderamente «rico en misericordia» (*Ef* 2, 4).

Bajo esta luz se coloca todo el Evangelio de la conversión que, desde el comienzo, anunció Jesús: «convertíos y creed en la Buena Nueva» (*Mc* 1, 15). *La conversión* al Padre, al Dios que «es amor» (*Jn* 4, 16), va unida a la aceptación del amor como mandamiento (nuevo): amor a Dios, «el mayor y el primer mandamiento» (*Mt* 22, 32) y amor al prójimo, «semejante al primero» (*Mt* 22, 39). Jesús dice: «Os doy un mandamiento nuevo: que os améis los unos a los otros». «Que como yo os he amado, así os améis también vosotros los unos a los otros» (*Jn* 13, 34). Y nos encontramos aquí con la esencia del «reino de Dios» en el hombre y en la historia. Así, *la ley* entera –es decir, el patrimonio ético de la Antigua Alianza– *debe cumplirse,* debe alcanzar su plenitud divino-humana. El mismo Jesús lo declara en el sermón de la montaña: «No penséis que he venido a abolir la Ley y los Profetas. No he venido a abolir sino a dar cumplimiento» (*Mt* 5, 17).

En todo caso, Él libra al hombre de la «letra de la ley», *para hacerle penetrar en su espíritu,* puesto que como dice San Pablo, «la letra (sola) mata», mientras que «el Espíritu da la vida» (cfr *2 Cor* 3, 6). El amor fraterno, como reflejo y participación del amor de Dios, es, pues, el principio animador de la Nueva Ley, que es como la base constitucional del reino de Dios (cfr *S. Th.* I-II, q. 106, a. l; q. 107, aa. 1-2).

8. Entre las parábolas, con las que Jesús reviste de comparaciones y alegorías su predicación sobre el reino de Dios, se encuentra también *la de un rey «que celebró el banquete de bodas de su hijo»* (*Mt* 22, 2). La parábola narra que muchos de los que fueron invitados primero no acudieron al banquete buscando distintas excusas y pretextos para ello y que, entonces, el rey mandó llamar a otra gente, de los «cruces de los caminos», para que se sentaran a su mesa. Pero, entre los que llegaron, no todos se mostraron dignos de aquella invitación por no llevar el «vestido nupcial» requerido.

Esta *parábola del banquete,* comparada con *la del sembrador* y la semilla, nos hace llegar a la misma conclusión: si no todos los invitados se sentarán a la mesa del banquete, ni todas las semillas producirán la mies, ello depende de las disposiciones con las que se responde a la invitación o se recibe en el corazón la semilla de la Palabra de Dios. Depende del modo con que se acoge a Cristo, que es *el sembrador,* y también *el hijo del rey* y el *esposo,* como Él mismo se presenta en distintas ocasiones: «¿Pueden ayunar los invitados a las bodas cuando el esposo está todavía con ellos?» (*Mc* 2, 19), preguntó una vez a quien lo interrogaba, aludiendo a la severidad de Juan el Bautista. Y Él mismo dio la respuesta: «*Mientras el esposo está con ellos* no pueden ayunar» (*Mc* 2, 19).

Así, pues, el reino de Dios es como una fiesta de bodas a la que el Padre del cielo invita a los hombres en comunión de amor y de alegría con su Hijo. Todos están llamados e invitados: pero cada uno es responsable de la propia adhesión o del propio rechazo, de la propia conformidad o disconformidad con la ley que reglamenta el banquete.

9. Ésta es la ley del amor: se deriva de la gracia divina en el hombre que la acoge y la conserva, participando vitalmente en el misterio pascual de Cristo. Es un *amor que se realiza* en la historia, no obstante cualquier rechazo por

parte de los invitados, sin importar su indignidad. Al cristiano le sonríe la esperanza de que el amor se realice también en todos los «invitados»: precisamente porque la «medida» pascual de ese amor esponsal es la cruz, su perspectiva escatológica ha quedado abierta en la historia con la resurrección de Cristo. Por Él el Padre «nos ha librado del poder de las tinieblas y nos ha llevado al *reino de su Hijo querido*» (cfr *Col* 1, 13). Si acogemos la llamada y secundamos la atracción del Padre, en Cristo «tenemos todos la redención» y la vida eterna.

52. «PARA ESTO HE VENIDO AL MUNDO: PARA DAR TESTIMONIO DE LA VERDAD»*

1. «Yo para esto he nacido y para esto he venido al mundo: para dar testimonio de la verdad» (*Jn* 18, 37). Cuando Pilato, durante el proceso, preguntó a Jesús si Él era rey, la primera respuesta que oyó fue: «Mi reino no es de este mundo...». Y cuando el gobernador insiste y le pregunta de nuevo: «¿Luego tú eres Rey?», recibe esta respuesta: «Sí, como dices, soy Rey» (cfr *Jn* 18, 33-37). Este diálogo judicial, que refiere el Evangelio de Juan, nos permite empalmar con la catequesis precedente, cuyo tema era *el mensaje de Cristo sobre el reino de Dios*. Abre, al mismo tiempo, a nuestro espíritu una nueva dimensión o *un nuevo aspecto de la misión de Cristo,* indicado por estas palabras: «Dar testimonio de la verdad». Cristo es Rey y «ha venido al mundo para dar testimonio de la verdad». Él mismo lo afirma; y añade: «Todo el que es de la verdad, escucha mi voz» (*Jn* 18, 37).

Esta respuesta desvela ante nuestros ojos horizontes nuevos, tanto sobre *la misión de Cristo,* como sobre la vo-

* Audiencia general, 4-V-1988.

cación del hombre. Particularmente, sobre el enraizamiento de la vocación del hombre en Cristo.

2. A través de las palabras que dirige a Pilato, Jesús pone de relieve *lo que es esencial en toda su predicación.* Al mismo tiempo, anticipa, en cierto modo, lo que construirá siempre el elocuente mensaje incluido en el acontecimiento pascual, es decir, en su cruz y resurrección.

Hablando *de la predicación de Jesús,* incluso sus opositores expresaban, a su modo, su significado fundamental, cuando le decían: «Maestro, sabemos que eres veraz..., *que enseñas con franqueza el camino de Dios*» (*Mc* 12, 14). Jesús era, pues, el Maestro en el «camino de Dios»: expresión de hondas raíces bíblicas y extra-bíblicas para designar una doctrina religiosa y salvífica. En lo que se refiere a los oyentes de Jesús, sabemos, por el testimonio de los Evangelistas, que éstos estaban impresionados por otro aspecto de su predicación: «Quedaban asombrados de su doctrina, porque les enseñaba como quien tiene autoridad, y no como los escribas» (*Mc* 1, 22). «...*Hablaba con autoridad*» (*Lc* 4, 32).

Esta competencia y autoridad estaban constituidas, sobre todo, por *la fuerza de la verdad* contenida en la predicación de Cristo. Los oyentes, los discípulos, lo llamaban «*Maestro*», no tanto en el sentido de que conociese la Ley y los Profetas y los comentase con agudeza, como hacían los escribas. El motivo era mucho más profundo: Él «hablaba con autoridad», y ésta era *la autoridad de la verdad, cuya fuente es el mismo Dios.* El propio Jesús decía: «Mi doctrina no es mía, sino del que me ha enviado» (*Jn* 7, 16).

3. En este sentido –que incluye la referencia a Dios–, *Jesús era Maestro.* «Vosotros me llamáis 'el Maestro' y 'el Señor', y decís bien, porque lo soy» (*Jn* 13, 13). Era *Maestro de la verdad que es Dios.* De esta verdad dio Él testimonio hasta el final, con la autoridad que provenía de lo alto:

podemos decir, con la autoridad de uno que es «rey» en la esfera de la verdad.

En las catequesis anteriores hemos llamado ya la atención sobre el sermón de la montaña, en el cual Jesús se revela a Sí mismo como Aquel que ha venido no «para abolir la Ley y los Profetas», sino «para darles cumplimiento». Este «*cumplimiento*» de la Ley era obra de realeza y «autoridad»: la realeza y la autoridad de la Verdad, que decide sobre la ley, sobre su fuente divina, sobre su manifestación progresiva en el mundo.

4. El sermón de la montaña deja traslucir esta autoridad, con la cual Jesús trata de cumplir su misión. He aquí algunos pasajes significativos: «Habéis oído que se dijo a los antepasados: 'no matarás...' *pues yo os digo*». «Habéis oído que se dijo: 'no cometerás adulterio'. *Pues yo os digo*». «... Se dijo... 'no perjurarás'. *Pues yo os digo*». Y *después de cada «yo os digo»,* hay una exposición, hecha con autoridad, de la verdad sobre la conducta humana, contenida en cada uno de los mandamientos de Dios. Jesús no comenta de manera humana, como los escribas, los textos bíblicos del Antiguo Testamento, sino que habla con la autoridad propia del Legislador: *la autoridad de instituir la Ley,* la realeza. Es, al mismo tiempo, *la autoridad de la verdad,* gracias a la cual la nueva Ley llega a ser para el hombre principio vinculante de su conducta.

5. Cuando Jesús en el sermón de la montaña pronuncia varias veces aquellas palabras: «Pues yo os digo», en su lenguaje se encuentra el eco, el reflejo de los textos de la tradición bíblica, que, con frecuencia, repiten: «*Así dice el Señor, Dios de Israel*» (*2 Sm* 12, 7). «Jacob... Así dice el Señor que te ha hecho» (*Is* 44, 1-2). «Así dice el Señor que os ha rescatado, el Santo de Israel...» (*Is* 43, 14). Y, aún más directamente, Jesús hace suya la referencia a Dios, que se encuentra siempre en los labios de Moisés cuando

da la Ley «antigua» a Israel. Mucho más fuerte que la de Moisés es la autoridad que se atribuye Jesús al dar «cumplimiento a la Ley y a los Profetas», en virtud de la misión recibida de lo alto: no en el Sinaí, sino en el misterio excelso de su relación con el Padre.

6. Jesús tiene una conciencia clara de esta misión, sostenida por el poder de la verdad que brota *de su misma fuente divina.* Hay una estrecha relación entre la respuesta a Pilato: «He venido al mundo para dar testimonio de la verdad» (*Jn* 18, 37), y su declaración delante de sus oyentes: «Mi doctrina no es mía, sino del que me ha enviado» (*Jn* 7, 16). El hilo conductor y unificador de ésta y otras afirmaciones de Jesús sobre la «autoridad de la verdad» con que Él enseña, está en la conciencia que tiene de la misión recibida de lo alto.

7. Jesús tiene conciencia de que, en su doctrina, se manifiesta a los hombres la Sabiduría eterna. Por esto reprende a los que la rechazan, no dudando en evocar a la «reina del Sur», la «reina de Saba», que vino «para oír la sabiduría de Salomón», y afirmando inmediatamente: «*Y aquí hay algo más que Salomón*» (*Mt* 12, 42).

Sabe también, y lo proclama abiertamente, que las palabras que proceden de esa Sabiduría divina «no pasarán»: «*El cielo y la tierra pasarán, pero mis palabras no pasarán*» (*Mc* 13, 31). En efecto, éstas contienen la fuerza de la verdad, que es indestructible y eterna. Son, pues, «palabras de vida eterna», como confesó el Apóstol Pedro en un momento crítico, cuando muchos de los que se habían reunido para oír a Jesús empezaron a marcharse, porque no lograban entender y no querían aceptar aquellas palabras que preanunciaban el misterio de la Eucaristía (cfr *Jn* 6, 66).

8. Se toca aquí el problema de la libertad del hombre, que puede aceptar o rechazar la verdad eterna contenida

en la doctrina de Cristo, válida ciertamente, para dar a los hombres de todos los tiempos –y, por tanto, también a los hombres de nuestro tiempo– una respuesta adecuada a su vocación, que es una vocación con apertura eterna. Frente a este problema, que tiene una dimensión teológica, pero también antropológica (el modo como el hombre reacciona y se comporta ante una propuesta de verdad), será suficiente, por ahora, recurrir a lo que dice el Concilio Vaticano II especialmente con relación a la *sensibilidad* particular de los hombres de hoy. El Concilio afirma, en primer lugar, que «todos los hombres están obligados a buscar la verdad, sobre todo en lo referente a Dios y a su Iglesia»; pero dice también que «la verdad no se impone de otra manera que por la fuerza de la misma verdad, que penetra suave y a la vez fuertemente en las almas» (*Dignitatis humanae,* 1). El Concilio recuerda, además, el deber que tienen los hombres de «adherirse a la verdad conocida y ordenar toda su vida según las exigencias de la verdad». Después añade: «Pero los hombres no pueden satisfacer esta obligación de forma adecuada a su propia naturaleza si no gozan de libertad psicológica, al mismo tiempo que de inmunidad de coacción externa» (*Ibid.,* 2).

9. He aquí la misión de Cristo como maestro de verdad eterna.

El Concilio, después de recordar que «Dios llama ciertamente a los hombres a servirle en espíritu y en verdad... Porque Dios tiene en cuenta la dignidad de la persona humana, que Él mismo ha creado», añade que «esto se hizo patente sobre todo en Cristo Jesús, en quien Dios se manifestó perfectamente a Sí mismo y descubrió sus caminos. En efecto, Cristo, que es Maestro y Señor nuestro, manso y humilde de corazón, atrajo e invitó pacientemente a los discípulos. Cierto que apoyó y confirmó su predicación con milagros para excitar y robustecer la fe de los oyentes, pero no para ejercer coacción sobre ellos».

Y, por último, relaciona esta dimensión de la doctrina de Cristo con el misterio pascual: «Finalmente, al completar *en la cruz* la obra de la redención, con la que adquiría para los hombres la salvación y la verdadera libertad, *concluyó su revelación.* Dio, en efecto, *testimonio de la verdad,* pero no quiso imponerla por la fuerza a los que le contradecían. Porque su reino no se defiende a golpes, sino que se establece *dando testimonio de la verdad y prestándole oído, y crece por el amor* con que Cristo, levantado en la cruz, atrae a los hombres a sí mismo» (*Ibid.,* 11).

Podemos, pues, concluir ya desde ahora que quien busca sinceramente la verdad encontrará bastante fácilmente en el magisterio de Cristo crucificado la solución, incluso del problema de la libertad.

53. EL HIJO UNIGÉNITO QUE REVELA AL PADRE*

1. «Muchas veces y de muchos modos habló Dios en el pasado a nuestros padres por medio de los Profetas; en estos últimos tiempos nos ha hablado por medio del Hijo...» (*Heb* 1, 1 ss.). Con estas palabras, bien conocidas por los fieles, gracias a la liturgia navideña, el autor de la Carta a los Hebreos habla de la misión de Jesucristo, presentándola sobre el fondo de la historia de la Antigua Alianza. Hay, por un lado, *una continuidad entre la misión de los Profetas y la misión de Cristo;* por otro lado, sin embargo, salta enseguida a la vista una clara *diferencia.* Jesús no es sólo el último o el más grande entre los Profetas: el Profeta escatológico como era llamado y esperado por algunos. Se distingue de modo esencial de todos los antiguos Profetas y *supera* infinitamente el nivel de su personalidad y de su misión. Él es el *Hijo del Padre, el Verbo-Hijo,* consubstancial al Padre.

* Audiencia general, 1-VI-1988.

2. Ésta es la *verdad clave* para comprender la misión de Cristo. Si Él ha sido enviado para anunciar la Buena Nueva (el Evangelio) a los pobres, si junto con Él «ha llegado a nosotros» el reino de Dios, entrando de modo definitivo en la historia del hombre, si Cristo es el que da testimonio de la verdad contenida en la misma fuente divina, como hemos visto en las catequesis anteriores, podemos ahora extraer del texto de la *Carta a los Hebreos* que acabamos de mencionar, la verdad que *unifica todos los aspectos de la misión de Cristo:* Jesús *revela a Dios* del modo más auténtico, porque está fundado en la única fuente absolutamente segura e indudable: la esencia misma de Dios. El testimonio de Cristo tiene, así, el valor de la verdad absoluta.

3. En el Evangelio de Juan encontramos la misma afirmación de la *Carta a los Hebreos*, expresada de modo más conciso. Leemos al final del prólogo: «A Dios nadie le ha visto jamás. El Hijo único que está en el seno del Padre, él lo ha contado» (*Jn* 1, 18).

En esto consiste la diferencia esencial entre la revelación de Dios que se encuentra en los Profetas y en todo el Antiguo Testamento y la que trae Cristo, que dice de Sí mismo: «Aquí hay algo más que Jonás» (*Mt* 12, 41). Para hablar de Dios está aquí Dios mismo, hecho hombre: «El Verbo se hizo carne» (cfr *Jn* 1, 14). Aquel Verbo que «está en el seno del Padre» (*Jn* 1, 18) se convierte en «la luz verdadera» (*Jn* 1, 9), «la luz del mundo» (*Jn* 8, 12). Él mismo dice de Sí: «Yo soy el camino, la verdad y la vida» (*Jn* 14, 6).

4. Cristo conoce a Dios *como el Hijo que conoce al Padre* y, al mismo tiempo, *es conocido por Él:* «Como me conoce el Padre (ginoskei) y yo conozco a mi Padre....», leemos en el Evangelio de Juan (*Jn* 10, 15), y casi idénticamente en los Sinópticos: «Nadie conoce bien al Hijo (epiginoskei) sino el Padre, ni al Padre le conoce

bien nadie sino el Hijo, y aquel a quien el Hijo se lo quiera revelar» (*Mt* 11, 27; cfr *Lc* 10, 22).

Por tanto, Cristo, *el Hijo,* que conoce al Padre, *revela al Padre.* Y, al mismo tiempo *el Hijo es revelado por el Padre.* Jesús mismo, después de la confesión de Cesarea de Filipo, lo hace notar a Pedro, quien lo reconoce como «el Cristo, el Hijo de Dios vivo» (*Mt* 16, 16). «No te lo ha revelado esto la carne ni la sangre, sino mi Padre que está en los cielos» (*Mt* 16, 17).

5. Si la misión esencial de Cristo es revelar al Padre, que es «nuestro Dios» (cfr *Jn* 20, 17) al propio tiempo *Él mismo es revelado por el Padre como Hijo.* Este Hijo «siendo una sola cosa con el Padre» (cfr *Jn* 10, 30), puede decir: «El que me ha visto a mí, ha visto al Padre» (*Jn* 14, 9). En Cristo, Dios se ha hecho «visible»: en Cristo se hace realidad la «visibilidad» de Dios. Lo ha dicho concisamente San Ireneo: «La realidad invisible del Hijo era el Padre y la realidad visible del Padre era el Hijo» (*Adv. haer.*, IV, 6, 6).

Así, pues, en Jesucristo, se realiza la *autorrevelación de Dios* en toda su plenitud. En el momento oportuno se revelará luego el Espíritu que procede del Padre (cfr *Jn* 15, 26), y que el Padre enviará en el nombre del Hijo (cfr *Jn* 14, 26).

6. A la luz de estos misterios de la Trinidad y de la Encarnación, alcanza su justo significado la bienaventuranza proclamada por Jesús a sus discípulos: «¡Dichosos los ojos que ven lo que veis! Porque os digo que muchos profetas y reyes quisieron ver lo que vosotros veis, pero no lo vieron, y oír lo que vosotros oís, pero no lo oyeron» (*Lc* 10, 23-24).

Casi un vivo eco de estas palabras del Maestro parece resonar en la *Primera carta de Juan*: «Lo que existía desde el principio, *lo que hemos oído,* lo que *hemos visto* con nuestros ojos, lo que contemplaron y tocaron nuestras manos acerca de la Palabra de vida –pues la Vida se manifestó, y nosotros la hemos visto y damos testimonio y os anunciamos la Vida eterna...–, lo que hemos visto y oído, os lo anunciamos, para que también vosotros estéis en comunión con nosotros» (*1 Jn* 1, 1-3). En el prólogo de su Evangelio, el mismo Apóstol escribe: «... y hemos contemplado su gloria, gloria que recibe del Padre como Hijo único, lleno de gracia y de verdad» (*Jn* 1, 14).

7. Con referencia a esta verdad fundamental de nuestra fe, el Concilio Vaticano II, en la Constitución sobre la Divina Revelación, dice: «La verdad profunda de Dios y de la salvación del hombre, que transmite dicha revelación, resplandece en Cristo, mediador y plenitud de toda revelación» (*Dei Verbum,* 2). Aquí tenemos toda la dimensión de Cristo-Revelación de Dios, porque esta revelación de Dios es al propio tiempo *la revelación de la economía salvífica de Dios con respecto al hombre y al mundo.* En ella, como dice San Pablo a propósito de la predicación de los Apóstoles, se trata de «esclarecer cómo se ha dispensado el misterio escondido desde siglos en Dios, creador de todas las cosas» (*Ef* 3, 9). Es el misterio del plan de la salvación que Dios ha concebido desde la eternidad en la intimidad de la vida trinitaria, en la cual ha contemplado, querido, creado y «re-creado» las cosas del cielo y de la tierra, vinculándolas a la Encarnación y, por eso, a Cristo.

8. Recurramos una vez más al Concilio Vaticano II, donde leemos: «Jesucristo, Palabra hecha carne, 'hombre enviado a los hombres', 'habla las palabras de Dios' (*Jn* 3, 34) y realiza la obra de la salvación que el Padre le encargó (cfr *Jn* 5, 36; 17, 4)...». Él, «con su presencia y manifestaciones, con sus palabras y obras, signos y milagros, sobre todo con su muerte y gloriosa resurrección, con el envío del Espíritu de la verdad, lleva a plenitud toda la revelación y la confirma con testimonio divino, a saber: que

Dios está con nosotros para librarnos de las tinieblas del pecado y de la muerte y para hacernos resucitar a una vida eterna.

»La economía cristiana, por ser la alianza nueva y definitiva, nunca pasará; ni hay que esperar otra revelación pública antes de la gloriosa manifestación de Jesucristo, nuestro Señor (cfr *1 Tim* 6, 14 y *Tit* 2, 13)» (*Dei Verbum*, 4).

54. JESÚS, «EL TESTIGO FIEL»*

1. Leemos *en la Constitución «Lumen gentium» del Concilio Vaticano II, respecto a la misión terrena de Jesucristo:* «Vino, por tanto, el Hijo enviado por el Padre, quien nos eligió en Él antes de la creación del mundo y nos predestinó a ser hijos adoptivos, porque se complació en restaurar en Él todas las cosas (cfr *Ef* 1, 4-5 y 10). Así, pues, Cristo, en cumplimiento de la voluntad del Padre inauguró en la tierra el reino de los cielos, nos reveló su misterio y con su obediencia realizó la redención» (*Lumen gentium,* 3).

Este texto nos permite considerar de modo sintético todo lo que hemos hablado en las últimas catequesis. En ellas, hemos tratado de poner de relieve *los aspectos esenciales de la misión mesiánica de Cristo.* Ahora el texto conciliar nos propone de nuevo la verdad sobre la estrecha y *profunda conexión* que existe entre *esta misión y el mismo Enviado:* Cristo que, en su cumplimiento, manifiesta sus disposiciones y dotes personales. Se pueden subrayar ciertamente en toda la conducta de Jesús *algunas características fundamentales,* que tienen también expresión en su predicación y sirven para dar una plena credibilidad a su misión mesiánica.

* Audiencia general, 8-VI-1988.

2. Jesús en su predicación y en su conducta muestra, ante todo, su *profunda unión con el Padre* en el pensamiento y en las palabras. Lo que quiere transmitir a sus oyentes (y a toda la humanidad) proviene del Padre, que lo ha «enviado al mundo» (*Jn* 10, 36). «Porque yo *no* he hablado por *mi cuenta,* sino que *el Padre* que me ha enviado, me *ha mandado lo que tengo que decir y hablar,* y yo sé que su mandato es vida eterna. Por eso, lo que yo hablo, lo hablo como el Padre me lo ha dicho a mí» (*Jn* 12, 49-50). «Lo que el Padre me ha enseñado eso es lo que hablo» (*Jn* 8, 28). Así leemos en el Evangelio de Juan. Pero también en los Sinópticos se transmite una expresión análoga pronunciada por Jesús: «Todo me ha sido entregado por mi Padre» (*Mt* 11, 27). Y con este «todo», Jesús se refiere expresamente al contenido de la Revelación traída por Él a los hombres (cfr *Mt* 11, 25-27; análogamente *Lc* 10, 21-22). En estas palabras de Jesús encontramos la manifestación del Espíritu con el cual realiza su predicación. *Él es y permanece como «el testigo fiel»* (*Ap* 1, 5). En este testimonio se incluye y resalta esa especial «*obediencia*» del Hijo al Padre, que en el momento culminante se demostrará como «obediencia hasta la muerte» (cfr *Flp* 2, 8).

3. En la predicación, Jesús demuestra que su *fidelidad* absoluta al Padre, como fuente primera y última de «todo» lo que debe revelarse, es *el fundamento esencial de su veracidad y credibilidad.* «Mi doctrina no es mía, sino del que me ha enviado», dice Jesús, y añade: «El que habla por su cuenta busca su propia gloria, pero *el que busca la gloria del que le ha enviado* ése es veraz y no hay impostura en él» (*Jn* 7, 16. 18).

En la boca del Hijo de Dios pueden sorprender estas palabras. Las pronuncia el que es «de la misma naturaleza que el Padre». Pero no podemos olvidar que Él habla también *como hombre.* Tiene que lograr que sus oyentes no tengan duda alguna sobre un punto fundamental, esto es: *que la verdad que Él transmite es divina* y procede de Dios. Tiene que lograr que los hombres, al escucharle, encuentren en su palabra el acceso a la misma fuente divina de la verdad revelada. *Que no se detengan en quien la enseña,* sino que se dejen fascinar por la «originalidad» y por el «carácter extraordinario» de lo que en esta doctrina procede del mismo Maestro. El Maestro «no busca su propia gloria». Busca sólo y exclusivamente «la gloria del que le ha enviado». *No* habla *«en nombre propio»,* sino en nombre del Padre.

También es éste un aspecto del «despojo» (*kénosis*), que según San Pablo (cfr *Flp* 2, 7), alcanzará su culminación en el misterio de la cruz.

4. Cristo es el «testigo fiel». Esta *fidelidad* –en la búsqueda exclusiva de la gloria del Padre, no de la propia– brota del amor que pretende probar: «Ha de saber el mundo que amo al Padre» (*Jn* 14, 31). Pero su revelación del amor al Padre incluye también su *amor a los hombres.* Él «pasa haciendo el bien» (cfr *Hch* 10, 38). Toda su misión terrena está colmada de actos de amor hacia los más pequeños y necesitados. «Venid a mí todos los que estáis fatigados y sobrecargados y yo os daré descanso» (*Mt* 11, 28). «Venid»: es una invitación que supera el círculo de los coetáneos que Jesús podía encontrarse en los días de su vida y de su sufrimiento sobre la tierra: es una llamada para los pobres de todos los tiempos, siempre actual, también hoy, siempre volviendo a brotar en los labios y en el corazón de la Iglesia.

5. Paralela a esta exhortación hay otra: «*Aprended de mí que soy manso y humilde de corazón* y hallaréis descanso para vuestras almas» (*Mt* 11, 29). La mansedumbre y humildad de Jesús llegan a ser atractivas para quien es llamado a acceder a su escuela: «Aprended de mí». Jesús

es *«el testigo fiel» del amor que Dios nutre para con el hombre.* En su testimonio están asociados la verdad divina y el amor divino. Por eso, entre la palabra y la acción, entre *lo que Él hace y lo que Él enseña hay una profunda cohesión,* se diría que casi una homogeneidad. Jesús no sólo enseña el amor como el mandamiento supremo, sino que *Él mismo lo cumple del modo más perfecto.* No sólo proclama las bienaventuranzas en el sermón de la montaña, sino que ofrece en Sí mismo la encarnación de este sermón durante toda su vida. No sólo plantea la exigencia de amar a los enemigos, sino que Él mismo la cumple, sobre todo en el momento de la crucifixión: «Padre, perdónales, porque no saben lo que hacen» (*Lc* 23, 34).

6. Pero esta «mansedumbre y humildad de corazón» en modo alguno significa debilidad. Al contrario, *Jesús es exigente.* Su Evangelio es exigente. ¿No ha sido Él quien ha advertido: «El que no toma su cruz y me sigue detrás no es digno de mí»? Y poco después: «El que encuentre su vida la perderá y el que pierda su vida por mí la encontrará» (*Mt* 10, 38-39). Es una especie de radicalismo no sólo en el lenguaje evangélico, sino en las exigencias reales del seguimiento de Cristo, de los que no duda en reafirmar con frecuencia toda su amplitud: «No penséis que he venido a traer paz a la tierra. No he venido a traer paz, sino espada» (*Mt* 10, 34). Es un modo fuerte de decir que el Evangelio es también una fuente de «inquietud para el hombre». Jesús quiere hacernos comprender que el Evangelio es exigente y que exigir quiere decir también agitar las conciencias, no permitir que se recuesten en una falsa «paz», en la cual se hacen cada vez más insensibles y obtusas, en la medida en que en ellas se vacían de valor las realidades espirituales, perdiendo toda resonancia. Jesús dirá ante Pilato: «Para esto he venido al mundo: *para dar testimonio de la verdad*» (*Jn* 18, 37). Estas palabras conciernen también a la luz que Él proyecta sobre el campo

entero de las acciones humanas, borrando la oscuridad de los pensamientos y especialmente de las conciencias para hacer triunfar la verdad en todo hombre. Se trata, pues, de ponerse del lado de la verdad. «Todo el que es de la verdad escucha mi voz», dirá Jesús (*Jn* 18, 37). Por ello, Jesús es exigente. No duro o inexorablemente severo; pero fuerte y sin equívocos cuando llama a alguien a vivir en la verdad.

7. De este modo, las exigencias del Evangelio de Cristo *penetran en el campo de la ley y de la moral.* Aquel que es el «testigo fiel» (*Ap* 1, 5) de la verdad divina, de la verdad del Padre, dice desde el comienzo del sermón de la montaña: «Por tanto, el que traspase uno de estos mandamientos más pequeños y así lo enseñe a los hombres, será el más pequeño en el reino de los cielos» (*Mt* 5, 19). Al exhortar a la conversión, no duda en reprobar a las mismas ciudades donde la gente rechaza creerlo: «¡Ay de ti, Corozaín! ¡Ay de ti, Betsaida!» (*Lc* 10, 13). Mientras amonesta a todos y cada uno: «*...si no os convertís, todos pereceréis*» (*Lc* 13, 3).

8. Así, el Evangelio de la mansedumbre y de la humildad va al mismo paso que el Evangelio de las exigencias morales y hasta de las severas amenazas a quienes no quieren convertirse. *No hay contradicción* entre el uno y el otro. Jesús vive de la verdad que anuncia y el amor que revela y es éste un amor exigente como la verdad de la que deriva. Por lo demás, el amor ha planteado *las mayores exigencias a Jesús mismo* en la hora de Getsemaní, en la hora del Calvario, en la hora de la cruz. Jesús ha aceptado y secundado estas exigencias hasta el fondo, porque, como nos advierte el Evangelista, Él «amó hasta el extremo» (*Jn* 13, 1). Se trata de un amor fiel, por lo cual, el día antes de su muerte, podía decir al Padre: «Las palabras que tú me diste se las he dado a ellos» (*Jn* 17, 8).

9. Como «testigo fiel», Jesús ha cumplido *la misión* recibida del Padre en la profundidad *del misterio trinitario.* Era una misión eterna, incluida en el pensamiento del Padre que lo engendraba y predestinaba a cumplirla «en la plenitud de los tiempos» para la salvación del hombre –de todo hombre– y para el bien perfecto de toda la creación. Jesús tenía conciencia de esta misión suya en el centro del plan creador y redentor del Padre; y, por ello, con todo el realismo de la verdad y del amor traídos al mundo, podía decir: «Cuando sea levantado de la tierra, atraeré a todos hacia mí» (*Jn* 12, 32).

Sección II
JESUCRISTO Y LA IGLESIA

55. JESÚS FUNDADOR DE LA IGLESIA*

1. «El tiempo se ha cumplido y el *reino de Dios está cerca;* convertíos y creed en la Buena Nueva» (*Mc* 1, 15). En el comienzo del Evangelio de Marcos, se dicen estas palabras casi para resumir brevemente la misión de Jesús de Nazaret, Aquel que ha «venido para anunciar la Buena Nueva». En el centro de su anuncio se encuentra la revelación del reino de Dios, que se acerca y, más aún, ha entrado en la historia del hombre («El tiempo se ha cumplido»).

2. Proclamando la verdad sobre el reino de Dios, Jesús anuncia al mismo tiempo *el cumplimiento de las promesas contenidas en el Antiguo Testamento.* Del reino de Dios hablan ciertamente con frecuencia los versículos de los Salmos (cfr *Sal* 102/103, 19; *Sal* 92/93, 1). El Salmo 144/145 canta la gloria y la majestad de este reino y señala simultáneamente su eterna duración: «Tu reino, un reino por los siglos todos, tu dominio, por todas las edades» (*Sal* 144/145, 13). Los posteriores libros del Antiguo Testamento vuelven a tratar este tema. Concretamente, puede recordarse el anuncio profético, especialmente elocuente del libro de Daniel: «...el Dios del cielo hará surgir un rei-

* Audiencia general, 15-VI-1988.

no que jamás será destruido y este reino no pasará a otro pueblo. Pulverizará y aniquilará a todos estos reinos y subsistirá eternamente» (*Dan* 2, 44).

3. Refiriéndose a estos anuncios y promesas del Antiguo Testamento, el Concilio Vaticano II constata y afirma: «Este reino brilla ante los hombres en las palabras, en las obras y en la presencia de Cristo» (*Lumen gentium,* 5)... «Cristo, en cumplimiento de la voluntad del Padre, *inauguró en la tierra el reino de los cielos*» (*Lumen gentium,* 3). Al mismo tiempo, el Concilio subraya que «nuestro Señor Jesús dio comienzo a la Iglesia predicando la Buena Nueva, es decir, la llegada del reino de Dios prometido desde siglos en la Escritura...» (*Lumen gentium,* 5). *El inicio de la Iglesia, su fundación por Cristo, se inscribe en el Evangelio del reino de Dios,* en el anuncio de su venida y de su presencia entre los hombres. Si el reino de Dios se ha hecho presente entre los hombres gracias a la venida de Cristo, a sus palabras y a sus obras, es también verdad que, por expresa voluntad suya, «está presente en la Iglesia, actualmente en misterio, y por el poder de Dios crece visiblemente en el mundo» (*Lumen gentium,* 3).

4. Jesús dio a conocer de varias formas a sus oyentes la venida del reino de Dios. Son sintomáticas las palabras que pronunció a propósito de la «expulsión del demonio» fuera de los hombres y del mundo: «...si por el dedo de Dios expulso yo a los demonios..., es que ha llegado a vosotros el reino de Dios» (*Lc* 11, 20). *El reino de Dios significa,* realmente, *la victoria sobre el poder del mal* que hay en el mundo y sobre aquel que es su principal agente escondido. Se trata del espíritu de las tinieblas, dueño de este mundo; se trata de todo pecado que nace en el hombre por efecto de su mala voluntad y bajo el influjo de aquella arcana y maléfica presencia. Jesús, que ha venido para perdonar los pecados, incluso cuando cura de las en-

fermedades, advierte que la liberación del mal físico es señal de la liberación del mal más grave que arruina el alma del hombre. Hemos explicado esto con mayor amplitud en las catequesis anteriores.

5. Los diversos signos del poder salvífico de Dios ofrecidos por Jesús con sus milagros, conectados con su Palabra, abren el camino para la comprensión de la verdad del reino de Dios en medio de los hombres. Él explica esta verdad, *sirviéndose* especialmente *de las parábolas,* entre las cuales se encuentran la *del sembrador y la de la semilla.* La semilla es la Palabra de Dios, que puede ser acogida de modo que crezca en el terreno del alma humana o, por diversos motivos, no ser acogida o serlo de un modo que no pueda madurar y dar fruto en el tiempo oportuno (cfr *Mc* 4, 14-20). Pero he aquí otra parábola que nos pone frente al misterio del desarrollo de la semilla por obra de Dios: «El reino de Dios es como un hombre que echa el grano en la tierra; duerma o se levante, de noche o de día, el grano brota y crece sin que él sepa cómo. La tierra da el fruto por sí misma, primero hierba, luego, espiga, después, trigo abundante en la espiga» (*Mc* 4, 26-28). Es el poder de Dios el que «hace crecer», dirá San Pablo (*1 Cor* 3, 6 ss.) y, como escribe el Apóstol, es Él quien da «el querer y el obrar» (*Flp* 2, 13).

6. *El reino de Dios,* o «reino de los cielos», como dice Mateo (cfr 3, 2, etc.), ha entrado *en la historia del hombre sobre la tierra por medio de Cristo* que también, durante su pasión y en la inminencia de su muerte en la cruz, habla de Sí mismo como de un Rey y, a la vez, explica el carácter del reino que ha venido a inaugurar sobre la tierra. *Sus respuestas a Pilato,* recogidas en el cuarto Evangelio (*Jn* 18, 33 ss.), sirven como texto clave para la comprensión de este punto. Jesús se encuentra frente al Gobernador romano, a quien ha sido entregado por el Sanedrín bajo la

acusación de haberse querido hacer «Rey de los judíos». Cuando Pilato le presente este hecho, Jesús responde: «Mi reino no es de este mundo. Si mi reino fuese de este mundo, mi gente habría combatido para que no fuese entregado a los judíos» (*Jn* 18, 36). Pese a que Cristo *no es un rey en el sentido terreno* de la palabra, ese hecho no cancela el otro sentido de su reino, que Él explica en la respuesta a una nueva pregunta de su juez. Luego, «¿Tú eres rey?», pregunta Pilato. Jesús responde con firmeza: «Sí, como dices, soy rey. Yo para esto he nacido y para esto he venido al mundo: para dar testimonio de la verdad. Todo el que es de la verdad, escucha mi voz» (*Jn* 18, 37). Es la más neta e inequívoca proclamación de la propia realeza, pero también de su carácter transcendente, que confirma el valor más profundo del espíritu humano y la base principal de las relaciones humanas: «la verdad».

7. El reino que Jesús, *como Hijo de Dios encarnado,* ha inaugurado en la historia del hombre, siendo *de Dios,* se establece y crece en el espíritu del hombre con la fuerza de la verdad y de la gracia, que proceden de Dios, como nos han hecho comprender las parábolas del sembrador y de la semilla, que hemos resumido. Cristo es el sembrador de esta verdad. Pero, *en definitiva será por medio de la cruz* como realizará su realeza y llevará a cabo la obra de la salvación en la historia de la humanidad: «Yo, cuando sea elevado de la tierra, atraeré a todos hacia mí» (*Jn* 12, 32).

8. Todo esto se trasluce también de la enseñanza de Jesús sobre el Buen Pastor, que «da su vida por las ovejas» (*Jn* 10, 11). Esta *imagen del pastor* está estrechamente *ligada con la del rebaño* y de las ovejas que escuchan la voz del pastor. Jesús dice que es el Buen Pastor que «conoce a sus ovejas y ellas le conocen» (*Jn* 10, 14). Como Buen Pastor busca a la oveja perdida (cfr *Mt* 18, 12; *Lc* 15, 4), e incluso piensa en las «otras ovejas que no son de este redil»:

también a ésas las «tiene que conducir» para que «escuchen su voz y haya un solo rebaño y un solo pastor» (*Jn* 10, 16). Se trata, pues, de una realeza universal, ejercida con ánimo y estilo de pastor, para llevar a todos a vivir en la verdad de Dios.

9. Como se ve, toda *la predicación de Cristo, toda su misión* mesiánica se orienta a «reunir» el rebaño. No se trata solamente de cada uno de sus oyentes, seguidores, imitadores. Se trata de una «asamblea», que en arameo se dice *«kehala»* y, en hebreo, *«qahal»*, que corresponde al griego, *«ekklesia»*. La palabra griega deriva de un verbo que significa «llamar» («llamada» en griego se dice *«klesis»*) y esta derivación etimológica sirve para hacernos comprender que, lo mismo que en la Antigua Alianza Dios había «llamado» a su pueblo Israel, así Cristo *llama al nuevo Pueblo de Dios* escogiendo y buscando sus miembros entre todos los hombres. Él los atrae a Sí y los reúne en torno a su persona por medio de la palabra del Evangelio y con el poder redentor del misterio pascual. Este poder divino, manifestado de forma definitiva en la resurrección de Cristo, confirmará el sentido de las palabras que una vez se dijeron a Pedro: «sobre esta piedra edificaré mi Iglesia» (*Mt* 16, 18), es decir: la nueva asamblea del reino de Dios.

10. La Iglesia-Ecclesia-Asamblea recibe de Cristo *el mandamiento nuevo:* «Os doy un mandamiento nuevo: que os améis los unos a los otros. Que, como yo os he amado... en esto conocerán todos que sois discípulos míos» (*Jn* 13, 34-35; cfr *Jn* 15, 12). Es cierto que la «asamblea-Iglesia» recibe de Cristo también su estructura externa (de lo que trataremos próximamente), pero su valor *esencial es la comunión con el mismo Cristo:* es Él quien «reúne» la Iglesia, es Él quien la «edifica» constantemente como su Cuerpo (cfr *Ef* 4, 12), como reino de Dios con

dimensión universal. «Vendrán de Oriente y de Occidente, del Norte y del Sur y se pondrán a la mesa (con Abraham, Isaac y Jacob) en el reino de Dios» (cfr *Lc* 13, 28-29).

56. JESÚS FUNDADOR DE LA ESTRUCTURA MINISTERIAL DE LA IGLESIA*

1. Hemos dicho en la catequesis anterior que toda la misión de Jesús de Nazaret, su enseñanza, los signos que hacía, hasta el supremo de todos, la resurrección («el signo del Profeta Jonás») estaban destinados a «reunir» a los hombres. Esta «*asamblea*» del nuevo Pueblo de Dios es el primer esbozo de la Iglesia, en la cual, por voluntad e institución de Cristo, debe verificarse y perdurar, en la historia del hombre, el reino de Dios iniciado con la venida y con la misión mesiánica de Cristo. Jesús de Nazaret *anunciaba el Evangelio* a todos los que le seguían para escucharlo, pero, al mismo tiempo, llamó a algunos, de modo especial, a seguirlo a fin de prepararlos Él mismo para una misión futura. Se trata, por ejemplo, de la vocación de Felipe (*Jn* 1, 43), de Simón (*Lc* 5, 10) y de Leví, el publicano: también a él se dirige Cristo con su «sígueme» (cfr *Lc* 5, 27-28).

2. De especial relieve es para nosotros el hecho de que entre sus discípulos Jesús *haya elegido a los Doce:* una elección que *tenía* también el carácter de una «institución». El Evangelio de Marcos (3, 14) emplea a este respecto la expresión: «instituyó» (en griego, *epoihsen*) palabra que en el texto griego de los Setenta se aplica también a la obra de la creación; por eso, el texto original hebreo usa la palabra *bara,* que no tiene en griego un término que le corresponda con precisión: *bara* expresa aquello

* Audiencia general, 22-VI-1988.

que sólo Dios mismo «hace», creando de la nada. En todo caso, también la expresión griega *epoihsen* es lo suficientemente *elocuente* en relación con los Doce. Habla de su institución como de una acción decisiva de Cristo, que ha producido una nueva realidad. Las funciones –las tareas– que los Doce reciben son consecuencia de aquello en que se han convertido en virtud de la institución por parte de Cristo (instituyó = hizo).

3. Es sintomático también *el modo cómo Jesús ha realizado la elección de los Doce.* «...Jesús se fue al monte a orar y se pasó la noche en la oración de Dios. Cuando se hizo de día llamó a sus discípulos y eligió doce de entre ellos *a los que llamó también Apóstoles*» (*Lc* 6, 12-13). Siguen los nombres de los elegidos, Simón, a quien Jesús da el nombre de Pedro, Santiago y Juan (Marcos precisa que eran hijos de Zebedeo y que Jesús les dio el sobrenombre de *Boanerges,* que significa «hijos del trueno»), Felipe, Bartolomé, Mateo, Tomás, Santiago, hijo de Alfeo, Simón, llamado el Zelotes, Judas de Santiago, y Judas Iscariote, «que llegó a ser un traidor» (*Lc* 6, 16). Hay concordancia entre las listas de los Doce que se encuentran en los tres Evangelios sinópticos y en los Hechos de los Apóstoles, aparte de alguna pequeña diferencia.

4. Jesús mismo hablará un día de esta elección de los Doce subrayando el motivo por el que la hizo: «No me habéis elegido vosotros a mí, sino que yo os he elegido a vosotros» (*Jn* 15, 16); y añadirá: «Si fueseis del mundo, el mundo amaría lo suyo, pero, como no sois del mundo, porque yo, al elegiros, os he sacado del mundo, por eso os odia el mundo» (*Jn* 15, 19).

Jesús había instituido a los Doce *«para que estuvieran con Él»,* para poderlos «enviar a predicar con poder de expulsar a los demonios» (*Mc* 3, 14-15). Han sido, pues, elegidos e «instruidos» *para una misión precisa.* Son unos enviados (= «apostoloi»). En el texto de Juan leemos también: «No me habéis elegido vosotros a mí, sino que yo os he elegido a vosotros y os he destinado *para que vayáis y deis fruto* y que vuestro fruto permanezca» (*Jn* 15, 16). Este «fruto» viene designado en otro apartado con la imagen de la «pesca», cuando Jesús, después de la pesca milagrosa en el lago de Genesaret, dice a Pedro, todo emocionado por aquel hecho prodigioso: «No temas, desde ahora *serás pescador de hombres*» (*Lc* 5, 10).

5. Jesús pone la misión de los Apóstoles en relación de continuidad con la propia misión cuando en la oración (sacerdotal) de la Última Cena dice al Padre: «*Como tú me has enviado al mundo, yo también los he enviado al mundo*» (*Jn* 17, 18). En este contexto se hacen también comprensibles otras palabras de Jesús: «*Yo por mi parte dispongo un reino para vosotros como mi Padre lo dispuso para mí*» (*Lc* 22, 29). Jesús no dice a los Apóstoles simplemente: «A vosotros se os ha dado el misterio del reino de Dios» (*Mc* 4, 11), como si les fuese «dado» de una forma sólo cognoscitiva, sino que «transmite» a los Apóstoles el reino que Él mismo ha iniciado con su misión mesiánica sobre la tierra. Este reino «dispuesto» para el Hijo por el Padre es el cumplimiento de las promesas hechas ya en la Antigua Alianza. El *número* mismo de los «*doce*» apóstoles *corresponde*, en las palabras de Cristo, a las «doce tribus de Israel»: «...vosotros que me habéis seguido, en la regeneración, cuando el Hijo del hombre se siente en su trono de gloria, os sentaréis también vosotros en doce tronos para juzgar a las doce tribus de Israel» (*Mt* 19, 28, y también *Lc* 22, 30). Los Apóstoles –«los Doce»– como *inicio del nuevo Israel* son al mismo tiempo «situados» *en la perspectiva escatológica* de la vocación de todo el Pueblo de Dios.

6. Después de la resurrección, Cristo, antes de enviar definitivamente a los Apóstoles a todo el mundo, vincula

a su servicio la administración de los sacramentos del bautismo (cfr *Mt* 28, 18-20), de la Eucaristía (cfr *Mc* 14, 22-24 y paralelos) y la penitencia y reconciliación (cfr *Jn* 20, 22-23), instituidos por Él como signos salvíficos de la gracia. *Los Apóstoles son dotados, por tanto, de autoridad sacerdotal y pastoral en la Iglesia.*

De la institución de la estructura *sacramental* de la Iglesia hablaremos en la próxima catequesis. Aquí queremos hacer notar la institución de la estructura *ministerial,* ligada a los Apóstoles y, en consecuencia, a la sucesión apostólica en la Iglesia. A este respecto debemos también recordar las palabras con las cuales Jesús describió y luego instituyó el especial *ministerium* de Pedro: «Y yo, a mi vez, te digo que tú eres Pedro y sobre esta piedra edificaré mi Iglesia, y las puertas del infierno no prevalecerán contra ella. A ti te daré las llaves del reino de los cielos; y lo que ates en la tierra quedará atado en los cielos y lo que desates en la tierra quedará desatado en los cielos» (*Mt* 16, 18-19). Todas las semejanzas que observamos, nos hacen percibir la idea de la Iglesia-reino de Dios, dotada de una estructura ministerial, tal como estaba en el pensamiento de Jesús.

7. Las cuestiones del *ministerium* y al mismo tiempo del sistema jerárquico de la Iglesia se profundizarán de una manera más detallada en el siguiente ciclo de catequesis eclesiológicas. Aquí es oportuno hacer notar solamente el especial significado que concierne a la dolorosa experiencia de la pasión y de la muerte de Cristo en la cruz. Al prever la negación de Pedro, Jesús dice al Apóstol: «*...pero yo he rogado por ti para que tu fe no desfallezca. Y tú,* cuando hayas vuelto, *confirma a tus hermanos*» (*Lc* 22, 32). Más tarde, después de la resurrección, obtenida la triple confesión de amor por parte de Pedro («Señor, Tú sabes que te quiero»), Jesús le confirma definitivamente

su misión pastoral universal: «*Apacienta mis ovejas*» (cfr *Jn* 21, 15-17).

8. Podemos decir, por consiguiente, que los diferentes pasajes del Evangelio indican claramente que *Jesucristo* transmite a los Apóstoles «el reino» y «la misión» que Él mismo recibió del Padre y, a la vez, instituye *la estructura fundamental de su Iglesia*, donde este reino de Dios, mediante la continuidad de la misión mesiánica de Cristo, debe realizarse en todas las naciones de la tierra, como cumplimiento mesiánico y escatológico de las eternas promesas de Dios. Las últimas palabras dirigidas por Jesús a los Apóstoles, antes de su regreso al Padre, expresan de manera definitiva la realidad y las dimensiones de esta institución: «Me ha sido dado todo poder en el cielo y en la tierra. Id, pues, y *haced discípulos a todas las gentes* bautizándolas en el nombre del Padre y del Hijo y del Espíritu Santo, y enseñándoles a guardar todo lo que yo os he mandado. Y he aquí que yo estoy con vosotros todos los días hasta el fin del mundo» (*Mt* 28, 18-20, y también *Mc* 16, 15-18 y *Lc* 24, 47-48).

57. JESÚS FUNDADOR DE LA ESTRUCTURA SACRAMENTAL DE LA IGLESIA*

1. «He aquí que *Yo estoy con vosotros todos los días hasta el fin del mundo*» (*Mt* 18, 20). Estas palabras, pronunciadas por Jesús resucitado cuando envió a los Apóstoles a todo el mundo, testifican que el Hijo de Dios, que, viniendo al mundo, dio comienzo al reino de Dios en la historia de la humanidad, lo transmitió a los Apóstoles en estrecha vinculación con la continuación de su misión mesiánica («Yo, por mi parte, dispongo un reino para vo-

* Audiencia general, 13-VII-1988.

sotros, como mi Padre lo dispuso para mí», *Lc* 22, 29). Para la realización de este reino y el cumplimiento de su misma misión, Él *instituyó en la Iglesia una estructura visible «ministerial»*, que debía durar «hasta el fin del mundo», en los sucesores de los Apóstoles, según el principio de transmisión sugerido por las palabras mismas de Jesús resucitado. Es un *«ministerium»* ligado al *«mysterium»*, por el cual los Apóstoles se consideran y quieren ser considerados «servidores de Cristo y administradores de los misterios de Dios» (*1 Cor* 4, 1). La *estructura ministerial* de la Iglesia supone e incluye una *estructura sacramental* que es «de servicio» en sus dimensiones (*ministerium* = servicio).

2. Esta relación entre *ministerium* y *mysterium* recuerda una verdad teológica fundamental: Cristo ha prometido no sólo estar «con los Apóstoles», esto es «con» la Iglesia, hasta el fin del mundo, sino también *estar Él mismo «en» la Iglesia como fuente y principio de vida divina*: de la «vida eterna» que pertenece a Aquel que ha confirmado, por medio del misterio pascual, su poder victorioso sobre el pecado y la muerte. Mediante el servicio apostólico de la Iglesia, Cristo desea transmitir a los hombres esta vida divina, *para que puedan «permanecer en Él y Él en ellos»*, según se expresa en la parábola de la vid y los sarmientos, que forma parte del discurso de despedida, recogido en el Evangelio de Juan (*Jn* 15, 5 ss.). «Yo soy la vid, vosotros los sarmientos. El que permanece en mí y yo en él, ése da mucho fruto; porque, separados de mí, no podéis hacer nada» (*Jn* 15, 5).

3. Así, pues, por institución de Cristo, *la Iglesia posee* no solo una estructura ministerial visible y «externa», sino al mismo tiempo (y sobre todo) *una capacidad «interior», que pertenece a una esfera invisible, pero real, donde se halla la fuente de toda donación de la vida divina,* de la

participación en la vida trinitaria de Dios: de esa vida que es Cristo y que de Cristo, por mediación del Espíritu Santo, se comunica a los hombres en cumplimiento del plan salvífico de Dios. *Los sacramentos*, instituidos por Cristo, *son los signos visibles de esta capacidad* de transmitir la vida nueva, el nuevo don de sí que Dios mismo hace al hombre, esto es, la gracia. Los sacramentos la significan y *al propio tiempo la comunican.* También dedicaremos a los sacramentos de la Iglesia un ciclo de catequesis. Lo que ahora nos urge es hacer notar antes que nada la esencial unión de los sacramentos con la misión de Cristo, quien, al fundar la Iglesia *la dotó de una estructura sacramental.* Como signos, los sacramentos pertenecen al orden visible de la Iglesia. Simultáneamente, lo que ellos significan y comunican, la vida divina, pertenece al *mysterium* invisible, del cual deriva la vitalidad sobrenatural del Pueblo de Dios en la Iglesia. Ésta es la dimensión invisible de la vida de la Iglesia que, al participar en el misterio de Cristo, de Él saca esa vida, como de una fuente que ni se seca ni se secará y que se identifica más y más con Él, única «vid» (cfr *Jn* 15, 1).

4. En este punto debemos al menos reseñar la específica inserción de los sacramentos en la estructura ministerial de la Iglesia.

Sabemos que, durante su actividad pública, Jesús «realizaba signos» (cfr p. ej., *Jn* 2, 23; 6, 2 ss.). Cada uno de ellos constituía la manifestación del poder salvífico (omnipotencia) de Dios, liberando a los hombres del mal físico. Pero, a la vez, estos signos, es decir, los milagros, precisamente por ser signos, señalaban *la superación del mal moral*, la transformación y la renovación del hombre en el Espíritu Santo. *Los signos sacramentales*, con los que Cristo ha dotado a su Iglesia, deben servir al mismo objetivo. Esto está claro en el Evangelio.

5. Ante todo en lo que se refiere al *bautismo*. Este signo de la purificación espiritual lo usaba ya Juan el Bautista de quien Jesús recibió «el bautismo de penitencia en el Jordán» (cfr *Mc* 1, 9 y par.). Pero el mismo Juan distinguía claramente el bautismo administrado por él y el que administraría Cristo: «Aquel que viene detrás de mí... *os bautizará en Espíritu Santo*» (*Mt* 3, 11). Encontramos además en el cuarto Evangelio una alusión interesante al «bautismo» que administraba Jesús, y más concretamente sus discípulos en «la región de Judea», diferente del de Juan (cfr *Jn* 3, 22. 26; 4, 2). A su vez, Jesús habla, *del bautismo* que Él mismo debe recibir, *indicando* con estas palabras su futura *pasión y muerte en la cruz*: «Con un bautismo tengo que ser bautizado y ¡qué angustiado estoy hasta que se cumpla!» (*Lc* 12, 50). Y a los dos hermanos, Juan y Santiago, pregunta: «¿Podéis beber el cáliz que yo voy a beber, o ser bautizados con el bautismo con que yo voy a ser bautizado?» (*Mc* 10, 38).

6. Si queremos referirnos propiamente al *sacramento* que se transmitirá a la Iglesia, encontramos la referencia especialmente en las *palabras* de Jesús a Nicodemo: «En verdad, en verdad te digo, el que *no nazca del agua y del Espíritu no puede entrar en el reino de Dios*» (*Jn* 3, 5).

Al enviar a los Apóstoles a predicar el Evangelio a todo el mundo, Jesús les mandó que administraran este bautismo: el bautismo «en el nombre del Padre y del Hijo y del Espíritu Santo» (*Mt* 28, 19), y precisó: «el que crea y sea bautizado se salvará» (*Mc* 16, 16). «Ser salvado», «entrar en el reino de Dios», quiere decir *tener la vida divina que Cristo da, como «la vid a los sarmientos»* (*Jn* 15, 1), por obra de este «bautismo» con el cual Él mismo ha sido «bautizado» en el misterio pascual de su muerte y resurrección. San Pablo presentará magníficamente el bautismo cristiano como «inmersión en la muerte de Cristo» para permanecer unidos a Él en la resurrección y vivir una vida nueva (cfr *Rom* 6, 3-11). *El bautismo es el comienzo sacramental de esta vida en el hombre*.

La importancia fundamental del bautismo para la participación en la vida divina la ponen de relieve las palabras con las que Cristo envía a los Apóstoles a predicar el Evangelio por todo el mundo (cfr *Mt* 28, 19).

7. Los mismos Apóstoles, en estrecha unión con la Pascua de Cristo, han sido *provistos de la autoridad de perdonar los pecados*. También Cristo naturalmente poseía esa autoridad: «...el Hijo del hombre tiene en la tierra poder de perdonar pecados» (*Mt* 9, 6). El mismo poder lo transmitió a los Apóstoles después de la resurrección cuando sopló sobre ellos y dijo: «Recibid el Espíritu Santo. A quienes perdonéis los pecados, les quedarán perdonados, a quienes se los retengáis les quedan retenidos» (*Jn* 20, 22-23). *«Perdonar los pecados»* significa en positivo *restituir* al hombre *la participación en la vida divina que hay en Cristo*. El sacramento de la penitencia (o de la reconciliación) está, pues, unido de modo esencial con el misterio de «la vid y de los sarmientos».

8. Sin embargo, la plena expresión de esta comunión de vida con Cristo es la *Eucaristía*. Jesús instituyó este sacramento el día antes de su muerte redentora en la cruz, durante la Última Cena (la cena pascual) en el Cenáculo de Jerusalén (cfr *Mc* 14, 22-24; *Mt* 26, 26-30; *Lc* 22, 19-20 y *1 Cor* 11, 23-26). El sacramento es el *signo* duradero *de la presencia* de su Cuerpo entregado a la muerte y de su Sangre derramada «para el perdón de los pecados» y, al mismo tiempo, cada vez que se celebra, *se hace presente el sacrificio salvífico del Redentor del mundo*. Todo esto acontece bajo el signo sacramental del pan y del vino y, por consiguiente, del banquete pascual, unido por Jesús al misterio mismo de la cruz, como nos recuerdan las palabras de la institución, repetidas en la fórmula sacra-

mental: «Éste es mi Cuerpo, que será entregado por vosotros; éste es el cáliz de mi Sangre, que será derramada por vosotros y por todos para el perdón de los pecados».

9. El alimento y la bebida, que en el orden temporal sirven para el sustento de la vida humana, *en su significación sacramental indican y producen la participación en la vida divina*, que es Cristo, «la Vid». Él, con el precio de su sacrificio redentor, transmite esta vida a los «sarmientos», sus discípulos y seguidores. Lo ponen de relieve las palabras del anuncio eucarístico pronunciadas en la sinagoga de Cafarnaún: «*Yo soy el pan vivo* bajado del cielo. *Si uno come de este pan vivirá para siempre* y el pan que Yo le voy a dar es mi Carne por la vida del mundo» (*Jn* 6, 51). «El que come mi carne y bebe mi sangre tiene vida eterna y Yo lo resucitaré el último día» (*Jn* 6, 54).

10. La Eucaristía, como *signo del banquete fraterno*, está estrechamente vinculada con la promulgación del *mandamiento del amor mutuo* (cfr *Jn* 13, 34; 15, 12). Según la enseñanza paulina, este amor une íntimamente a todos los que integran la comunidad de la Iglesia: «un solo pan y un solo cuerpo somos, pues todos participamos de un solo pan» (*1 Cor* 10, 17). En esta unión, fruto del amor fraterno, se refleja de alguna manera, *la unidad trinitaria del Hijo con el Padre*, según resulta de la oración de Jesús: «para que todos sean uno como Tú, Padre, en mí y Yo en ti...» (*Jn* 17, 21). La Eucaristía es la que nos hace partícipes de la unidad de la vida de Dios, según las palabras de Jesús: «Lo mismo que el Padre, que vive, me ha enviado y yo vivo por el Padre, también el que me coma vivirá por mí» (*Jn* 6, 57).

Precisamente por esto la Eucaristía es el sacramento que *de modo particularísimo «edifica la Iglesia»* como comunidad de los que participan en la vida de Dios por medio de Cristo única «Vid».

58. JESUCRISTO TRANSMITE A LA IGLESIA EL PATRIMONIO DE LA SANTIDAD*

1. «*Permaneced en mí, como yo en vosotros...*» (*Jn* 15, 4). Estas palabras de la parábola de la vid y los sarmientos configuran lo que, por voluntad de Cristo, debe ser la Iglesia en su estructura interna. El «permanecer» en Cristo significa un vínculo vital con Él, fuente de vida divina. Dado que Cristo llama a la Iglesia a la existencia, dado que le concede también una estructura ministerial «externa», «edificada» sobre los Apóstoles, no hay duda de que el «*ministerium*» de los Apóstoles y de sus sucesores, al igual que el de toda la Iglesia, debe permanecer al servicio del «*mysterium*»: y este *mysterium es el de la vida, la participación en la vida de Dios*, que hace de la Iglesia una comunidad de hombres vivos. Para esta finalidad la Iglesia recibe de Cristo la «estructura sacramental», de la cual hemos hablado en la última catequesis. Los sacramentos son los «signos» de la acción salvífica de Cristo, que derrota los poderes del pecado y de la muerte injertando y fortificando en los hombres los poderes de la gracia y de la vida, cuya plenitud es Cristo.

2. Esta *plenitud de gracia* (cfr *Jn* 1, 14) y esta vida sobreabundante (cfr *Jn* 10, 10) *se identifican con la santidad.* La santidad está en Dios y sólo desde Dios puede llegar a la creatura, en concreto, al hombre. Es una verdad que recorre toda la Antigua Alianza: Dios es Santo y llama a la santidad. Son memorables estas exhortaciones de la ley mosaica: «Sed santos, porque yo, Yahvéh, vuestro Dios, soy santo» (*Lev* 19, 2). «Guardad mis preceptos y cumplidlos. Yo soy Yahvéh el que os santifico» (*Lev* 20, 8). Aunque estas citas proceden del Levítico, que era el código cultual de Israel, la *santidad* ordenada y recomendada

* Audiencia general, 20-VII-1988.

por Dios no puede entenderse sólo en un sentido ritual, sino también *en sentido moral:* se trata de aquello que, de la forma más esencial, asemeja al hombre con Dios y lo hace digno de acercarse a Dios en el culto: la justicia y la pureza interior.

3. *Jesucristo* es la encarnación viva de esta santidad. Él mismo se presenta como «aquel a quien el Padre ha santificado y enviado al mundo» (*Jn* 10, 36). De Él, el mensajero de su nacimiento dice a María: «El que ha de nacer será santo y será llamado Hijo de Dios» (*Lc* 1, 35). Los Apóstoles son testigos de esta santidad, como proclama Pedro en nombre de todos: «Nosotros creemos y sabemos que tú eres el Santo de Dios» (*Jn* 6, 69). Es una santidad que se fue manifestando cada vez más a lo largo de su vida, comenzando por la infancia (cfr *Lc* 2, 40, 52), hasta alcanzar su cima en el sacrificio ofrecido «por los hermanos», según las mismas palabras de Jesús: «*Por ellos me santifico a mí mismo* para que ellos también sean santificados en la verdad» (*Jn* 17, 20), en conformidad con su otra declaración: «Nadie tiene mayor amor que el que da su vida por sus amigos» (*Jn* 15, 13).

4. *La santidad de Cristo debe llegar a ser la herencia viva de la Iglesia.* Ésta es la finalidad de la obra salvífica de Jesús, anunciada por Él mismo: «Para que también ellos sean santificados en la verdad» (*Jn* 17, 19). Así lo comprendió Pablo, que, en la *Carta a los Efesios*, escribe que Cristo «amó a la Iglesia y se entregó a sí mismo por ella para santificarla» (*Ef* 5, 25-26), para que fuera «santa e inmaculada» (*Ef* 5, 27).

Jesús ha hecho suya *la llamada a la santidad,* que Dios dirigió ya a su Pueblo en la Antigua Alianza: «Sed santos, porque yo, Yahvéh, vuestro Dios, soy santo» (*Lev* 19, 2). Con toda la fuerza *ha repetido esa llamada de forma ininterrumpida con su palabra y con el ejemplo de su vida.* Sobre todo, en el sermón de la montaña, ha dejado a su Iglesia el código de la santidad cristiana. Precisamente en esa página leemos que, después de haber dicho «que no he venido a abolir a la ley ni los profetas, sino a dar cumplimiento» (cfr *Mt* 5, 17), Jesús exhorta a sus seguidores a una perfección que tiene a Dios por modelo: «Vosotros, pues, sed perfectos como es perfecto vuestro Padre celestial» (*Mt* 5, 48). Puesto que el Hijo refleja del modo más pleno esta perfección del Padre, Jesús puede decir en otra ocasión: «El que me ha visto a mí ha visto al Padre» (*Jn* 14, 9).

5. A la luz de esta exhortación de Jesús podemos comprender mejor cómo *el Concilio Vaticano II* ha puesto de relieve la *llamada universal a la santidad.* Es una cuestión, sobre la que volveremos a su debido tiempo, en el ciclo de catequesis relativo a la Iglesia. Pero aquí hay que llamar ahora la atención sobre sus puntos esenciales, en los que se distingue mejor el vínculo que tiene la llamada a la santidad con la misión de Cristo y, sobre todo, con su ejemplo vivo.

«Todos en la Iglesia –dice el Concilio–... son llamados a la santidad, según aquello del Apóstol: *porque ésta es la voluntad de Dios, vuestra santificación* (*1 Tes* 4, 3; *Ef* 1, 4)» (*Lumen gentium,* 39). Las palabras del Apóstol son un eco fiel de la enseñanza de Cristo, el Maestro, quien, según el Concilio, «envió *a todos* el Espíritu Santo, que los moviera interiormente para que amen a Dios con todo el corazón, con toda el alma, con toda la mente y con todas las fuerzas (cfr *Mc* 12, 30) y para que se amen unos a otros como Cristo nos amó (cfr *Jn* 13, 34; 15, 12)» (*Lumen gentium,* 40).

6. La llamada a la santidad concierne, pues, *a todos,* «ya pertenezcan a la jerarquía, ya pertenezcan a la grey» (*Lumen gentium,* 39): «Todos los fieles, de cualquier estado o régimen de vida, son llamados a la plenitud de la vida cristiana y a la perfección de la caridad» (*Lumen gentium,* 40).

El Concilio hace notar que la santidad de los cristianos brota de la santidad de la Iglesia y es manifestación de ella. Dice ciertamente que la santidad «se expresa de múltiples modos en todos aquellos que, con edificación de los demás, se acercan en su propia vida a la cumbre de la caridad» (*Lumen gentium,* 39). *En esta diversidad se realiza una santidad que es única* por parte de cuantos son movidos por el Espíritu de Dios y «siguen a Cristo pobre, humilde y cargado con la cruz, para merecer la participación de su gloria» (*Lumen gentium,* 41).

7. Aquellos a quienes Jesús exhortaba «a seguirle», comenzando por los Apóstoles, estaban dispuestos a dejarlo todo por Él, según atestiguó Pedro: «Ya lo ves, nosotros lo hemos dejado todo y te hemos seguido» (*Mt* 19, 27). «Todo» significa en este caso no sólo los «bienes temporales», «la casa... la tierra», sino también las personas queridas: «hermanos, hermanas, padre, madre, hijos» (cfr *Mt* 19, 29) y, por tanto, la familia. *Jesús* mismo era el perfecto *modelo de esta renuncia.* Por eso podía exhortar a sus discípulos a semejantes renuncias, incluido el «celibato por el reino de los cielos» (cfr *Mt* 19, 12).

El programa de santidad de Cristo, dirigido *a los hombres y mujeres* que lo seguían (cfr, por ejemplo, *Lc* 8, 1-3), se expresa de una manera especial en los consejos evangélicos. Como recuerda el Concilio, «los consejos evangélicos, castidad ofrecida a Dios, pobreza y obediencia, como consejos fundados en las palabras y ejemplos del Señor..., son un don divino que la Iglesia recibió del Señor y que con su gracia se conserva perpetuamente» (*Lumen gentium,* 43).

8. Pero debemos añadir inmediatamente que la vocación a la santidad en su universalidad *incluye también a las personas que viven en el matrimonio,* así como a los viudos y viudas, y a quienes conservan la posesión de sus bienes y los administran, se ocupan de los asuntos terre-

nos, desempeñan sus profesiones, tareas y oficios con total disposición de sí mismos, según su conciencia y su libertad. Jesús les ha indicado su propio camino de santidad, por el hecho de haber comenzado su actividad mesiánica con la participación en las bodas de Caná (cfr *Jn* 2, 1-11) y por haber recordado los principios eternos de la ley divina, válidos para los hombres y las mujeres de toda condición, y sobre todo los principios *del amor, de la unidad y de la indisolubilidad del matrimonio* (cfr *Mc* 10, 1-12; *Mt* 19, 19) y de la *castidad* (cfr *Mt* 5, 28-30). Por esto también el Concilio, al hablar de la vocación universal a la santidad, consagra un lugar especial a las personas unidas por el sacramento del matrimonio: «...los esposos y padres cristianos, siguiendo su propio camino, se ayuden el uno al otro en la gracia con la fidelidad en su amor a lo largo de toda la vida, y eduquen en la doctrina cristiana y en las virtudes evangélicas a la prole que el Señor les haya dado. De esta manera ofrecen al mundo el ejemplo de un incansable y generoso amor...» (*Lumen gentium,* 41).

9. En todos los mandamientos y exhortaciones de Jesús y de la Iglesia, emerge el primado de la caridad. Realmente la caridad, según San Pablo, es «el vínculo de la perfeción» (*Col* 3, 14). La voluntad de Jesús es que «nos amemos los unos a los otros como Él nos ha amado» (*Jn* 15, 12): por consiguiente, un amor que, como el suyo, llega «hasta el extremo» (*Jn* 13, 1). Éste es *el patrimonio de santidad* que Jesús dejó a su Iglesia. Todos estamos llamados a participar de él y alcanzar, de ese modo, la plenitud de gracia y de vida que hay en Cristo. La historia de la santidad cristiana es la comprobación de que, viviendo en el espíritu de las bienaventuranzas evangélicas, proclamadas en el sermón de la montaña (cfr *Mt* 5, 3-12), se cumple la exhortación de Cristo, que se halla en el centro de la parábola de la vid y los sarmientos: «*Permaneced en mí como yo en vosotros... el que permanece en mí y yo en él,*

éste da mucho fruto» (*Jn* 15, 4. 5). Estas palabras se realizan, revistiéndose de múltiples formas, en la vida de cada uno de los cristianos y muestran así, a lo largo de los siglos, la multiforme riqueza y belleza de la santidad de la Iglesia, la «hija del Rey», vestida de perlas y brocado (cfr *Sal* 44/45, 14).

Sección III
LA LIBERACIÓN DEL HOMBRE REALIZADA POR CRISTO

59. JESÚS LIBERA AL HOMBRE DE LA ESCLAVITUD DEL PECADO*

1. «El tiempo se ha cumplido y el reino de Dios está cerca; convertíos y creed en la Buena Nueva» (*Mc* 1, 15): Estas palabras que dice Marcos al comienzo de su Evangelio, resumen y esculpen lo que vamos explicando en este ciclo de catequesis cristológicas sobre la misión mesiánica de Jesucristo. Según esas palabras, *Jesús* de Nazaret es el que *anuncia la «cercanía del reino de Dios»* en la historia terrena del hombre. Es aquel con el cual ha entrado el reino de Dios de modo definitivo e irrevocable en la historia de la humanidad, y tiende, a través de esta «plenitud del tiempo», hacia el cumplimiento escatológico en la eternidad de Dios mismo.

Jesucristo *«transmite» el reino de Dios a los Apóstoles.* En ellos se apoya el edificio de su Iglesia la cual, después de su partida, ha de continuar la propia misión: «Como el Padre me envió, también yo os envío... Recibid el Espíritu Santo» (*Jn* 20, 21-22).

2. En este contexto se debe considerar *lo que hay de esencial* en la misión mesiánica de Jesús. El Símbolo de

* Audiencia general, 27-VII-1988.

la fe lo expresa con estas palabras: «Por nosotros los hombres y *por nuestra salvación* bajó del cielo» (Símbolo niceno-constantinopolitano). Lo esencial en toda la misión de Cristo es la obra de la salvación, que está indicada *«en el mismo nombre de Jesús»* (Yeshúa = Dios salva), que se le puso en la anunciación del nacimiento del Hijo de Dios, cuando el Ángel dijo a José: «(María) dará a luz un hijo, y tú le pondrás por nombre Jesús, porque él salvará a su pueblo de sus pecados» (*Mt* 1, 21). Con estas palabras, que José oyó en sueños, se repite lo que María había oído en la Anunciación: «Le pondrás por nombre Jesús» (*Lc* 1, 31). Muy pronto los ángeles anunciaron a los pastores, en los alrededores de Belén, la llegada al mundo del Mesías (= Cristo) como Salvador: «*Os ha nacido* hoy, en la ciudad de David, *un salvador,* que es Cristo el Señor» (*Lc* 2, 11): «...porque él salvará a su pueblo de sus pecados» (*Mt* 1, 21).

3. «*Salvar*» quiere decir: *liberar del mal.* Jesucristo es el Salvador del mundo porque ha venido a liberar al hombre de ese mal fundamental, que ha invadido la intimidad del hombre a lo largo de toda su historia, después de la primera ruptura de la alianza con el Creador. *El mal del pecado* es precisamente *este mal fundamental* que aleja de la humanidad la realización del reino de Dios. Jesús de Nazaret, que desde el principio de su misión anuncia la «cercanía del reino de Dios», viene como Salvador. Él no sólo anuncia el reino de Dios, sino que *elimina el obstáculo esencial* a su realización, *que es el pecado* enraizado en el hombre según la herencia original, y que fomenta en él los pecados personales (*«fomes peccati»*). Jesucristo es el Salvador en este sentido fundamental de la palabra: *llega a la raíz del mal* que hay en el hombre, la raíz que consiste en volver las espaldas a Dios, aceptando el dominio del «padre de la mentira» (cfr *Jn* 8, 44) que, como «príncipe de las tinieblas» (cfr *Col* 1, 13) se ha hecho, por medio del

pecado (y siempre se hace de nuevo), el «príncipe de este mundo» (*Jn* 12, 31; 14, 30; 16, 11).

4. El significado más inmediato de la obra de la salvación, que ya se ha revelado con el nacimiento de Jesús, lo expresará *Juan el Bautista en el Jordán.* Pues, al señalar en Jesús de Nazaret al que «tenía que venir», dirá: «*He aquí el cordero de Dios, que quita el pecado del mundo*» (*Jn* 1, 29). En estas palabras se contiene una clara referencia a la imagen de Isaías del *Siervo sufriente del Señor.* El Profeta habla de Él como del «cordero» que es llevado al matadero, y Él, en silencio («oveja muda»: *Is* 53, 7), acepta «*la muerte, por medio de la cual justificará a muchos, y las culpas de ellos él soportará*» (*Is* 53, 11). Así la definición «cordero de Dios que quita el pecado del mundo», enraizada en el Antiguo Testamento, indica que *la obra de la salvación* –es decir, la liberación de los pecados– *se llevará a cabo a costa de la pasión y de la muerte de Cristo.* El Salvador es al mismo tiempo el *Redentor* del hombre (*Redemptor hominis*). Realiza la salvación a costa del sacrificio salvífico de Sí mismo.

5. Todo ello, incluso antes de realizarse en los acontecimientos de la Pascua de Jerusalén, encuentra expresión, paso a paso, en toda la predicación de Jesús de Nazaret como leemos en los Evangelios: «*El Hijo del hombre ha venido a buscar y salvar lo que estaba perdido*» (*Lc* 19, 10). «El Hijo del hombre... no ha venido a ser servido, sino *a servir y a dar su vida en rescate por muchos*» (*Mc* 10, 45; *Mt* 20, 28). Aquí se descubre fácilmente la referencia a la imagen de Isaías referente al Siervo de Yahvéh. Y si el Hijo del hombre, en toda su forma de actuar, se da a conocer como «*amigo de los publicanos y de los pecadores*» (*Mt* 11, 19), con ello no hace más que poner de relieve la característica «Dios no ha enviado a su Hijo al mundo para juzgar al mundo, sino para que el mundo se salve con Él» (*Jn* 3, 17).

6. Estas palabras del Evangelio de *Juan,* el último que se escribió, reflejan lo que aparece en todo el desarrollo de la misión de Jesús, la cual encuentra confirmación *al final en su pasión, muerte y resurrección.* Los autores del Nuevo Testamento ven agudamente, a través del prisma de este acontecimiento definitivo el misterio pascual, la verdad de Cristo, que ha realizado la *liberación del hombre* del mal principal, el pecado, *mediante la redención.* El que ha venido a «salvar a su pueblo» (cfr *Mt* 1, 21). «Cristo Jesús, hombre... se entregó *como rescate* por todos» (*1 Tim* 2, 5-6). «Al llegar la plenitud de los tiempos, envió Dios a su Hijo... para *rescatar* a los que se hallaban bajo la ley, para que recibiéramos la filiación adoptiva» (cfr *Gal* 4, 45). En Él «tenemos *por medio de su sangre la redención,* el perdón de los delitos» (*Ef* 1, 7).

Este testimonio de Pablo se completa con las palabras de la *Carta a los Hebreos*: «Cristo penetró en el santuario una vez para siempre... consiguiendo una redención eterna... quien por el Espíritu Eterno se ofreció a sí mismo sin tacha a Dios» (*Heb* 9, 12. 14).

7. *Las Cartas de Pedro* son también unívocas como el *corpus paulinum:* «Habéis sido rescatados, no con algo caduco, oro o plata, sino con una sangre preciosa, como de cordero sin tacha y sin mancilla» (*1 Pe* 1, 18-19). «El mismo que, sobre el madero, llevó nuestros pecados en su cuerpo, a fin de que, muertos a nuestros pecados, viviéramos para la justicia; con cuyas heridas habéis sido curados» (*1 Pe* 2, 24-25).

El «rescate por todos» –el infinito coste de la Sangre del Cordero–, la redención «eterna»: este conjunto de conceptos, contenidos en los escritos del Nuevo Testamento, nos hace descubrir en sus mismas raíces *la verdad sobre Jesús* (= Dios salva), *el cual, como Cristo* (= Mesías, Ungido) *libera a la humanidad del mal del pecado,* enraizado por herencia en el hombre y cometido siempre de nuevo.

Cristo-liberador: El que libera ante Dios. Y *la obra de la redención* es también la «*justificación*» obrada por el Hijo del hombre, como «mediador entre Dios y los hombres» (*1 Tim* 2, 5) con el sacrificio de Sí mismo, en nombre de todos los hombres.

8. *El testimonio* del Nuevo Testamento *es particularmente fuerte.* Contiene no sólo una limpia imagen de la verdad revelada sobre la «liberación redentora», sino que se remonta a su altísima fuente, que se encuentra en el mismo Dios. Su nombre es *Amor.*

Esto es lo que dice Juan: «*En esto consiste el amor:* No en que nosotros hayamos amado a Dios, sino en que Él nos *amó y nos envió a su Hijo como propiciación por nuestros pecados*» (*1 Jn* 4, 10). Pues «la sangre de su Hijo Jesús nos purifica de todo pecado» (*1 Jn* 1, 7). «Él es víctima de propiciación por nuestros pecados; no sólo por los nuestros, sino también por los del mundo entero» (*1 Jn* 2, 2). «...Él se manifestó para quitar los pecados y en Él no hay pecado» (*1 Jn* 3, 5). En esto precisamente se contiene *la revelación más completa del amor* con que Dios amó al hombre: esta revelación se ha realizado *en Cristo y por medio de Él.* «En esto hemos conocido lo que es amor: en que Él dio su vida por nosotros...» (*1 Jn* 3, 16).

9. En todo esto encontramos una coherencia sorprendente, casi una profunda «*lógica*» *de la Revelación,* que une los dos Testamentos entre sí –desde Isaías a la predicación de Juan en el Jordán– y nos llega a través de los Evangelios y los testimonios de las *Cartas* apostólicas. *El Apóstol Pablo* expresa a su modo lo mismo que está contenido en las *Cartas* de Juan. Después de haber observado que «apenas hay quien muera por un justo», declara: «*La prueba de que Dios nos ama es que Cristo, siendo nosotros pecadores, murió por nosotros*» (*Rom* 5, 7-8).

Por lo tanto, *la redención es el regalo de amor por parte*

de Dios en Cristo. El Apóstol es consciente de que su «vida en la carne» es la vida «en la fe del Hijo de Dios, que me amó y se entregó a sí mismo por mí» (*Gal* 2, 20). En el mismo sentido, el autor del Apocalipsis ve las falanges de la futura Jerusalén como aquellos que al venir de la «gran tribulación han lavado sus vestiduras y las han blanqueado con la sangre del cordero» (*Ap* 7, 14).

10. La «sangre del Cordero»: *Con este don del amor de Dios en* Cristo, totalmente gratuito, *comienza la obra de la salvación,* es decir, *la liberación del mal del pecado,* en la que el reino de Dios «se ha acercado» definitivamente, ha encontrado una nueva base, ha comenzado su realización en la historia del hombre.

Así la *Encarnación* del Hijo de Dios tiene su fruto *en la redención.* En la noche de Belén «nació» realmente el «Salvador» del mundo (*Lc* 2, 11).

60. CRISTO LIBERA AL HOMBRE DE LA ESCLAVITUD DEL PECADO PARA DARLE LA LIBERTAD EN LA VERDAD*

1. Cristo es el Salvador, en efecto ha venido al mundo para liberar, por el precio de su sacrificio pascual, al hombre de la esclavitud del pecado. Lo hemos visto en la catequesis precedente. Si *el concepto de «liberación» se refiere, por un lado, al mal,* y liberados de él encontramos «la salvación»; *por el otro,* se refiere *al bien,* y *para conseguir dicho bien* hemos sido liberados por Cristo, Redentor del hombre, y del mundo con el hombre y en el hombre. «Conoceréis la verdad y la verdad os hará libres» (*Jn* 8, 32). Estas palabras de Jesús precisan de manera muy concisa *el bien,* para el que el hombre ha sido liberado por obra del Evangelio en el ámbito de la redención de Cristo. Es *la*

* Audiencia general, 3-VIII-1988.

libertad en la verdad. Ella constituye el bien esencial de la salvación, realizada por Cristo. A través de este bien el reino de Dios realmente «está cerca» del hombre y de su historia terrena.

2. La liberación salvífica que Cristo realiza respecto al hombre contiene en sí misma, de cierta manera, las dos dimensiones: *liberación «del»* (mal) y *liberación «para el»* (bien), que están íntimamente unidas, se condicionan y se integran recíprocamente.

Volviendo de nuevo al mal del que Cristo libera al hombre –es decir, al mal del pecado–, es necesario añadir que, mediante los *«signos»* extraordinarios de su potencia salvífica (esto es: los milagros), realizados por Él curando a los enfermos de diversas dolencias, Él *indicaba* siempre, al menos indirectamente, *esta* esencial liberación, que es la *liberación del pecado,* su remisión. Esto se ve claramente en la curación del paralítico, al que Jesús primero dice: «Tus pecados te son perdonados», y sólo después: «Levántate, toma tu camilla y vete a tu casa» (*Mc* 2, 5. 11). Realizando este milagro, Jesús se dirige a los que le rodeaban (especialmente a los que le acusaban de blasfemia, puesto que solamente Dios puede perdonar los pecados): «Para que sepáis que el Hijo del hombre tiene en la tierra poder de perdonar pecados» (*Mc* 2, 10).

3. En los *Hechos de los Apóstoles* leemos que Jesús «pasó haciendo el bien y curando a todos los oprimidos por el diablo, porque Dios estaba con él» (*Hch* 10, 38). En efecto, se ve por los Evangelios que Jesús sanaba a los enfermos de muchas enfermedades (como por ejemplo, la mujer encorvada, que «no podía en modo alguno enderezarse», cfr *Lc* 13, 10-16). Cuando se le presentaba la ocasión de *«expulsar a los espíritus malos»,* si le acusaban de hacer esto con la ayuda del mal, Él respondía demostrando lo absurdo de tal insinuación y decía: «Pero, si por el

Espíritu de Dios expulso yo los demonios, es que ha llegado a vosotros el reino de Dios» (*Mt* 12, 28; cfr *Lc* 11, 20). Al liberar a los hombres del mal del pecado, Jesús *desenmascara a aquel que es el «padre del pecado»*. Justamente en él, en el espíritu maligno, comienza «la esclavitud del pecado» en la que se encuentran los hombres. «En verdad, en verdad os digo: todo el que comete pecado es un esclavo. Y el esclavo no se queda en casa para siempre; mientras el hijo se queda para siempre; *si*, pues, *el Hijo os da la libertad, seréis realmente libres»* (*Jn* 8, 34-36).

4. Frente a la oposición de sus oyentes, Jesús añadía: «...he salido y vengo de Dios; no he venido por mi cuenta, sino que Él me ha enviado. ¿Por qué no reconocéis mi lenguaje? Porque no podéis escuchar mi Palabra. Vosotros *sois de vuestro padre el diablo* y queréis cumplir los deseos de vuestro padre. Éste era *homicida* desde el principio, y no se mantuvo en la verdad, porque no hay verdad en él; *cuando dice la mentira,* dice lo que le sale de dentro, porque *es mentiroso y padre de la mentira»* (*Jn* 8, 42-44). Es difícil encontrar otro texto en el que el mal del pecado se presente de manera tan fuerte en su raíz de falsedad diabólica.

5. Escuchemos una vez más la Palabra de Jesús: «Si, pues, el Hijo os da la libertad, seréis realmente libres» (*Jn* 8, 36). «*Si os mantenéis en mi Palabra,* seréis verdaderamente mis discípulos, y *conoceréis la verdad y la verdad os hará libres»* (*Jn* 8, 31-32). Jesucristo vino para liberar al hombre del mal del pecado. Este mal fundamental tiene su comienzo en «el padre de la mentira» (como ya se ve en el *Libro del Génesis*, cfr *Gen* 3, 4). Por esto la liberación del mal del pecado, llevada hasta sus últimas raíces, debe ser la *liberación para la verdad,* y *por medio de la verdad.* Jesucristo revela esta verdad. Él mismo es «la Verdad» (*Jn* 14, 6). Esta *Verdad lleva consigo la verdadera libertad.* Es la

libertad del pecado y de la mentira. Los que eran «esclavos del pecado», porque se encontraban bajo el influjo del «padre de la mentira», son *liberados mediante la participación en la Verdad, que es Cristo,* y en la libertad del Hijo de Dios ellos mismos alcanzan «la libertad de los hijos de Dios» (cfr *Rom* 8, 21). San Pablo puede asegurar: «La ley del espíritu que da la vida en Cristo Jesús te liberó de la ley del pecado y de la muerte» (*Rom* 8, 2).

6. En la misma *Carta a los Romanos*, el Apóstol presenta de modo elocuente *la decadencia humana, que el pecado lleva consigo.* Viendo el mal moral de su tiempo, escribe que los hombres, habiéndose olvidado de Dios, «se ofuscaron en sus razonamientos, y su insensato corazón se entenebreció» (*Rom* 1, 21). «Cambiaron la verdad de Dios por la mentira, y adoraron y sirvieron a la criatura en vez del Creador» (*Rom* 1, 25). «Y como no tuvieron a bien guardar el verdadero conocimiento de Dios, entrególos Dios a su mente insensata, para que hicieran lo que no conviene» (*Rom* 1, 28).

7. En otros párrafos de su *Carta, el Apóstol pasa* de la descripción exterior, *al análisis del interior del hombre, donde luchan entre sí el bien y el mal.* «Mi proceder no lo comprendo; pues no hago lo que quiero, sino que hago lo que aborrezco. Y, si hago lo que no quiero, estoy de acuerdo con la ley en que es buena; en realidad, ya no soy yo quien obra, sino el pecado que habita en mí» (*Rom* 7, 15-17). «Advierto otra ley en mis miembros que lucha contra la ley de mi razón y me esclaviza a la ley del pecado...». «¡Pobre de mí! ¿Quién me librará de este cuerpo que me lleva a la muerte? ¡Gracias sean dadas a Dios por Jesucristo Nuestro Señor!» (*Rom* 7, 23-25). De este análisis paulino resulta que el pecado constituye una profunda alienación, en cierto sentido *«hace que se sienta extraño» el hombre en sí mismo,* en su íntimo «yo». La

liberación viene con la «gracia y la verdad» (cfr *Jn* 1, 17), traída por Cristo.

8. Se ve claro en qué consiste la liberación realizada por Cristo: para qué libertad Él nos ha liberado. La liberación realizada por Cristo se distingue de la que esperaban sus coetáneos en Israel. Efectivamente, todavía antes de ir de forma definitiva al Padre, Cristo era interrogado por aquellos que eran sus más íntimos: «Señor, ¿es en este momento cuando vas a establecer el reino de Israel?» (*Act* 1, 6). Y así todavía entonces –después de la experiencia de los acontecimientos pascuales– ellos seguían pensando *en la liberación en sentido político:* bajo este aspecto se esperaba el Mesías, descendiente de David.

9. Pero la liberación realizada por Cristo al precio de su pasión y muerte en la cruz, tiene un significado esencialmente diverso: es *la liberación de lo que en lo más profundo del hombre obstaculiza su relación con Dios*. A ese nivel, el pecado significa esclavitud; y Cristo ha vencido el pecado para insertar nuevamente en el hombre la gracia de la filiación divina, la gracia liberadora. «Pues no recibisteis un espíritu de esclavos para recaer en el temor; antes bien, recibisteis un espíritu de hijos adoptivos que nos hace exclamar: ¡Abbá, Padre!» (*Rom* 8, 15).

Esta *liberación espiritual,* esto es, «la libertad en el Espíritu Santo», es pues el fruto de la misión salvífica de Cristo: «Donde está el Espíritu del Señor, allí está la libertad» (*2 Cor* 3, 17). En este sentido *hemos «sido llamados a la libertad»* (*Gal* 5, 13) en Cristo y por medio de Cristo. «La fe que actúa por la caridad» (*Gal* 5, 6), es la expresión de esta libertad.

10. Se trata *de la liberación interior del hombre,* de la «libertad del corazón». La liberación en sentido social y político no es la verdadera obra mesiánica de Cristo. Por

otra parte, es necesario constatar que sin la liberación realizada por Él, *sin liberar al hombre del pecado,* y por tanto de toda especie de egoísmo, no puede haber *una liberación real en sentido socio-político.* Ningún cambio puramente exterior de las estructuras lleva a una verdadera liberación de la sociedad, mientras el hombre esté sometido al pecado y a la mentira, hasta que dominen las pasiones y con ellas la explotación y las varias formas de opresión.

11. Incluso la que se podría llamar *liberación en sentido psicológico,* no se puede realizar plenamente, si no con las fuerzas liberadoras que provienen de Cristo. Ello forma parte de su obra de redención. Solamente Cristo es «nuestra paz» (*Ef* 2, 14). Su gracia y su amor liberan al hombre del miedo existencial ante la falta de sentido de la vida, y de ese tormento de la conciencia que es la herencia del hombre caído en la esclavitud del pecado.

12. *La liberación realizada por Cristo* con la verdad de su Evangelio, y definitivamente con el Evangelio de su cruz y resurrección, conservando su carácter sobre todo espiritual e «interior», puede extenderse *en un radio de acción universal,* y *está destinada a todos los hombres.* Las palabras «por gracia habéis sido salvados» (*Ef* 2, 5), conciernen a todos. Pero al mismo tiempo, esta liberación, que es *«una gracia», es decir, un don, no se puede realizar sin la participación del hombre.* El hombre la debe acoger con fe, esperanza y caridad. Debe «esperar su salvación con temor y temblor» (cfr *Flp* 2, 12). «Dios es quien obra en vosotros el querer y el obrar, como bien le parece» (*Flp* 2, 13). Conscientes de este don sobrenatural, nosotros mismos debemos colaborar con la potencia liberadora de Dios, que con el sacrificio redentor de Cristo, ha entrado en el mundo como fuente de eterna salvación.

61. CRISTO LIBERA AL HOMBRE Y A LA HUMANIDAD PARA UNA «NUEVA VIDA»*

1. Es oportuno que hagamos hincapié en lo que hemos dicho en las últimas catequesis considerando *la misión salvífica de Cristo como liberación, y a Jesús como Liberador.* Se trata de la liberación del pecado como mal fundamental, que «aprisiona» al hombre en su interior, sometiéndolo a la esclavitud de aquel que por Cristo es llamado el «padre de la mentira» (*Jn* 8, 44). Se trata, al mismo tiempo, de la liberación *para la Verdad,* que nos permite participar en la «libertad de los hijos de Dios» (cfr *Rom* 8, 21). Jesús dice: «Si, pues, el Hijo os da la libertad, seréis realmente libres» (*Jn* 8, 36). La *«libertad de los hijos de Dios»* proviene del don de Cristo, que posibilita al hombre la participación en la filiación divina, esto es, *la participación en la vida de Dios.*

Así, pues, el hombre liberado por Cristo, no sólo recibe la remisión de los pecados, sino que además es elevado a «una nueva vida». Cristo, como autor de la liberación del hombre, es el creador de la «nueva humanidad». En Él *nos convertimos en «una nueva creación»* (cfr *2 Cor* 5, 17).

2. En esta catequesis vamos a aclarar ulteriormente este aspecto de la liberación salvífica, que es obra de Cristo. Ella pertenece a la esencia misma de su misión mesiánica.

Jesús hablaba de ello, por ejemplo, en la parábola del Buen Pastor, cuando decía: *«Yo he venido para que* (las ovejas) *tengan vida y la tengan en abundancia»* (*Jn* 10, 10). Se trata de esa abundancia de vida nueva, que es la participación en la vida misma de Dios. También de esta manera se realiza en el hombre «la novedad» de la humanidad de Cristo: el ser «una nueva creación».

* Audiencia general, 10-VIII-1988.

3. Es lo que, hablando de manera figurada y muy sugestiva, Jesús dice *en su diálogo con la samaritana* junto al pozo de Sicar: «Si conocieras el don de Dios, y quién es el que te dice: 'Dame de beber', tú le habrías pedido a él, y él te habría *dado agua viva.* Le dice la mujer: 'Señor, no tienes con qué sacarla, y el pozo es hondo: ¿De dónde, pues, tienes esa agua viva?'... Jesús respondió: 'Todo el que beba de esta agua, volverá a tener sed; pero el que beba del agua que yo le dé, *no tendrá sed jamás,* sino que el agua que yo le dé *se convertirá en él en fuente de agua que brota para la vida eterna*´» (*Jn* 4, 10-14).

4. También a la multitud Jesús repitió esta verdad con palabras muy parecidas, enseñando durante la fiesta de las tiendas: «'Si alguno tiene sed, venga a mí, y beba el que crea en mí', como dice la Escritura: De su seno correrán ríos de agua viva» (*Jn* 7, 37-38). Los *«ríos de agua viva»* son *la imagen de la nueva vida* en la que participan los hombres en virtud de la muerte en cruz de Cristo. Bajo esta óptica, la tradición patrística y la liturgia interpretan también el texto de Juan, según el cual, del costado (del Corazón) de Cristo, después de su muerte en la cruz, *«salió sangre y agua»,* cuando un soldado romano «le atravesó el costado» (*Jn* 19, 34).

5. Pero, según una interpretación preferida por gran parte de los padres orientales y todavía seguida por varios exegetas, ríos de agua viva surgirán también «del seno» del hombre que bebe el «agua» de la verdad y de la gracia de Cristo. «Del seno» significa: del corazón. Efectivamente, se ha *creado «un corazón nuevo»* en el hombre, como anunciaban de manera muy clara los Profetas, y en particular Jeremías y Ezequiel.

Leemos en Jeremías: «Ésta será la alianza que yo pacte con la casa de Israel, después de aquellos días –oráculo de Yahvéh–: pondré mi Ley en su interior y *sobre sus cora-*

zones la escribiré, y yo seré su Dios y ellos serán mi pueblo» (*Jer* 31, 33). En Ezequiel, todavía más explícitamente: «Os daré un corazón nuevo, infundiré en vosotros un espíritu nuevo, quitaré de vuestra carne el corazón de piedra y os daré un corazón de carne. *Infundiré mi espíritu en vosotros* y haré que os conduzcáis según mis preceptos y observéis y practiquéis mis normas» (*Ez* 36, 26-27).

Se trata, pues, de una profunda transformación espiritual, que Dios mismo realiza dentro del hombre mediante «la inspiración de su Espíritu» (cfr *Ez* 36, 26). Los «ríos de agua viva» de los que habla Jesús significan la fuente de *una vida nueva* que es la vida *«en espíritu y en verdad»*, vida digna de los «verdaderos adoradores del Padre» (cfr *Jn* 4, 23-24).

6. *Los escritos de los Apóstoles,* y en particular las *Cartas* de San Pablo, están llenos de textos sobre este tema: «El que está en Cristo, es una nueva creación; pasó lo viejo, todo es nuevo» (*2 Cor* 5, 17). El fruto de la redención realizada por Cristo es precisamente esta «novedad de vida»: «*Despojaos del hombre viejo* con sus obras, y revestíos del hombre nuevo, que se va renovando hasta alcanzar un conocimiento perfecto (de Dios), según la imagen de su Creador» (*Col* 3, 9-10). «El hombre viejo» es «el hombre del pecado». «El hombre nuevo» es el que gracias a Cristo encuentra de nuevo en sí la original «imagen y semejanza» de su Creador. De aquí también la enérgica *exhortación del Apóstol para superar todo lo que* en cada uno de nosotros es pecado y resquicio del pecado: «Desechad también vosotros todo esto: cólera, ira, maldad, maledicencia y palabras groseras, lejos de vuestra boca. No os mintáis unos a otros...» (*Col* 3, 8-9).

7. Una exhortación así se encuentra en la *Carta a los Efesios:* «Despojaos, en cuanto a vuestra vida anterior, del hombre viejo que se corrompe siguiendo la seducción de

las concupiscencias, a renovar el espíritu de vuestra mente, y a revestiros del *hombre nuevo, creado según Dios, en la justicia y santidad de la verdad»* (*Ef* 4, 22-24). «En efecto, hechura suya somos: creados en Cristo Jesús, en orden a la buenas obras que de antemano dispuso Dios que practicáramos» (*Ef* 2, 10).

8. *La redención* es, pues, *la nueva creación en Cristo.* Ella es *el don de Dios* –la gracia–, y al mismo tiempo lleva en sí *una llamada dirigida al hombre.* El hombre debe cooperar en la obra de liberación espiritual, que Dios ha realizado en él por medio de Cristo. Es verdad que «habéis sido salvados por la gracia mediante la fe; y esto no viene de vosotros, sino que es don de Dios» (*Ef* 2, 8). En efecto, *el hombre no puede atribuir a sí mismo la salvación,* la liberación salvífica, que es don de Dios en Cristo. Pero al mismo tiempo *tiene que ver en este don también la fuente de una incesante exhortación a realizar obras* dignas de tal don. El marco completo de la liberación salvífica del hombre comporta un profundo conocimiento del don de Dios en la cruz de Cristo y en la resurrección redentora, así como también la conciencia de la propia responsabilidad por este don: conciencia de los compromisos de naturaleza moral y espiritual, que ese don y esa llamada imponen. *Tocamos aquí* las raíces de lo que podemos llamar el «ethos de la redención».

9. La redención realizada por Cristo, que obra con la potencia de su Espíritu de verdad (Espíritu del Padre y del Hijo, Espíritu de verdad), tiene una *dimensión personal,* que concierne a cada hombre, y al mismo tiempo una *dimensión interhumana y social, comunitaria y universal.*

Es un tema que vemos desarrollado en la Carta a los Efesios, donde se describe la reconciliación de las dos «partes» de la humanidad en Cristo: esto es, de Israel, pueblo elegido de la Antigua Alianza, y de todos los demás pueblos de la tierra: «Porque Él (Cristo) es nuestra paz: el que *de los dos pueblos* hizo uno, derribando el muro que los separaba, la enemistad, anulando en su carne la Ley de los mandamientos con sus preceptos, *para crear en sí mismo,* de los dos tipos de hombres, *un solo hombre nuevo,* haciendo la paz, y reconciliar con Dios a ambos en un solo Cuerpo, por medio de la cruz, dando en sí mismo muerte a la enemistad» (*Ef* 2, 14-16).

10. Ésta es la definitiva dimensión de la «nueva creación» y de la «novedad de vida» en Cristo: la liberación de la división, la «demolición del muro» que separa a Israel de los demás. *En Cristo todos son el «pueblo elegido», porque en Cristo el hombre es elegido.* Cada hombre, sin excepción y diferencia, es reconciliado con Dios y –por lo tanto– está llamado a participar en la eterna promesa de salvación y de vida. *La humanidad entera es creada nuevamente como el «hombre nuevo...* según Dios, en la justicia y santidad de la verdad» (*Ef* 4, 24). La reconciliación de todos con Dios por medio de Cristo tiene que ser la reconciliación de todos entre sí; una dimensión comunitaria y universal de la redención, plena expresión del «ethos de la redención».

62. JESUCRISTO, MODELO DE LA TRANSFORMACIÓN SALVÍFICA DEL HOMBRE*

1. En el desarrollo gradual de las catequesis sobre el tema de la misión de Jesucristo, hemos visto que Él es quien *realiza la liberación del hombre* a través de la verdad de su Evangelio, cuya palabra última y definitiva es la cruz y la resurrección. Cristo libera al hombre de la esclavitud del pecado y le da nueva vida mediante su sacrificio

* Audiencia general, 17-VIII-1988.

pascual. *La redención* se ha convertido así en una *nueva creación*. En el sacrificio redentor y en la resurrección del Redentor se inicia una «humanidad nueva». Aceptando el sacrificio de Cristo, Dios «crea» el hombre nuevo «en la justicia y en la santidad verdadera» (*Ef* 4, 24): el hombre que se hace adorador de Dios «en espíritu y en verdad» (*Jn* 4, 23).

Jesucristo, con su figura histórica, tiene para este «hombre nuevo» *el valor de un modelo perfecto, es decir, del modelo ideal.* Él, que en su humanidad era la perfecta «imagen del Dios invisible» (*Col* 1, 15), se convierte, a través de su vida terrena –a través de todo lo que «hizo y enseñó» (*Hch* 1, 1), y, sobre todo, mediante el sacrificio–, en modelo visible para los hombres. El modelo más perfecto.

2. Entramos aquí en el terreno del tema de la «*imitación de Cristo*», que se halla claramente presente en los textos evangélicos y en otros escritos apostólicos, aunque la palabra «imitación» no aparezca en los *Evangelios*. Jesús exhorta a sus discípulos a «seguirlo» (en griego *acolouqein:* cfr *Mt* 16, 24: «Si alguno quiere venir en pos de mí, niéguese a sí mismo, tome su cruz y *sígame*»; cfr además, *Jn* 12, 26).

La palabra en cuestión la encontramos sólo en Pablo, cuando escribe: «Sed mis imitadores, como *yo lo soy de Cristo*» (en griego *mimhtai*) (*1 Cor* 11, 1). Y en otro lugar dice: «Por vuestra parte, os hicisteis imitadores nuestros y del Señor, abrazando la palabra con gozo del Espíritu Santo en medio de muchas tribulaciones» (*1 Tes* 1, 6).

3. Pero conviene observar que lo más importante aquí no es la palabra «imitación». Importantísimo es *el hecho* que subyace en esa palabra: es decir, que toda la vida y la obra de Cristo, coronada con el sacrificio de la cruz, realizado por amor, «por los hermanos», sigue siendo modelo e ideal perennes. Así, pues, anima y exhorta no sólo a

conocer, sino además y *sobre todo a imitar.* Por otra parte, Jesús mismo, tras haber lavado los pies a los Apóstoles, dice en el Cenáculo: «Os he dado ejemplo, para que también vosotros hagáis como yo he hecho con vosotros» (*Jn* 13, 15).

Estas palabras de Jesús no contemplan sólo el gesto de lavar los pies, sino que, a través de ese gesto, se refieren a toda su vida, considerada como humilde servicio. Cada uno de los discípulos es invitado a seguir las huellas del «Hijo del hombre», el cual «no ha venido a ser servido, sino a servir y a dar su vida como rescate por muchos» (*Mt* 20, 28). Precisamente a la luz de esta vida, de este amor, de esta pobreza, y en definitiva de este sacrificio, la «imitación de Cristo» se convierte en exigencia para todos sus discípulos y seguidores. Se convierte, en cierto sentido, en «la estructura sobre la que se cimenta» el «ethos» evangélico, cristiano.

4. En esto precisamente consiste esa «liberación» *para* la vida nueva de que hemos hablado en las catequesis anteriores. Cristo no ha transmitido a la humanidad una magnífica «teoría», sino que ha revelado en qué sentido y *en qué dirección debe realizarse la transformación salvífica del hombre* «viejo» –el hombre del pecado– en el hombre «nuevo». Esta transformación existencial, y, en consecuencia, moral, debe llegar a configurar el hombre a ese «modelo» originalísimo, según el cual ha sido creado. Sólo a un ser creado «a imagen y semejanza de Dios» pueden dirigirse las palabras que leemos en la *Carta a los Efesios*: «*Sed,* pues, *imitadores de Dios* como hijos queridos, y vivid en el amor como Cristo os amó y se entregó por nosotros como oblación y víctima de suave aroma» (*Ef* 5, 1-2).

5. Así, pues, Cristo es el modelo en el camino de esta «imitación de Dios». Al mismo tiempo, Él solo es el que crea la posibilidad de esta imitación, cuando, mediante la

redención nos ofrece la participación en la vida de Dios. En este sentido, Cristo se convierte *no sólo en el modelo perfecto, sino además en el modelo eficaz*. El don, es decir, *la gracia de la vida divina,* se convierte, en virtud del misterio pascual de la redención, en la raíz misma de la nueva semejanza con Dios en Cristo y, en consecuencia, es también la raíz de la imitación de Cristo como modelo perfecto.

6. De este hecho sacan su fuerza y eficacia exhortaciones como la de San Pablo (a los Filipenses): «Así, pues, os conjuro en virtud de toda exhortación en Cristo, de toda persuasión de amor, de toda comunión en el Espíritu, de toda entrañable compasión, que colméis mi alegría, *siendo todos del mismo sentir,* con un mismo amor, *un mismo espíritu,* unos mismos sentimientos. Nada hagáis por rivalidad, ni por vanagloria, sino con humildad, considerando cada cual a los demás como superiores a sí mismo, buscando cada cual no su propio interés, sino el de los demás» (*Flp* 2, 1-4).

¿Cuál es el punto de referencia de esta «parenesis»? ¿Cuál es el punto de referencia de esas exhortaciones y exigencias planteadas a los Filipenses? Toda la respuesta está contenida en los versículos sucesivos de la *Carta*: «*Tales sentimientos... estaban en Cristo Jesús... Tened en vosotros los mismos sentimientos*» (cfr *Flp* 2, 5). Cristo, en efecto, «tomando la condición de siervo, se humilló a sí mismo, obedeciendo hasta la muerte y muerte de cruz» (*Flp* 2, 7-8).

El Apóstol toca aquí lo que constituye el elemento central y neurálgico de toda la obra de la redención realizada por Cristo. Aquí se halla también *la plenitud del modelo salvífico* para cada uno de los redimidos. El mismo principio de imitación lo encontramos enunciado también en la *Carta de San Pedro*: «Pero si obrando el bien soportáis el sufrimiento, esto es cosa bella ante Dios. Pues para esto habéis sido llamados, ya que también Cristo sufrió por vosotros, *dejándoos ejemplo* para que sigáis sus huellas» (*1 Pe* 2, 20-21).

7. En la vida humana, el sufrimiento tiene el valor de una prueba moral. Significa sobre todo *una prueba de las fuerzas del espíritu humano.* Esta prueba tiene un significado «liberador»: libera las fuerzas ocultas del espíritu, les permite manifestarse y, al mismo tiempo, se convierte en ocasión *para purificarse interiormente.* Aquí se aplican las palabras de la parábola de la vid y los sarmientos propuesta por Jesús, cuando presenta al Padre como el que cultiva la viña: «Todo sarmiento que en mí no da fruto, *lo corta... para que dé más fruto*» (*Jn* 15, 2). Efectivamente, ese fruto depende de que permanezcamos (como los sarmientos) en Cristo, la vid, en su sacrificio redentor, porque «sin Él no podemos hacer nada» (cfr *Jn* 15, 5). Por el contrario, como afirma el Apóstol Pablo, *«todo lo puedo en Aquel que que conforta»* (*Flp* 4, 13). Y Jesús mismo dice: «El que cree en mí, hará él también las obras que yo hago» (*Jn* 14, 12).

8. La fe en esta potencia transformadora de Cristo frente al hombre, tiene sus raíces más profundas en el designio eterno de Dios sobre la salvación humana: «Pues a los que de antemano conoció (Dios), también los predestinó a reproducir la imagen de su Hijo, para que fuera él el primogénito entre muchos hermanos» (*Rom* 8, 29). En esta línea, el Padre «poda» cada uno de los sarmientos, como leemos en la parábola (*Jn* 15, 2). Y por este camino se realiza *la transformación gradual del cristiano según el modelo de Cristo,* hasta el punto de que en Él, «reflejamos como en un espejo la gloria del Señor y nos vamos transformando en esa misma imagen cada vez más gloriosa: así es como actúa el Señor que es Espíritu». Son las palabras del Apóstol en la *Segunda carta a los Corintios* (3, 18).

9. Se trata de un proceso espiritual, del que surge la vida: y, en ese *proceso, la muerte generosa de Cristo es la que da fruto,* introduciendo en la dimensión pascual de su resurrección. Este proceso se inicia en cada uno de nosotros por el bautismo, sacramento de la muerte y resurrección de Cristo, como leemos en la *Carta a los Romanos*: «Fuimos, pues, sepultados con él en la muerte por el bautismo, a fin de que, al igual que Cristo fue resucitado de entre los muertos por medio de la gloria del Padre, así también nosotros vivamos una vida nueva» (*Rom* 6, 4). Desde ese momento, el proceso de esta transformación salvífica en Cristo se desarrolla en nosotros «hasta que lleguemos todos... al estado de hombre perfecto, a la madurez de la plenitud de Cristo» (*Ef* 4, 13).

63. CRISTO, MODELO DE ORACIÓN Y DE VIDA FILIALMENTE UNIDA AL PADRE*

1. Jesucristo es el Redentor. Esto constituye el centro y el culmen de su misión; es decir, la obra de la redención incluye también este aspecto: Él se ha convertido en modelo perfecto de la transformación salvífica del hombre. En realidad, todas las catequesis precedentes de este ciclo se han desarrollado en la perspectiva de la redención. Hemos visto que Jesús anuncia el Evangelio del reino de Dios; pero también hemos aprendido de Él que el reino entra definitivamente en la historia del hombre sólo en la redención por medio de la cruz y la resurrección. Entonces Él «entregará» este reino a los Apóstoles, para que permanezca y se desarrolle en la historia del mundo mediante la Iglesia. De hecho, la redención lleva en sí la «liberación» mesiánica del hombre, que de la esclavitud del pecado pasa a la vida en la libertad de los hijos de Dios.

* Audiencia general, 24-VIII-1988.

2. *Jesucristo es el modelo más perfecto de esa vida,* como hemos visto en los escritos apostólicos, citados en la catequesis precedente. Aquel que es el Hijo consubstancial al Padre, unido a Él en la divinidad («Yo y el Padre somos uno», *Jn* 10, 30), mediante todo lo que «hace y enseña» (cfr *Hch* 1, 1) constituye el único *modelo* en su género *de vida filial orientada y unida al Padre.* En referencia a este modelo, reflejándolo en nuestra conciencia y en nuestro comportamiento, podemos desarrollar en nosotros un modo y una orientación de vida «que se asemeje a Cristo» y en la que se exprese y realice la verdadera «libertad de los hijos de Dios» (cfr *Rom* 8, 21).

3. De hecho, como hemos indicado en diversas ocasiones, toda la vida de Jesús estuvo orientada hacia el Padre. Esto se manifiesta ya en la respuesta que dio a sus padres cuando tenía doce años y lo encontraron en el templo: «¿No sabíais que *yo debía estar en la casa de mi Padre?*» (*Lc* 2, 49). Hacia el final de su vida, el día antes de la pasión, «sabiendo que había llegado su hora de pasar de este mundo al Padre» (*Jn* 13, 1), ese mismo Jesús dirá a los Apóstoles: «Voy a prepararos un lugar; y cuando haya ido y os haya preparado un lugar, volveré y os tomaré conmigo, para que donde esté yo, estéis también vosotros... *En la casa de mi Padre hay muchas mansiones*» (*Jn* 14, 2-3).

4. Desde el principio hasta el fin, esta orientación teocéntrica de la vida y de la acción de Jesús es clara y unívoca. *Lleva a los suyos «hacia el Padre»,* creando un claro modelo de vida orientada hacia el Padre. «Yo he cumplido el mandamiento de mi Padre y permanezco en su amor». Y Jesús considera su «alimento» este «permanecer en su amor», es decir, el cumplimiento de su voluntad: *«Mi alimento es hacer la voluntad del que me ha enviado y llevar a cabo su obra»* (*Jn* 4, 34). Es lo que dice a sus discípulos junto al pozo de Jacob en Sicar. Ya antes, en el transcurso

del diálogo con la samaritana, había indicado que ese mismo «alimento» deberá ser la herencia espiritual de sus discípulos y seguidores: «Pero llega la hora (ya estamos en ella) en que los adoradores verdaderos adorarán al Padre en espíritu y en verdad; porque así quiere el Padre que sean los que lo adoran» (*Jn* 4, 23).

5. Los «verdaderos adoradores» son, ante todo, *los que imitan a Cristo en lo que hace.* Y *Él lo hace* todo imitando al Padre: «Las obras que el Padre me ha encomendado llevar a cabo, las mismas obras que realizo, dan testimonio de mí, de que el Padre me ha enviado» (*Jn* 5, 36). Más aún: «El Hijo no puede hacer nada por su cuenta, sino lo que ve hacer al Padre; lo que hace él, eso también lo hace igualmente el Hijo» (*Jn* 5, 19).

Encontramos así un fundamento perfecto a las palabras del Apóstol, según las cuales somos llamados a imitar a Cristo (cfr *1 Cor* 11, 1; *1 Tes* 1, 6), y, en consecuencia, a Dios mismo: «Sed, pues, imitadores de Dios, como hijos queridos» (*Ef* 5, 1). La vida «que se asemeja a Cristo» es al mismo tiempo una vida semejante a la de Dios, en el sentido más pleno de la palabra.

6. El concepto de «alimento» de Cristo, que durante su vida fue el cumplimiento de la voluntad del Padre, se inserta *en el misterio de su obediencia,* que llegó hasta la muerte de cruz. Entonces fue un alimento amargo, como se manifiesta sobre todo en la oración de Getsemaní y luego durante toda la pasión y la agonía de la cruz: «Abbá, Padre; todo es posible para ti, *aparta de mí esta copa;* pero no sea lo que yo quiero, sino lo que quieras tú» (*Mc* 14, 36). Para entender esta obediencia, para entender incluso por qué este «alimento» resultó tan amargo, es necesario mirar toda la historia del hombre sobre la tierra, marcada por el pecado, es decir, por la desobediencia a Dios, Creador y Padre. «El Hijo que libera» (cfr *Jn* 8, 36), *libera por*

consiguiente mediante su obediencia hasta la muerte. Y lo hace revelando hasta el fin su plena entrega de amor: «Padre, en tus manos pongo mi espíritu» (*Lc* 23, 46). En esta entrega, en este «abandonarse» al Padre, se afirma sobre toda la historia de la desobediencia humana, la unión divina contemporánea del Hijo con el Padre: «*Yo y el Padre somos uno*» (*Jn* 10, 30). Y aquí se expresa lo que podemos definir como *aspecto central de la imitación* a la que el hombre es llamado en Cristo: «Pues todo el que cumple la voluntad de mi Padre celestial, ése es mi hermano, mi hermana y mi madre» (*Mt* 12, 50; y además *Mc* 3, 35).

7. Con su vida orientada completamente «hacia el Padre» y unida profundamente a Él, Jesucristo es también modelo de nuestra oración, de nuestra vida de oración mental y vocal. Él no solamente nos enseñó a orar, sobre todo en el Padrenuestro (cfr *Mt* 6, 9 ss.), sino que el ejemplo de su oración se ofrece como momento esencial de la revelación de su vinculación y de su unión con el Padre. Se puede afirmar que en su oración se confirma de un modo especialísimo el hecho de que «sólo el Padre conoce al Hijo», «y sólo el Hijo conoce al Padre» (cfr *Mt* 11, 27; *Lc* 10, 22).

Recordemos los momentos más significativos de su vida de oración. Jesús pasa mucho tiempo en oración (por ejemplo, *Lc* 6, 12; 11, 1), especialmente en las horas nocturnas, buscando además los lugares más adecuados para ello (por ejemplo, *Mc* 1, 35; *Mt* 14, 23; *Lc* 6, 12). *Con la oración se prepara* para el bautismo en el Jordán (*Lc* 3, 21) y para la institución de los Doce Apóstoles (cfr *Lc* 6, 12-13). Mediante la oración en Getsemaní se dispone para hacer frente a la pasión y muerte en la cruz (cfr *Lc* 22, 42). La agonía en el Calvario está impregnada toda ella de oración: desde el *Salmo* 22, 1: «Dios mío, ¿por qué me has abandonado?», a las palabras: «Padre, perdónales porque no saben lo que hacen» (*Lc* 23, 34), y al abandono final:

«Padre, en tus manos pongo mi espíritu» (*Lc* 23, 46). Sí, en su vida y en su muerte, Jesús es modelo de oración.

8. Sobre la oración de Cristo leemos en la *Carta a los Hebreos* que «Él, *habiendo ofrecido,* en los días de su vida mortal, *ruegos y súplicas con poderoso clamor* y lágrimas al que podía salvarle de la muerte, fue escuchado por su actitud reverente, y aun siendo Hijo, con lo que padeció experimentó la odediencia» (*Heb* 5, 7-8). Esta afirmación significa que Jesucristo ha cumplido perfectamente la voluntad del Padre, el designio eterno de Dios acerca de la redención del mundo, a costa del sacrificio supremo por amor. Según el Evangelio de Juan, este sacrificio *era no sólo una glorificación del Padre por parte del Hijo, sino también una glorificación del Hijo,* de acuerdo con las palabras de la oración «sacerdotal» en el Cenáculo: «Padre, ha llegado la hora, glorifica a tu Hijo, para que tu Hijo te glorifique a ti. Y que según el poder que le has dado sobre toda carne, *dé también vida eterna a* todos lo que tú le has dado» (*Jn* 17, 1-2). Fue esto lo que se cumplió en la cruz. La resurrección a los tres días fue la confirmación y casi la manifestación de la gloria con la que «el Padre glorificó al Hijo» (cfr *Jn* 17, 1). Toda la vida de obediencia y de «piedad» filial de Cristo se fundía con su oración, que le obtuvo finalmente la glorificación definitiva.

9. Este espíritu de filiación amorosa, obediente y piadosa, se refleja incluso en el episodio ya recordado, en el que sus *discípulos* pidieron a Jesús que les «enseñara a orar» (cfr *Lc* 11, 1-2). A ellos y a todas las generaciones de sus seguidores, Jesucristo les transmitió una oración que comienza con esa síntesis verbal y conceptual tan expresiva: «*Padre nuestro*». En esas palabras está la manifestación del Espíritu de Cristo, orientado filialmente al Padre y poseído completamente por las «cosas del Padre» (cfr *Lc* 2, 49). Al entregarnos aquella oración a todos los tiem-

pos, Jesús nos *ha transmitido en ella y con ella un modelo de vida filialmente unida al Padre.* Si queremos hacer nuestro para nuestra vida este modelo, si debemos, sobre todo, participar en el misterio de la redención imitando a Cristo, es preciso que no cesemos de repetir el «Padrenuestro» como Él nos ha enseñado.

Sección IV
EL SACRIFICIO DE JESUCRISTO

A) SENTIDO Y VALOR DE LA MUERTE DE CRISTO

64. CRISTO, MODELO DEL AMOR PERFECTO, QUE ALCANZA SU CULMEN EN EL SACRIFICIO DE LA CRUZ*

1. La unión filial de Jesús con el Padre se expresa en el amor, que Él ha constituido además en mandamiento principal del Evangelio: «Amarás al Señor tu Dios, con todo tu corazón, con toda tu alma, con toda tu mente. Éste es el mayor y primer mandamiento» (*Mt* 22, 37 s.). Como sabéis, a este mandamiento Jesús une un segundo «semejante al primero»: el del amor al prójimo (cfr *Mt* 22, 39). Y Él se propone como ejemplo de este amor: «Os doy un mandamiento nuevo: que os améis los unos a los otros. Que, como yo os he amado, así os améis vosotros los unos a los otros» (*Jn* 13, 34). Jesús enseña y entrega a sus seguidores un amor ejemplarizado *en el modelo de su amor.*

A este amor se pueden aplicar ciertamente las cualidades de la caridad, elencadas por San Pablo: «La caridad es paciente... benigna... no es envidiosa, no es jactanciosa, no se engríe... no busca interés..., no toma en cuenta el mal..., se alegra con la verdad... Todo lo excusa... todo lo soporta» (*1 Cor* 13, 4-7). Cuando, en su *Carta*, el Apóstol

* Audiencia general, 31-VIII-1988.

presentaba a los destinatarios de Corinto esta imagen de la caridad evangélica, su mente y su corazón estaban impregnados por el pensamiento del amor de Cristo, hacia el cual deseaba orientar la vida de las comunidades cristianas, de tal modo que su himno de la caridad puede considerarse un comentario al precepto de amarse según el modelo de Cristo Amor (como dirá, muchos siglos más tarde, Santa Catalina de Siena): «(como) yo os he amado» (*Jn* 13, 34).

San Pablo subraya en otros textos que el *culmen de este amor* es *el sacrificio de la cruz:* «Cristo os ha amado y se ha ofrecido por vosotros, ofreciéndose a Dios como sacrificio»... «Haceos, pues, imitadores de Dios..., caminad en la caridad» (*Ef* 5, 1-2).

Para nosotros resulta ahora instructivo, constructivo y consolador considerar estas cualidades del amor de Cristo.

2. *El amor* con que Jesús nos ha amado, es *humilde y tiene carácter de servicio.* «El Hijo del hombre no ha venido a ser servido, sino a servir y a dar su vida como rescate por muchos» (*Mc* 10, 45). La víspera de la pasión, antes de instituir la Eucaristía, Jesús lava los pies a los Apóstoles y les dice: «Os he dado ejemplo, para que también vosotros hagáis como yo he hecho con vosotros» (*Jn* 13, 15). Y en otra circunstancia, los amonesta así: «El que quiera llegar a ser grande entre vosotros, sea vuestro servidor, y el que quiera ser el primero entre vosotros, sea el esclavo de todos» (*Mc* 10, 43-44).

3. A la luz de este *modelo de humilde disponibilidad que llega hasta el «servicio» definitivo de la cruz,* Jesús puede dirigir a los discípulos la siguiente invitación: «Tomad mi yugo sobre vosotros, y aprended de mí que soy manso y humilde de corazón» (*Mt* 11, 29). El amor enseñado por Cristo se expresa en el servicio recíproco, que lleva a sacrificarse los unos por los otros y la verificación definitiva

es el ofrecimiento de la propia vida «por los hermanos» (*1 Jn* 3, 16). Esto es lo que subraya San Pablo cuando escribe que «Cristo amó a la Iglesia y se entregó a sí mismo por ella» (*Ef* 5, 25).

4. Otra cualidad exaltada en el himno paulino a la caridad es que el verdadero amor «no busca su interés» (*1 Cor* 13, 5). Y nosotros sabemos que Jesús nos ha dejado *el modelo más perfecto* de esta forma de *amor desinteresado*. San Pablo lo dice claramente en otro texto: «Que cada uno de nosotros trate de agradar a su prójimo para el bien buscando su edificación. Pues tampoco Cristo buscó su propio agrado...» (*Rom* 15, 2-3). En el amor de Jesús se concreta y alcanza su culmen el «radicalismo» evangélico de las ocho bienaventuranzas proclamadas por Él: el heroísmo de Cristo será siempre el modelo de las virtudes heroicas de los Santos.

5. Sabemos, efectivamente, que el Evangelista Juan, cuando nos presenta a Jesús en el umbral de la pasión, escribe de Él: «...habiendo amado a los suyos que estaban en el mundo, los amó hasta el extremo» (*Jn* 13, 1). Ese «hasta el extremo» parece testimoniar en este caso el carácter definitivo e insuperable del amor de Cristo: «Nadie tiene mayor amor, que el que da su vida por sus amigos» (*Jn* 15, 13), dice Jesús mismo en el discurso transmitido por su discípulo predilecto.

El mismo Evangelista escribirá en su Carta: «En esto hemos conocido lo que es amor: en que él dio su vida por nosotros. También nosotros debemos dar la vida por los hermanos» (*1 Jn* 3, 16). El amor de Cristo, que se manifestó definitivamente en el sacrificio de la cruz –es decir, en el «entregar la vida por los hermanos»–, es el *modelo definitivo* para cualquier *amor humano auténtico*. Si en no pocos discípulos del Crucificado alcanza ese amor la forma del sacrificio heroico, como vemos muchas veces en la historia de la santidad cristiana, este módulo de la «imitación» del Maestro se explica por el poder del Espíritu Santo, obtenido por Él y «mandado» desde el Padre también para los discípulos (cfr *Jn* 15, 26).

6. *El sacrificio de Cristo se ha hecho «precio» y «compensación» por la liberación del hombre:* la liberación de la «esclavitud del pecado» (cfr *Rom* 6, 5. 17), el paso a la «libertad de los hijos de Dios» (cfr *Rom* 8, 21). Con este sacrificio, consecuencia de su amor por nosotros, Jesucristo ha completado su misión salvífica. El anuncio de todo el Nuevo Testamento halla su expresión más concisa en aquel pasaje del Evangelio de Marcos: «El Hijo del hombre no ha venido a ser servido, sino a servir y a dar su vida en rescate por muchos» (*Mc* 10, 45).

La palabra «rescate» ha favorecido la formación del concepto y de la expresión «redención» (en griego: *lutron* = rescate; *lutrwsis* = redención). Esta verdad central de la Nueva Alianza es al mismo tiempo el cumplimiento *del anuncio profético* de Isaías sobre el Siervo del Señor: «Él ha sido herido por nuestras rebeldías..., y con sus cardenales hemos sido curados» (*Is* 53, 5). «Él llevó los pecados de muchos» (*Is* 53, 12). Se puede afirmar que la redención constituía la expectativa de toda la Antigua Alianza.

7. Así, pues, «habiendo amado hasta el extremo» (cfr *Jn* 13, 1) a aquellos que el Padre le «ha dado» (*Jn* 17, 6), Cristo ofreció su vida en la cruz como «sacrificio por los pecados» (según las palabras de Isaías). *La conciencia de esta tarea,* de esta misión suprema, estuvo siempre presente en la mente y en la voluntad de Jesús. Nos lo dicen sus palabras sobre el «buen pastor» que «da la vida por sus ovejas» (*Jn* 10, 11). Y también su misteriosa, aunque transparente, aspiración: «Con un bautismo tengo que ser bautizado, y ¡qué angustiado estoy hasta que se cumpla!» (*Lc* 12, 50). Y la suprema declaración sobre el cáliz del

vino durante la Última Cena: «Ésta es mi sangre de la Alianza, que es derramada por muchos para el perdón de los pecados» (*Mt* 26, 28).

8. *La predicación apostólica inculca desde el principio* la verdad de que «Cristo murió según las Escrituras por nuestros pecados» (*1 Cor* 15, 3). Pablo lo decía claramente a los Corintios: «Esto es lo que predicamos; esto es lo que habéis creído» (*1 Cor* 15, 11). Lo mismo les predicaba a los ancianos de Éfeso: «el Espíritu Santo os ha puesto como vigilantes para pastorear la Iglesia de Dios, que él se adquirió *con la sangre de su propio Hijo*» (*Hch* 20, 28). Y la predicación de Pablo se halla en perfecta consonancia con la voz de Pedro: «Pues también Cristo, *para llevarnos a Dios,* murió una sola vez por los pecados, el justo por los injustos» (*1 Pe* 3, 18). Pablo subraya la misma idea, es decir, que en Cristo «tenemos por medio de su sangre la redención, el perdón de los pecados, según la riqueza de su gracia» (*Ef* 1, 7).

Para sistematizar esta enseñanza y por razones de continuidad en la misma, el Apóstol proclama con resolución: «Nosotros predicamos a un *Cristo crucificado,* escándalo para los judíos, necedad para los gentiles» (*1 Cor* 1, 23). «Porque la necedad divina es más sabia que la sabiduría de los hombres, y la debilidad divina es más fuerte que la fuerza de los hombres» (*1 Cor* 1, 25). El Apóstol es consciente de la «contradicción» revelada en la cruz de Cristo. ¿Por qué es, pues, esta *cruz, la suprema potencia y sabiduría de Dios?* La sola respuesta es ésta: porque en la cruz se ha manifestado el amor: «La prueba de que Dios nos ama es que Cristo, siendo nosotros todavía pecadores, murió por nosotros» (*Rom* 5, 8). «Cristo os amó y se entregó por vosotros» (*Ef* 5, 2). Las palabras de Pablo son un eco de las del mismo Cristo: «Nadie tiene mayor amor que el que da su vida» (*Jn* 15, 13) por los pecados del mundo.

9. La verdad sobre el sacrificio redentor de Cristo Amor forma parte de la doctrina contenida *en la Carta a los Hebreos*. Cristo es presentado en ella como «Sumo Sacerdote de los bienes futuros», que «penetró de una vez para siempre en el santuario ... con su propia sangre, consiguiendo una redención eterna» (*Heb* 9, 11-12). De hecho, Él no presentó sólo el sacrificio ritual de la sangre de los animales que en la Antigua Alianza se ofrecía en el santuario «hecho por manos humanas»: se ofreció a Sí mismo, transformando su propia muerte violenta en un medio de comunicación con Dios. De este modo, mediante «lo que padeció» (*Heb* 5, 8), Cristo se convirtió en «causa de salvación eterna para todos los que lo obedecen» (*Heb* 5, 9). Este solo sacrificio tiene el poder de «purificar nuestra conciencia de las obras muertas» (cfr *Heb* 9, 14). Sólo él «hace perfectos para siempre a aquellos que son santificados» (cfr *Heb* 10, 14).

En este sacrificio, en el que Cristo, «con un Espíritu eterno se ofreció a sí mismo... a Dios» (*Heb* 9, 14), *halló expresión definitiva su amor:* el amor con el que «amó hasta el extremo» (*Jn* 13, 1); el amor que le condujo a hacerse obediente «hasta la muerte y una muerte de cruz» (*Flp* 2, 8).

65. EL SACRIFICIO DE CRISTO, CUMPLIMIENTO DEL DESIGNIO DE AMOR DE DIOS MISMO*

1. En la misión mesiánica de Jesús hay un punto culminante y central al que nos hemos ido acercando poco a poco en las catequesis precedentes: Cristo fue enviado por Dios al mundo para *llevar a cabo la redención del hombre* mediante el sacrificio de su propia vida. Este sacrificio debía tomar la forma de un «despojarse» de sí en la obediencia hasta la muerte en la cruz: una muerte que, en

* Audiencia general, 7-IX-1988.

opinión de sus contemporáneos, presentaba una dimensión especial de ignominia.

En toda su predicación, en todo su comportamiento, Jesús es guiado por la conciencia profunda que tiene de los designios de Dios sobre la vida y la muerte en la economía de la misión mesiánica, con la certeza de que esos designios *nacen del amor eterno del Padre* al mundo, y en especial al hombre.

2. Si consideramos los años de la adolescencia de Jesús, dan mucho que pensar aquellas palabras del Niño dirigidas a María y a José cuando lo «encontraron» en el templo de Jerusalén: «¿No sabíais que yo debía ocuparme de las cosas de mi Padre?». ¿Qué tenía en su mente y en su corazón? Podemos deducirlo de otras muchas expresiones de su pensamiento durante toda su vida pública. Desde los comienzos de su actividad mesiánica Jesús insiste en inculcar a sus discípulos la idea de que *«el Hijo del Hombre... debe sufrir mucho»* (*Lc* 9, 22), es decir, debe ser «reprobado por los ancianos, los sumos sacerdotes y los escribas, *ser matado* y resucitar a los tres días» (*Mc* 8, 31). Pero todo esto no es sólo cosa de los hombres, no procede sólo de su hostilidad frente a la persona y a la enseñanza de Jesús, sino que constituye el cumplimiento de los designios eternos de Dios, como lo anunciaban las Escrituras que contenían la revelación divina. «¿Cómo está escrito del Hijo del Hombre que sufrirá mucho y que será despreciado?» (*Mc* 9, 12).

3. Cuando Pedro *intenta negar* esta eventualidad («...de ningún modo te sucederá esto»: *Mt* 16, 22), Jesús le reprocha con palabras muy severas: «¡Quítate de mi vista, Satanás!, porque tus pensamientos no son los de Dios, sino los de los hombres» (*Mc* 8, 33). Impresiona la elocuencia de estas palabras, con las que Jesús quiere dar a entender a Pedro que *oponerse al camino de la cruz signifi-*

ca rechazar los designios del mismo Dios. «Satanás» es precisamente el que «desde el principio» se enfrenta con «lo que es de Dios».

4. Así, pues, Jesús es consciente *de la responsabilidad de los hombres* frente a su muerte en la cruz, que Él deberá afrontar debido a una condena pronunciada por tribunales terrenos; pero también lo es de que *por medio* de esta condena humana *se cumplirá el designio eterno de Dios:* «lo que es de Dios», es decir, el sacrificio ofrecido en la cruz por la redención del mundo. Y aunque Jesús (como el mismo Dios) no quiere el mal del «deicidio» cometido por los hombres, acepta este mal para sacar de él el bien de la salvación del mundo.

5. Tras la resurrección, caminando hacia *Emaús* con dos de sus discípulos sin que éstos lo reconocieran, les explica las «Escrituras» del Antiguo Testamento en los siguientes términos: «¿No era necesario que el Cristo padeciera esto y entrara así en su gloria?» (*Lc* 24, 26). Y con motivo de su último encuentro con los Apóstoles declara: «Es necesario que se cumpla todo lo que está escrito en la ley de Moisés, en los Profetas y en los Salmos acerca de mí» (*Lc* 24, 44).

6. A la luz de los acontecimientos pascuales, los Apóstoles comprenden lo que Jesús les había dicho anteriormente. Pedro, que por amor a su Maestro, pero también por no haber entendido las cosas, parecía oponerse de un modo especial a su destino cruel, hablando de Cristo dirá a sus oyentes de Jerusalén el día de Pentecostés: «*El hombre... que fue entregado según el determinado designio y previo conocimiento de Dios; a ése vosotros lo matasteis* clavándole en la cruz por mano de impíos» (*Hch* 2, 22-23). Y volverá a decir: «Dios dio cumplimiento de este modo a lo que había anunciado por boca de todos los Profetas: que su Cristo padecería» (*Hch* 3, 18).

7. La pasión y la muerte de Cristo habían sido anunciadas en el Antiguo Testamento, *no como final* de su misión, *sino como el «paso» indispensable* requerido para ser exaltado por Dios. Lo dice de un modo especial el canto de Isaías, hablando del Siervo de Yahvéh como Varón de dolores: «He aquí que prosperará mi Siervo, será enaltecido, levantado y ensalzado sobremanera» (*Is* 53, 13). Y el mismo Jesús, cuando advierte que «el Hijo del Hombre... será matado», añade que «resucitará al tercer día» (cfr *Mc* 8, 31).

8. Nos encontramos, pues, *ante un designio de Dios* que, aunque parezca tan evidente, considerado en el curso de los acontecimientos descritos por los Evangelios, sigue siendo *un misterio* que la razón humana no puede explicar de manera exhaustiva. En este espíritu, el Apóstol Pablo se expresará con aquella paradoja extraordinaria: «Porque la necedad divina es más sabia que la sabiduría de los hombres, y la debilidad divina, más fuerte que la fuerza de los hombres» (*1 Cor* 1, 25). Estas *palabras de Pablo sobre la cruz de Cristo* son reveladoras. Con todo, aunque es verdad que al hombre le resulta difícil encontrar una respuesta satisfactoria a la pregunta «¿por qué la cruz de Cristo?», la respuesta a este interrogante nos la ofrece una vez más la Palabra de Dios.

9. Jesús mismo formula la respuesta: «*Tanto amó* Dios *al mundo que dio a su Hijo único,* para que todo el que crea en él no perezca, sino que tenga la vida eterna» (*Jn* 3, 16). Cuando Jesús pronunciaba estas palabras en el diálogo nocturno con Nicodemo, su interlocutor no podía suponer aún probablemente que la frase «dar a su Hijo» significaba «*entregarlo a la muerte en la cruz*». Pero Juan, que introduce esa frase en su Evangelio, conocía muy bien su significado. El desarrollo de los acontecimientos había demostrado que ése era exactamente el sentido de la res-

puesta a Nicodemo: Dios «ha dado» a su Hijo unigénito para la salvación del mundo, *entregándole a la muerte de cruz* por los pecados del mundo, *entregándolo por amor:* ¡«Tanto amó Dios al mundo», a la creación, al hombre! *El amor* sigue siendo *la explicación definitiva de la redención mediante la cruz.* Es la única respuesta a la pregunta «¿por qué?» a propósito de la muerte de Cristo incluida en el designio eterno de Dios.

El autor del cuarto Evangelio, donde encontramos el texto de la respuesta de Cristo a Nicodemo, volverá sobre la misma idea en una de sus *Cartas*: «En esto consiste el amor: no en que nosotros hayamos amado a Dios, sino que *él nos amó y nos envió a su Hijo como propiciación por nuestros pecados*» (*1 Jn* 4, 10).

10. Se trata de *un amor que supera incluso la justicia.* La justicia puede afectar y alcanzar a quien haya cometido una falta. Si el que sufre es un inocente, no se habla ya de justicia. Si un inocente que es santo, como Cristo, se entrega libremente al sufrimiento y a la muerte de cruz para realizar el designio eterno del Padre, ello significa que, en el sacrificio de su Hijo, *Dios pasa* en cierto sentido más allá del orden de la justicia, para revelarse en este Hijo y por medio de Él, con toda la riqueza de su misericordia –«Dives in misericordia» (*Ef* 2, 4)–, como para introducir, junto a este Hijo crucificado y resucitado, su misericordia, su amor misericordioso, en la historia de las relaciones entre el hombre y Dios.

Precisamente a través de este amor misericordioso, *el hombre es llamado* a vencer el mal y el pecado en sí mismo y en relación con los otros: «Bienaventurados los misericordiosos, porque ellos alcanzarán misericordia» (*Mt* 5, 7). «La prueba de que Dios nos ama es que Cristo, siendo nosotros todavía pecadores, murió por nosotros», escribía San Pablo (*Rom* 5, 8).

11. El Apóstol vuelve sobre este tema en diversos puntos de sus *Cartas*, en las que reaparece con frecuencia el trinomio: redención, justicia, amor.

«Todos pecaron y están privados de la gloria de Dios, y son justificados por el don de su gracia en virtud de la redención realizada en Cristo Jesús... en su sangre» (*Rom* 3, 23-25). Dios demuestra así que no desea contentarse con el rigor de la justicia, que, viendo el mal, lo castiga, sino que ha querido triunfar sobre el pecado de otro modo, es decir, ofreciendo la posibilidad de salir de él. Dios ha querido mostrarse justo de forma positiva, ofreciendo a los pecadores la posibilidad de llegar a ser justos por medio de su adhesión de fe a Cristo Redentor. De este modo, Dios «es justo y hace justos» (*Rom* 3, 26). Lo cual se realiza de forma *desconcertante,* pues *«a quien no conoció pecado, lo hizo pecado por nosotros, para que viniésemos a ser justicia de Dios en él»* (*2 Cor* 5, 21).

12. El que «no había conocido pecado», el Hijo consubstancial al Padre, cargó sobre sus hombros el yugo terrible del pecado de toda la humanidad, para obtener nuestra justificación y santificación. Éste es *el amor de Dios revelado en el Hijo.* Por medio del Hijo se ha manifestado *el amor del Padre* «que no perdonó a su propio Hijo, sino que lo entregó por todos nosotros» (*Rom* 8, 32). A entender el alcance de las palabras «no perdonó», puede ayudarnos el recuerdo del sacrificio de Abraham, que se mostró dispuesto a no «perdonar a su hijo amado» (*Gen* 22, 16); pero Dios lo había perdonado (22, 12). Mientras que, a su propio Hijo «no lo perdonó, sino que lo entregó» a la muerte por nuestra salvación.

13. De aquí nace la *seguridad del Apóstol en que nadie ni nada,* «ni muerte ni vida, ni ángeles... ni ninguna otra creatura podrá separarnos del amor de Dios manifestado en Cristo Jesús Señor nuestro» (*Rom* 8, 38-39). Con Pa-

blo, la Iglesia entera está segura de este amor de Dios «que lo supera todo», última palabra de la autorrevelación de Dios en la historia del hombre y del mundo, suprema autocomunicación que acontece mediante la cruz, en el centro del misterio pascual de Jesucristo.

66. LA MUERTE DE CRISTO COMO ACONTECIMIENTO HISTÓRICO*

1. Confesamos nuestra fe en la verdad central de la misión mesiánica de Jesucristo: *Él es el Redentor del mundo mediante su muerte en cruz.* La confesamos con las palabras del Símbolo Niceno-Constantinopolitano según el cual Jesús «por nuestra causa fue crucificado en tiempos de Poncio Pilato: padeció y fue sepultado». Al profesar esta fe, conmemoramos la muerte de Cristo, también como un evento histórico, que, como su vida, conocemos por fuentes históricas seguras y autorizadas. Basándonos en esas mismas fuentes podemos y queremos conocer y comprender también las *circunstancias históricas de esa muerte,* que creemos fue «el precio» de la redención del hombre de todos los tiempos.

2. Antes de nada, ¿cómo se llegó a la muerte de Jesús de Nazaret? ¿Cómo se explica el hecho de *que haya sido dado a la muerte* por los representantes de su nación, que lo entregaron al «procurador» romano, cuyo nombre, transmitido por los Evangelios, figura también en los Símbolos de la fe? De momento, tratemos de recoger las circunstancias, que «humanamente» explican la muerte de Jesús. El Evangelista Marcos, *describiendo el proceso de Jesús ante Poncio Pilato,* anota que fue «entregado por envidia» y que Pilato era consciente de este hecho. «Se

* Audiencia general, 28-IX-1988.

daba cuenta... de que los Sumos Sacerdotes se lo habían entregado por envidia» (*Mc* 15, 10). Preguntémonos: ¿por qué esta envidia? Podemos encontrar sus raíces en el resentimiento, no sólo hacia lo que Jesús enseñaba, sino por el modo en que lo hacía. Si, según dice Marcos, *enseñaba «como quien tiene autoridad y no como los escribas»* (*Mc* 1, 22), esta circunstancia era, a los ojos de estos últimos, como una «amenaza» para su prestigio.

3. De hecho, sabemos que *ya el comienzo de la enseñanza de Jesús* en su ciudad natal lleva a un conflicto. El Nazareno de treinta años, tomando la Palabra en la Sinagoga, se señala a Sí mismo como Aquel sobre el que se cumple el anuncio del Mesías, pronunciado por Isaías. Ello provoca en los oyentes estupor y a continuación indignación, de forma que quieren arrojarlo del monte «sobre el que estaba situada su ciudad...». «Pero Él, pasando por en medio de ellos, se marchó» (*Lc* 4, 29-30).

4. Este incidente es sólo el inicio: es la primera señal de las sucesivas hostilidades. Recordemos las principales. Cuando Jesús *hace entender que tiene el poder de perdonar los pecados,* los escribas ven en esto una blasfemia porque tan sólo Dios tiene ese poder (cfr *Mc* 2, 6). Cuando obra milagros en sábado, afirmando que *«el Hijo del hombre es Señor del sábado»* (*Mt* 12, 8), la reacción es análoga a la precedente. Ya desde entonces se deja traslucir la intención de dar muerte a Jesús (cfr *Mc* 3, 6): «*Trataban... de matarle* porque no sólo quebrantaba el sábado, sino que llamaba a Dios *su propio Padre,* haciéndose a Sí mismo igual a Dios» (*Jn* 5, 18). ¿Qué otra cosa podían significar las palabras: «En verdad, en verdad os digo: antes que Abraham existiera *Yo soy*»? (*Jn* 8, 58). Los oyentes sabían qué significaba aquella denominación «*Yo soy*». Por ello Jesús corre de nuevo el riesgo de la lapidación. Esta vez, por el contrario, «se ocultó y subió al templo» (*Jn* 8, 59).

5. El hecho que en definitiva precipitó la situación y llevó a la decisión de dar muerte a Jesús fue *la resurrección de Lázaro* en Betania. El Evangelio de Juan nos hace saber que en la siguiente reunión del sanedrín se constató: «Este hombre realiza muchos signos. Si le dejamos que siga así todos creerán en Él y vendrán los romanos y destruirán nuestro lugar santo y nuestra nación». Ante estas previsiones y temores Caifás, Sumo Sacerdote, se pronunció con esta sentencia: «*Conviene que muera uno solo por el pueblo y no perezca toda la nación*» (*Jn* 1, 47-50). El Evangelista añade: «Esto no lo dijo de su propia cuenta, sino que, como era Sumo Sacerdote aquel año, profetizó que Jesús iba a morir por la nación, y no sólo por la nación sino para reunir en uno a los hijos de Dios que estaban dispersos». Y concluye: «Desde este día, decidieron darle muerte» (*Jn* 11, 51-53).

Juan, de este modo, nos hace conocer un doble aspecto de aquella toma de posición de Caifás. *Desde el punto de vista humano,* que se podría más precisamente llamar oportunista, era un intento de justificar la decisión de eliminar un hombre al que se consideraba políticamente peligroso, sin preocuparse de su inocencia. Desde un punto de vista superior, hecho suyo y anotado por el Evangelista, las palabras de Caifás, independientemente de sus intenciones, tenían *un contenido auténticamente profético* referente al misterio de la muerte de Cristo según el designio salvífico de Dios.

6. Aquí consideramos el desarrollo humano de los acontecimientos. En aquella reunión del sanedrín *se tomó la decisión de matar a Jesús de Nazaret.* Se aprovechó su presencia en Jerusalén durante las fiestas pascuales. Judas, uno de los Doce, entregó a Jesús por treinta monedas de plata, indicando el lugar donde se le podía arrestar. Una vez preso, Jesús fue conducido ante el sanedrín. A la pregunta capital del Sumo Sacerdote: «Yo te conjuro por

Dios vivo que nos digas *si Tú eres el Cristo, el Hijo de Dios*». Jesús dio una gran respuesta: «Tú lo has dicho» (*Mt* 26, 63-64; cfr *Mc* 14, 62; *Lc* 22, 70). En esta declaración el sanedrín vio una blasfemia evidente y sentenció que Jesús era «reo de muerte» (*Mc* 14, 64).

7. El sanedrín no podía, sin embargo, exigir la condena sin el consenso del procurador romano. Pilato está convencido de que Jesús es inocente, y lo hace entender más de una vez. Tras haber opuesto una dudosa resistencia a las presiones del sanedrín, *cede* por fin por temor al riesgo de desaprobación del César, tanto más cuanto que la multitud, azuzada por los fautores de la eliminación de Jesús, pretende ahora la crucifixión. «Crucifige eum!». Y así *Jesús es condenado a muerte mediante la crucifixión.*

8. *Los hombres* indicados nominalmente por los Evangelios, al menos en parte, *son históricamente los responsables* de esta muerte. Lo declara Jesús mismo cuando dice a Pilato durante el proceso: «El que me ha entregado a ti tiene mayor pecado» (*Jn* 19, 11). Y en otro lugar: «El Hijo del hombre se va, como está escrito de Él, pero, ¡*ay de aquel* por quien el Hijo del hombre es entregado! ¡Más le valdría a ese hombre no haber nacido!» (*Mc* 14, 21; *Mt* 26, 24; *Lc* 22, 22). Jesús alude a las diversas personas que, de distintos modos, serán los artífices de su muerte: a Judas, a los representantes del sanedrín, a Pilato, a los demás... También Simón Pedro, en el discurso que tuvo después de Pentecostés imputará a los jefes del sanedrín la muerte de Jesús: «Vosotros le matasteis clavándole en la cruz por mano de los impíos» (*Hch* 2, 23).

9. Sin embargo *no se puede extender* esta imputación *más allá del círculo de personas verdaderamente responsables.* En un documento del Concilio Vaticano II leemos: «Aunque las autoridades de los judíos con sus seguidores

reclamaron la muerte de Cristo, sin embargo, lo que en su pasión se hizo no puede ser imputado, ni indistintamente a todos los judíos que entonces vivían, ni (mucho menos) a los judíos de hoy» (Declaración *Nostra aetate,* 4).

Luego si se trata de valorar *la responsabilidad de las conciencias* no se pueden olvidar las palabras de Cristo en la cruz: «*Padre perdónalos, porque no saben lo que hacen*» (*Lc* 23, 34).

El eco de aquellas palabras lo encontramos en otro discurso pronunciado por Pedro después de Pentecostés: «Ya sé yo, hermanos, que obrasteis por ignorancia, lo mismo que vuestros jefes» (*Hch* 3, 17). ¡Qué sentido de discreción ante el misterio de la conciencia humana, incluso en el caso del delito más grande cometido en la historia, la muerte de Cristo!

10. Siguiendo el ejemplo de Jesús y de Pedro, aunque *sea difícil negar la responsabilidad* de aquellos hombres que provocaron voluntariamente la muerte de Cristo, también nosotros veremos las cosas a la luz del designio eterno de Dios, que pedía la ofrenda propia de su Hijo predilecto como víctima por los pecados de todos los hombres. En esta perspectiva superior nos damos cuenta de que todos, por causa de nuestros pecados, somos responsables de la muerte de Cristo en la cruz: *todos,* en la medida en que hayamos contribuido *mediante el pecado* a hacer que Cristo muriera por nosotros como víctima de expiación. También en este sentido se pueden entender las palabras de Jesús: «El Hijo del hombre va a ser entregado *en manos de los hombres;* le matarán, y al tercer día resucitará» (*Mt* 17, 22).

11. La cruz de Cristo es, pues, para todos una llamada real al hecho expresado por el Apóstol Juan con las palabras «La sangre de su Hijo Jesús nos purifica de todo pecado. *Si decimos: 'no tenemos pecado',* nos engañamos y *la*

verdad no está en nosotros» (*1 Cor* 1, 7-8). La Cruz de Cristo no cesa de ser para cada uno de nosotros esta llamada misericordiosa y, al mismo tiempo, severa a reconocer y confesar la propia culpa. Es una llamada a vivir en la verdad.

67. LA CONCIENCIA QUE CRISTO TENÍA DE SU VOCACIÓN AL SACRIFICIO REDENTOR*

1. «Por nuestra causa fue crucificado en tiempos de Poncio Pilato: padeció y fue sepultado». En la última catequesis, haciendo referencia a estas palabras del Símbolo de la fe, hemos considerado la muerte de Cristo como un acontecimiento que tiene su dimensión histórica y que se explica también a la luz de las circunstancias históricas en las que se produjo. El Símbolo nos da igualmente indicaciones, a este respecto, haciéndose eco de los Evangelios, en los que se encuentran datos más abundantes. Pero el Símbolo también pone de relieve el hecho de que la *muerte de Cristo en la cruz ha ocurrido como sacrificio por los pecados* y se ha convertido, por ello, en «precio» de la redención del hombre: «Por nuestra causa fue crucificado», «por nosotros los hombres y por nuestra salvación».

Resulta espontáneo preguntarse *qué conciencia* tuvo Jesús de esta finalidad de su misión: cuándo y cómo percibió *la vocación* a ofrecerse en sacrificio por los pecados del mundo.

A este respecto, es necesario decir de antemano que no es fácil penetrar en la evolución histórica de la conciencia de Jesús: el Evangelio hace alusión a ella (cfr *Lc* 2, 52), pero sin ofrecer datos precisos para determinar las etapas.

Muchos textos evangélicos, citados en las catequesis precedentes, documentan esta conciencia, ya clara, de Je-

* Audiencia general, 5-X-1988.

sús, sobre su misión: una conciencia en tal forma viva, que reacciona con vigor y hasta con dureza a quien intentaba, incluso por afecto hacia Él, apartarle de ese camino: como ocurrió con Pedro al que Jesús no dudó en oponerle su «Vade retro Satana!» (*Mc* 8, 33).

2. Jesús sabe que será bautizado con un «bautismo» de sangre (cfr *Lc* 12, 50), aun antes de ver que su predicación y comportamiento encuentran la oposición y suscitan la hostilidad de los círculos de su pueblo que tienen el poder de decidir su suerte. Es consciente de que sobre su cabeza pende un «oportet» correspondiente al eterno designio del Padre (cfr *Mc* 8, 31), mucho antes de que las circunstancias históricas lleven a la realización de lo que está previsto. Jesús, sin duda, se abstiene por algún tiempo de anunciar esa muerte suya, aun siendo consciente de su mesianidad, desde el principio, como lo testifica su autopresentación en la sinagoga de Nazaret (cfr *Lc* 4, 16-21); sabe que la razón de ser de la Encarnación, la finalidad de su vida es la contemplada en el eterno designio de Dios sobre la salvación. «*El Hijo del hombre no ha venido* a ser servido, sino a servir y a *dar su vida como rescate por muchos*» (*Mc* 10, 45).

3. En los Evangelios podemos encontrar otras abundantes pruebas de la conciencia que Jesús tenía sobre su suerte futura en dependencia del plano divino de la salvación. Ya la respuesta de Jesús a los doce años, cuando fue encontrado en el templo, es de alguna forma, la primera expresión de esta conciencia suya. El niño, de hecho, explicando a María y a José su deber de «ocuparse de las cosas de su Padre» (cfr *Lc* 2, 49) da a entender que está interiormente orientado hacia los futuros acontecimientos, al tiempo que, teniendo apenas doce años, parece querer preparar a sus seres más queridos para el porvenir, especialmente a su Madre.

Cuando llega el tiempo de dar comienzo a la actividad mesiánica *Jesús* se encuentra *en la fila de los que reciben el bautismo de penitencia de manos de Juan en el Jordán.* Intenta hacer entender, a pesar de la protesta del Bautista, que se siente mandado para hacerse «solidario» con los pecadores, para acoger sobre sí el yugo de los pecados de la humanidad, como indica, por lo demás, la presentación que Juan hace de Él: «*He aquí el Cordero de Dios... que quita el pecado del mundo*» (*Jn* 1, 29). En estas palabras se encuentra el eco y, en cierto sentido, la síntesis de lo que Isaías había anunciado sobre el Siervo del Señor: «herido por nuestras rebeldías, molido por nuestras culpas... Yahvéh descargó sobre Él la culpa de todos nosotros... como un cordero al degüello era llevado... Justificará mi Siervo a muchos, y las culpas de ellos él soportará» (*Is* 53, 5-7. 11). Había sintonía, sin duda, entre la conciencia mesiánica de Jesús y aquellas palabras del Bautista que expresaban la profecía y la espera del Antiguo Testamento.

4. A continuación, los Evangelios nos presentan otros momentos y palabras, de los que resulta la orientación de la conciencia de Jesús hacia la muerte sacrificial. Piénsese en aquella imagen de los amigos del esposo, sus discípulos, que no debían «ayunar» mientras el Esposo está con ellos: «*Días vendrán* en que *les será arrebatado el Esposo* –prosigue Jesús– y en aquel día ayunarán» (*Mc* 2, 20). Es una alusión significativa que deja traslucir el estado de conciencia de Cristo. Resulta, además, de los Evangelios que Jesús nunca aceptó ningún pensamiento o discurso que pudiera dejar vislumbrar la esperanza del éxito terreno de su obra. Los «signos» divinos que ofrecía, los milagros que obraba, podían crear un terreno propicio para tal expectativa. Pero Jesús no dudó en desmentir toda intención, disipar toda ilusión al respecto, porque sabía que su *misión mesiánica no podía realizarse de otra forma que mediante el sacrificio.*

5. Jesús seguía con sus discípulos el método de una oportuna «pedagogía». Esto se ve, de modo particularmente claro, en el momento en que los Apóstoles parecían haber llegado a la convicción de que Jesús era el verdadero Mesías (el «Cristo»), convicción expresada por aquella exclamación de Simón Pedro: *«Tú eres el Cristo, el Hijo de Dios vivo»* (*Mt* 16, 16), que podía considerarse como el punto culminante del camino de maduración de los Doce en la ya notable experiencia adquirida en el seguimiento de Jesús. Y he aquí que, precisamente *tras esta profesión* (ocurrida en las cercanías de Cesarea de Filipos), Cristo *habla* por primera vez *de su pasión y muerte:* «Y comenzó a enseñarles que el Hijo del hombre debía sufrir mucho y ser reprobado por los ancianos, los sumos sacerdotes y los escribas, ser matado y resucitar a los tres días» (*Mc* 8, 31; cfr también *Mt* 16, 21; *Lc* 9, 22).

6. También las palabras de severa reprensión dirigidas a Pedro, que no quería aceptar aquello que oía («Señor, de ningún modo te sucederá eso»: *Mt* 16, 22), prueban lo identificada que estaba la conciencia de Jesús con la certeza del futuro *sacrificio.* Ser Mesías quería decir para Él «dar su vida como rescate por muchos» (*Mc* 10, 45). Desde el inicio sabía Jesús que éste era el sentido definitivo de su misión y de su vida. Por ello rechazaba todo lo que habría podido ser o parecer como la negación de esa finalidad salvífica. Esto se vislumbra ya en la hora de la tentación, cuando Jesús rechaza resueltamente al halagador que trata de desviarle hacia la búsqueda de éxitos terrenos (cfr *Mt* 4, 5-10; *Lc* 4, 5-12).

7. Debemos notar, sin embargo, que en los textos citados, cuando Jesús anuncia su pasión y muerte, procura hablar también de la *resurrección que sucederá «el tercer día»*. Es un añadido que no cambia en absoluto el significado esencial del sacrificio mesiánico mediante la muerte

en cruz, sino que pone de relieve su significado salvífico y vivificante. Digamos, desde ahora, que esto pertenece a la más profunda esencia de la misión de Cristo: el Redentor del mundo es aquel en quien se debe llevar a cabo la «pascua», es decir, *el paso del hombre a una nueva vida en Dios.*

8. En este mismo espíritu Jesús forma *a sus Apóstoles* y traza la prospectiva en que deberá moverse su *futura Iglesia.* Los Apóstoles, sus sucesores y todos los seguidores de Cristo, tras las huellas del Maestro crucificado, deberán recorrer el camino de la cruz: «*Os entregarán* a los tribunales, seréis azotados en las sinagogas y compareceréis ante gobernadores y reyes por mi causa para que deis testimonio ante ellos» (*Mc* 13, 9). «Os entregarán a la tortura y os matarán, y seréis odiados de todas las naciones por causa de mi nombre» (*Mt* 24, 9). Pero ya sea a los Apóstoles o a los futuros seguidores, que participarán en la pasión y muerte redentora de su Señor, Jesús también preanuncia: «En verdad, en verdad os digo: ... Estaréis tristes, pero *vuestra tristeza se convertirá en gozo*» (*Jn* 16, 20). Tanto los Apóstoles como la Iglesia están llamados, en todas las épocas, a tomar parte en el misterio pascual de Cristo en su totalidad. Es un misterio, en el que, del sufrimiento y la «tristeza» del que participa en el sacrificio de la cruz, nace el «gozo» de la nueva vida de Dios.

68. VALOR DEL SUFRIMIENTO Y DE LA MUERTE DE CRISTO*

1. Los datos bíblicos e históricos sobre la muerte de Cristo que hemos resumido en las catequesis precedentes, han sido objeto de reflexión en la Iglesia de todos los tiempos, por parte de los primeros Padres y Doctores, por los Concilios Ecuménicos, por los teólogos de las diversas

* Audiencia general, 19-X-1988.

escuelas que se han formado y sucedido durante los siglos hasta hoy.

El objeto principal del estudio y de la investigación ha sido y es el del valor de la pasión y muerte de Jesús de cara a nuestra salvación. Los resultados conseguidos sobre este punto, además de hacernos conocer mejor el *misterio de la redención,* han servido para arrojar nueva luz también sobre el *misterio del sufrimiento humano,* del cual se han podido descubrir dimensiones impensables de grandeza, de finalidad, de fecundidad, ya desde que se ha hecho posible su comparación, y más aún, su vinculación con la Cruz de Cristo.

2. Elevemos los ojos, ante todo, hacia Él que cuelga de la Cruz y preguntémonos: ¿quién es éste que sufre? Es el Hijo de Dios: *hombre verdadero,* pero también *Dios verdadero,* como sabemos por los Símbolos de la fe. Por ejemplo el de Nicea lo proclama «Dios verdadero de Dios verdadero... que por nosotros los hombres y por nuestra salvación bajó del cielo, se encarnó y ... padeció» (*DS,* 125). El Concilio de Éfeso, por su parte, precisa que «el *Verbo de Dios* sufrió en la carne» (*DS,* 263).

«Dei Verbum passum carne»: es una síntesis admirable del gran misterio del Verbo encarnado, Jesucristo, cuyos sufrimientos humanos pertenecen a la naturaleza humana, pero se deben atribuir, como todas sus acciones, a la Persona divina. ¡Se tiene, pues, en Cristo a un Dios que sufre!

3. Es una verdad desconcertante. Ya Tertuliano preguntaba a Marción: «¿Sería quizá muy necio creer en un Dios que ha nacido precisamente de una Virgen, precisamente carnal y que ha pasado por las humillaciones de la naturaleza?... Por el contrario di que es sabiduría un Dios crucificado» (*De carne Christi,* 4, 6-5, 1).

La teología ha precisado que lo que no podemos atribuir a Dios como Dios, sino por una metáfora antropomórfica que nos hace hablar de su sufrimiento, etc., Dios lo ha realizado en su Hijo, el Verbo, que ha asumido la *naturaleza humana* en Cristo. Y si Cristo es Dios que sufre en la naturaleza humana, como hombre verdadero nacido de María Virgen y sometido a los acontecimientos y a los dolores de todo hijo de mujer, siendo Él una persona divina, como Verbo, da un valor infinito a su sufrimiento y a su muerte, que así entra en el ámbito misterioso de la realidad humano-divina y toca, sin deteriorarla, la gloria y la felicidad infinita de la Trinidad.

Sin duda, Dios en su esencia permanece más allá del horizonte del sufrimiento humano-divino: pero la pasión y muerte de Cristo penetran, rescatan y ennoblecen todo el sufrimiento humano, ya que Él, al encarnarse, ha querido ser solidario con la humanidad, la cual, poco a poco, se abre a la comunión con Él en la fe y el amor.

4. El Hijo de Dios, que asumió el sufrimiento humano es, pues, un *modelo divino* para todos los que sufren, especialmente para los cristianos que conocen y aceptan en la fe el significado y el valor de la Cruz. El Verbo encarnado sufrió según el designio del Padre también para que pudiésemos «seguir sus huellas», como recomienda San Pedro (*1 Pe* 2, 21; cfr *S. Th.* II, q. 46, a. 3). Sufrió y nos enseñó a sufrir.

5. Lo que más destaca en la pasión y muerte de Cristo es su perfecta conformidad con la voluntad del Padre, con aquella obediencia que siempre ha sido considerada como la disposición más característica y esencial del sacrificio.

San Pablo dice de Cristo que se «hizo obediente hasta la muerte de Cruz» (*Flp* 2, 8), alcanzando, así, el máximo desarrollo de la *kénosis* incluida en la encarnación del Hijo de Dios, en contraste con la desobediencia de Adán, que quiso «retener» la igualdad con Dios (cfr *Flp* 2, 6).

El «nuevo Adán» realizó de esta forma un vuelco de la condición humana (una «recirculatio», como dice San Ireneo): Él, «siendo de condición divina no retuvo ávidamente el ser igual a Dios, sino que se despojó de sí mismo» (*Flp* 2, 7). La *Carta a los Hebreos* recalca el mismo concepto. «Aun siendo Hijo, con lo que padeció experimentó la obediencia» (*Heb* 5, 8). Pero es el mismo el que en vida y en muerte, según los Evangelios, se ofreció a sí mismo al Padre en plenitud de obediencia. «No sea lo que yo quiero sino lo que quieras Tú» (*Mc* 14, 36). «Padre en tus manos pongo mi espíritu» (*Lc* 23, 46). San Pablo sintetiza todo esto cuando dice que el Hijo de Dios hecho hombre se «humilló a sí mismo, obedeciendo hasta la muerte y muerte en cruz» (*Flp* 2, 8).

6. En Getsemaní vemos lo dolorosa que fue esta obediencia: «¡Abbá, Padre!: todo es posible para ti; aparta de mí esta copa; pero no sea la que yo quiero, sino la que quieras Tú» (*Mc* 14, 36). En ese momento se produce en Cristo una agonía del alma, mucho más dolorosa que la corporal (cfr *S. Th.* III, q. 46, a. 6), por el conflicto interior entre las «razones supremas» de la pasión, fijadas en el designio de Dios, y la percepción que tiene Jesús en la finísima sensibilidad de su alma, de la enorme maldad del pecado que parece volcarse sobre Él, hecho casi «pecado» (es decir, víctima del pecado), como dice San Pablo (cfr *2 Cor* 5, 21), para que el pecado universal fuera expiado en Él. Así, Jesús llega a la muerte como el acto supremo de obediencia: «Padre en tus manos pongo mi espíritu» (*Lc* 23, 46): el espíritu, o sea, el principio de la vida humana.

Sufrimiento y muerte son la manifestación definitiva de la obediencia total del Hijo al Padre. ¡El homenaje y el sacrificio de la obediencia del Verbo encarnado son una admirable concreción de disponibilidad filial, que desde el misterio de la encarnación sube, y, de alguna forma, penetra en el misterio de la Trinidad! Con el homenaje perfecto de su obediencia Jesucristo logra una perfecta victoria sobre la desobediencia de Adán y sobre todas las rebeliones que pueden nacer en los corazones humanos, muy especialmente por causa del sufrimiento y de la muerte, de manera que aquí también puede decirse que «donde abundó el pecado, sobreabundó la gracia» (*Rom* 5, 20). Jesús reparaba, en efecto, la desobediencia, que siempre está incluida en el pecado humano, satisfaciendo en nuestro lugar las exigencias de la justicia divina.

7. En toda esta obra salvífica, consumada en la pasión y en la muerte en Cruz, Jesús llevó al extremo la manifestación del amor divino hacia los hombres, que está en el origen tanto de su oblación, como del designio del Padre.

«Despreciable y desecho de hombres, varón de dolores y sabedor de dolencias» (*Is* 53, 3), Jesús mostró toda la verdad contenida en aquellas palabras proféticas: «Nadie tiene mayor amor, que el que da la vida por sus amigos» (*Jn* 15, 13). Haciéndose «varón de dolores» estableció una nueva solidaridad de Dios con los sufrimientos humanos. Hijo eterno del Padre, en comunión con Él en su gloria eterna, al hacerse hombre se guardó bien de reivindicar privilegios de gloria terrena o al menos de exención del dolor, pero entró en el camino de la cruz y escogió como suyos los sufrimientos, no sólo físicos, sino morales que le acompañaron hasta la muerte; todo por amor nuestro, para dar a los hombres la prueba decisiva de su amor, para reparar el pecado de los hombres y reconducirlos desde la dispersión hasta la unidad (cfr *Jn* 11, 52). Todo porque en el amor de Cristo se reflejaba el amor de Dios hacia la humanidad.

Así puede Santo Tomás afirmar que la primera razón de conveniencia que explica la liberación humana mediante la pasión y muerte de Cristo es que «de esta forma el hombre conoce cuánto le ama Dios, y el hombre, a su vez, es inducido a amarlo: en tal amor consiste la perfección de la salvación humana» (III, q. 46, a. 3). Aquí el Santo Doctor cita al Apóstol Pablo que escribe: «La prueba de que Dios nos ama es que Cristo, siendo nosotros todavía pecadores, murió por nosotros» (*Rom* 5, 8).

8. Ante este misterio, podemos decir que sin el sufrimiento y la muerte de Cristo, el amor de Dios hacia los hombres no se habría manifestado en toda su profundidad y grandeza. Por otra parte, el sufrimiento y la muerte se han convertido, con Cristo, en invitación, estímulo y vocación a un amor más generoso, como ha ocurrido con tantos Santos que pueden ser justamente llamados los «héroes de la Cruz» y como sucede siempre con muchas criaturas, conocidas e ignoradas, que saben santificar el dolor reflejando en sí mismas el rostro llagado de Cristo. Se asocian así a su oblación redentora.

9. Falta añadir que Cristo, en su humanidad unida a la divinidad, y hecha capaz, en virtud de la abundancia de la caridad y de la obediencia, de reconciliar al hombre con Dios (cfr *2 Cor* 5, 19), se establece como único *Mediador* entre la humanidad y Dios, a un nivel muy superior al que ocupan los Santos del Antiguo y Nuevo Testamento, y la misma Santísima Virgen María, cuando se habla de su mediación o se invoca su intercesión.

Estamos, pues, ante nuestro Redentor, Jesucristo crucificado, muerto por nosotros por amor y convertido por ello en autor de nuestra salvación.

Santa Catalina de Siena, con una de sus imágenes tan vivas y expresivas, lo compara a un *«puente sobre el mundo»*. Sí, Él es verdaderamente el Puente y el Mediador, porque a través de Él viene todo don del cielo a los hombres y suben a Dios todos nuestros suspiros e *invocaciones de salvación* (cfr *S. Th.* III, q. 26, a. 2). Abracémonos, con Catalina y tantos otros «Santos de la Cruz» a este Redentor nuestro dulcísimo y misericordiosísimo, que la Santa de Siena llamaba *Cristo-Amor.* En su corazón traspasado está nuestra esperanza y nuestra paz.

69. VALOR SUSTITUTIVO Y REPRESENTATIVO DEL SACRIFICIO DE CRISTO, VÍCTIMA DE EXPIACIÓN «POR LOS PECADOS» DE TODO EL MUNDO*

1. Tomemos de nuevo algunos conceptos que la tradición de los Padres ha sacado de las fuentes bíblicas en el intento de explicar las «riquezas insondables» (*Ef* 3, 8) de la redención.

Ya hemos aludido a ellos en las últimas catequesis, pero merecen ser ilustrados, de forma más particularizada por su importancia teológica y espiritual.

2. Cuando Jesús dice: «*El Hijo del hombre... no ha venido a ser servido, sino a servir y dar su vida como rescate por muchos*» (*Mc* 10, 45) resume en estas palabras el objetivo esencial de su misión mesiánica: «dar su vida en rescate». Es una misión redentora. Lo es para toda la humanidad, porque decir, «en rescate por muchos», según el modo semítico de expresar los pensamientos, no excluye a nadie. A la luz de este valor redentor había sido ya vista la misión del Mesías en el libro del Profeta Isaías, y, particularmente, en los «*Cánticos del Siervo de Yahvéh*»: «¡Y con todo eran nuestras dolencias las que Él llevaba y nuestros dolores los que soportaba! Nosotros le tuvimos por azotado, herido de Dios y humillado. Él ha sido herido por nuestras culpas. Él soportó el castigo que nos trae la paz, y con sus cardenales hemos sido curados» (*Is* 53, 46).

* Audiencia general, 26-X-1988.

3. Estas palabras proféticas nos hacen comprender mejor lo que Jesús quiere decir cuando habló de que el Hijo del hombre ha venido «para dar su vida en rescate por muchos». Quiere decir que *ha dado su vida «en nombre» y en sustitución de toda la humanidad,* para liberar a todos del pecado. Esta «sustitución» excluye cualquier participación en el pecado por parte del Redentor. Él fue absolutamente inocente y santo. *Tu solus sanctus!* Decir que una persona ha sufrido un castigo *en lugar* de otra implica, evidentemente, que ella no ha cometido la culpa. En su sustitución redentora *(substitutio), Cristo,* precisamente *por su inocencia y santidad «vale ciertamente lo que todos»,* como escribe San Cirilo la Alejandría (*In Isaiam* 5, 1; *PG* 70, 176; *In 2 Cor* 5, 21; *PG* 74, 945). Precisamente porque «no cometió pecado» (*1 Pe* 2, 22), pudo tomar sobre sí lo que es efecto del pecado, es decir, el sufrimiento y la muerte, dando al sacrificio de la propia vida un valor real y un significado redentor perfecto.

4. Lo que confiere a la sustitución su valor redentor no es el hecho material de que un inocente haya sufrido el castigo merecido por los culpables y que así la justicia haya sido satisfecha de algún modo (en realidad, en tal caso, se debería más bien hablar de grave injusticia). El valor redentor, por el contrario, viene de la realidad de que Jesús, siendo inocente, se ha hecho, por puro amor, solidario con los culpables y así ha transformado, desde dentro, su situación. En efecto, cuando una situación catastrófica como la provocada por el pecado es asumida por puro amor en favor de los pecadores, entonces tal situación ya no está más bajo el signo de la oposición a Dios, sino, al contrario, bajo el de la docilidad al amor que viene de Dios (cfr *Gal* 1, 4) y se conviene, de esta forma, en fuente de bendición (*Gal* 3, 13-14). Cristo, ofreciéndose a sí mismo «en rescate por muchos» ha llevado a cabo hasta el fin su *solidaridad con el hombre, con cada*

hombre, con cada *pecador.* Lo manifiesta el Apóstol cuando escribe: «El amor de Cristo nos apremia al pensar que, si uno murió por todos, todos por tanto murieron» (*2 Cor* 5, 14). Cristo, pues, se hizo solidario con cada hombre en la muerte, que es un efecto del pecado. Pero esta *solidaridad* de ninguna forma era en Él efecto del pecado; *era, por el contrario, un acto gratuito de amor purísimo.* El amor «indujo» a Cristo a «dar la vida», aceptando la muerte en la cruz. Su solidaridad con el hombre en la muerte consiste, pues, en el hecho de que sólo Él murió *como* muere *el hombre* –como muere cada hombre– pero murió *por cada hombre.* De tal forma, la «sustitución» significa la «sobreabundancia» del amor, que permite superar todas las «carencias» o insuficiencias del amor humano, todas las negaciones y contrariedades ligadas con el pecado del hombre en toda dimensión, interior e histórica, en la que este pecado ha grabado la relación del hombre con Dios.

5. Sin embargo, en este punto *vamos más allá de la medida puramente humana del «rescate»* que Cristo ha ofrecido «por todos». Ningún hombre, aunque fuera el más santo, podía tomar sobre sí los pecados de todos los hombres y ofrecerlos en sacrificio «por todos». Sólo Jesucristo era capaz de ello, *porque,* aun siendo verdadero hombre, *era Dios-Hijo,* de la misma substancia del Padre. El *sacrificio* de su vida *humana* tuvo por este motivo un valor infinito. La subsistencia en Cristo de la Persona divina del Hijo, la cual supera y abraza al mismo tiempo a todas las personas humanas, hace posible su sacrificio redentor «por todos». *«Jesucristo valía lo que todos nosotros»,* escribe San Cirilo de Alejandría (cfr *In Isaiam* 5, 1; *PG* 70, 1.176). La misma *transcendencia divina de la persona de Cristo* hace que Él pueda «representar» ante el Padre a todos los hombres. En este sentido se explica el carácter «sustitutivo» de la redención realizada por Cristo:

en nombre de todos y por todos. «Sua sanctissima passione in ligno crucis *nobis iustificationem meruit*» enseña el Concilio de Trento (Decreto sobre la justificación, c. 7: *DS,* 1.529), subrayando su valor *meritorio* del sacrificio de Cristo.

6. Aquí se hace notar que este mérito es *universal,* es decir, valedero para todos los hombres y para cada uno, porque está basado en una *representatividad universal,* puesta a la luz por los textos que hemos visto sobre la *sustitución* de Cristo en el sacrificio por todos los demás hombres. Él «valía lo que todos nosotros», como ha dicho San Cirilo de Alejandría, podía por sí solo sufrir por todos (cfr *In Isaiam* 5, 1: *PG* 70, 1.176; *In 2 Cor* 5, 21; *PG* 74, 945). Todo ello está incluido en el designio salvífico de Dios y en la vocación mesiánica de Cristo.

7. Se trata de una verdad de fe, basada en palabras de Jesús, claras e inequívocas, repetidas por Él también en el momento de la *institución de la Eucaristía.* Nos las transmite San Pablo en un texto que es considerado como el más antiguo sobre este punto: «Éste es mi cuerpo, que se entrega por vosotros... Este cáliz es la nueva alianza en mi sangre» (*1 Cor* 11, 23). Con este texto concuerdan *los sinópticos* que hablan del cuerpo que «se da» y de la sangre que será «derramada... en remisión de los pecados» (cfr *Mc* 14, 22-24; *Mt* 26, 26-28; *Lc* 22, 19-20). *También en la oración sacerdotal* de la Última Cena, Jesús dice: «Yo por ellos me santifico a mí mismo, para que ellos también sean santificados en la verdad» (*Jn* 17, 19). El eco y, en cierto modo, la precisión del significado de estas palabras de Jesús se encuentra en la primera carta de San Juan: «Él *es la víctima de propiciación por nuestros pecados,* no sólo por los nuestros, sino también *por los del mundo entero*» (*1 Jn* 2, 2). Como se ve, San Juan nos ofrece la interpretación auténtica de los demás textos

sobre el valor sustitutivo del sacrificio de Cristo, en el sentido de la universalidad de la redención.

8. Esta verdad de nuestra fe no excluye, sino que exige, la *participación del hombre, de cada hombre,* en el sacrificio de Cristo, la *colaboración con el Redentor.* Si, como hemos dicho más arriba, ningún hombre podía llevar a cabo la redención, ofreciendo un sacrificio sustitutivo «por los pecados de todo el mundo» (cfr *1 Jn* 2, 2), también es verdad que cada uno es llamado a participar en el sacrificio de Cristo, a colaborar con Él en la obra de la redención que Él mismo ha realizado. Lo dice explícitamente el Apóstol Pablo cuando escribe a los Colosenses: «Ahora me alegro por los padecimientos que soporto por vosotros, y *completo en mi carne lo que falta a las tribulaciones de Cristo,* en favor de su Cuerpo, que es la Iglesia» (*Col* 1, 24). El mismo apóstol escribe también: «Estoy crucificado con Cristo» (*Gal* 2, 20). Estas afirmaciones no parten sólo de una experiencia y de una interpretación personal de Pablo, sino que expresan la verdad sobre el hombre, redimido sin duda a precio de la Cruz de Cristo, y también llamado al mismo tiempo a «completar en la propia carne lo que falta» a los sufrimientos de Cristo por la redención del mundo. Todo esto se sitúa en la lógica de la alianza entre Dios y el hombre y supone, en este último, la fe como vía fundamental de su participación en la salvación que viene del sacrificio de Jesús en la Cruz.

9. *Cristo mismo ha llamado y llama constantemente a sus discípulos* a esta participación: «Si alguno quiere venir en pos de mí, niéguese a sí mismo, tome la cruz y sígame» (*Mc* 8, 34). Más de una vez también habla de las persecuciones que esperan a sus discípulos: «El siervo no es más que su Señor. Si a mí me han perseguido, también os perseguirán a vosotros» (*Jn* 5, 20). «Lloraréis y os lamentaréis, y el mundo se alegrará. Estaréis tristes pero vues-

tra tristeza se convertirá en gozo» (*Jn* 16, 20). Estos y otros textos del Nuevo Testamento han basado, justamente, la tradición teológica, espiritual y ascética que desde los tiempos más antiguos ha mantenido la necesidad y mostrado los caminos del seguimiento de Cristo en la pasión, no sólo como imitación de sus virtudes, sino también como cooperación en la redención universal con la participación en su sacrificio.

10. He aquí uno de los puntos de referencia de la espiritualidad cristiana específica que estamos llamados a reactivar en nuestra vida por fuerza del mismo bautismo que, según el decir de San Pablo (cfr *Rom* 6, 3-4), actúa sacramentalmente nuestra muerte y sepultura sumergiéndonos en el sacrificio salvífico de Cristo: si Cristo ha redimido a la humanidad, aceptando la cruz y la muerte «por todos», esta *solidaridad de Cristo* con cada hombre contiene en sí la *llamada a la cooperación solidaria con Él* en la obra de la redención. Tal es la elocuencia del Evangelio. Así es, sobre todo, la elocuencia de la cruz. Así la importancia del bautismo que, como veremos en su momento, actúa ya en sí la participación del hombre, de todo hombre, en la obra salvífica, en la que está asociado a Cristo por una misma vocación divina.

70. SENTIDO DEL SUFRIMIENTO A LA LUZ DE LA PASIÓN DEL SEÑOR*

«Si el grano de trigo... muere, da mucho fruto» (*Jn* 12, 24).

1. *La redención* realizada por Cristo al precio de la pasión y muerte de cruz, es un *acontecimiento decisivo y de-*

* Audiencia general, 9-XI-1988.

terminante en la historia de la humanidad, no sólo porque cumple el supremo designio divino de justicia y misericordia, sino también *porque revela a la conciencia del hombre un nuevo significado del sufrimiento.* Sabemos que no hay un problema que pese más sobre el hombre que éste, particularmente en su relación con Dios. Sabemos que desde la solución del problema del sufrimiento se condiciona el valor de la existencia del hombre sobre la tierra. Sabemos que coincide, en cierta medida, con el *problema del mal,* cuya presencia en el mundo cuesta tanto aceptar.

La cruz de Cristo –la pasión– arroja una luz completamente nueva sobre este problema, dando otro sentido al sufrimiento humano en general.

2. *En el Antiguo Testamento* el sufrimiento es considerado, globalmente, *como una pena que debe sufrir el hombre,* por parte de Dios justo, *por sus pecados.* Sin embargo, permaneciendo en el ámbito de tal horizonte de pensamiento, basado en una revelación divina inicial, el hombre encuentra *dificultad al dar razón del sufrimiento del que no tiene culpa,* o lo que es lo mismo, del inocente. Problema tremendo cuya expresión «clásica» se encuentra en el Libro de Job. Añádase, sin embargo, que en el Libro de Isaías el problema se ve ya desde una luz nueva, cuando parece que la figura del Siervo de Yahvé constituye una preparación particularmente significativa y eficaz en relación con el misterio pascual, en cuyo centro se colocará, junto al «Varón de dolores», Cristo, el hombre sufriente de todos los tiempos y de todos los pueblos.

El *Cristo que sufre* es, como ha cantado un poeta moderno, «el Santo que sufre», el Inocente que sufre, y, precisamente por ello, su sufrimiento tiene una profundidad mucho mayor en relación con la de todos los otros hombres, incluso de todos los Job, es decir de todos los que sufren en el mundo sin culpa propia. Ya que Cristo es el único que verdaderamente no tiene pecado, y que, más aún, ni siquiera puede pecar. Es, por tanto, Aquel –el único– que *no merece* absolutamente *el sufrimiento.* Y sin embargo es también el que *lo ha aceptado* en la forma plena y decidida, lo ha aceptado *voluntariamente y con amor.* Esto significa ese deseo suyo, esa especie de tensión interior de beber totalmente el cáliz del dolor (cfr *Jn* 18, 11), y esto «por nuestros pecados, no sólo por los nuestros sino también por los de todo el mundo», como explica el Apóstol San Juan (*1 Jn* 2, 2). En tal deseo, que se comunica también a un alma sin culpa, se encuentra la raíz de la redención del mundo mediante la cruz. *La potencia redentora del sufrimiento está en el amor.*

3. Y así, por obra de Cristo, *cambia radicalmente el sentido del sufrimiento.* Ya no basta ver en él un castigo por los pecados. Es necesario descubrir en él la potencia redentora, salvífica del amor. *El mal del sufrimiento,* en el misterio de la redención de Cristo, queda superado y de todos modos transformado: *se convierte en la fuerza para la liberación del mal,* para la victoria del bien. Todo sufrimiento humano, unido al de Cristo, completa «lo que falta a las tribulaciones de Cristo en la persona que sufre, en favor de su Cuerpo» (cfr *Col* 1, 24): el Cuerpo es la Iglesia como comunidad salvífica universal.

4. En su enseñanza, llamada normalmente prepascual, Jesús dio a conocer más de una vez que *el concepto de sufrimiento, entendido exclusivamente como pena por el pecado, es insuficiente y hasta impropio.* Así, cuando le hablaron de algunos galileos «cuya sangre Pilato había mezclado con la de sus sacrificios», Jesús preguntó: «¿Pensáis que esos galileos eran más pecadores que todos los demás galileos, porque han padecido estas cosas...? Aquellos dieciocho sobre los que se desplomó la torre de Siloé matándolos ¿pensáis que eran más culpa-

bles que los demás hombres que habitaban en Jerusalén?» (*Lc* 13, 1-2. 4). *Jesús cuestiona claramente tal modo de pensar, difundido y aceptado comúnmente en aquel tiempo,* y hace comprender que la «desgracia» que comporta sufrimiento no se puede entender exclusivamente como un castigo por los pecados personales. «No, os lo aseguro» declara Jesús, y añade: «Si no os convertís, todos pereceréis del mismo modo» (*Lc* 13, 3-4). En el contexto, confrontando estas palabras con las precedentes, es fácil descubrir que Jesús trata de subrayar *la necesidad de evitar el pecado, porque éste es el verdadero mal, el mal en sí mismo* y permaneciendo la solidaridad que une entre sí a los seres humanos, la raíz última de todo sufrimiento. No basta evitar el pecado sólo por miedo al castigo que se puede derivar de él para el que lo comete. Es menester «convertirse» verdaderamente al bien, de forma que la ley de la solidaridad pueda invertir su eficacia y desarrollar, gracias a la comunión con los sufrimientos de Cristo, un influjo positivo sobre los demás miembros de la familia humana.

5. En ese sentido suenan las palabras pronunciadas por Jesús *mientras curaba al ciego de nacimiento.* Cuando los discípulos le preguntaron. «Rabbí, ¿quién pecó, él o sus padres, para que haya nacido ciego?». Jesús respondió: «Ni él pecó, ni sus padres; es *para que se manifiesten en él las obras de Dios*» (*Jn* 9, 1-3). Jesús, dando la vista al ciego, dio a conocer las «obras de Dios», que debían revelarse en aquel hombre disminuido, en favor de él y de cuantos llegaran a conocer el hecho. La curación milagrosa del ciego fue un «signo» que llevó al curado a creer en Cristo e introdujo en el ánimo de otros un germen saludable de inquietud (cfr *Jn* 9, 16). *En la profesión de fe del que recibió el milagro se manifestó la esencial «obra de Dios»,* el don salvífico que recibió junto con el don de la vista: «¿Tú crees en el Hijo del hombre?... ¿Y quién es, Señor, para

que crea en él?... Le has visto; el que está hablando contigo, ése es... ¡Creo, Señor!» (*Jn* 9, 35-38).

6. En el fondo de este acontecimiento vislumbramos algún aspecto de la verdad del dolor a la luz de la cruz. En realidad, *un juicio que vea sufrimiento exclusivamente como castigo del pecado, va contra el amor del hombre.* Es lo que aparece ya en el caso de los interlocutores de Job, que le acusan sobre la base de argumentos deducidos de una concepción de la justicia carente de toda apertura al amor (cfr *Job* 4 ss.). Esto se ve mejor aún en el caso del ciego de nacimiento: «¿Quien pecó, él o sus padres, para que haya nacido ciego?» (*Jn* 9, 2). Es como señalar con el dedo a alguno. Es un sentenciar que pasa del sufrimiento visto como tormento físico, al entendido como castigo por el pecado: alguno debe haber pecado en ese caso, el interesado o sus padres. Es una censura moral: *¡sufre, por eso, debe haber sido culpable!*

¡Para poner fin a este modo mezquino e injusto de pensar, *era necesario que se revelase en su radicalidad el misterio del sufrimiento del Inocente, del Santo, del «Varón de dolores»!* Desde que Cristo escogió la cruz y murió en el Gólgota, todos los que sufren, particularmente los que sufren sin culpa, pueden encontrarse con el rostro del «Santo que sufre», y hallar en su pasión *la verdad total sobre el sufrimiento,* su sentido pleno, su importancia.

7. A la luz de esta verdad, todos los que sufren *pueden sentirse llamados a participar en la obra de la redención* realizada por medio de la cruz. Participar en la cruz de Cristo quiere decir *creer en la potencia salvífica del sacrificio* que todo creyente puede ofrecer junto al Redentor. Entonces el sufrimiento se libera de la sombra del absurdo, que parece recubrirlo, y adquiere una dimensión profunda, revela su significado y valor creativo. Se diría, entonces, que cambia el escenario de la existencia, del que

se aleja cada vez más la potencia destructiva del mal, precisamente porque *el sufrimiento produce frutos copiosos.* Jesús mismo nos lo revela y promete, cuando dice: «Ha llegado la hora de que sea glorificado el Hijo del hombre. En verdad, en verdad os digo: si el grano de trigo no cae en tierra y muere, queda él solo; *pero si muere da mucho fruto*» (*Jn* 12, 23-24). ¡Desde la cruz a la gloria!

8. Es necesario iluminar con la luz del Evangelio otro aspecto de la verdad del sufrimiento. Mateo nos dice que «Jesús recorría las aldeas... proclamando la Buena Nueva del reino y sanando toda enfermedad y dolencia» (*Mt* 9, 35). Lucas a su vez narra que cuando interrogaron a Jesús sobre el significado correcto del mandamiento del amor, respondió con la parábola del buen samaritano (cfr *Lc* 10, 30-37). De estos textos se deduce que, según Jesús, *el sufrimiento debe impulsar, de forma particular, al amor al prójimo y al compromiso de prestarle los servicios necesarios.* Tal amor y tales servicios, desarrollados en cualquier forma posible, constituyen un valor moral fundamental que «acompaña» al sufrimiento. Más aún, Jesús, hablando del juicio final, ha dado particular relieve al concepto de que *toda obra de amor llevada a cabo en favor del hombre que sufre, se dirige al Redentor mismo:* «Tuve hambre, y *me* disteis de comer; tuve sed, y *me* disteis de beber; era forastero, y *me* acogisteis; estaba desnudo, y *me* vestisteis; enfermo, y *me* visitasteis; en la cárcel, y vinisteis a *verme*» (*Mt* 25, 35-36). En estas palabras se basa toda la ética cristiana del servicio, también el social, y la valoración definitiva del sufrimiento aceptado a la luz de la cruz.

¿No se podía sacar de aquí la respuesta que, también hoy, espera la humanidad? Ésa sólo se puede recibir de Cristo crucificado, «el Santo que sufre», que puede penetrar en el corazón mismo de los problemas humanos más tormentosos, porque ya está junto a todos los que sufren y le piden la infusión de una esperanza nueva.

B. LAS ÚLTIMAS PALABRAS DE CRISTO EN LA CRUZ

71. «PADRE, PERDÓNALES...»*

1. Todo lo que Jesús enseñó e hizo durante su vida mortal, en la cruz llega al culmen de la verdad y la santidad. Las palabras que Jesús pronunció entonces constituyen su mensaje supremo y definitivo y, al mismo tiempo, la confirmación de una vida santa, concluida con el don total de Sí mismo, en obediencia al Padre, por la salvación del mundo. Aquellas palabras, recogidas por su Madre y los discípulos presentes en el Calvario, fueron transmitidas a las primeras comunidades cristianas y a todas las generaciones futuras para que iluminaran el significado de la obra redentora de Jesús e inspiraran a sus seguidores durante su vida y en el momento de la muerte. Meditemos también nosotros esas palabras, como lo han hecho tantos cristianos, en todas las épocas.

2. El primer descubrimiento que hacemos al releerlas es que se encuentra en ellas un mensaje de perdón. «Padre perdónales, porque no saben lo que hacen» (*Lc* 23, 24); según la narración de Lucas, ésta es la primera palabra pronunciada por Jesús en la cruz. Preguntémonos inmediatamente: ¿No es, quizá, la palabra que necesitábamos oír pronunciar sobre nosotros?

Pero en aquel ambiente, tras aquellos acontecimientos, ante aquellos hombres reos por haber pedido su condena y haberse ensañado tanto contra Él, ¿quién habría imaginado que saldría de los labios de Jesús aquella palabra? Con todo, el Evangelio nos da esta certeza: ¡Desde lo alto de la cruz resonó la palabra, «perdón»!

3. Veamos los aspectos fundamentales de aquel mensaje de perdón.

---

* Audiencia general, 16-XI-1988.

Jesús no sólo perdona, sino que pide el *perdón del Padre* para los que lo han entregado a la muerte, y por tanto también para todos nosotros. Él es signo de la sinceridad total del perdón de Cristo y del amor del que deriva. Es un hecho nuevo en la historia, incluso en la de la Alianza. En el Antiguo Testamento leemos muchos textos de los Salmistas que pedían la venganza o el castigo del Señor para sus enemigos: textos que en la oración cristiana, también la litúrgica, se repiten no sin sentir la necesidad de interpretarlos adecuándolos a la enseñanza y ejemplo de Jesús, que amó también a los enemigos. Lo mismo puede decirse de ciertas expresiones del Profeta Jeremías (11, 20; 20, 12; 15, 15) y de los mártires judíos en el *Libro de los Macabeos* (cfr *2 Mac* 7, 9. 14, 17. 19). Jesús cambia esa posición ante Dios y pronuncia otras palabras muy distintas. Había recordado a quien le reprochaba su trato frecuente con «pecadores», que ya en el Antiguo Testamento, según la palabra inspirada, Dios «quiere *misericordia*» (cfr *Mt* 9, 13).

4. Nótese además que Jesús perdona inmediatamente, aunque la hostilidad de los adversarios continúa manifestándose. El perdón es su única respuesta a la hostilidad de aquellos. Su perdón se dirige a todos los que, humanamente hablando, son responsables de su muerte, no sólo a los ejecutores, los soldados, sino a todos aquellos, cercanos y lejanos, conocidos y desconocidos, que están en el origen del comportamiento que ha llevado a su condena y crucifixión. Por todos ellos pide perdón y así los defiende ante el Padre, de manera que el Apóstol Juan, tras haber recomendado a los cristianos que no pequen, puede añadir: «Pero si alguno peca, tenemos a uno que aboga ante el Padre: a Jesucristo, el Justo. Él es víctima de propiciación por nuestros pecados, no sólo por los nuestros, sino también por los del mundo entero» (*1 Jn* 2, 1-2). En esta línea se sitúa también el Apóstol Pedro que, en su discur-

so al pueblo de Jerusalén, extiende a todos la acusación de «ignorancia» (*Hch* 3, 17; cfr *Lc* 23, 34) y la oferta del perdón (*Hch* 3, 19). Para todos nosotros es consolador saber que, según la *Carta a los Hebreos*, Cristo crucificado, Sacerdote eterno, permanece siempre como el que intercede en favor de los pecadores que se acercan a Dios a través de Él (cfr *Heb* 7, 25).

Él es el Intercesor, y también el Abogado, el «Paráclito» (cfr *1 Jn* 2, 1), que en la cruz, en lugar de denunciar la culpabilidad de los que lo crucifican, la atenúa diciendo que no se dan cuenta de lo que hacen. Es benevolencia de juicio; pero también la conformidad con la verdad real, la que sólo Él puede ver en aquellos adversarios suyos y en todos los pecadores; muchos pueden ser menos culpables de lo que parezca o se piense, y precisamente por esto Jesús enseñó a «no juzgar» (cfr *Mt* 7, 1): ahora, en el Calvario, se hace intercesor y defensor de los pecadores ante el Padre.

5. Este perdón desde la cruz es la imagen y el principio de aquel perdón que Cristo quiso traer a toda la humanidad mediante su sacrificio. Para merecer este perdón y, positivamente, la gracia que purifica y da la vida divina, Jesús hizo la ofrenda heroica de Sí mismo por toda la humanidad. Todos los hombres, cada uno en la concreción de su propio yo, de su bien y mal, están, pues, comprendidos potencialmente e incluso se diría que *intencionalmente* en la oración de Jesús al Padre: «perdónales». También vale para nosotros aquella petición de clemencia y como de comprensión celestial: «Porque no saben lo que hacen». Quizá ningún pecador escapa a esa ausencia de conocimiento y, por tanto, al alcance de aquella impetración de perdón que brota del corazón tiernísimo de Cristo que muere en la cruz. Sin embargo, esto no debe empujar a nadie a no tomar en serio la riqueza de la bondad, de la tolerancia y de la paciencia de Dios hasta

no reconocer que tal bondad le invita a la conversión (cfr *Rom* 2, 4). Con la dureza de su corazón impenitente acumularía cólera sobre sí para el día de la ira y de la revelación del justo juicio de Dios (cfr *Rom* 2, 5). No obtante, también Cristo al morir pidió por él perdón al Padre, aunque fuera necesario un milagro para su conversión. ¡Tampoco él, en efecto, sabe lo que hace!

6. Es interesante constatar que ya en el ámbito de las primeras comunidades cristianas, el mensaje del perdón fue acogido y seguido por los primeros mártires de la fe que repitieron la oración de Jesús al Padre casi con sus mismas palabras. Así lo hizo San Esteban protomártir quien, según los *Hechos de los Apóstoles*, en el momento de su muerte pidió: «Señor, no les tengas en cuenta este pecado» (*Hch* 7, 60). También Santiago durante su martirio, según dice Eusebio de Cesarea, tomó los términos de Jesús en demanda de perdón (Eusebio, *Historia Ecles*. II, 23, 16). Por lo demás, ello constituía la aplicación de la enseñanza del Maestro que les había recomendado: «Rezad por los que os persigan» (*Mt* 5, 44). A la enseñanza, Jesús añadió el ejemplo en el momento supremo de su vida, y sus primeros seguidores siguieron este ejemplo perdonando y pidiendo el perdón divino para sus perseguidores.

7. Pero tenían presente también otro hecho concreto sucedido en el Calvario y que se integra en el mensaje de la cruz como mensaje de perdón. Dice Jesús a un malhechor crucificado con Él: «En verdad te digo, hoy estarás conmigo en el paraíso» (*Lc* 23, 43). Es un hecho impresionante, en el que vemos en acción todas las dimensiones de la obra salvífica, que se concreta en el perdón. Aquel malhechor había reconocido su culpabilidad, amonestando a su cómplice y compañero de suplicio, que se mofaba de Jesús: «Nosotros con razón, porque nos lo hemos me-

recido con nuestros hechos»; y había pedido a Jesús poder participar en el reino que Él había anunciado: «Jesús, acuérdate de mí cuando llegues a tu reino» (*Lc* 23, 42). Consideraba injusta la condena de Jesús: «No ha hecho nada malo». No compartía pues las imprecaciones de su compañero de condena («Sálvate a ti y a nosotros», *Lc* 23, 39) y de los demás que, como los jefes del pueblo, decían: «A otros salvó, que se salve a sí mismo si es el Cristo de Dios, el Elegido» (*Lc* 23, 35), ni los insultos de los soldados: «Si tú eres el Rey de los judíos, sálvate» (*Lc* 23, 37).

El malhechor, por tanto, pidiendo a Jesús que se acordara de él, profesa su fe en el Redentor; en el momento de morir, no sólo acepta su muerte como justa pena al mal realizado, sino que se dirige a Jesús para decirle que pone en Él toda su esperanza.

Ésta es la explicación más obvia de aquel episodio narrado por Lucas, en el que el elemento psicológico –es decir, la transformación de los sentimientos del malhechor–, teniendo como causa inmediata la impresión recibida del ejemplo de Jesús inocente que sufre y muere perdonando, tiene, sin embargo, su verdadera raíz misteriosa en la gracia del Redentor, que «convierte» a este hombre y le otorga el perdón divino. La respuesta de Jesús, en efecto, es inmediata. Promete el paraíso, en su compañía, para ese mismo día al bandido arrepentido y «convertido». Se trata pues de un perdón integral: el que había cometido crímenes y robos –y por tanto pecados– se convierte en santo en el último momento de su vida.

Se diría que en ese texto de Lucas está documentada la primera canonización de la historia, realizada por Jesús en favor de un malhechor que se dirige a Él en aquel momento dramático. Esto muestra que los hombres pueden obtener, gracias a la cruz de Cristo, el perdón de todas las culpas y también de toda una vida malvada; que pueden obtenerlo también en el último instante, si se rinden a la gracia del Redentor que los convierte y salva.

Las palabras de Jesús al ladrón arrepentido contienen también la promesa de la felicidad perfecta: «Hoy estarás conmigo en el paraíso». El sacrificio redentor obtiene, en efecto, para los hombres la bienaventuranza eterna. Es un don de salvación proporcionado ciertamente al valor del sacrificio, a pesar de la desproporción que parece existir entre la sencilla petición del malhechor y la grandeza de la recompensa. La superación de esta desproporción la realiza el sacrificio de Cristo, que ha merecido la bienaventuranza celestial con el valor infinito de su vida y de su muerte.

El episodio que narra Lucas nos recuerda que «el paraíso» se ofrece a toda la humanidad, a todo hombre que, como el malhechor arrepentido, se abre a la gracia y pone su esperanza en Cristo. Un momento de conversión auténtica, un «momento de gracia», que podemos decir con Santo Tomás, «vale más que todo el universo» (I-II, q. 113, a. 9, ad 2), pues puede saldar las deudas de toda una vida, puede realizar en el hombre –en cualquier hombre– lo que Jesús asegura a su compañero de suplicio: «Hoy estarás conmigo *en el paraíso*».

72. «AHÍ TIENES A TU MADRE...»*

1. El mensaje de la cruz comprende algunas palabras supremas de amor que Jesús dirige a su Madre y al discípulo predilecto Juan, presentes en su suplicio del Calvario.

San Juan en su Evangelio recuerda que «junto a la cruz de Jesús estaba su Madre» (*Jn* 19, 25). Era la presencia de una mujer –ya viuda desde hace años, según lo hace pensar todo– que iba a perder a su Hijo. Todas las fibras de su ser estaban sacudidas por lo que había visto en

* Audiencia general, 23-XI-1988.

los días culminantes de la pasión y de lo que sentía y presentía ahora junto al patíbulo. ¿Cómo impedir que sufriera y llorara? La tradición cristiana ha percibido la experiencia dramática de aquella Mujer llena de dignidad y decoro, pero con el corazón traspasado, y se ha parado a contemplarla participando profundamente en su dolor: «*Stabat Mater dolorosa / iuxta crucem lacrimosa / dum pendebat Filius*».

No se trata sólo de una cuestión «de la carne o de la sangre», ni de un afecto indudablemente nobilísimo, pero simplemente humano. La presencia de María junto a la cruz muestra su compromiso de participar totalmente en el sacrificio redentor de su Hijo. María quiso participar plenamente en los sufrimientos de Jesús, ya que no rechazó la espada anunciada por Simeón (cfr *Lc* 2, 35), sino que aceptó con Cristo el designio misterioso del Padre. Ella era la primera partícipe de aquel sacrificio, y permanecería para siempre como modelo perfecto de todos los que aceptaran asociarse sin reservas a la ofrenda redentora.

2. Por otra parte, la compasión materna que se expresaba en esa presencia, contribuía a hacer más denso y profundo el drama de aquella muerte en la cruz, tan cercano al drama de muchas familias, de tantas madres e hijos, reunidos por la muerte tras largos períodos de separación por razones de trabajo, de enfermedad, de violencia causada por individuos o grupos.

Jesús, que vio a su Madre junto a la cruz, la evoca en la estela de recuerdos de Nazaret, de Caná, de Jerusalén; quizá revive los momentos del tránsito de José, y luego de su alejamiento de Ella, y de la soledad en que vivió en los últimos años, soledad que ahora se va a acentuar. María, a su vez, considera todas las cosas que a lo largo de los años «ha conservado en su corazón» (cfr *Lc* 2, 19. 51), y que ahora comprende mejor que nunca en orden a la cruz. El dolor y la fe se funden en su alma. Y he aquí que, en un momento, se da cuenta que desde lo alto de la cruz Jesús la mira y le habla.

3. «Jesús, viendo a su Madre y junto a ella al discípulo a quien amaba, dice a su madre: 'Mujer, ahí tienes a tu hijo'» (*Jn* 19, 26). Es un acto de ternura y piedad filial. Jesús no quiere que su Madre se quede sola. En su puesto le deja como hijo al discípulo que María conoce como el predilecto. Jesús confía de esta manera a María una nueva maternidad y la pide que trate a Juan como a hijo suyo. Pero aquella solemnidad del acto de confianza («Mujer, ahí tienes a tu hijo»), ese situarse en el corazón mismo del drama de la cruz, esa sobriedad y concentración de palabras que se dirían propias de una fórmula casi sacramental, hacen pensar que, por encima de las relaciones familiares, se considere el hecho en la perspectiva de la obra de la salvación en el que la mujer-María, se ha comprometido con el Hijo del hombre en la misión redentora. Como conclusión de esta obra, Jesús pide a María que acepte definitivamente la ofrenda que Él hace de Sí mismo como víctima de expiación, y que considere ya a Juan como hijo suyo. Al precio de su sacrificio materno recibe esa nueva maternidad.

4. Ese gesto filial, lleno de valor mesiánico, va mucho más allá de la persona del discípulo amado, designado como hijo de María. Jesús quiere dar a María una descendencia mucho más numerosa, quiere instituir una maternidad para María que abarque a todos sus seguidores y discípulos de entonces y de todos los tiempos. El gesto de Jesús tiene, pues, un valor simbólico. No es sólo un gesto de carácter familiar, como el de un hijo que se ocupa de la suerte de su madre, sino que es el gesto del Redentor del mundo que asigna a María, como «mujer», un papel de maternidad nueva con relación a todos los hombres, llamados a reunirse en la Iglesia. En ese momento, pues,

María es constituida, y casi se diría «consagrada», como Madre de la Iglesia desde lo alto de la cruz.

5. En este don hecho a Juan y, en él, a los seguidores de Cristo y a todos los hombres, hay como una culminación del don que Jesús hace de Sí mismo a la humanidad con su muerte en cruz. María constituye con Él un «todo», no sólo porque son madre e hijo «según la carne», sino porque en el designio eterno de Dios están contemplados, predestinados, colocados juntos en el centro de la historia de la salvación; de manera que Jesús siente el deber de implicar a su Madre no sólo en la oblación suya al Padre, sino también en la donación de Sí mismo a los hombres; María, por su parte, está en sintonía perfecta con el Hijo en este acto de oblación y de donación, como para prolongar el «Fiat» de la Anunciación.

Por otra parte, Jesús, en su pasión, se ha visto despojado de todo. En el Calvario le queda su Madre; con un gesto de desasimiento supremo, la entrega también al mundo entero, antes de llevar a término su misión con el sacrificio de la vida. Jesús es consciente de que ha llegado el momento de la consumación, como dice el Evangelista: «Después de esto, sabiendo Jesús que ya todo estaba cumplido...» (*Jn* 19, 28). Quiere que entre las cosas «cumplidas» esté también el don de la Madre a la Iglesia y al mundo.

6. Se trata ciertamente de una *maternidad espiritual*, que se realiza según la tradición cristiana y la doctrina de la Iglesia, en el orden de la gracia. «Madre en el orden de la gracia» la llama el Concilio Vaticano II (*Lumen gentium,* 61). Por tanto, es esencialmente una maternidad «sobrenatural», que se inscribe en la esfera en la que opera la gracia, generadora de vida divina en el hombre. Por tanto, es objeto de fe, como lo es la misma gracia con la que está vinculada, pero que no excluye sino que incluso comporta todo un florecer de pensamientos, de afectos

tiernos y suaves, de sentimientos vivísimos de esperanza, confianza, amor, *que forman parte del don de Cristo*.

Jesús, que había experimentado y apreciado el amor materno de María en su propia vida, quiso que también sus discípulos pudieran gozar a su vez de este amor materno como componente de la relación con Él en todo el desarrollo de su vida espiritual. Se trata de sentir a María como Madre y de tratarla como Madre, dejándola que nos forme en la verdadera docilidad a Dios, en la verdadera unión con Cristo, y en la caridad verdadera con el prójimo.

7. También se puede decir que este aspecto de la relación con María está incluido en el mensaje de la cruz. El Evangelista dice, en efecto, que Jesús «luego dijo al discípulo: 'Ahí tienes a tu madre'» (*Jn* 19, 27). Dirigiéndose al discípulo, Jesús le pide expresamente que se comporte con María como un hijo con su madre. Al amor materno de María deberá corresponder un amor filial. Puesto que el discípulo sustituye a Jesús junto a María, se le invita a que la ame verdaderamente como madre propia. Es como si Jesús dijera: «Amala como la he amado yo». Y ya que en el discípulo, Jesús ve a todos los hombres a los que deja ese testamento de amor, para todos vale la petición de que amen a María como Madre. En concreto, Jesús funda con esas palabras suyas el culto mariano de la Iglesia, a la que hace entender, por medio de Juan, su voluntad de que María reciba un sincero amor filial por parte de todo discípulo del que Ella es madre por institución de Jesús mismo. La importancia del culto mariano, querido siempre por la Iglesia, se deduce de las palabras pronunciadas por Jesús en la hora misma de su muerte.

8. El Evangelista concluye diciendo que «desde aquella hora el discípulo la acogió en su casa» (*Jn* 19, 27). Esto significa que el discípulo respondió inmediatamente a la voluntad de Jesús: desde aquel momento, acogiendo a Ma-

ría en su casa, le ha mostrado su afecto filial, la ha rodeado de toda clase de cuidados, ha obrado de manera que pudiera gozar de recogimiento y de paz a la espera de reunirse con su Hijo, y desempeñar su papel en la Iglesia naciente, tanto en Pentecostés como en los años sucesivos.

Aquel gesto de Juan era la puesta en práctica del testamento de Jesús con respecto a María; pero tenía un valor simbólico para todo discípulo de Cristo, invitado ya a acoger a María junto a sí, a hacerle un lugar en la propia vida. Por la fuerza de la palabras de Jesús al morir, toda vida cristiana debe ofrecer un «espacio» a María, no puede prescindir de su presencia.

Podemos concluir entonces esta reflexión y catequesis sobre el mensaje de la cruz, con la invitación que dirijo a cada uno, de preguntarse cómo acoge a María en su casa, en su vida; también con una exhortación a apreciar cada vez más el don que Cristo crucificado nos ha hecho, dejándonos como madre a su misma Madre.

73. «DIOS MÍO, DIOS MÍO, ¿POR QUÉ ME HAS ABANDONADO?»*

1. Según los sinópticos, Jesús gritó dos veces desde la cruz (cfr *Mt* 27, 46. 50; *Mc* 15, 34. 37); sólo Lucas (23, 46) explica el contenido del segundo grito. En el primero se expresan la profundidad e intensidad del sufrimiento de Jesús, su participación interior, su espíritu de oblación y también quizá la lectura profético-mesiánica que Él hace sobre la huella de un Salmo bíblico. Cierto que el primer grito manifiesta los sentimientos de desolación y abandono expresados por Jesús con las primeras palabras del Salmo 21/22: «A la hora nona gritó Jesús con fuerte voz: *'Eloi, Eloi, lema sabactani?'* –que quiere decir– '¡Dios mío,

* Audiencia general, 30-XI-1988.

Dios mío!, ¿por qué me has abandonado?'» (*Mc* 15, 34; cfr *Mt* 27, 46).

Marcos trae las palabras en arameo. Se puede suponer que ese grito haya parecido de tal forma característico, que los testigos auriculares del hecho, cuando narraron el drama del Calvario, encontraron oportuno repetir las mismas palabras de Jesús en arameo, la lengua que hablaban Él y la mayoría de los israelitas contemporáneos suyos. A Marcos le pudieron ser referidas por Pedro, como sucede con la palabra «Abbá» = Padre (cfr *Mc* 14, 36) en la oración de Gestsemaní.

2. Que Jesús use en su primer grito las palabras iniciales del Salmo 21/22, es algo significativo por diversas razones. En el espíritu de Jesús, que acostumbraba a rezar siguiendo los textos sagrados de su pueblo, se habían depositado muchas de aquellas palabras y frases que le impresionaban particularmente porque expresaban mejor la necesidad y la angustia del hombre delante de Dios y aludían de algún modo a la condición de Aquel que tomaría sobre sí toda nuestra iniquidad (cfr *Is* 53, 11).

Por eso, en la hora del Calvario fue espontáneo para Jesús apropiarse de aquella pregunta que el Salmista hace a Dios sintiéndose agotado por el sufrimiento. Pero en su boca el «por qué» dirigido a Dios era muy eficaz al expresar un estupor dolido por el sufrimiento que *no tenía* una explicación simplemente humana, sino que constituía un misterio del que sólo el Padre tenía la clave. Por esto, aun naciendo del recuerdo del Salmo leído o recitado en la Sinagoga, la pregunta encerraba un significado teológico en relación con el sacrificio mediante el cual Cristo debía, en total solidaridad con el hombre pecador, experimentar en Sí el abandono de Dios. Bajo el influjo de esta tremenda experiencia interior, Jesús al morir encuentra la fuerza para estallar con ese grito.

En aquella experiencia, en aquel grito, en aquel «por

qué» dirigido al cielo, Jesús establece también un nuevo modo de solidaridad con nosotros, que tan a menudo nos vemos llevados a levantar ojos y labios al cielo para expresar nuestro lamento, y alguno incluso su desesperación.

3. Escuchando a Jesús pronunciar su «por qué», aprendemos que también los hombres que sufren pueden pronunciarlo, pero con esas mismas disposiciones de confianza y abandono filial de las que Jesús es maestro y modelo para nosotros. En el «por qué» de Jesús, no hay ningún sentimiento o resentimiento que lleve a la rebelión o que induzca a la desesperación; no hay sombra de reproche dirigido al Padre, sino que es la expresión de la experiencia de fragilidad, de soledad, de abandono a Sí mismo, hecha por Jesús en nuestro lugar; por Él, que se convierte así en el primero de los «humillados y ofendidos», el primero de los abandonados, el primero de los «desamparados» (como le llaman los españoles), pero que al mismo tiempo nos dicen que sobre todos estos pobres hijos de Eva vela la mirada benigna de la Providencia auxiliadora.

4. En realidad, si Jesús prueba el sentimiento de verse abandonado por el Padre, sabe, sin embargo, que no lo está en absoluto. Él mismo dijo: «El Padre y yo somos una misma cosa» (*Jn* 10, 30), y hablando de la pasión futura: «Yo no estoy solo porque el Padre está conmigo» (*Jn* 16, 32). En la cima de su espíritu Jesús tiene la visión neta de Dios y la certeza de la unión con el Padre. Pero en las zonas que lindan con la sensibilidad y, por ello, más sujetas a impresiones, emociones, repercusiones de las experiencias dolorosas internas y externas, el alma humana de Jesús se reduce a un desierto, y Él no siente ya la «presencia» del Padre, sino la trágica experiencia de la más completa desolación.

5. Aquí se puede trazar un cuadro sumario de aquella situación psicológica de Jesús con relación a Dios.

Los acontecimientos exteriores parecen manifestar la ausencia del Padre que deja crucificar a su Hijo aun disponiendo de «legiones de ángeles» (cfr *Mt* 26, 53), sin intervenir para impedir su condena a la muerte y al suplicio. En el huerto de los Olivos Simón Pedro había desenvainado una espada en su defensa, siendo rápidamente interrumpido por el mismo Jesús (cfr *Jn* 18, 10 s.); en el pretorio Pilato había intentado varias veces maniobras diversas para salvarle (cfr 18, 31. 38 s.; 19, 4-6. 12-15); pero el Padre ahora calla. Aquel silencio de Dios pesa sobre el que muere como la pena más gravosa, tanto más cuanto que los adversarios de Jesús consideran aquel silencio como su reprobación: «Ha puesto su confianza en Dios; que le salve ahora, si es que de verdad le quiere; ya que dijo: 'Soy Hijo de Dios'» (*Mt* 27, 43).

En la esfera de los sentimientos y de los afectos, este sentido de la ausencia y el abandono de Dios fue la pena más terrible para el alma de Jesús, que sacaba su fuerza y alegría de la unión con el Padre. Esa pena hizo más duros todos los demás sufrimientos. Aquella falta de consuelo interior fue su mayor suplicio.

6. Pero Jesús sabía que con esta fase extrema de su inmolación, que llegó hasta las fibras más íntimas de su corazón, completaba la obra de la redención que era el fin de su sacrificio por la reparación de los pecados. Si el pecado es la separación de Dios, Jesús debía probar en la crisis de su unión con el Padre, un sufrimiento proporcionado a esa separación.

Por otra parte, citando el comienzo del Salmo 21/22 que quizá continuó diciendo mentalmente durante la pasión, Jesús no ignoraba su conclusión, que se transforma en un himno de liberación y en un anuncio de salvación dado a todos por Dios. La experiencia del abandono es, pues, una pena pasajera que cede el puesto a la liberación personal y a la salvación universal. En el alma afligida de Jesús tal perspectiva alimentó ciertamente la esperanza, tanto más cuanto que siempre presentó su muerte como un paso hacia la resurrección, como su verdadera glorificación. Con este pensamiento su alma cobra vigor y alegría sintiendo que está próxima, precisamente en el culmen del drama de la cruz, la hora de la victoria.

7. Sin embargo, poco después, quizá por influencia del Salmo 21/22, que reaparecía en su memoria, Jesús dice estas otras palabras: «Tengo sed» (*Jn* 19, 28).

Es muy comprensible que con estas palabras Jesús aluda a la sed física, al gran tormento que forma parte de la pena de la crucifixión, como explican los estudiosos de estas materias. También se puede añadir que al manifestar su sed Jesús dio prueba de *humildad*, expresando una necesidad física elemental, como habría hecho otro cualquiera. También en esto Jesús se hace y se muestra solidario con todos los que, vivos o moribundos, sanos o enfermos, pequeños o grandes, necesitan y piden al menos un poco de agua... (cfr *Mt* 10, 42). ¡Es hermoso para nosotros pensar que cualquier socorro prestado a un moribundo, se le presta a Jesús crucificado!

8. No podemos ignorar la anotación del Evangelista, el cual escribe que Jesús pronunció tal expresión –«Tengo sed»– «para que se cumpliera la Escritura» (*Jn* 19, 28). También en esas palabras de Jesús hay otra dimensión, además de la físico-sicológica. La referencia es también el Salmo 21/22: «Mi garganta está seca como una teja, la lengua se me pega al paladar; me aprietas contra el polvo de la muerte» (*Sal* 21/22, 16). También en el Salmo 68/69, 22, se lee: «Para mi sed me dieron vinagre».

En las palabras del Salmista se trata de sed física, pero en los labios de Jesús la sed entra en la perspectiva mesiánica de los sufrimientos de la cruz. En su sed, Cristo moribundo busca otra bebida muy distinta del agua o del vinagre: como cuando en el pozo de Sicar pidió a la samaritana: «Dame de beber» (*Jn* 4, 7). La sed física, entonces, fue símbolo y tránsito hacia otra sed: la de la conversión de aquella mujer. Ahora, en la cruz, Jesús tiene sed de una humanidad nueva, como la que deberá surgir de su sacrificio, para que se cumplan las Escrituras. Por eso relaciona el Evangelista el «grito de sed» de Jesús con las Escrituras. La sed de la cruz, en boca de Cristo moribundo, es la última expresión de ese deseo del bautismo que tenía que recibir y del fuego con el cual encender la tierra, manifestado por Él durante su vida. «He venido a arrojar un fuego sobre la tierra y ¡qué angustiado estoy hasta que se cumpla!» (*Lc* 12, 49-50). Ahora se va a cumplir ese deseo, y con aquellas palabras Jesús confirma el amor ardiente con que quiso recibir ese supremo «bautismo» para abrirnos a todos nosotros la fuente del agua que sacia y salva verdadermente (cfr *Jn* 4, 13-14).

74. «TODO ESTA CUMPLIDO... PADRE, EN TUS MANOS PONGO MI ESPÍRITU»*

1. «Todo está cumplido» (*Jn* 19, 30). Según el Evangelio de Juan, Jesús pronunció estas palabras poco antes de expirar. Fueron las últimas palabras. Manifiestan su conciencia de haber cumplido hasta el final la obra para la que fue enviado al mundo (cfr *Jn* 17, 4). Nótese que no es tanto la conciencia de haber realizado sus proyectos, cuanto la de haber realizado la voluntad del Padre en la obediencia que le impulsa a la inmolación completa de Sí en la cruz. Ya sólo por esto Jesús moribundo se nos presenta como modelo de lo que debería ser la muerte de

* Audiencia general, 7-XII-1988.

todo hombre: la ejecución de la obra asignada a cada uno para el cumplimiento de los designios divinos. Según el concepto cristiano de la vida y de la muerte, los hombres, hasta el momento de la muerte, están llamados a cumplir la voluntad del Padre, y la muerte es el último acto, el definitivo y decisivo, del cumplimiento de esta voluntad. Jesús nos lo enseña desde la cruz.

2. «*Padre, en tus manos pongo mi espíritu*» (*Lc* 23, 46). Con estas palabras Lucas explicita el contenido del segundo grito que Jesús lanzó poco antes de morir (cfr *Mc* 13, 37; *Mt* 27, 50). En el primer grito había exclamado: «Dios mío, Dios mío, ¿por qué me has abandonado?» (*Mc* 15, 34; *Mt* 27, 46). Estas palabras se completan con aquellas otras que constituyen el fruto de una reflexión interior madurada en la oración. Si por un momento Jesús ha tenido y sufrido la tremenda sensación de ser abandonado por el Padre, ahora su alma actúa del único modo que, como Él bien sabe, corresponde a un hombre que al mismo tiempo es también el «Hijo predilecto» de Dios: el total abandono en sus manos.

Jesús expresa este sentimiento suyo con palabras que pertenecen al Salmo 30/31; el Salmo del afligido que prevé su liberación y da gracias a Dios que la va a realizar: «A tus manos encomiendo mi espíritu, tú el Dios leal me librarás» (*Sal* 30/31, 6). Jesús, en su lúcida agonía, recuerda y balbucea también algún versículo de ese Salmo, recitado muchas veces durante su vida. Pero en la narración del Evangelista, aquellas palabras en boca de Jesús adquieren un nuevo valor.

3. Con la invocación «Padre» («Abbá»), Jesús confiere un acento de confianza filial a su abandono en las manos del Padre. Jesús muere como un Hijo. Muere en perfecta conformidad con el querer del Padre, con la finalidad de amor que el Padre le ha confiado y que el Hijo conoce bien.

En la perspectiva del Salmista el hombre, afectado por la desventura y afligido por el dolor, pone su espíritu en manos de Dios para huir de la muerte que le amenaza. Jesús, por el contrario, acepta la muerte y pone su espíritu en manos del Padre para atestiguarle su obediencia y manifestarle su confianza en una nueva vida. Su abandono es, pues, más pleno y radical, más audaz, más definitivo, más cargado de voluntad oblativa.

4. Además, este último grito completa el primero, como hemos notado desde el principio. Retomemos los dos textos y veamos qué resulta de su comparación. Ante todo bajo el aspecto meramente lingüístico y casi semántico.

El término «Dios» del Salmo 21/22 se toma, en el primer grito, como una invocación que puede significar extravío del hombre en la propia nada ante la experiencia del abandono por parte de Dios, considerado en su trascendencia y experimentado casi en un estado de «separación» (el «Santo», el Eterno, el Inmutable). En el grito posterior Jesús recurre al salmo 30/31 insertando la invocación de Dios como Padre (*Abbá*), apelativo que le es habitual y con el que se expresa bien la familiaridad de un intercambio de calor paterno y de actitud filial.

Además: en el primer grito Jesús también incluye un «por qué» a Dios, ciertamente con profundo respeto hacia su voluntad, su potencia, su grandeza infinita, pero sin reprimir el sentido de turbación humana que suscita una muerte como aquella. Ahora, por el contrario, en el segundo grito, está la expresión de abandono confiado en los brazos del Padre sabio y benigno, que lo dispone y rige todo con amor. Ha habido un momento de desolación, en el que Jesús se ha sentido sin apoyo y defensa por parte de todos, incluso hasta de Dios: un momento tremendo; pero ha sido superado pronto gracias al acto de entrega de Sí en manos del Padre, cuya presencia amorosa e inmediata advierte Jesús en la estructura más profunda de su propio Yo, ya que Él está en el Padre como el Padre está en Él (cfr *Jn* 10, 38; 14, 10 s.), ¡también en la cruz!

5. Las palabras y gritos de Jesús en la cruz, para que puedan comprenderse, deben considerarse en relación a lo que Él mismo había anunciado anteriormente, en las predicciones de su muerte y en la enseñanza sobre el destino del hombre a una nueva vida. La muerte es para todos un paso a la existencia en el más allá; para Jesús es, más todavía, la premisa de la resurrección que tendrá lugar al tercer día. La muerte, pues, tiene siempre un carácter de disolución del compuesto humano, disolución que suscita repulsa; pero tras el grito primero, Jesús pone con gran serenidad su espíritu en manos del Padre, en vistas a la nueva vida y, más aún, a la resurrección de la muerte, que señalará la coronación del misterio pascual. Así, después de todos los tormentos de los sufrimientos padecidos, físicos y morales, Jesús abraza la muerte como una entrada en la paz inalterable de ese «seno del Padre» hacia el que ha estado dirigida toda su vida.

6. Jesús con su muerte revela que al final de la vida el hombre no está destinado a sumergirse en la oscuridad, en el vacío existencial, en la vorágine de la nada, sino que está invitado al encuentro con el Padre, hacia el que se ha movido en el camino de la fe y del amor durante la vida, y en cuyos brazos se ha arrojado con santo abandono en la hora de la muerte. Un abandono que, como el de Jesús, comporta el don total de sí por parte de un alma que acepta ser despojada de su cuerpo y de la vida terrestre, pero que sabe que encontrará la nueva vida, la participación en la vida misma de Dios en el misterio trinitario, en los brazos y en el corazón del Padre.

7. Mediante el misterio inefable de la muerte, el alma del Hijo llega a gozar de la gloria del Padre en la comu-

nión del Espíritu (Amor del Padre y del Hijo). Ésta es la «vida eterna», hecha de conocimiento, de amor, de alegría y de paz infinita.

El Evangelista Juan dice de Jesús que «entregó el espíritu» (*Jn* 19, 30). Mateo, que «exhaló el espíritu» (*Mt* 27, 50), Marcos y Lucas, que «expiró» (*Mc* 15, 37; *Lc* 23, 46). Es el alma de Jesús que entra en la visión beatífica en el seno de la Trinidad. En esta luz de eternidad puede captarse algo de la misteriosa relación entre la humanidad de Cristo y la Trinidad, que aflora en la *Carta a los Hebreos* cuando, hablando de la eficacia salvífica de la Sangre de Cristo, muy superior a la sangre de los animales ofrecidos en los sacrificios de la Antigua Alianza, escribe que Cristo en su muerte, «por el Espíritu eterno se ofreció a sí mismo sin tacha a Dios» (*Heb* 9, 14).

75. PRIMEROS SIGNOS DE LA FECUNDIDAD DE LA MUERTE REDENTORA DE CRISTO*

1. El Evangelista Marcos escribe que, cuando Jesús murió, el centurión que estaba al lado viéndolo expirar de aquella forma, dijo: «Verdaderamente este hombre era Hijo de Dios» (*Mc* 15, 39). Esto significa que en aquel momento el centurión romano tuvo una intuición lúcida de la realidad de Cristo, una percepción inicial de la verdad fundamental de la fe.

El centurión había escuchado los improperios e insultos que habían dirigido a Jesús sus adversarios, y, en particular, las mofas sobre el título de Hijo de Dios reivindicado por aquel que ahora no podía descender de la cruz ni hacer nada para salvarse a sí mismo.

Mirando al Crucificado, quizá ya durante la agonía pero de modo más intenso y penetrante en el momento de

* Audiencia general, 14-XII-1988.

su muerte, y quizá, quién sabe, encontrándose con su mirada, siente que Jesús tiene razón. Sí, Jesús es un hombre, y muere de hecho; pero en Él hay más que un hombre, es un hombre que verdaderamente, como Él mismo dijo, es Hijo de Dios. Ese modo de sufrir y morir, ese poner el espíritu en manos del Padre, esa inmolación evidente por una causa suprema a la que ha dedicado toda su vida, ejercen un poder misterioso sobre aquel soldado, que quizá ha llegado al calvario tras una larga aventura militar y espiritual, como ha insinuado algún escritor, y que en ese sentido puede representar a cualquier pagano que busca algún testimonio revelador de Dios.

2. El hecho es notable también porque en aquella hora los discípulos de Jesús están desconcertados y turbados en su fe (cfr *Mc* 14, 50; *Jn* 16, 32). El centurión, por el contrario, precisamente en esa hora inaugura la serie de paganos que, muy pronto, pedirán ser admitidos entre los discípulos de aquel Hombre en el que, especialmente después de su resurrección, reconocerán al Hijo de Dios, como lo testifican los *Hechos de los Apóstoles*.

El centurión del Calvario no espera la resurrección: le bastan aquella muerte, aquellas palabras y aquella mirada del moribundo, para llegar a pronunciar su acto de fe. ¿Cómo no ver en esto el fruto de un impulso de la gracia divina, obtenido con su Sacrificio por Cristo Salvador a aquel centurión?

El centurión, por su parte, no ha dejado de poner la condición indispensable para recibir la gracia de la fe: la objetividad, que es la primera forma de lealtad. Él ha mirado, ha visto, ha cedido ante la realidad de los hechos y por eso se le ha concedido creer. No ha hecho cálculos sobre las ventajas de estar de parte del sanedrín, ni se ha dejado intimidar por él, como Pilato (cfr *Jn* 19, 8); ha mirado a las personas y a las cosas y ha asistido como testigo imparcial a la muerte de Jesús. Su alma en esto estaba limpia y bien dispuesta. Por eso le ha impresionado la fuerza de la verdad y ha creído. No dudó en proclamar que aquel hombre era Hijo de Dios. Era el primer signo de la redención ya acaecida.

3. San Juan registra otro signo cuando describe que «uno de los soldados con una lanza le abrió el costado y al punto salió sangre y agua» (*Jn* 19, 34).

Nótese que Jesús ya está muerto. Ha muerto antes que los dos malhechores crucificados con Él. Esto prueba la intensidad de sus sufrimientos.

La lanzada no es, por tanto, un nuevo sufrimiento infligido a Jesús. Más bien sirve como signo del don total que Él ha hecho de sí mismo, signo inscrito en su misma carne con la transfixión del costado, y puede decirse que con la apertura de su corazón, manifiesta simbólicamente aquel amor por el que Jesús dio y continuará dando todo a la humanidad.

4. De aquella abertura del corazón corren el agua y la sangre. Es un hecho que puede explicarse fisiológicamente. Pero el Evangelio lo cita por su valor simbólico: es un signo y anuncio de la fecundidad del sacrificio. Es tan grande la importancia que le atribuye el Evangelista que, apenas narrado el episodio, añade: «El que lo vio lo atestigua y su testimonio es válido, y él sabe que dice verdad, para que también vosotros creáis» (*Jn* 19, 35). Se apela, por tanto, a una constatación directa, realizada por él mismo, para subrayar que se trata de un acontecimiento cargado de un valor significativo respecto a los motivos y efectos del sacrificio de Cristo.

5. De hecho el Evangelista reconoce en el suceso el cumplimiento de lo que había sido predicho en dos textos proféticos. El primero, respecto al cordero pascual de los hebreos, al cual, «no se le quebrará hueso alguno» (*Ex* 12,

46; *Nm* 9 12; cfr *Sal* 54, 21). Para el Evangelista Cristo crucificado es pues, el Cordero pascual y el «Cordero desangrado», como dice Santa Catalina de Siena, el Cordero de la Nueva Alianza prefigurado en la pascua de la ley antigua y «signo eficaz» de la nueva liberación de la esclavitud del pecado no sólo de Israel sino de toda la humanidad.

6. La otra cita bíblica que hace Juan es un texto oscuro atibuido al Profeta Zacarías que dice: «Mirarán al que traspasaron» (*Zac* 12, 10). La profecía se refiere a la liberación de Jerusalén y Judá por manos de un Rey, por cuya venida la nación reconoce su culpa y se lamenta sobre aquel que ella ha traspasado de la misma manera que se llora por un hijo único que se ha perdido. El Evangelista aplica el texto a Jesús traspasado y crucificado, ahora contemplado con amor. A las miradas hostiles del enemigo suceden las miradas contemplativas y amorosas de los que se convierten. Esta posible interpretación sirve para comprender la perspectiva teológico-profética en la que el Evangelista considera la historia que ve desarrollarse desde el corazón abierto de Jesús.

7. La sangre y el agua han sido interpretados de diversa forma en su valor simbólico.

En el Evangelio de Juan es posible observar una relación entre el agua que brota del corazón traspasado y la invitación de Jesús en la fiesta de los Tabernáculos: «Si alguno tiene sed, venga a mí y beba el que cree en mí. De su seno correrán ríos de agua viva» (*Jn* 7, 37-38; cfr 4, 10-14; *Ap* 22, 1). El Evangelista precisa después que Jesús se refería al Espíritu que iban a recibir los que creyeran en Él (*Jn* 7, 39).

Algunos han interpretado la sangre como símbolo de la remisión de los pecados por el sacrificio expiatorio y el agua como símbolo de purificación.

Otros han puesto en relación el agua y la sangre con el bautismo y la Eucaristía.

El Evangelista no ha ofrecido los elementos suficientes para interpretaciones precisas. Pero parece que se haya dado una indicación en el texto sobre el corazón traspasado del que manan sangre y agua; la efusión de gracia que proviene del sacrificio, como él mismo dice del Verbo encarnado desde el comienzo de su Evangelio: «De su plenitud hemos recibido todos, y gracia por gracia» (*Jn* 1, 16).

8. Queremos concluir observando que el testimonio del discípulo predilecto asume todo su sentido si pensamos que este discípulo había reclinado su cabeza sobre el pecho de Jesús durante la Última Cena. Ahora él veía ese pecho desgarrado. Por esto sentía la necesidad de subrayar el símbolo de la caridad infinita que había descubierto en aquel corazón e invitaba a los lectores de su Evangelio y a todos los cristianos a que contemplaran ese corazón «que tanto había amado a los hombres» que se había entregado en sacrificio por ellos.

76. «DESCENDIÓ A LOS INFIERNOS»*

1. En las catequesis más recientes hemos explicado, con la ayuda de textos bíblicos, el artículo del Símbolo de los Apóstoles que dice de Jesús: «Padeció bajo el poder de Poncio Pilato, fue crucificado... y sepultado». No se trataba sólo de narrar la historia de la pasión, sino de penetrar la verdad de fe que encierra y que el Símbolo hace que profesemos: la redención humana realizada por Cristo con su sacrificio. Nos hemos detenido particularmente en la consideración de su muerte y de las palabras pronunciadas por Él durante la agonía en la cruz, según la rela-

* Audiencia general, 11-I-1989.

ción que nos han transmitido los evangelistas sobre ello. Tales palabras nos ayudan a descubrir y a entender con mayor profundidad el *espíritu* con el que Jesús se inmoló por nosotros.

Ese artículo de fe se concluye, como acabamos de repetir, con las palabras: «*... y fue sepultado*». Parecería una pura anotación de crónica: sin embargo es un dato cuyo significado se inserta en el horizonte más amplio de toda la Cristología. Jesucristo es el Verbo que se ha hecho carne para asumir la condición humana y hacerse semejante a nosotros en todo excepto en el pecado (cfr *Heb* 4, 15). Se ha convertido verdaderamente en «uno de nosotros» (cfr Concilio Vaticano II Const. *Gaudium et spes* 22) para poder realizar nuestra redención, gracias a la profunda solidaridad instaurada con cada miembro de la familia humana. En esa condición de *hombre verdadero* sufrió enteramente la suerte del hombre, hasta la muerte, a la que habitualmente sigue la sepultura, al menos en el mundo cultural y religioso en el que se insertó y vivió. La sepultura de Cristo es, pues, objeto de nuestra fe en cuanto nos propone de nuevo su misterio de Hijo de Dios que se hizo hombre y llegó hasta el extremo del acontecer humano.

2. A estas palabras conclusivas del artículo sobre la pasión y muerte de Cristo, se une en cierto modo el artículo siguiente que dice: «*Descendió a los infiernos*». En dicho artículo se reflejan algunos textos del Nuevo Testamento que veremos enseguida. Sin embargo será bueno decir previamente que, si en el periodo de las controversias con los arrianos la fórmula arriba indicada se encontraba en los textos de aquellos herejes, sin embargo fue introducida también en el así llamado *Símbolo de Aquileya* que era una de las profesiones de la fe católica entonces vigentes, redactada a final del siglo IV (cfr *DS*, 16). Entró definitivamente en la enseñanza de los Concilios con

el Lateranense IV (1215) y con el II Concilio de Lyon en la profesión de fe de Miguel el Paleólogo (1274).

Como punto de partida aclárese además que la expresión «infiernos» no significa el infierno, el estado de condena, sino la morada de los muertos, que en hebreo se decía *sheol* y en griego *hades* (cfr *Hch* 2, 31).

3. Son numerosos *los textos del Nuevo Testamento* de los que se deriva aquella fórmula. El primero se encuentra en el discurso de Pentecostés del Apóstol Pedro que refiriéndose al Salmo 16, para confirmar el anuncio de la resurrección de Cristo allí contenido, afirma que el profeta David «vio a lo lejos y habló de la resurrección de Cristo, que *ni fue abandonado en el Hades* ni su carne experimentó la corrupción» (*Hch* 2, 31). Un significado parecido tiene la pregunta que hace el Apóstol Pablo en la *Carta a los Romanos*: «¿Quién bajará al abismo? Esto significa *hacer subir a Cristo de entre los muertos*» (*Rom* 10, 7).

También en la *Carta a los Efesios* hay un texto que, siempre en relación con un versículo del Salmo 68: «Subiendo a la altura ha llevado cautivos y ha distribuido dones a los hombres» (*Sal* 68, 19), plantea una pregunta significativa: «*¿Qué quiere decir 'subió' sino que antes bajó a las regiones inferiores de la tierra?* Éste que bajó es el mismo que subió por encima de todos los cielos, para llenarlo todo» (*Ef* 4, 8-10). De esta manera el Autor parece vincular el «descenso» de Cristo *al abismo* (entre los muertos), del que habla la *Carta a los Romanos* con su ascensión al Padre, que da comienzo a la «realización» escatológica de todo en Dios.

A este concepto corresponden también las palabras puestas en boca de Cristo: «Yo soy el Primero y el Último, el que vive. *Estuve muerto pero ahora estoy vivo por los siglos* de los siglos, y tengo las llaves *de la Muerte y del Hades*» (*Ap* 1, 17-18).

4. Como se ve en los textos mencionados, el artículo del Símbolo de los Apóstoles «descendió a los infiernos» tiene su fundamento en las afirmaciones del Nuevo Testamento *sobre el descenso de Cristo* tras la muerte en la cruz, al «país de la muerte», al *«lugar de los muertos»* que en el lenguaje del Antiguo Testamento se llamaba «sheol». Si en la *Carta a los Efesios* se dice «en las regiones inferiores de la tierra», es porque la tierra acoge el cuerpo humano después de la muerte, y así acogió también el cuerpo de Cristo que expiró en el Gólgota como lo describen los Evangelistas (cfr *Mt* 27, 59 s. y paralelos; *Jn* 19, 40-42). *Cristo pasó a través* de una auténtica *experiencia de muerte* incluido el momento final que generalmente forma parte de su economía global: *fue puesto en el sepulcro.*

Es la confirmación de que su muerte fue real, y no sólo aparente. Su alma, separada del cuerpo, fue glorificada en Dios, pero el cuerpo yacía en el sepulcro en estado de *cadáver.*

Durante los tres días (no completos) transcurridos entre el momento en que «expiró» (cfr *Mc* 15, 37) y la resurrección, Jesús experimentó el «estado de muerte», es decir, la *separación del alma y cuerpo,* en el estado y condición de todos los hombres. Éste es el primer significado de las palabras «descendió a los infiernos», vinculadas con lo que el mismo Jesús había anunciado previamente cuando, refiriéndose a la historia de Jonás, dijo: «Porque de la misma manera que Jonás estuvo en el vientre del cetáceo tres días y tres noches, así también *el Hijo del hombre estará en el seno de la tierra tres días y tres noches»* (*Mt* 12, 40).

5. Precisamente se trataba de esto; *el corazón o el seno de la tierra. Muriendo en la cruz, Jesús entregó su espíritu en manos del Padre:* «Padre en tus manos encomiendo mi espíritu» (*Lc* 23, 46). Si la muerte comporta la separación de alma y cuerpo, se sigue de ello que también para Jesús se tuvo por una parte el estado de cadáver del cuerpo, y

por otra *la glorificación celeste de su alma desde el momento de la muerte.* La *Primera carta de Pedro* habla de esta dualidad cuando, refiriéndose a la muerte sufrida por Cristo por los pecados, dice de Él: «*Muerto en la carne, vivificado en el espíritu*» (*1 Pe* 3, 18). Alma y cuerpo se encuentran por tanto en la condición terminal correspondiente a su naturaleza, aunque en el plano ontológico el alma tiende a recomponer la unidad con el propio cuerpo. El Apóstol sin embargo añade: «*En el espíritu* (Cristo) *fue también a predicar a los espíritus encarcelados*» (*1 Pe* 3, 19). Esto parece ser una representación metafórica de la extensión, también a los que murieron antes que Él, del poder de Cristo crucificado.

6. Aun en su oscuridad, el texto petrino confirma los demás textos en cuanto a la concepción del «descenso a los infiernos» *como cumplimiento, hasta la plenitud, del mensaje evangélico de la salvación.* Es Cristo el que, puesto en el sepulcro en cuanto al cuerpo, pero glorificado en su alma admitida *en la plenitud de la visión beatífica de Dios, comunica* su estado de beatitud a todos los justos con los que, en cuanto al cuerpo, comparte el estado de muerte.

En la *Carta a los Hebreos* se encuentra la descripción de la obra de liberación de los justos realizada por Él: «Por tanto... así como los hijos participan de la sangre y de la carne, así también participó él de las mismas, para aniquilar mediante la muerte al señor de la muerte, es decir, al Diablo, y liberar a cuantos por temor a la muerte estaban de por vida sometidos a la esclavitud» (*Heb* 2, 14-15). Como muerto –y al mismo tiempo como vivo «para siempre»–, Cristo tiene «las llaves de la Muerte y del Hades» (cfr *Ap* 1, 17-18). En esto se manifiesta y realiza *la potencia salvífica* de la muerte sacrificial de Cristo, operadora de redención respecto a todos los hombres, también de aquellos que murieron antes de su venida y de su «descenso a los infiernos», pero que fueron alcanzados por su gracia justificadora.

7. Leemos también en la *Primera carta de San Pedro*: «...por eso hasta a los muertos se ha anunciado la Buena Nueva, para que, condenados en carne según los hombres, vivan en espíritu según Dios» (*1 Pe* 4, 6). También este versículo, aun no siendo de fácil interpretación, remarca el concepto del *«descenso a los infiernos» como la última fase de la misión del Mesías;* fase «condensada» en pocos días por los textos que tratan de hacer una presentación accesible a quien está habituado a razonar y a hablar en metáforas espacio-temporales, pero inmensamente amplio en su significado real de extensión de la obra redentora a todos los hombres de todos los tiempos y lugares, también de aquellos que en los días de la muerte y sepultura de Cristo yacían ya en el «reino de los muertos». La Palabra del Evangelio y de la cruz llega a todos, incluso a los que pertenecen a las generaciones pasadas más lejanas, porque todos los que se salvan han sido hechos partícipes de la Redención, aun antes de que sucediera el acontecimiento histórico del sacrificio de Cristo en el Gólgota. La concentración de su evangelización y redención en los días de la sepultura quiere subrayar que en el *hecho histórico* de la muerte de Cristo está inserto el *misterio suprahistórico* de la causalidad redentora de la humanidad de Cristo, «instrumento» de la divinidad omnipotente. Con el ingreso del alma de Cristo en la visión beatífica en el seno de la Trinidad, encuentra su punto de referencia y de explicación la *«liberación de la prisión»* de los justos, que habían descendido al reino de la muerte antes de Cristo. Por Cristo y en Cristo se abre ante ellos la libertad definitiva de la vida del Espíritu, como participación en la Vida de Dios (cfr Santo Tomás, *S. Th.* III, q. 52, a. 6). Ésta es la «verdad» que puede deducirse de los textos bíblicos

citados y que se expresa en el artículo del *Credo* que habla del «descenso a los infiernos».

8. Podemos decir, por tanto, que la verdad expresada por el Símbolo de los Apóstoles con las palabras «descendió a los infiernos», al tiempo que contiene una *confirmación de la realidad de la muerte de Cristo,* proclama también *el inicio de su glorificación.* No sólo de Él, sino de todos los que por medio de su sacrificio redentor han madurado en la participación de su gloria en la felicidad del reino de Dios.

Sección V
LA RESURRECCIÓN DE CRISTO

77. LA RESURRECCIÓN: HECHO HISTÓRICO Y AFIRMACIÓN DE FE*

1. En esta catequesis afrontamos la verdad culminante de nuestra fe en Cristo, documentada por el Nuevo Testamento, creída y vivida como verdad central por las primeras comunidades cristianas, transmitida como fundamental por la tradición, nunca olvidada por los cristianos verdaderos y hoy profundizada, estudiada y predicada como parte esencial del misterio pascual, junto con la cruz; es decir la resurrección de Cristo. De Él, en efecto, dice el *Símbolo de los Apóstoles* que «al tercer día resucitó de entre los muertos»; y el *Símbolo niceno-constantinopolitano precisa:* «Resucitó al tercer día, según las Escrituras».

Es un dogma de la fe cristiana, que se inserta en un hecho sucedido y constatado históricamente. Trataremos de investigar «con las rodillas de la mente inclinadas» el misterio enunciado por el dogma y encerrado en el acontecimiento, comenzando con el examen de los textos bíblicos que lo atestiguan.

2. El primer y más antiguo testimonio escrito sobre la resurrección de Cristo se encuentra en la *Primera carta de*

* Audiencia general, 25-I-1989.

San Pablo a los Corintios. En ella el Apóstol recuerda a los destinatarios de la *Carta* (hacia la Pascua del año 57 d. de C.): «*Porque os transmití, en primer lugar, lo que a mi vez recibí: que Cristo* murió por nuestros pecados, según las Escrituras; que fue sepultado y que *resucitó al tercer día, según las Escrituras;* que se apareció a Cefas y luego a los Doce; después se apareció a más de quinientos hermanos a la vez, de los cuales todavía la mayor parte viven y otros murieron. Luego se apareció a Santiago; más tarde a todos los Apóstoles. Y en último lugar a mí, como a un abortivo» (*1 Cor* 15, 3-8).

Como se ve, el Apóstol habla aquí *de la tradición viva de la resurrección,* de la que él había tenido conocimiento tras su conversión a las puertas de Damasco (cfr *Hech* 9, 3-18). Durante su viaje a Jerusalén se encontró con el Apóstol Pedro, y también con Santiago, como lo precisa la *Carta a los Gálatas* (1, 18 ss.), que ahora ha citado como los dos principales testigos de Cristo resucitado.

3. Debe también notarse que, en el texto citado, San Pablo no habla sólo de la resurrección ocurrida el tercer día «según las Escrituras» (referencia bíblica que toca ya la dimensión teológica del hecho), sino que al mismo tiempo *recurre a los testigos* a los que Cristo se apareció personalmente. Es un signo, entre otros, de que la fe de la primera comunidad de creyentes, expresada por Pablo en la *Carta a los Corintios,* se basa en el testimonio de hombres concretos, conocidos por los cristianos y que en gran parte vivían todavía entre ellos. Estos «testigos de la resurrección de Cristo» (cfr *Hech* 1, 22), son ante todo los Doce Apóstoles, pero no sólo ellos: Pablo habla de la aparición de Jesús incluso a más de quinientas personas a la vez, además de las apariciones a Pedro, a Santiago y a los Apóstoles.

4. Frente a este *texto paulino pierden toda admisibilidad las hipótesis* con las que se ha tratado, en manera diversa,

de interpretar la resurrección de Cristo abstrayéndola del orden físico, de modo que no se reconocía como un hecho histórico; por ejemplo, la hipótesis, según la cual la resurrección no sería otra cosa que una especie de interpretación del estado en el que Cristo se encuentra tras la muerte (estado de vida, y no de muerte), o la otra hipótesis que reduce la resurrección al influjo que Cristo, tras su muerte, no dejó de ejercer y más aún reanudó con nuevo e irresistible vigor sobre sus discípulos. *Estas hipótesis parecen implicar un prejuicio de rechazo a la realidad de la resurrección, considerada solamente como «el producto» del ambiente,* o sea, de la comunidad de Jerusalén. Ni la interpretación ni el prejuicio hallan comprobación en los hechos. San Pablo, por el contrario, en el texto citado *recurre a los testigos oculares* del «hecho»: su convicción sobre la resurrección de Cristo, tiene por tanto una base experimental. Está vinculada a ese argumento «ex factis», que vemos escogido y seguido por los Apóstoles precisamente en aquella primera comunidad de Jerusalén. Efectivamente, cuando se trata de la elección de Matías, uno de los discípulos más asiduos de Jesús, para completar el número de los «Doce» que había quedado incompleto por la traición y muerte de Judas Iscariote, los Apóstoles requieren *como condición* que el que sea elegido no sólo haya sido «compañero» de ellos en el período en que Jesús enseñaba y actuaba, sino que sobre todo *pueda ser «testigo de su resurrección»* gracias a la experiencia realizada en los días anteriores al momento en el que Cristo –como dicen ellos– «fue ascendido al cielo entre nosotros» (*Hch* 1, 22).

5. Por tanto no se puede presentar la resurrección, como hace cierta crítica neotestamentaria poco respetuosa de los datos históricos, como un «producto» de la primera comunidad cristiana, la de Jerusalén. La verdad sobre la resurrección no es un producto de la fe de los Apóstoles o de los demás discípulos pre o post-pascua-

les. De los textos resulta más bien que la fe «prepascual» de los seguidores de Cristo *fue sometida a la prueba radical de la pasión y de la muerte en cruz de su Maestro.* Él mismo había anunciado esta prueba, especialmente con las palabras dirigidas a Simón Pedro cuando ya estaba a las puertas de los sucesos trágicos de Jerusalén; «¡Simón, Simón! Mira que Satanás ha solicitado el poder cribaros como trigo; pero yo he rogado por ti, para que tu fe no desfallezca» (*Lc* 22, 31-32). La sacudida provocada por la pasión y muerte de Cristo fue tan grande que *los discípulos* (al menos algunos de ellos) inicialmente *no creyeron en la noticia de la resurrección.* En todos los Evangelios encontramos la prueba de esto. Lucas, en particular, nos hace saber que cuando las mujeres, «regresando del sepulcro, anunciaron todas estas cosas (o sea, el sepulcro vacío) a los Once y a todos los demás..., todas estas palabras les parecieron como desatinos y no les creían» (*Lc* 24, 9. 11).

6. Por lo demás, la hipótesis que quiere ver en la resurrección un «producto» de la fe de los Apóstoles, se confuta también por lo que es referido cuando el Resucitado «en persona se apareció en medio de ellos y les dijo: ¡Paz a vosotros!». Ellos, de hecho, «creían ver un fantasma». *En esa ocasión Jesús mismo debió vencer sus dudas y temores y convencerles de que «era Él»:* «Palpadme y ved, que un espíritu no tiene carne y huesos como veis que yo tengo». Y puesto que ellos «no acababan de creerlo y estaban asombrados» Jesús les dijo que le dieran algo de comer y «lo comió delante de ellos» (cfr *Lc* 24, 36-43).

7. Además, es muy conocido el episodio de *Tomás,* que no se encontraba con los demás Apóstoles cuando Jesús vino a ellos por primera vez, entrando en el Cenáculo a pesar de que la puerta estaba cerrada (cfr *Jn* 20, 19). Cuando, a su vuelta, los demás discípulos le dijeron:

«Hemos visto al Señor», Tomás manifestó maravilla e incredulidad, y contestó: «Si no veo en sus manos la señal de los clavos y no meto mi dedo en el agujero de los clavos y no meto mi mano en su costado *no creeré»*. Ocho días después, *Jesús vino* de nuevo al Cenáculo, *para satisfacer la petición de Tomás «el incrédulo»* y le dijo: «Acerca aquí tu dedo y mira mis manos; trae tu mano y métela en mi costado, y no seas incrédulo sino creyente». Y cuando Tomás profesó su fe con las palabras *«Señor mío y Dios mío»,* Jesús le dijo: «Porque me has visto has creído. Dichosos los que no han visto y han creído» (*Jn* 20, 24-29).

La exhortación a creer, sin pretender ver lo que se esconde en el misterio de Dios y de Cristo, permanece siempre válida; pero la dificultad del Apóstol Tomás para admitir la resurrección sin haber experimentado personalmente la presencia de Jesús vivo, y luego su ceder ante las pruebas que le suministró el mismo Jesús, confirman lo que resulta de los Evangelios sobre la resistencia de los Apóstoles y de los discípulos a admitir la resurrección. Por esto no tiene consistencia la hipótesis de *que la resurrección haya sido un «producto» de la fe* (o de la credulidad) de los Apóstoles. Su fe en la resurrección nació, por el contrario –bajo la acción de la gracia divina–, de la experiencia directa de la realidad de Cristo resucitado.

8. Es el mismo Jesús el que, tras la resurrección, se pone en contacto con los discípulos con el fin de darles el sentido de la realidad y disipar la opinión (o el miedo) de que se tratara de un «fantasma» y por tanto de que fueran víctimas de una ilusión. Efectivamente, establece con ellos relaciones directas, precisamente mediante el tacto. Así es en el caso de Tomás, que acabamos de recordar, pero también en el encuentro descrito en el Evangelio de Lucas, cuando Jesús dice a los discípulos asustados: *«Palpadme y ved* que un espíritu no tiene carne y

huesos como veis que yo tengo» (24, 39). Les invita a constatar que el cuerpo resucitado, con el que se presenta a ellos, es *el mismo* que fue martirizado y crucificado. Ese cuerpo posee sin embargo *al mismo tiempo propiedades nuevas:* se ha «hecho espiritual» y «glorificado» y por lo tanto ya no está sometido a las limitaciones habituales a los seres materiales y por ello a un cuerpo humano. (En efecto, Jesús entra en el Cenáculo a pesar de que las puertas estuvieran cerradas, aparece y desaparece, etc.) Pero al mismo tiempo ese cuerpo es *auténtico y real.* En su identidad material está la demostración de la resurrección de Cristo.

9. El encuentro *en el camino de Emaús,* referido en el Evangelio de Lucas, es un hecho que hace visible de forma particularmente evidente cómo se ha madurado en la conciencia de los discípulos la persuasión de la resurrección precisamente mediante el contacto con Cristo resucitado (cfr *Lc* 24, 15-21). Aquellos dos discípulos de Jesús, que al inicio del camino estaban «*tristes y abatidos*» con el recuerdo de todo lo que había sucedido al Maestro el día de la crucifixión y *no escondían la desilusión* experimentada al ver derrumbarse la esperanza puesta en Él como Mesías liberador («Esperábamos que sería Él el que iba a librar a Israel»), *experimentan después una transformación total,* cuando se les hace claro que el Desconocido, con el que han hablado, es precisamente el mismo Cristo de antes, y se dan cuenta de que Él, por tanto, ha resucitado. De toda la narración se deduce que *la certeza de la resurrección de Jesús había hecho de ellos casi hombres nuevos.* No sólo habían readquirido la fe en Cristo, sino que estaban preparados para dar testimonio de la verdad sobre su resurrección.

Todos estos *elementos del texto evangélico, convergentes entre sí, prueban el hecho de la resurrección,* que constituye el fundamento de la fe de los Apóstoles y del testimonio que, como veremos en las próximas catequesis, está en el centro de su predicación.

78. DEL «SEPULCRO VACÍO» AL ENCUENTRO CON EL RESUCITADO*

1. La profesión de fe que hacemos en el *Credo* cuando proclamamos que Jesucristo «al tercer día resucitó de entre los muertos», se basa en los textos evangélicos que, a su vez, nos transmiten y hacen conocer la primera predicación de los Apóstoles. De estas fuentes resulta que *la fe en la resurrección* es, desde el comienzo, *una convicción basada en un hecho,* en un acontecimiento real, y no un mito o una «concepción», una idea inventada por los Apóstoles o producida por la comunidad postpascual reunida en torno a los Apóstoles en Jerusalén, para superar junto con ellos el sentido de desilusión consiguiente a la muerte de Cristo en cruz. De los textos resulta todo lo contrario y por ello, como he dicho, tal hipótesis es también crítica e históricamente insostenible. *Los Apóstoles y los discípulos no inventaron la resurrección* (y es fácil comprender que eran totalmente incapaces de una acción semejante). No hay rastros de una exaltación personal suya o de grupo, que les haya llevado a conjeturar un acontecimiento deseado y esperado y a proyectarlo en la opinión y en la creencia común como real, casi por contraste y como compensación de la desilusión padecida. No hay huella de un proceso creativo de orden sicológico-sociológico-literario ni siquiera en la comunidad primitiva o en los autores de los primeros siglos. Los Apóstoles fueron los primeros que *creyeron,* no sin fuertes resistencias, que Cristo había resucitado simplemente *porque* vieron *la resurrección* como *un acontecimiento real* del

* Audiencia general, 1-II-1989.

que pudieron convencerse personalmente al encontrarse varias veces con Cristo nuevamente vivo, a lo largo de cuarenta días. Las sucesivas generaciones cristianas aceptaron aquel testimonio, fiándose de los Apóstoles y de los demás discípulos como testigos creíbles. La fe cristiana en la resurrección de Cristo está ligada, pues, a un *hecho,* que tiene una dimensión *histórica* precisa.

2. Y sin embargo, *la resurrección* es una verdad que, en su dimensión más profunda, pertenece a la Revelación divina: en efecto, *fue anunciada gradualmente de antemano por Cristo* a lo largo de su actividad mesiánica durante el período prepascual. Muchas veces predijo Jesús explícitamente que, tras haber sufrido mucho y ser ejecutado, *resucitaría.* Así, en el Evangelio de Marcos, se dice que tras la proclamación de Pedro en las cercanías de Cesarea de Filipo, Jesús «comenzó a enseñarles que el Hijo del hombre debía sufrir mucho y ser reprobado por los ancianos, los sumos sacerdotes y los escribas, ser matado y *resucitar a los tres días.* Hablaba de esto abiertamente» (*Mc* 8, 31-32). También según Marcos, después de la transfiguración, «cuando bajaban del monte les ordenó que a nadie contaran lo que habían visto hasta que el Hijo del hombre resucitara de entre los muertos» (*Mc* 9, 9). Los discípulos quedaron perplejos sobre el significado de aquella «resurrección» y pasaron a la cuestión, ya agitada en el mundo judío, del retorno de Elías (*Mc* 9, 11): pero Jesús reafirmó la idea de que el Hijo del hombre debería «sufrir mucho y ser despreciado» (*Mc* 9, 12). Después de la curación del epiléptico endemoniado, en el camino de Galilea recorrido casi clandestinamente, Jesús toma de nuevo la palabra para instruirlos: «El Hijo del hombre será entregado en manos de los hombres; le matarán y a los tres días de haber muerto resucitará». «Pero ellos no entendían lo que les decía y temían preguntarle» (*Mc* 9, 31-32). Es el segundo anuncio de la pasión y resurrección, al que sigue el ter-

cero, cuando ya se encuentran en camino hacia Jerusalén: «Mirad que subimos a Jerusalén, y el Hijo del hombre será entregado a los sumos sacerdotes y los escribas; le condenarán a muerte y le entregarán a los gentiles, y se burlarán de él, le escupirán, le azotarán y le matarán, y a los tres días resucitará» (*Mc* 10, 33-34).

3. Estamos aquí ante una previsión profética de los acontecimientos, en la que Jesús ejercita su función de revelador, poniendo en relación la muerte y la resurrección unificadas en la *finalidad redentora,* y refiriéndose al *designio divino* según el cual todo lo que prevé y predice «debe» suceder. Jesús, por tanto, hace conocer a los discípulos estupefactos e incluso asustados algo del misterio teológico que subyace en los próximos acontecimientos, como por lo demás en toda su vida. Otros destellos de este misterio se encuentran en la alusión al «signo de Jonás» (cfr *Mt* 12, 40) que Jesús hace suyo y aplica a los días de su muerte y resurrección, y en el desafío a los judíos sobre *«la reconstrucción en tres días del templo que será destruido»* (cfr *Jn* 2, 19). Juan anota que Jesús «hablaba del Santuario de su cuerpo. Cuando resucitó, pues, de entre los muertos, se acordaron sus discípulos de que había dicho eso, y *creyeron en la Escritura y en las palabras que había dicho Jesús»* (*Jn* 2, 20-21). Una vez más nos encontramos ante la relación entre la resurrección de Cristo y su Palabra, ante sus anuncios ligados «a las Escrituras».

4. Pero además de las palabras de Jesús, también la actividad mesiánica desarrollada por Él en el periodo prepascual muestra *el poder* de que dispone *sobre la vida y sobre la muerte,* y la conciencia de este poder, como la resurrección de la hija de Jairo (*Mc* 5, 39-42), la resurrección del joven de Naín (*Lc* 7, 12-15), y sobre todo la resurrección de Lázaro (*Jn* 11, 42-44) que se presenta en el cuarto Evangelio como un anuncio y una prefiguración de la re-

surrección de Jesús. En las palabras dirigidas a Marta durante este último episodio se tiene la clara manifestación de la autoconciencia de Jesús respecto a su identidad de Señor de la vida y de la muerte y de poseedor de las llaves del misterio de la resurrección: «*Yo soy* la resurrección. El que cree en mí, aunque muera, vivirá; y todo el que vive y cree en mí, no morirá jamás» (*Jn* 11, 25-26).

Todo son palabras y hechos que contienen de formas diversas *la revelación de la verdad sobre la resurrección* en el periodo prepascual.

5. *En el ámbito de los acontecimientos pascuales,* el primer elemento ante el que nos encontramos es *el «sepulcro vacío»*. Sin duda no es por sí mismo una prueba directa. La ausencia del cuerpo de Cristo en el sepulcro en el que había sido depositado podría *explicarse de otra forma,* como de hecho pensó por un momento María Magdalena cuando, viendo el sepulcro vacío, supuso que alguno habría sustraído el cuerpo de Jesús (cfr *Jn* 20, 15). Más aún, el Sanedrín trató de hacer correr la voz de que, mientras dormían los soldados, el cuerpo había sido robado por los discípulos. «Y se corrió esa versión entre los judíos –anota Mateo– hasta el día de hoy» (*Mt* 28, 12-15).

A pesar de esto el «*sepulcro vacío*» ha constituido para todos, amigos y enemigos, un signo impresionante. Para las personas de buena voluntad su descubrimiento fue *el primer paso hacia el reconocimiento del «hecho» de la resurrección como una verdad que no podía ser refutada.*

6. Así fue ante todo *para las mujeres,* que muy de mañana se habían acercado al sepulcro para ungir el cuerpo de Cristo. Fueron las primeras en acoger el anuncio: «Ha resucitado, no está aquí... Pero id a decir a sus discípulos y a Pedro...» (*Mc* 16, 6-7). «Recordad cómo os habló cuando estaba todavía en Galilea, diciendo: 'Es necesario que el Hijo del hombre sea entregado en manos de los pecado-

res y sea crucificado, y al tercer día resucite'. Y ellas recordaron sus palabras» (*Lc* 24, 6-8).

Ciertamente las mujeres estaban sorprendidas y asustadas (cfr *Mc* 16, 8; *Lc* 24, 5). Ni siquiera ellas estaban dispuestas a rendirse demasiado fácilmente a un hecho que, aun predicho por Jesús, estaba efectivamente por encima de toda posibilidad de imaginación y de invención. Pero en su sensibilidad y finura intuitiva ellas, y especialmente María Magdalena, se aferraron a la realidad y corrieron a donde estaban los Apóstoles para darles la alegre noticia.

El Evangelio de Mateo (28, 8-10) nos informa que a lo largo del camino Jesús mismo les salió al encuentro, les saludó y les renovó el mandato de llevar el anuncio a los hermanos (*Mt* 28, 10). De esta forma las mujeres fueron las primeras mensajeras de la resurrección de Cristo, y lo fueron para los mismos Apóstoles (*Lc* 24, 10). ¡Hecho elocuente sobre la importancia de la mujer ya en los días del acontecimiento pascual!

7. Entre los que recibieron el anuncio de María Magdalena estaban *Pedro y Juan* (cfr *Jn* 20, 3-8). Ellos se acercaron al sepulcro no sin titubeos, tanto más cuanto que María les había hablado de una sustracción del cuerpo de Jesús del sepulcro (cfr *Jn* 20, 2). Llegados al sepulcro, también lo encontraron vacío. Terminaron creyendo, tras haber dudado no poco, porque, como dice Juan, «hasta entonces no habían comprendido que según la Escritura Jesús debía resucitar de entre los muertos» (*Jn* 20, 9).

Digamos la verdad: el hecho era asombroso para aquellos hombres que se encontraban ante cosas demasiado superiores a ellos. La misma dificultad, que muestran las tradiciones del acontecimiento, al dar una relación de ello plenamente coherente, confirma su carácter extraordinario y el impacto desconcertante que tuvo en el ánimo de los afortunados testigos. La referencia *«a la Escritura»* es la prueba de la oscura percepción que tuvieron al encontrarse ante un misterio sobre el que sólo la Revelación podía dar luz.

8. Sin embargo, he aquí otro dato que se debe considerar bien: si el *«sepulcro vacío»* dejaba estupefactos a primera vista y podía incluso generar una cierta sospecha, el gradual conocimiento de este hecho inicial, como lo anotan los Evangelios, terminó llevando al descubrimiento de la verdad de la resurrección.

En efecto, se nos dice que las mujeres, y sucesivamente los Apóstoles, se encontraron *ante un «signo» particular: el signo de la victoria sobre la muerte.* Si el sepulcro mismo cerrado por una pesada losa, testimoniaba la muerte, el sepulcro vacío y la piedra removida daban el primer anuncio de que allí había sido derrotada la muerte.

No puede dejar de impresionar la consideración del estado de ánimo de las tres mujeres, que dirigiéndose al sepulcro al alba se decían entre sí: «*¿Quién nos retirará la piedra de la puerta del sepulcro?*» (*Mc* 16, 3), y que después, cuando llegaron al sepulcro, con gran maravilla constataron que «la piedra estaba corrida aunque era muy grande» (*Mc* 16, 4). Según el Evangelio de Marcos encontraron en el sepulcro a alguno que les dio el anuncio de la resurrección (cfr *Mc* 16, 5); pero ellas tuvieron miedo y, a pesar de las afirmaciones del joven vestido de blanco, «salieron huyendo del sepulcro, pues un gran temblor y espanto se había apoderado de ellas» (*Mc* 16, 8). ¿Cómo no comprenderlas? Y sin embargo la comparación con los textos paralelos de los demás Evangelistas permite afirmar que, aunque temerosas, las mujeres llevaron el anuncio de la resurrección, de la que el «sepulcro vacío» con la piedra corrida fue el primer signo.

9. Para las mujeres y para los Apóstoles el camino abierto por «el signo» se concluye *mediante el encuentro con el Resucitado:* entonces la percepción aún tímida e in-

cierta se convierte *en convicción* y, más aún, en fe en Aquel que «ha resucitado verdaderamente». Así sucedió a las mujeres que al ver a Jesús en su camino y escuchar su saludo, se arrojaron a sus pies y lo adoraron (cfr *Mt* 28, 9). Así le pasó especialmente a María Magdalena, que al escuchar que Jesús le llamaba por su nombre, le dirigió antes que nada el apelativo habitual: *Rabbuní,* ¡Maestro! (*Jn* 20, 16) y cuando Él la iluminó sobre el misterio pascual corrió radiante a llevar el anuncio a los discípulos: «¡He visto al Señor!» (*Jn* 20, 18). Lo mismo ocurrió a los discípulos reunidos en el Cenáculo que la tarde de aquel «primer día después del sábado», cuando vieron finalmente entre ellos a Jesús, se sintieron felices por la nueva certeza que había entrado en su corazón: «Se alegraron al ver al Señor» (cfr *Jn* 20, 19-20).

¡El contacto directo con Cristo desencadena la chispa que hace saltar la fe!

79. CARACTERÍSTICAS DE LAS APARICIONES DE CRISTO RESUCITADO*

1. Conocemos el pasaje de la *Primera carta a los Corintios,* donde Pablo, el primero cronológicamente, anota la verdad sobre la resurrección de Cristo: «Porque os transmití... lo que a mi vez recibí: que Cristo murió por nuestros pecados, según las Escrituras: que fue sepultado y que *resucitó* al tercer día, según las Escrituras; que se *apareció a Cefas* y luego a los Doce...» (*1 Cor* 15, 3-5). Se trata, como se ve, de una verdad transmitida, recibida, y nuevamente transmitida. Una verdad que pertenece al «depósito de la Revelación» que el mismo Jesús, mediante sus Apóstoles y Evangelistas, ha dejado a su Iglesia.

* Audiencia general, 22-II-1989.

2. *Jesús reveló gradualmente esta verdad* en su enseñanza prepascual. Posteriormente ésta, encontró su realización concreta en los acontecimientos de la pascua jerosolomitana de Cristo, certificados históricamente, pero llenos de misterio.

Los anuncios y los hechos tuvieron su confirmación sobre todo *en los encuentros de Cristo resucitado,* que los Evangelios y Pablo relatan. Es necesario decir que el texto paulino presenta estos encuentros en los que se revela Cristo resucitado de manera global y sintética (añadiendo al final el propio encuentro con el Resucitado a las puertas de Damasco: cfr *Hch* 9, 3-6). En los Evangelios se encuentran, al respecto, anotaciones más bien fragmentarias.

No es difícil *tomar y comparar algunas líneas características* de cada una *de estas apariciones* y de su conjunto para acercarnos todavía más al descubrimiento del significado de esta verdad revelada.

3. Podemos observar ante todo que, después de la resurrección, Jesús se presenta a las mujeres y a los discípulos con su cuerpo transformado, hecho espiritual y partícipe de la gloria del alma: pero sin ninguna característica triunfalista. Jesús se manifiesta *con una gran sencillez.* Habla de amigo a amigo, con los que se encuentra en las circunstancias ordinarias de la vida terrena. No ha querido enfrentarse a sus adversarios, asumiendo la actitud de vencedor, ni se ha preocupado por mostrarles su «superioridad», y todavía menos ha querido fulminarlos. Ni siquiera consta que se haya presentado a alguno de ellos. Todo lo que nos dice el Evangelio nos lleva a excluir que se haya aparecido, por ejemplo, a Pilato, que lo había entregado a los sumos sacerdotes para que fuese crucificado (cfr *Jn* 19, 16), o a Caifás, que se había rasgado las vestiduras por la afirmación de su divinidad (cfr *Mt* 26, 63-66).

A los privilegiados de sus apariciones, *Jesús se deja conocer en su identidad física:* aquel rostro, aquellas manos, aquellos rasgos que conocían muy bien, aquel costado que habían traspasado; aquella voz, que habían escuchado tantas veces. Sólo en el encuentro con Pablo en las cercanías de Damasco, la luz que rodea al Resucitado casi deja ciego al ardiente perseguidor de los cristianos y lo tira al suelo (cfr *Hch* 9, 3-8); pero es una manifestación del poder de Aquel que, ya subido al cielo, impresiona a un hombre al que quiere hacer un «instrumento de elección» (*Hch* 9, 15), un misionero del Evangelio.

4. Es de destacar también un hecho significativo: *Jesucristo se aparece en primer lugar a las mujeres,* sus fieles seguidoras, y no a los discípulos, y ni siquiera a los mismos Apóstoles, a pesar de que los había elegido como portadores de su Evangelio al mundo. Es a las mujeres a quienes por primera vez confía el misterio de su resurrección, haciéndolas las primeras testigos de esta verdad. Quizá quiera premiar su delicadeza, su sensibilidad a su mensaje, su fortaleza, que las había impulsado hasta el Calvario. Quizá quiere manifestar un delicado rasgo de su humanidad, que consiste en la amabilidad y en la gentileza con que se acerca y beneficia a las personas que menos cuentan en el gran mundo de su tiempo. Es lo que parece que se puede concluir de un texto de Mateo: «En esto, Jesús les salió al encuentro (a las mujeres que corrían para comunicar el mensaje a los discípulos) y les dijo: '¡Dios os guarde!'. Y ellas, acercándose, se asieron de sus pies y le adoraron. Entonces les dice Jesús: 'No temáis. Id y avisad a mis hermanos que vayan a Galilea; allí me verán'» (28, 9-10).

También el episodio de la aparición a María de Magdala (*Jn* 20, 11-18) es de extraordinaria finura ya sea por parte de la mujer, que manifiesta toda su apasionada y comedida entrega al seguimiento de Jesús, ya sea por parte del Maestro, que la trata con exquisita delicadeza y benevolencia.

En *esta prioridad de las mujeres* en los acontecimientos pascuales tendrá que inspirarse la Iglesia, que a lo largo de los siglos ha podido contar enormemente con ellas para su vida de fe, de oración y de apostolado.

5. Algunas características de estos encuentros postpascuales los hacen, en cierto modo, paradigmáticos debido a las situaciones espirituales, que tan a menudo se crean en la relación del hombre con Cristo, cuando uno se siente llamado o «visitado» por Él.

Ante todo hay una *dificultad* inicial *en reconocer* a Cristo por parte de aquellos a los que Él sale al encuentro, como se puede apreciar en el caso de la misma Magdalena (*Jn* 20, 14-16) y de los discípulos de Emaús (*Lc* 24, 16). No falta un cierto sentimiento de temor ante Él. Se le ama, se le busca, pero, en el momento en que se le encuentra, se experimenta alguna vacilación...

Pero Jesús les lleva gradualmente al reconocimiento y a la fe, tanto a María Magdalena (*Jn* 20, 16), como a los discípulos de Emaús (*Lc* 24, 26 ss.), y, análogamente, a otros discípulos (cfr *Lc* 24, 25-48). Signo de la pedagogía paciente de Cristo al revelarse al hombre, al atraerlo, al convertirlo, al llevarlo al conocimiento de las riquezas de su corazón y a la salvación.

6. Es interesante analizar el proceso psicológico que los diversos encuentros dejan entrever: los discípulos experimentan una cierta dificultad en reconocer no sólo la verdad de la resurrección, sino también la identidad de Aquel que está ante ellos, y aparece como *el mismo pero al mismo tiempo como otro: un Cristo «transformado»*. No es nada fácil para ellos hacer la inmediata identificación. Intuyen, sí, que es Jesús, pero al mismo tiempo sienten que Él ya no se encuentra en la condición anterior, y ante Él están llenos de reverencia y temor.

Cuando, luego, se dan cuenta, con su ayuda, de que no

se trata de otro, sino de Él mismo transformado, aparece repentinamente en ellos una nueva capacidad de descubrimiento, de inteligencia, de caridad y de fe. Es como un despertar de fe: «¿No estaba ardiendo nuestro corazón dentro de nosotros cuando nos hablaba en el camino y nos explicaba las Escrituras?» (*Lc* 24, 32). «Señor mío y Dios mío» (*Jn* 20, 28). «He visto al Señor» (*Jn* 20, 18). ¡Entonces una *luz* absolutamente *nueva ilumina en sus ojos incluso el acontecimiento de la cruz;* y da el verdadero y pleno sentido del misterio del dolor y de la muerte, que se concluye en la gloria de la nueva vida! Éste será uno de los elementos principales del mensaje de salvación que los Apóstoles han llevado desde el principio al pueblo hebreo y, poco a poco, a todas las gentes.

7. Hay que subrayar una última característica de las *apariciones de Cristo resucitado:* en ellas, especialmente en las últimas, Jesús realiza *la definitiva entrega a los Apóstoles* (y a la Iglesia) de la misión de evangelizar el mundo para llevarle el mensaje de su Palabra y el don de su gracia.

Recuérdese la aparición a los discípulos en el Cenáculo la tarde de Pascua: «Como el Padre me envió, también yo os envío...» (*Jn* 20, 21); ¡y les da el poder de perdonar los pecados!

Y en la aparición en el mar de Tiberíades, seguida de la pesca milagrosa, que simboliza y anuncia la fructuosidad de la misión, es evidente que Jesús quiere orientar sus espíritus hacia la obra que les espera (cfr *Jn* 21, 1-23). Lo confirma la definitiva asignación de la misión particular a Pedro (*Jn* 21, 15-18): «¿Me amas?... Tú sabes que te quiero... Apacienta mis corderos... Apacienta mis ovejas...».

Juan indica que «ésta fue ya la tercera vez que Jesús se manifestó a los discípulos después de resucitar de entre los muertos» (*Jn* 21, 14). Esta vez, ellos, no sólo se habían dado cuenta de su identidad: «Es el Señor» (*Jn* 21, 7), sino que habían comprendido que, todo cuanto había sucedido y sucedía en aquellos días pascuales, les comprometía a cada uno de ellos –y de modo muy particular a Pedro– en la construcción de la nueva era de la historia, que había tenido su principio en aquella mañana de pascua.

80. LA RESURRECCIÓN: EVENTO HISTÓRICO Y AL MISMO TIEMPO META-HISTÓRICO*

1. *La resurrección de Cristo tiene el carácter de un evento,* cuya esencia es el paso de la muerte a la vida. Evento único, como *Paso* (Pascua), fue *inscrito en el contexto de las fiestas pascuales,* durante las cuales los hijos y las hijas de Israel recordaban cada año el éxodo de Egipto, dando gracias por la liberación de la esclavitud y, por lo tanto, exaltando el poder de Dios Señor que se había manifestado claramente en aquel «Paso» antiguo.

La resurrección de Cristo es el *nuevo Paso,* la nueva Pascua, que hay que interpretar a partir de la Pascua antigua, pues ésta era figura y anuncio de la misma. De hecho, así fue considerada en la comunidad cristiana, siguiendo la clave de lectura que ofrecieron los Apóstoles y los Evangelistas a los creyentes sobre la base de la palabra del mismo Jesús.

2. Siguiendo la línea de todo lo que se nos ha transmitido desde aquellas antiguas fuentes, podemos ver en la resurrección sobre todo un *evento histórico,* pues ésta sucedió *en una circunstancia precisa de lugar y tiempo:* «El tercer día» después de la crucifixión, en Jerusalén, en el sepulcro que José de Arimatea puso a disposición (cfr *Mc* 15, 46), y en el que había sido colocado el cuerpo de Cristo, después de quitarlo de la cruz. Precisamente se encon-

* Audiencia general, 1-III-1989.

tró vacío este sepulcro al alba del tercer día (después del sábado pascual).

Pero Jesús había anunciado su resurrección al tercer día (cfr *Mt* 16, 21; 17, 23; 20, 19). Las mujeres que acudieron al sepulcro ese día, encontraron a un «ángel» que les dijo: Vosotras... «buscáis a Jesús, el Crucificado. No está aquí, *ha resucitado como lo había dicho*» (*Mt* 28, 5-6).

En la narración evangélica la circunstancia del «tercer día» se pone en relación con la celebración judía del sábado, que excluía realizar trabajos y desplazarse más allá de cierta distancia desde la tarde de la víspera. Por eso, el embalsamamiento del cadáver, de acuerdo con la costumbre judía, se había pospuesto al primer día después del sábado.

3. Pero *la resurrección,* aun siendo un evento determinable en el espacio y en el tiempo, *transciende y supera la historia.*

Nadie vio el hecho en sí. Nadie pudo ser testigo ocular del suceso. Fueron muchos los que vieron la agonía y la muerte de Cristo en el Gólgota, algunos participaron en la colocación de su cadáver en el sepulcro, los guardias lo cerraron bien y lo vigilaron, lo cual se habían preocupado de conseguirlo de Pilato «los sumos sacerdotes y los fariseos», acordándose de que Jesús había dicho: A los tres días resucitaré. «Manda, pues, que quede asegurado el sepulcro hasta el tercer día, no sea que vengan los discípulos, lo roben y digan luego al pueblo: 'Resucitó de entre los muertos'» (*Mt* 27, 63-64). Pero los discípulos no habían pensado en esa estratagema. Fueron las mujeres quienes, al ir al sepulcro la mañana del tercer día con los aromas, descubrieron que estaba vacío, la piedra retirada, y vieron a un joven vestido de blanco que les habló de la resurrección de Jesús (cfr *Mc* 16, 6). Ciertamente, el cuerpo de Cristo ya no estaba allí. A continuación fueron muchos los que vieron a Jesús resucitado. *Pero ninguno fue testigo ocular de la resurrección. Ninguno pudo decir cómo había sucedido en su carácter físico.* Y menos aún fue perceptible a los sentidos su más íntima esencia de *paso a otra vida.*

Este es el valor metahistórico de la resurrección, que hay que considerar de modo especial si queremos percibir de algún modo el *misterio* de ese suceso histórico, pero también transhistórico, como veremos a continuación.

4. En efecto, *la resurrección de Cristo no fue una vuelta a la vida terrena, como había sucedido en el caso de las resurrecciones que Él había realizado* en el periodo prepascual: la hija de Jairo, el joven de Naín, Lázaro. Estos hechos eran sucesos milagrosos (y, por lo tanto, extraordinarios), pero las personas afectadas volvían a adquirir, por el poder de Jesús, la vida terrena «ordinaria». Al llegar un cierto momento, murieron nuevamente, como con frecuencia hace observar San Agustín.

En el caso de la resurrección de Cristo, la cosa es esencialmente distinta. En su cuerpo resucitado *Él pasa del estado de muerte a «otra» vida,* ultratemporal y ultraterrestre. El cuerpo de Jesús es *colmado del poder del Espíritu Santo* en la resurrección, es hecho partícipe de la vida divina en el estado de gloria, de modo que podemos decir de Cristo, con San Pablo, que es el «*homo caelestis*» (cfr *1 Cor* 15, 47 ss.).

En este sentido, la resurrección de Cristo se encuentra más allá de la pura dimensión histórica, es un suceso que pertenece a la esfera metahistórica, y por eso escapa a los criterios de la mera observación empírica del hombre. Es verdad que Jesús, después de la resurrección, se aparece a sus discípulos, habla, conversa y hasta come con ellos, invita a Tomás a tocarlo para que se cerciore de su identidad: pero esta dimensión real de su humanidad total *encubre la otra vida,* que ya le pertenece y que le aparta de lo «normal» de la vida terrena ordinaria y lo sumerge en el «misterio».

5. Otro elemento misterioso de la resurrección de Cristo lo constituye el hecho de que el paso de la muerte a la vida nueva sucedió por la intervención del poder del Padre que «resucitó» (cfr *Hch* 2, 32) a Cristo, su Hijo, y así introdujo de modo perfecto su humanidad –también su cuerpo– en el consorcio trinitario, de modo que Jesús se manifestó como definitivamente «constituido Hijo de Dios con poder, según el Espíritu... por su resurrección de entre los muertos» (*Rom* 1, 3-4). San Pablo insiste en presentar la resurrección de Cristo como manifestación del poder de Dios (cfr *Rom* 6, 4; *2 Co* 13, 4; *Flp* 3, 10; *Col* 2, 12; *Ef* 1, 19 ss.; cfr también *Heb* 7, 16) por obra del Espíritu que, al devolver la vida a Jesús, lo ha colocado en el estado glorioso de *Señor* (Kyrios), en el cual merece definitivamente, también como hombre, ese nombre de Hijo de Dios que le pertenece eternamente (cfr *Rom* 8, 11; 9, 5; 14, 9; *Flp* 2, 9-11; cfr también *Heb* 1, 1-5; 5, 5, etcétera).

6. Es significativo que muchos textos del Nuevo Testamento muestren la resurrección de Cristo *como «resurrección de los muertos»*, llevada a cabo con el poder del Espíritu Santo. Pero al mismo tiempo hablan de ella como de un *«resurgir en virtud de su propio poder»* (en griego: *anéste*), tal como lo indica, por lo demás, en muchas lenguas la palabra «resurrección». Este sentido activo de la palabra (sustantivo verbal) se encuentra también en los discursos prepascuales de Jesús, por ejemplo, en los anuncios de la pasión, cuando dice que el Hijo del hombre *tendrá* que sufrir mucho, morir, y luego *resucitar* (cfr *Mc* 8, 31; 9, 9. 31; 10, 34). En el Evangelio de Juan, Jesús afirma explícitamente: «Yo doy mi vida, para recobrarla de nuevo... Tengo poder para darla y poder para recobrarla de nuevo» (*Jn* 10, 17-18). También Pablo, en la Primera Carta a los Tesalonicenses, escribe: «Nosotros creemos que Jesús murió y resucitó» (*1 Tes* 4, 14).

En los *Hechos de los Apóstoles* se proclama muchas veces que «Dios ha resucitado a Jesús...» (2, 24. 32; 3, 15. 26, etcétera), pero se habla también en sentido activo de la resurrección de Jesús (cfr 10, 41), y en esta perspectiva se resume la predicación de Pablo en la sinagoga de Tesalónica, donde «basándose en las Escrituras» demuestra que «Cristo tenía que padecer y *resucitar de entre los muertos...*» (*Hch* 17, 3).

De este conjunto de textos emerge *el carácter trinitario de la resurrección de Cristo,* que es «obra común» del Padre y del Hijo y del Espíritu Santo, y, por lo tanto, incluye en sí el misterio mismo de Dios.

7. La expresión «según las Escrituras», que se encuentra en la Primera Carta a los Corintios (15, 34) y en el Símbolo niceno-constantinopolitano, pone de relieve el *carácter escatológico* del suceso de la resurrección de Cristo, en el cual se cumplen los anuncios del Antiguo Testamento. El mismo Jesús, según Lucas, hablando de su pasión y de su gloria con los dos discípulos de Emaús, los recrimina por ser tardos de corazón «para creer todo lo que dijeron los profetas», y después, «empezando por Moisés y continuando por todos los profetas, les explicó lo que había sobre él en todas las Escrituras» (*Lc* 24, 26-27). Lo mismo sucedió durante el último encuentro con los Apóstoles, a quienes dijo: «Estas son aquellas palabras mías que os hablé cuando todavía estaba con vosotros: 'Es necesario que se cumpla todo lo que está escrito en la Ley de Moisés, en los Profetas y en los Salmos acerca de mí'. Y, entonces, abrió su inteligencia para que comprendieran las Escrituras, y les dijo: Así está escrito que el Cristo padeciera y resucitara de entre los muertos al tercer día, y se predicara en su nombre la conversión para el perdón de los pecados a todas las naciones, empezando desde Jerusalén» (*Lc* 24, 44-48).

Era la interpretación mesiánica, que dio el mismo Jesús al conjunto del Antiguo Testamento y, de modo especial a los textos que se referían más directamente al misterio pascual, como los de Isaías sobre la humillación y sobre la «exaltación» del Siervo del Señor (*Is* 52, 13-53, 12), y los del Salmo 109/110. A partir de esta interpretación escatológica de Jesús, que vinculaba el misterio pascual con el Antiguo Testamento y proyectaba su luz sobre el futuro (la predicación a todas las gentes), los Apóstoles y los Evangelistas también hablaron de la resurrección «según las Escrituras», y se fijó a continuación la fórmula del Credo. Era otra dimensión del Acontecimiento como misterio.

8. De todo lo que hemos dicho se deduce claramente que la resurrección de Cristo es el mayor evento en la *historia de la salvación* y, más aún, podemos decir que en la historia de la humanidad, puesto que da sentido definitivo al mundo. Todo el mundo gira en torno a la cruz, pero *la cruz sólo alcanza en la resurrección su pleno significado de evento salvífico.* Cruz y resurrección forman el único misterio pascual, en el que tiene su centro la historia del mundo. Por eso, la Pascua es la solemnidad mayor de la Iglesia: ésta celebra y renueva cada año este evento, cargado de todos los anuncios del Antiguo Testamento, comenzando por el «Protoevangelio» de la redención y de todas las esperanzas y las expectativas escatológicas que se proyectan hacia la «plenitud del tiempo», que se llevó a cabo cuando el reino de Dios entró definitivamente en la historia del hombre y en el orden universal de la salvación.

81. LA RESURRECCIÓN, CULMEN DE LA REVELACIÓN*

1. En la *Carta de San Pablo a los Corintios*, recordada ya varias veces a lo largo de estas catequesis sobre la resurrección de Cristo, leemos estas palabras del Apóstol: «*Si no resucitó Cristo, vacía es nuestra predicación, vacía es*

* Audiencia general, 8-III-1989.

también vuestra fe» (*1 Co* 15, 14). Evidentemente, San Pablo ve en la resurrección el fundamento de la fe cristiana y casi la clave de bóveda de todo el edificio de doctrina y de vida levantado sobre la revelación, en cuanto confirmación definitiva de todo el conjunto de la verdad que Cristo ha traído. Por esto, toda la predicación de la Iglesia, desde los tiempos apostólicos, a través de los siglos y de todas las generaciones, hasta hoy, se refiere a la resurrección y saca de ella la fuerza impulsora y persuasiva, así como su vigor. Es fácil comprender el porqué.

2. La resurrección constituía en primer lugar *la confirmación de todo lo que Cristo mismo había «hecho y enseñado»*. Era el sello divino puesto sobre sus palabras y sobre su vida. Él mismo había indicado a los discípulos y adversarios este *signo* definitivo de su verdad. El ángel del sepulcro lo recordó a las mujeres la mañana del «primer día después del sábado»: *«Ha resucitado, como lo había dicho»* (*Mt* 28, 6). Si esta palabra y promesa suya se reveló como verdad, también todas sus demás palabras y promesas poseen la potencia de la verdad que no pasa, como Él mismo había proclamado: «El cielo y la tierra pasarán, pero mis palabras no pasarán» (*Mt* 24, 35; *Mc* 13, 31; *Lc* 21, 33). Nadie habría podido imaginar ni pretender una prueba más autorizada, más fuerte, más decisiva que la resurrección de entre los muertos. Todas las verdades, también las más inaccesibles para la mente humana, encuentran, sin embargo, su justificación, incluso en el ámbito de la razón, si Cristo resucitado ha dado la prueba definitiva, prometida por Él, de su autoridad divina.

3. Así, la resurrección confirma la *verdad de su misma divinidad*. Jesús había dicho: «Cuando hayáis levantado (sobre la cruz) al Hijo del hombre, entonces sabréis que Yo soy» (*Jn* 8, 28). Los que escucharon estas palabras querían lapidar a Jesús, puesto que «YO SOY» era para los

hebreos el equivalente del nombre inefable de Dios. De hecho, al pedir a Pilato su condena a muerte presentaron como acusación principal la de haberse «hecho Hijo de Dios» (*Jn* 19, 7). Por esta misma razón lo habían condenado en el Sanedrín como reo de blasfemia después de haber declarado que era el Cristo, el Hijo de Dios, tras el interrogatorio del sumo sacerdote (*Mt* 26, 63-65; *Mc* 14, 62; *Lc* 22, 70): es decir, no sólo el Mesías terreno como era concebido y esperado por la tradición judía, sino el Mesías Señor anunciado por el Salmo 109/110 (cfr *Mt* 22, 41 ss.), el personaje misterioso vislumbrado por Daniel (7, 13-14). Esta era la gran blasfemia, la imputación para la condena a muerte: ¡el haberse proclamado Hijo de Dios! Y ahora su resurrección confirmaba la veracidad de su identidad divina y legitimaba la atribución hecha a Sí mismo, antes de la Pascua, del «nombre» de Dios: «En verdad, en verdad os digo: antes de que Abraham existiera, *Yo soy*» (*Jn* 8, 58). Para los judíos ésa era una pretensión que merecía la lapidación (cfr *Lv* 24, 16), y, en efecto, «tomaron piedras para tirárselas; pero Jesús se ocultó y salió del templo» (*Jn* 8, 59). Pero si entonces no pudieron lapidarlo, posteriormente lograron «levantarlo» sobre la cruz: la resurrección del Crucificado demostraba, sin embargo, que Él era verdaderamente *Yo soy,* el Hijo de Dios.

4. En realidad, Jesús aun llamándose a Sí mismo Hijo del hombre, no sólo había confirmado ser *el verdadero Hijo de Dios,* sino que en el Cenáculo, antes de la pasión, había pedido al Padre que revelara que el Cristo Hijo del hombre era su Hijo eterno: «Padre, ha llegado la hora; glorifica a tu Hijo para que el Hijo te glorifique» (*Jn* 17, 1). «... Glorifícame tú, junto a ti, con la gloria que tenía a tu lado antes que el mundo fuese» (*Jn* 17, 5). Y el misterio pascual fue la escucha de esta petición, la confirmación de la filiación divina de Cristo, y más aún, su glorificación

con esa *gloria que «tenía junto al Padre antes de que el mundo existiera»:* la gloria del Hijo de Dios.

5. En el periodo prepascual Jesús, según el Evangelio de Juan, aludió varias veces a esta gloria futura, que se manifestaría en su muerte y resurrección. Los discípulos comprendieron el significado de esas palabras suyas sólo cuando sucedió el hecho.

Así, leemos que durante la primera pascua pasada en Jerusalén, tras haber arrojado del templo a los mercaderes y cambistas, Jesús respondió a los judíos que le pedían un «signo» del poder por el que obraba de esa forma: «*Destruid este Santuario y en tres días lo levantaré...* Él hablaba del Santuario de su cuerpo. *Cuando resucitó, pues, de entre los muertos, se acordaron sus discípulos de que* había dicho eso, y creyeron en la Escritura y en las palabras que había dicho Jesús» (*Jn* 2, 1922).

También la respuesta dada por Jesús a los mensajeros de las hermanas de Lázaro, que le pedían que fuera a visitar al hermano enfermo, hacía referencia a los acontecimientos pascuales: «Esta enfermedad no es de muerte, es para la gloria de Dios, *para que el Hijo de Dios sea glorificado por ella*» (*Jn* 11, 4).

No era sólo la gloria que podía reportarle el milagro, tanto menos cuanto que provocaría su muerte (cfr *Jn* 11, 46-54); sino que su verdadera glorificación vendría precisamente de su elevación sobre la cruz (cfr *Jn* 12, 32). Los discípulos comprendieron bien todo esto después de la resurrección.

6. Particularmente interesante es la doctrina de San Pablo sobre el valor de la resurrección como elemento determinante de su concepción cristológica, vinculada también a su experiencia personal del Resucitado. Así, al comienzo de la *Carta a los Romanos* se presenta: «Pablo, siervo de Cristo Jesús, apóstol por vocación, escogido

para el Evangelio de Dios, que había ya prometido por medio de sus profetas en las Escrituras Sagradas, acerca de su Hijo, nacido del linaje de David según la carne, *constituido Hijo de Dios con poder, según el Espíritu de santidad, por su resurrección de entre los muertos;* Jesucristo, Señor nuestro» (*Rom* 1, 1-4).

Esto significa que desde el primer momento de su concepción humana y de su nacimiento (de la estirpe de David), Jesús era el Hijo eterno de Dios, que se hizo Hijo del hombre. Pero, en la resurrección, esa filiación divina se manifestó en toda su plenitud con el *poder de Dios* que, por obra del Espíritu Santo, devolvió la vida a Jesús (cfr *Rom* 8, 11) y lo constituyó en el estado glorioso de «Kyrios» (cfr *Flp* 2, 9-11; *Rom* 14, 9; *Hch* 2, 36), de modo que Jesús merece por un nuevo título mesiánico el reconocimiento, el culto, la gloria del nombre eterno de Hijo de Dios (cfr *Hch* 13, 33; *Heb* 1, 1-5; 5, 5).

7. Pablo había expuesto esta misma doctrina en la sinagoga de Antioquía de Pisidia, en sábado, cuando, invitado por los responsables de la misma, tomó la palabra para anunciar que en el culmen de la economía de la salvación realizada en la historia de Israel entre luces y sombras, Dios había resucitado de entre los muertos a Jesús, el cual se había aparecido durante muchos días a los que habían subido con Él desde Galilea a Jerusalén, los cuales eran ahora sus testigos ante el pueblo. «También nosotros –concluía el Apóstol– os anunciamos la Buena Nueva de que la Promesa hecha a los padres Dios la ha cumplido en nosotros, los hijos, al resucitar a Jesús, como está escrito en los salmos: *'Hijo mío eres tú; yo te he engendrado hoy'*» (*Hch* 13, 32-33; cfr *Sal* 2, 7).

Para Pablo hay una especie de ósmosis conceptual entre la gloria de la resurrección de Cristo y la eterna filiación divina de Cristo, que se revela plenamente en esta conclusión victoriosa de su misión mesiánica.

8. En esta gloria del «Kyrios» se manifiesta ese poder del Resucitado (Hombre-Dios), que Pablo conoció por experiencia en el momento de su conversión en el camino de Damasco al sentirse llamado a ser Apóstol (aunque no uno de los Doce), por ser testigo ocular del Cristo vivo, y recibió de Él la fuerza para afrontar todos los trabajos y soportar todos los sufrimientos de su misión. El espíritu de Pablo quedó tan marcado por esa experiencia, que en su doctrina y en su testimonio antepone la idea del poder del Resucitado a la de participación en los sufrimientos de Cristo, que también le era grata: Lo que se había realizado en su experiencia personal también lo proponía a los fieles como una regla de pensamiento y una norma de vida: «Juzgo que todo es pérdida ante la sublimidad del conocimiento de Cristo Jesús, mi Señor... para ganar a Cristo y ser hallado en él... *y conocerle a él, el poder de su resurrección* y la comunión en sus padecimientos hasta hacerme semejante a él en su muerte, tratando de llegar a la resurrección de entre los muertos» (*Flp* 3, 8-11). Y entonces su pensamiento se dirige a la experiencia del camino de Damasco: «... Habiendo sido yo mismo alcanzado por Cristo Jesús» (*Flp* 3, 12).

9. Así, pues, los textos referidos dejan claro que *la resurrección de Cristo está estrechamente unida con el misterio de la encarnación del Hijo de Dios:* es su cumplimiento, según el eterno designio de Dios. Más aún, es la coronación suprema de todo lo que Jesús manifestó y realizó en toda su vida, desde el nacimiento a la pasión y muerte, con sus obras, prodigios, magisterio, ejemplo de una vida perfecta, y sobre todo con su transfiguración. Él nunca reveló de modo directo la gloria que había recibido del Padre «antes que el mundo fuese» (*Jn* 17, 5), *sino que ocultaba esta gloria* con su humanidad, hasta que se despojó definitivamente (cfr *Flp* 2, 7-8) con la muerte en cruz.

En la resurrección se reveló el hecho de que «en Cristo

reside toda la plenitud de la Divinidad corporalmente» (*Col* 2, 9; cfr 1, 19). Así, la resurrección «completa» la manifestación del contenido de la Encarnación. Por eso podemos decir que es también la plenitud de la Revelación. Por lo tanto, como hemos dicho, ella está en el centro de la fe cristiana y de la predicación de la Iglesia.

82. EL VALOR SALVÍFICO DE LA RESURRECCIÓN*

1. Si, como hemos visto en anteriores catequesis, la fe cristiana y la predicación de la Iglesia tienen su fundamento en la resurrección de Cristo, por ser ésta la confirmación definitiva y la plenitud de la revelación, también hay que añadir que es *fuente del poder salvífico* del Evangelio y de la Iglesia en cuanto integración del misterio pascual. En efecto, según San Pablo, Jesucristo se ha revelado como «Hijo de Dios con poder, según el espíritu de santidad, por su resurrección de entre los muertos» (*Rom* 1, 4). Y Él transmite a los hombres esta santidad porque «fue entregado por nuestros pecados y fue resucitado para nuestra justificación» (*Rom* 4, 25). Hay como un doble aspecto en el misterio pascual: la muerte para liberar del pecado y la resurrección para abrir el acceso a la vida nueva.

Ciertamente el misterio pascual, como toda la vida y la obra de Cristo, tiene una profunda unidad interna en su función redentora y en su eficacia, pero ello no impide que puedan distinguirse sus distintos aspectos con relación a los efectos que derivan de él en el hombre. De ahí la atribución a la resurrección del efecto específico de la «vida nueva», como afirma San Pablo.

2. Respecto a esta doctrina hay que hacer algunas indicaciones que, en continua referencia a los textos del

* Audiencia general, 15-III-1989.

Nuevo Testamento, nos permitan poner de relieve toda su verdad y belleza.

Ante todo, podemos decir ciertamente que Cristo resucitado es principio y fuente de una vida nueva para todos los hombres. Y esto aparece también en la maravillosa plegaria de Jesús, la víspera de su pasión, que Juan nos refiere con estas palabras: «*Padre... glorifica a tu Hijo para que tu Hijo te glorifique a ti.* Y que según el poder que le has dado *sobre toda carne, dé también vida eterna a todos los que tú le has dado*» (*Jn* 17, 1-2). En su plegaria Jesús mira y abraza sobre todo a sus discípulos a quienes advirtió de la próxima y dolorosa separación que se verificaría mediante su pasión y muerte, pero a los cuales prometió asimismo: «Yo vivo y también vosotros viviréis» (*Jn* 14, 19). Es decir: tendréis parte en mi vida, la cual se revelará después de la resurrección. Pero la mirada de Jesús se extiende a un radio de amplitud universal. Les dice: «No ruego por éstos (mis discípulos), sino también por aquellos, que por medio de su palabra, creerán en mí...» (*Jn* 17, 20): todos deben formar una sola cosa al participar en la gloria de Dios en Cristo.

La nueva vida que se concede a los creyentes en virtud de la resurrección de Cristo, consiste en la *victoria sobre la muerte del pecado y en la nueva participación en la gracia.* Lo afirma San Pablo de forma lapidaria: «Dios, rico en misericordia..., *estando muertos* a causa de nuestros delitos *nos vivificó juntamente con Cristo*» (*Ef* 2, 4-5). Y de forma análoga San Pedro: «El Dios y Padre de nuestro Señor Jesucristo..., por su gran misericordia, *mediante la resurrección de Jesucristo de entre los muertos nos ha reengendrado* para una esperanza viva» (*1 Pe* 1, 3).

Esta verdad se refleja *en la enseñanza paulina sobre el bautismo:* «Fuimos, pues, con Él (Cristo) sepultados por el bautismo en la muerte, a fin de que, al igual que Cristo fue resucitado de entre los muertos por medio de la gloria del Padre, así también nosotros vivamos una vida nueva» (*Rom* 6, 4).

3. Esta *vida nueva* –la vida según el Espíritu– *manifiesta la filiación adoptiva:* otro concepto paulino de fundamental importancia. A este respecto, es «clásico» el pasaje de la *Carta a los Gálatas:* «Envió Dios a su Hijo... para rescatar a los que se hallaban bajo la ley y para que recibiéramos *la filiación adoptiva*» (*Gal* 4, 4-5). Esta adopción divina *por obra del Espíritu Santo, hace al hombre semejante al Hijo unigénito:* «...Todos los que son guiados por el Espíritu de Dios, son hijos de Dios» (*Rom* 8, 14). En la *Carta a los Gálatas* San Pablo apela a la experiencia que tienen los creyentes de la nueva condición en que se encuentran: «La prueba de que sois hijos de Dios es que Dios ha enviado a nuestros corazones el Espíritu de su Hijo que clama: ¡Abbá, Padre! De modo que ya no eres esclavo sino hijo; y si hijo, también heredero por voluntad de Dios» (*Gal* 4, 6-7). Hay, pues, en el hombre nuevo un primer efecto de la redención: la liberación de la esclavitud; pero la adquisición de la libertad llega al convertirse en hijo adoptivo, y ello no tanto por el acceso legal a la herencia, sino con el don real de la vida divina que infunden en el hombre las tres Personas de la Trinidad (cfr *Gal* 4, 6; *2 Cor* 13, 13). La fuente de esta *vida nueva del hombre en Dios* es la resurrección de Cristo.

La participación en la vida nueva hace también *que los hombres* sean «hermanos» de *Cristo,* como el mismo Jesús llama a sus discípulos después de la resurrección: «Id a anunciar a mis hermanos...» (*Mt* 28, 10; *Jn* 20, 17). Hermanos no por naturaleza sino por don de gracia, pues esa filiación adoptiva da una verdadera y real participación en la vida del Hijo unigénito, tal como se reveló plenamente en su resurrección.

4. La resurrección de Cristo –y, más aún, el *Cristo resucitado*– es finalmente *principio y fuente de nuestra futura re-*

surrección. El mismo Jesús habló de ello al anunciar la institución de la Eucaristía como sacramento de la vida eterna, de la resurrección futura: «El que come mi carne y bebe mi sangre *tiene vida eterna,* y yo lo resucitaré *el último día*» (*Jn* 6, 54). Y al «murmurar» los que lo oían, Jesús les respondió: «¿Esto os escandaliza? ¿Y cuándo veáis al Hijo del hombre subir a donde estaba antes...?» (*Jn* 6, 61-62). De ese modo indicaba indirectamente que bajo las especies sacramentales de la Eucaristía se da a los que la reciben *participación en el Cuerpo y Sangre de Cristo glorificado.*

También San Pablo pone de relieve la vinculación entre la resurrección de Cristo y la nuestra, sobre todo en su *Primera carta a los Corintios*; pues escribe: «*Cristo resucitó de entre los muertos como primicia de los que murieron...* Pues del mismo modo que en Adán mueren todos, así también todos revivirán en Cristo» (*1 Cor* 15, 20-22). «En efecto, es necesario que este ser corruptible se revista de *incorruptibilidad* y que este ser mortal se revista de *inmortalidad.* Y cuando este ser corruptible se revista de incorruptibilidad y este ser mortal se revista de inmortalidad, entonces se cumplirá la palabra que está escrita: 'La muerte ha sido devorada en la victoria'» (*1 Cor* 15, 53-54). «Gracias sean dadas a Dios que nos da la victoria por nuestro Señor Jesucristo» (*1 Cor* 15, 57).

La victoria definitiva sobre la muerte, que Cristo ya ha logrado, Él la hace partícipe a la humanidad en la medida en que ésta recibe los frutos de la redención. Es un proceso de admisión a la «vida nueva», a la «vida eterna», que dura hasta el final de los tiempos. Gracias a ese proceso se va formando a lo largo de los siglos una nueva humanidad: el pueblo de los creyentes reunidos en la Iglesia, verdadera comunidad de la resurrección. A la hora final de la historia, todos resurgirán, y los que hayan sido de Cristo, tendrán la plenitud de la vida en la gloria, en la definitiva realización de la comunidad de los redimidos por Cristo «para que Dios sea todo en todos» (*1 Cor* 15, 28).

5. El Apóstol enseña también que el proceso redentor, que culmina con la resurrección de los muertos, acaece en una esfera de espiritualidad inefable, que supera todo lo que se puede concebir y realizar humanamente. En efecto, si por una parte escribe que «*la carne y la sangre no pueden heredar el reino de los cielos;* ni la corrupción hereda la incorrupción» (*1 Cor* 15, 50) lo cual es la constatación de nuestra incapacidad natural para la nueva vida, por otra, en la *Carta a los Romanos* asegura a los que creen lo siguiente: «Si el Espíritu de Aquel que resucitó a Jesús de entre los muertos habita en nosotros, Aquel que resucitó a Cristo de entre los muertos *dará también la vida a vuestros cuerpos mortales por su Espíritu que habita en vosotros*» (*Rom* 8, 11). Es un proceso misterioso de espiritualización, que alcanzará también a los cuerpos en el momento de la resurrección *por el poder de ese mismo Espíritu Santo* que obró la resurrección de Cristo.

Se trata, sin duda, de realidades que escapan a nuestra capacidad de comprensión y de demostración racional, y por eso son objeto de nuestra fe fundada en la Palabra de Dios, la cual, mediante San Pablo, nos hace penetrar en el misterio que supera todos los límites del espacio y del tiempo: «Fue hecho el primer hombre, Adán, alma viviente; *el último Adán, espíritu que da vida*» (*1 Cor* 15, 45). «Y del mismo modo que hemos llevado la imagen del hombre terreno, llevaremos también la imagen del celeste» (*1 Cor* 15, 49).

6. En espera de esa transcendente plenitud final, *Cristo resucitado* vive en los corazones de sus discípulos y seguidores como fuente de santificación en el Espíritu Santo, fuente de la vida divina y de la filiación divina, fuente de la futura resurrección.

Esa certeza le hace decir a San Pablo en la *Carta a los Gálatas:* «Con Cristo estoy crucificado; y no vivo yo, *sino que es Cristo quien vive en mí.* La vida que vivo al presente en la carne, la vivo en la fe del Hijo de Dios que me amó y se entregó a sí mismo por mí» (*Gal* 2, 20). Como el Apóstol, también cada cristiano, aunque vive todavía en la carne (cfr *Rom* 7, 5), vive una vida ya espiritualizada con la fe (cfr *2 Cor* 10, 3), porque el Cristo vivo, el Cristo resucitado se ha convertido en el sujeto de todas sus acciones: *Cristo vive en mí* (cfr *Rom* 8, 2. 10-11; *Flp* 1, 21; *Col* 3, 3). Y es la vida en el Espíritu Santo.

Esta certeza sostiene al Apóstol, como puede y debe sostener a cada cristiano en los trabajos y los sufrimientos de esta vida, tal como aconsejaba Pablo al discípulo Timoteo en el fragmento de una carta suya con el que queremos cerrar –para nuestro conocimiento y consuelo– nuestra catequesis sobre la resurrección de Cristo: «Acuérdate de Jesucristo, resucitado de entre los muertos, descendiente de David, según mi Evangelio... Por eso todo lo soporto por los elegidos, para que también ellos alcancen la salvación que está en Cristo Jesús con la gloria eterna. Es cierta esta afirmación: si hemos muerto con Él, también viviremos con Él; si nos mantenemos firmes, también reinaremos con Él; si le negamos, también Él nos negará; si somos fieles, Él permanece fiel, pues no puede negarse a sí mismo...» (*2 Tm* 2, 8-13).

«Acuérdate de Jesucristo, resucitado de entre los muertos»: esta afirmación del Apóstol nos da la clave de la esperanza en la verdadera vida en el tiempo y en la eternidad.

Sección VI
LA ASCENSIÓN DE CRISTO

83. ASCENSIÓN: MISTERIO ANUNCIADO*

1. Los símbolos de fe más antiguos ponen después del artículo sobre la resurrección de Cristo, el de su ascensión. A este respecto los textos evangélicos refieren que Jesús resucitado, después de haberse entretenido con sus discípulos durante cuarenta días con varias apariciones y en lugares diversos, se sustrajo plena y definitivamente a las leyes del tiempo y del espacio, para subir al cielo, completando así el *«retorno al Padre»* iniciado ya con la resurrección de entre los muertos.

En esta catequesis vemos cómo Jesús anunció su ascensión (o regreso al Padre) hablando de ella con la Magdalena y con los discípulos en los días pascuales y en los anteriores a la Pascua.

2. Jesús, cuando encontró a la Magdalena después de la resurrección, le dice: «No me toques, que todavía no he subido al Padre; pero vete donde mis hermanos y diles: *Subo a mi Padre* y vuestro Padre, a mi Dios y vuestro Dios» (*Jn* 20, 17).

Ese mismo anuncio lo dirigió Jesús varias veces a sus discípulos en el período pascual. Lo hizo *especialmente*

* Audiencia general, 5-IV-1989.

durante la Última Cena, «sabiendo Jesús que había llegado su hora de pasar de este mundo al Padre..., sabiendo que el Padre le había puesto todo en sus manos y que había salido de Dios y a Dios volvía» (*Jn* 13, 1-3). Jesús tenía, sin duda, en la mente su muerte ya cercana y, sin embargo, miraba más allá y pronunciaba aquellas palabras en la perspectiva de su próxima partida, de su regreso al Padre mediante la ascensión al cielo: *«Me voy a Aquel que me ha enviado»* (*Jn* 16, 5): «Me voy al Padre, y ya no me veréis» (*Jn* 16, 10). Los discípulos no comprendieron bien, entonces, qué tenía Jesús en mente, tanto menos cuanto que hablaba de forma misteriosa: «Me voy y volveré a vosotros», e incluso añadía: «Si me amarais, os alegraríais de que me fuera al Padre, porque el Padre es más grande que yo» (*Jn* 14, 28). Tras la resurrección aquellas palabras se hicieron para los discípulos más comprensibles y transparentes, como anuncio de su ascensión al cielo.

3. Si queremos examinar brevemente el contenido de los anuncios transmitidos, podemos ante todo advertir que *la ascensión al cielo* constituye *la etapa final de la peregrinación terrena de Cristo,* Hijo de Dios, consubstancial al Padre, que se hizo hombre por nuestra salvación. Pero esta última etapa permanece *estrechamente conectada con la primera,* es decir, con su «descenso del cielo», ocurrido en la *encarnación*. Cristo «salido del Padre» (*Jn* 16, 28) y venido al mundo mediante la encarnación, ahora, tras la conclusión de su misión, «deja el mundo y va al Padre» (cfr *Jn* 16, 28). Es un modo único de «subida» como lo fue el del «descenso». *Solamente el que salió del Padre como Cristo lo hizo puede retornar al Padre en el modo de Cristo.* Lo pone en evidencia Jesús mismo en el coloquio con Nicodemo: «Nadie ha subido al cielo, sino el que bajó del cielo» (*Jn* 3, 13). *Sólo Él* posee la energía divina y el derecho de «subir al cielo», nadie más. La humanidad abandonada a sí misma, a sus fuerzas naturales, no tiene acce-

so a esa «casa del Padre» (*Jn* 14, 2), a la participación en la vida y en la felicidad de Dios. Sólo Cristo puede *abrir al hombre* este *acceso:* Él, el Hijo que «bajó del cielo», que «salió del Padre» precisamente para esto.

Tenemos aquí un primer resultado de nuestro análisis: la ascensión se integra en el misterio de la Encarnación, que es su momento conclusivo.

4. La ascensión al cielo está, por tanto, estrechamente unida a la «economía de la salvación», que se expresa en el misterio de la encarnación y, sobre todo, *en la muerte redentora de Cristo en la cruz.* Precisamente en el coloquio ya citado con Nicodemo, Jesús mismo, refiriéndose a un hecho simbólico y figurativo narrado por el *Libro de los Números* (21, 4-9), afirma: «Como Moisés levantó la serpiente en el desierto, así tiene que ser levantado (es decir, crucificado) el Hijo del hombre, para que todo el que crea tenga por él vida eterna» (*Jn* 3, 14-15).

Y hacia el final de su ministerio, cerca ya la Pascua, Jesús repitió claramente que era Él el que abriría a la humanidad el acceso a la «casa del Padre» por medio de su cruz: *«cuando sea levantado en la tierra, atraeré a todos hacia mí»* (*Jn* 12, 32). La «elevación» en la cruz es el signo particular y el anuncio definitivo de otra «elevación» que tendrá lugar a través de la ascensión al cielo. El Evangelio de Juan vio esta «exaltación» del Redentor ya en el Gólgota. La cruz es el inicio de la ascensión al cielo.

5. Encontramos la misma verdad en la *Carta a los Hebreos,* donde se lee que Jesucristo, el único Sacerdote de la Nueva y Eterna Alianza, «no penetró en un santuario hecho por mano de hombre, *sino en el mismo cielo,* para presentarse ahora ante el acatamiento de Dios en favor nuestro» (*Heb* 9, 24). Y entró *«con su propia sangre, consiguiendo una redención eterna»:* «penetró en el santuario una vez para siempre» (*Heb* 9, 12). Entró, como Hijo «el

cual, siendo resplandor de su gloria (del Padre) e impronta de su sustancia, y el que sostiene todo con su palabra poderosa, después de llevar a cabo la purificación de los pecados, se sentó a la diestra de la Majestad en las alturas» (*Heb* 1, 3).

Este texto de la *Carta a los Hebreos* y el del coloquio con Nicodemo (*Jn* 3, 13) coinciden en el contenido sustancial, o sea en la afirmación del valor redentor de la ascensión al cielo en el culmen de la economía de la salvación, en conexión con el principio fundamental ya puesto por Jesús: «*Nadie ha subido al cielo sino el que bajó del cielo, el Hijo del hombre*» (*Jn* 3, 13).

6. Otras palabras de Jesús, pronunciadas en el Cenáculo, se refieren a su muerte, pero en perspectiva de la ascensión: «Hijos míos, ya poco tiempo voy a estar con vosotros. Vosotros me buscaréis, y... adonde yo voy (ahora) vosotros no podéis venir» (*Jn* 13, 33). Sin embargo, dice enseguida: «*En la casa de mi Padre hay muchas mansiones;* si no, os lo habría dicho, porque *voy a prepararos un lugar*» (*Jn* 14, 2).

Es un discurso dirigido a los Apóstoles, pero que se extiende más allá de su grupo. Jesucristo va al Padre –a la casa del Padre– para «introducir» a los hombres que «sin Él no podrían entrar». Sólo Él puede abrir su acceso a todos: Él que «bajó del cielo» (*Jn* 3, 13), que «salió del Padre» (*Jn* 16, 28) y ahora vuelve al Padre «con su propia sangre, consiguiendo una redención eterna» (*Heb* 9, 12). Él mismo afirma: «Yo soy el Camino... nadie va al Padre sino por mí» (*Jn* 14, 6).

7. Por esta razón Jesús también añade, la misma tarde de la vigilia de la pasión: «*Os conviene que yo me vaya*». Sí, es conveniente, es necesario, es indispensable desde el punto de vista de la eterna economía salvífica. Jesús lo explica hasta el final a los Apóstoles: «Os conviene que yo

me vaya, porque *si no me voy, no vendrá a vosotros el Paráclito; pero si me voy, os lo enviaré*» (*Jn* 16, 7). Sí. Cristo debe poner término a su presencia terrena, a la presencia visible del Hijo de Dios hecho hombre, para que pueda permanecer de modo invisible, en virtud del Espíritu de la verdad, del Consolador Paráclito. Y por ello prometió repetidamente: «Me voy y volveré a vosotros» (*Jn* 14, 3. 28).

Nos encontramos aquí ante un doble misterio: *El de la disposición eterna o predestinación divina,* que fija los modos, los tiempos, los ritmos de la historia de la salvación con un designio admirable, pero para nosotros insondable; y *el de la presencia de Cristo en el mundo humano* mediante el Espíritu Santo, santificador y vivificador: el modo cómo la humanidad del Hijo obra mediante el Espíritu Santo en las almas y en la Iglesia –verdad claramente enseñada por Jesús–, permanece envuelto en la niebla luminosa del misterio trinitario y cristológico, y requiere nuestro acto de fe humilde y sabio.

8. La presencia invisible de Cristo se actúa en la Iglesia, también de modo sacramental. En el centro de la Iglesia se encuentra *la Eucaristía.* Cuando Jesús anunció su institución por vez primera, muchos «se escandalizaron» (cfr *Jn* 6, 61), ya que hablaba de «comer su Cuerpo y beber su Sangre». Pero fue entonces cuando Jesús reafirmó: «¿Esto os escandaliza? ¿Y cuándo veáis al Hijo del hombre subir a donde estaba antes?... El Espíritu es el que da la vida, la carne no sirve para nada» (*Jn* 6, 61-63).

Jesús habla aquí *de su ascensión al cielo: cuando su Cuerpo terreno se entregue a la muerte en la cruz,* se manifestará el Espíritu «que da la vida». Cristo subirá al Padre, para que venga el Espíritu. Y, el día de Pascua, el Espíritu glorificará el Cuerpo de Cristo en la resurrección. El día de Pentecostés, el Espíritu vendrá sobre la Iglesia para que, renovado en la Eucaristía el memorial de la muerte de Cristo, podamos participar en la nueva vida de su

Cuerpo glorificado por el Espíritu y de este modo prepararnos para entrar en las «moradas eternas», donde nuestro Redentor nos ha precedido para prepararnos un lugar en la «Casa del Padre» (*Jn* 14, 2).

84. ASCENSIÓN: MISTERIO REALIZADO*

1. Ya los «anuncios» de la Ascensión, que hemos examinado en la catequesis anterior, iluminan enormemente la verdad expresada por los más antiguos símbolos de la fe con las concisas palabras *«subió al cielo»*. Ya hemos señalado que se trata de un *«misterio»,* que es objeto de fe. Forma parte del misterio mismo de la Encarnación y es el cumplimiento último de la misión mesiánica del Hijo de Dios, que ha venido a la tierra para llevar a cabo nuestra redención.

Sin embargo, se trata también de un «hecho» que podemos conocer a través de los elementos biográficos e históricos de Jesús, que nos refieren los Evangelios.

2. *Acudamos a los textos de Lucas*. Primeramente al que concluye su Evangelio: «Los sacó hasta cerca de Betania y, alzando sus manos, los bendijo. Y sucedió que, mientras los bendecía, se separó de ellos y fue llevado al cielo» (*Lc* 24, 50-51): lo cual significa que los Apóstoles tuvieron la sensación de «movimiento» de toda la figura de Jesús, y de una acción de «separación» de la tierra. El hecho de que Jesús bendiga en aquel momento a los Apóstoles, indica *el sentido salvífico de su partida,* en la que, como en toda su misión redentora, está contenida y se da al mundo toda clase de bienes espirituales.

Deteniéndonos en este texto de Lucas, prescindiendo de los demás, se deduciría que Jesús subió al cielo el mis-

---

* Audiencia general, 12-IV-1989.

mo día de la resurrección, como conclusión de su aparición a los Apóstoles (cfr *Lc* 24, 36-39). Pero si se lee bien toda la página, se advierte que el Evangelista quiere sintetizar los acontecimientos finales de la vida de Cristo, del que le urgía descubrir la misión salvífica, concluida con su glorificación. Otros detalles de esos hechos conclusivos los referirá en otro libro que es como el complemento de su Evangelio, el Libro de los *Hechos de los Apóstoles* que reanuda la narración contenida en el Evangelio, para proseguir la historia de los orígenes de la Iglesia.

3. En efecto, leemos al comienzo de los *Hechos* un texto de Lucas que presenta las apariciones y la Ascensión de manera más detallada: «A estos mismos (es decir, a los Apóstoles), después de su pasión, se les presentó dándoles muchas pruebas de que vivía, apareciéndoseles durante cuarenta días y hablándoles acerca de lo referente al reino de Dios» (*Hch* 1, 3). Por tanto, el texto nos ofrece una indicación sobre la *fecha de la Ascensión:* cuarenta días después de la Resurrección. Un poco más tarde veremos que también nos da información sobre el lugar.

Respecto al problema del *tiempo,* no se ve por qué razón podría negarse que Jesús se haya aparecido a los suyos en repetidas ocasiones durante cuarenta días, como afirman los *Hechos.* El simbolismo bíblico del número cuarenta, que sirve para indicar una duración plenamente suficiente para alcanzar el fin deseado, es aceptado por Jesús, que ya se había retirado durante cuarenta días al desierto antes de comenzar su ministerio, y ahora durante cuarenta días aparece sobre la tierra antes de subir definitivamente al cielo. Sin duda, el *tiempo* de Jesús resucitado pertenece a un orden de medida distinto del nuestro. El Resucitado está ya en el *ahora* eterno, que no conoce sucesiones ni variaciones. Pero, en cuanto que actúa todavía en el mundo, instruye a los Apóstoles, pone en marcha la Iglesia, el ahora trascendente se introduce en el tiempo del mundo humano, adaptándose una vez más por amor. Así, el misterio de la relación eternidad-tiempo se condensa en la permanencia de Cristo resucitado en la tierra. Sin embargo, el misterio no anula su presencia en el tiempo y en el espacio; antes bien ennoblece y eleva al nivel de los valores eternos lo que Él hace, dice, toca, instituye, dispone: en una palabra, la Iglesia. Por esto de nuevo decimos: Creo, pero sin evadir la realidad de la que Lucas nos ha hablado.

Ciertamente, cuando Cristo subió al cielo, esta coexistencia e intersección entre el ahora eterno y el tiempo terreno se disuelve, y queda el tiempo de la Iglesia peregrina en la historia. La presencia de Cristo es ahora invisible y «supratemporal» como la acción del Espíritu Santo, que actúa en los corazones.

4. Según los *Hechos de los Apóstoles,* Jesús «fue llevado al cielo» (*Hch* 1, 2) en el monte de los Olivos (*Hch* 1, 12): efectivamente, desde allí los Apóstoles volvieron a Jerusalén después de la Ascensión. Pero antes que esto sucediese, Jesús les dio las últimas instrucciones: por ejemplo, «*les mandó que no se ausentasen de Jerusalén, sino que aguardasen la promesa del Padre*» (*Hch* 1, 4). Esta promesa del Padre consistía en la venida del Espíritu Santo: «Seréis bautizados en el Espíritu Santo» (*Hch* 1, 5); «Recibiréis la fuerza del Espíritu Santo, que vendrá sobre vosotros, y seréis mis testigos...» (*Hch* 1, 8). Y fue entonces cuando «*dicho esto, fue levantado* en presencia ellos, y *una nube le ocultó* a sus ojos» (*Hch* 1, 9).

El monte de los Olivos, que ya había sido el lugar de la agonía de Jesús en Getsemaní, es, por tanto, el último punto de contacto entre el Resucitado y el pequeño grupo de sus discípulos en el momento de la Ascensión. Esto sucede después que Jesús ha repetido el anuncio del envío del Espíritu, por cuya acción aquel pequeño grupo se transformará en la Iglesia y será guiado por los caminos de la historia. La Ascensión es, por tanto, el acontecimiento conclusivo de la vida y de la misión terrena de Cristo: Pentecostés será el primer día de la vida y de la historia «de su Cuerpo, que es la Iglesia» (*Col* 1, 1). Éste es el sentido fundamental del hecho de la Ascensión más allá de las circunstancias particulares en las que ha acontecido y el cuadro de los simbolismos bíblicos en los que puede ser considerado.

5. Según Lucas, Jesús «fue levantado en presencia de ellos, y una nube le ocultó a sus ojos» (*Hch* 1, 9). En este texto hay que considerar dos momentos esenciales: «fue levantado» (la elevación-exaltación) y «una nube le ocultó» (entrada en el claroscuro del misterio).

«Fue levantado»: con esta expresión, que responde a la experiencia sensible y espiritual de los Apóstoles, se alude a un movimiento ascensional, a un paso de la tierra al cielo, sobre todo como signo de otro «paso»: *Cristo pasa al estado de glorificación en Dios.* El primer significado de la Ascensión es precisamente éste: revelar que el Resucitado ha entrado *en la intimidad celestial de Dios.* Lo prueba «la nube», signo bíblico de presencia divina. Cristo desaparece de los ojos de sus discípulos, entrando en la esfera trascendente de Dios invisible.

6. También esta última consideración confirma el significado del *misterio que es la Ascensión de Jesucristo al cielo.* El Hijo que «salió del Padre y vino al mundo, ahora deja el mundo y va al Padre» (cfr *Jn* 16, 28). En ese «retorno» al Padre halla su concreción la elevación «a la derecha del Padre», verdad mesiánica ya anunciada en el Antiguo Testamento. Por tanto, cuando el Evangelista Marcos nos dice que *«el Señor Jesús fue elevado al cielo y se sentó a la diestra de Dios»* (*Mc* 16, 19), en sus palabras reevoca el «oráculo del Señor» enunciado en el Salmo: «Oráculo de Yahvéh a mi Señor: Siéntate a mi diestra, hasta que yo

haga de tus enemigos el estrado de tus pies» (109/110, 1). «Sentarse a la derecha de Dios» significa coparticipar en su poder real y en su dignidad divina.

Lo había predicho Jesús: «Veréis al Hijo del hombre sentado a la diestra del Poder y venir entre las nubes del cielo», leemos en el Evangelio de Marcos (*Mc* 14, 62). Lucas a su vez, escribe (*Lc* 22, 69): «El Hijo de Dios estará sentado a la diestra del poder de Dios». Del mismo modo el primer mártir de Jerusalén, el diácono Esteban, verá a Cristo en el momento de su muerte: «Estoy viendo los cielos abiertos y al Hijo del hombre que está en pie a la diestra de Dios» (*Hch* 7, 56). El concepto, pues, se había enraizado y difundido en las primeras comunidades cristianas, como expresión de la realeza que Jesús había conseguido con la Ascensión al cielo.

7. También el Apóstol Pablo, escribiendo a los Romanos, expresa la misma verdad sobre Jesucristo, «el que murió; más aún, el que *resucitó, el que está a la diestra de Dios* y que intercede por nosotros» (*Rom* 8, 34). En la *Carta a los Colosenses* escribe: «Si habéis resucitado con Cristo, buscad las cosas de arriba, donde está Cristo *sentado a la diestra de Dios*» (*Col* 3, 1; cfr *Ef* 1, 20). En la Carta a los Hebreos leemos (*Heb* 1, 3; 8, 1): «*Tenemos un Sumo Sacerdote tal que se sentó a la diestra del trono de la Majestad en los cielos*». Y de nuevo (*Heb* 10, 12 y *Heb* 12, 2): «... soportó la cruz, sin miedo a la ignominia, y *está sentado a la diestra del trono de Dios*».

A su vez, Pedro *proclama* que Cristo «habiendo ido al cielo *está a la diestra de Dios* y le están sometidos los Ángeles, las Dominaciones y las Potestades» (*1 Pe* 3, 22).

8. El mismo Apóstol Pedro, tomando la palabra *en el primer discurso después de Pentecostés,* dirá de Cristo que «*exaltado por la diestra de Dios, ha recibido del Padre el Espíritu Santo prometido y ha derramado* lo que vosotros

veis y oís» (*Hch* 2, 33; cfr también *Hch* 5, 31). Aquí se inserta en la verdad de la Ascensión y de la realeza de Cristo un elemento nuevo, referido al Espíritu Santo.

Reflexionemos sobre ello un momento. En el Símbolo de los Apóstoles, la Ascensión al cielo se asocia a la elevación del Mesías al reino del Padre: «Subió al cielo, está sentado a la derecha del Padre». Esto significa *la inauguración del reino del Mesías,* en el que encuentra cumplimiento *la visión profética del Libro de Daniel* sobre el hijo del hombre: «A él se le dio imperio, honor y reino, y todos los pueblos, naciones y lenguas le sirvieron. Su imperio es un imperio eterno, que nunca pasará, y su reino nunca será destruido jamás» (*Dn* 7, 13-14).

El discurso de Pentecostés, que tuvo Pedro, nos hace saber que *a los ojos de los Apóstoles,* en el contexto del Nuevo Testamento, *esa elevación de Cristo* a la derecha del Padre *está ligada, sobre todo, con la venida del Espíritu Santo.* Las palabras de Pedro testimonian la convicción de los Apóstoles de que sólo con la Ascensión Jesús «ha recibido el Espíritu Santo del Padre» para derramarlo como lo había prometido.

9. El discurso de Pedro testimonia también que, con la venida del Espíritu Santo, en la conciencia de los Apóstoles maduró definitivamente la visión *de ese reino que Cristo había anunciado* desde el principio y del que había hablado también tras la resurrección (cfr *Hch* 1, 3). Hasta entonces los oyentes le habían interrogado sobre la restauración del reino de Israel (cfr *Hch* 1, 6), tan enraizada en su interpretación temporal de la misión mesiánica. Sólo *después de haber reconocido «la potencia» del Espíritu de verdad, «se convirtieron en testigos» de Cristo y de ese reino mesiánico,* que se actuó de modo definitivo cuando Cristo glorificado «se sentó a la derecha del Padre». En la economía salvífica de Dios hay, por tanto, una estrecha relación entre la elevación de Cristo y la venida del Espíritu Santo

sobre los Apóstoles. Desde ese momento los Apóstoles se convierten en testigos del reino que no tendrá fin. *En esta perspectiva* adquieren también pleno significado *las palabras* que oyeron después de la Ascensión de Cristo: «Este *Jesús* que os ha sido llevado, este mismo Jesús, vendrá así tal como le habéis visto subir al cielo» (*Hch* 1, 11). Anuncio de una plenitud final y definitiva que se tendrá cuando en la potencia del Espíritu de Cristo, todo el designio divino alcance su cumplimiento en la historia.

85. LOS FRUTOS DE LA ASCENSIÓN: EL RECONOCIMIENTO DE QUE JESÚS ES EL SEÑOR*

1. El anuncio de Pedro en el primer discurso pentecostal en Jerusalén es elocuente y solemne: «A este Jesús Dios lo resucitó; de lo cual todos nosotros somos testigos. Y *exaltado* por la diestra de Dios ha recibido del Padre el Espíritu Santo prometido y *lo ha derramado*» (*Hch* 2, 32-33). «Sepa, pues, con certeza toda la casa de Israel que Dios *ha constituido Señor y Cristo* a este Jesús a quien vosotros habéis crucificado» (*Hch* 2, 36). Estas palabras –dirigidas a la multitud compuesta por los habitantes de aquella ciudad y por los peregrinos que habían llegado de diversas partes para la fiesta– proclaman la elevación de Cristo –crucificado y resucitado– «a la derecha de Dios». La «elevación», o sea, la ascensión al cielo, significa *la participación de Cristo hombre en el poder y autoridad de Dios* mismo. Tal participación en el poder y autoridad de Dios Uno y Trino *se manifiesta en el «envío» del Consolador,* Espíritu de la verdad, el cual «recibiendo» (cfr *Jn* 16, 14) de la redención llevada a cabo por Cristo, realiza la conversión de los corazones humanos. Tanto es así, que ya aquel día, en Jerusalén, «al oír esto sintieron el cora-

* Audiencia general, 19-IV-1989.

zón compungido» (*Hch* 2, 37). Y es sabido que en pocos días se produjeron miles de conversiones.

2. Con el conjunto de los sucesos pascuales, a los que se refiere el Apóstol Pedro en el discurso de Pentecostés, Jesús se reveló definitivamente como Mesías enviado por el Padre y como Señor.

La conciencia de que Él era «el Señor», había entrado ya de alguna manera en el ámbito de los Apóstoles durante la actividad prepascual de Cristo. Él mismo alude a este hecho en la Última Cena: «Vosotros me llamáis el Maestro y el *Señor,* y decís bien porque lo soy» (*Jn* 13, 17). Esto explica por qué los Evangelistas hablan de Cristo «Señor» como de un dato admitido comúnmente en las comunidades cristianas. En particular, Lucas pone ya ese término en boca del ángel que anuncia el nacimiento de Jesús a los pastores: «Os ha nacido... *un salvador* que es *el Cristo Señor*» (*Lc* 2, 11). En muchos otros lugares usa el mismo apelativo (cfr *Lc* 1, 13; 10, 1; 10, 41; 11, 39; 12, 42; 13, 15; 17, 6; 22, 61). Pero es cierto que *el conjunto de los sucesos pascuales ha consolidado definitivamente esta conciencia.* A la luz de estos sucesos es necesario leer la palabra «Señor» referida también a la vida y actividad anterior del Mesías. Sin embargo, es necesario profundizar sobre todo el contenido y el significado que la palabra tiene *en el contexto de la elevación y de la glorificación de Cristo resucitado,* en su ascensión al cielo.

3. Una de las afirmaciones más repetidas en las Cartas paulinas es que *Cristo es el Señor.* Es conocido el pasaje de la *Primera carta a los Corintios* donde Pablo proclama: «Para nosotros no hay más que *un solo Dios, el Padre,* del cual proceden todas las cosas y para el cual somos; y *un solo Señor, Jesucristo,* por quien son todas las cosas y por el cual somos nosotros» (*1 Cor* 8, 6; cfr 16, 22; *Rom* 10, 9; *Col* 2, 6). Y el de la *Carta a los Filipenses,* donde Pablo pre-

senta como Señor a Cristo, que humillado hasta la muerte, ha sido también exaltado «para que al nombre de Jesús toda rodilla se doble en los cielos, en la tierra y en los abismos, y *toda lengua confiese que Cristo Jesús es Señor para gloria de Dios Padre*» (*Flp* 2, 10-11). Pero Pablo subraya que «*nadie puede decir: «Jesús es Señor» sino bajo la acción del Espíritu Santo*» (*1 Cor* 12, 3). Por tanto «bajo la acción del Espíritu Santo» también el Apóstol *Tomás* dice a Cristo, que se le apareció después de la resurrección: «Señor mío y Dios mío» (*Jn* 20, 28). Y lo mismo se debe decir del diácono *Esteban,* que durante la lapidación ora: «Señor Jesús, recibe mi espíritu... no les tengas en cuenta este pecado» (*Hch* 7, 59-60).

Finalmente, el Apocalipsis concluye el ciclo de la historia sagrada y de la revelación con la invocación de la *Esposa* y del *Espíritu:* «Ven, Señor Jesús» (*Ap* 22, 20).

Es el misterio de la acción del Espíritu Santo «vivificante» que introduce continuamente en los corazones la luz para reconocer a Cristo, la gracia para interiorizar en nosotros su vida, la fuerza para proclamar que Él –y sólo Él– es «el Señor».

4. Jesucristo es *el Señor,* porque posee la plenitud del poder «*en los cielos y sobre la tierra*». *Es el poder real* «por encima de todo Principado, Potestad, Virtud, Dominación... Bajo sus pies sometió todas las cosas» (*Ef* 1, 21-22). Al mismo tiempo es *la autoridad sacerdotal* de la que habla ampliamente la *Carta a los Hebreos,* haciendo referencia al Salmo 109/110, 4: «Tú eres sacerdote para siempre, a semejanza de Melquisedec» (*Heb* 5, 6). Este eterno *sacerdocio* de Cristo *comporta el poder de santificación* de modo que Cristo «se convirtió en causa de salvación eterna para todos los que le obedecen» (*Heb* 5, 9). «De ahí que pueda también salvar perfectamente a los que por Él se llegan a Dios, ya que está siempre vivo para interceder en su favor» (*Heb* 7, 25). Asimismo, en la *Carta a los Roma-*

nos leemos que Cristo «está a la diestra de Dios e intercede por nosotros» (*Rom* 8, 34). Y finalmente, San Juan nos asegura: «Si alguno peca, *tenemos a uno que abogue ante el Padre:* a Jesucristo, el Justo» (*1 Jn* 2, 1).

5. Como *Señor, Cristo es la Cabeza de la Iglesia, que es su Cuerpo.* Es la idea central de San Pablo en el gran cuadro cósmico-histórico-soteriológico, con que describe el contenido del designio eterno de Dios en los primeros capítulos de las *Cartas a los Efesios* y *a los Colosenses:* «Bajo sus pies sometió todas las cosas y le constituyó Cabeza suprema de la Iglesia que es su Cuerpo, la Plenitud del que lo llena todo en todo» (*Ef* 1, 22). «Pues Dios tuvo a bien hacer residir en Él toda la Plenitud» (*Col* 1, 19): en Él en el cual «reside toda la Plenitud de la Divinidad corporalmente» (*Col* 2, 9).

Los *Hechos* nos dicen que Cristo «se ha adquirido» la Iglesia «con su sangre» (*Hch* 20, 28; cfr *1 Cor* 6, 20). También Jesús cuando al irse al Padre decía a los discípulos: «Yo estoy con vosotros todos los días hasta el fin del mundo» (*Mt* 28, 20), en realidad anunciaba *el misterio* de este Cuerpo *que de él saca constantemente las energías vivificantes de la redención.* Y la redención continúa actuando como efecto de la glorificación de Cristo.

Es verdad que Cristo *siempre ha sido el «Señor»,* desde el primer momento de la encarnación, como Hijo de Dios consubstancial al Padre, hecho hombre por nosotros. Pero sin duda *ha llegado a ser Señor* en plenitud por el hecho de «haberse humillado 'se despojó de sí mismo' haciéndose obediente hasta la muerte y muerte en cruz» (cfr *Flp* 2, 8). Exaltado, elevado al cielo y glorificado, habiendo cumplido así toda su misión, permanece *en el Cuerpo de su Iglesia sobre la tierra por medio de la redención operada en cada uno y en toda la sociedad por obra del Espíritu Santo.* La redención es la fuente *de la autoridad que Cristo,* en virtud del Espíritu Santo, *ejerce sobre la Iglesia,* como leemos en la *Carta a los Efesios:* «Él mismo 'dio' a unos el ser apóstoles; a otros, profetas; a otros, evangelizadores; a otros, pastores y maestros, para el recto ordenamiento de los santos en orden a las funciones del ministerio, para edificación del Cuerpo de Cristo... a la madurez de la plenitud de Cristo» (*Ef* 4, 11-13).

6. En la expansión de la realeza que se le concedió sobre toda la economía de la salvación, Cristo *es Señor de todo el cosmos.* Nos lo dice otro gran cuadro de la *Carta a los Efesios:* «Éste que bajó es el mismo que subió por encima de todos los cielos, para llenarlo todo» (*Ef* 4, 10). En la *Primera carta a los Corintios* San Pablo añade que todo se le ha sometido *«porque todo (Dios) lo puso bajo sus pies»* (con referencia al Salmo 8, 5). «...Cuando diga que 'todo está sometido', es evidente que se excluye a Aquel que ha sometido a Él todas las cosas» (*1 Cor* 15, 27). Y el Apóstol desarrolla ulteriormente este pensamiento, escribiendo: «Cuando hayan sido sometidas a Él todas las cosas, entonces también el Hijo se someterá a Aquel que ha sometido a Él todas las cosas, *para que Dios sea todo en todo*» (*1 Cor* 15, 28). «Luego, el fin, cuando entregue a Dios Padre el Reino, después de haber destruido todo Principado, Dominación y Potestad» (*1 Cor* 15, 24).

7. La Constitución *Gaudium et spes* del Concilio Vaticano II ha vuelto a tomar este tema fascinante, escribiendo que «*El Señor es el fin* de la historia humana, 'el punto focal de los deseos de la historia y de la civilización', *el centro* del género humano, la alegría de todos los corazones, *la plenitud de sus aspiraciones*» (n. 45). Podemos resumir diciendo que *Cristo es el Señor de la historia.* En Él la historia del hombre, y puede decirse de toda la creación, encuentra su cumplimiento trascendente. Es lo que en la tradición se llamaba *recapitulación* (*recapitulatio,* en griego: «*anakefalaiosis*»). Es una concepción que encuen-

tra su fundamento en la *Carta a los Efesios* en donde se describe el eterno designio de Dios «para realizarlo en la plenitud de los tiempos: *hacer que todo tenga a Cristo por Cabeza,* lo que está en los cielos y lo que está en la tierra» (*Ef* 1, 10).

8. Debemos añadir, por último, que *Cristo es el Señor de la Vida eterna. A Él pertenece el juicio último,* del que habla el Evangelio de Mateo: «Cuando el Hijo del hombre venga en su gloria acompañado de todos sus ángeles, entonces se sentará en su trono de gloria... Entonces dirá el Rey a los de su derecha: 'Venid, benditos de mi Padre, recibid la herencia del Reino preparado para vosotros desde la creación del mundo'» (*Mt* 25, 31. 34).

El derecho pleno de juzgar definitivamente las obras de los hombres y conciencias humanas, pertenece a Cristo en cuanto Redentor del mundo. Él, en efecto, «adquirió» este derecho mediante la cruz. Por eso el Padre «todo juicio lo ha entregado al Hijo» (*Jn* 5, 22). *Sin embargo el Hijo no ha venido sobre todo para juzgar, sino para salvar. Para otorgar la vida divina que está en Él.* «Porque, como el Padre tiene vida en sí mismo, así también le ha dado al Hijo tener vida en sí mismo, y le ha dado poder para juzgar, porque es Hijo del hombre» (*Jn* 5, 26-27).

Un poder, por tanto, que coincide con la misericordia que fluye en su corazón desde el seno del Padre, del que procede el Hijo y se hace hombre «propter nos homines et propter nostram salutem». Cristo crucificado y resucitado, Cristo que «subió a los cielos y está sentado a la derecha del Padre». Cristo que es, por tanto, el Señor de la vida eterna, se eleva sobre el mundo y sobre la historia como un signo de amor infinito rodeado de gloria, pero deseoso de recibir de cada hombre una respuesta de amor para darles la vida eterna.

ÍNDICE

ÍNDICE

Colección dirigida por Juan José Espinosa

Orientada a quienes se interesan por las cuestiones de fondo de la Iglesia

TÍTULOS PUBLICADOS

1. **PASTORES PARA UNA NUEVA EVANGELIZACIÓN.** *Ejercicios espirituales a la Conferencia Episcopal Española,* de Mons. Darío Castrillón Hoyos. Prólogo del Card. Ángel Suquía.

2. **EL DON DE LA VIDA.** *Introducción y comentarios a la Instrucción de la Congregación para la Doctrina de la Fe sobre el respeto de la vida humana naciente y la dignidad de la procreación,* del Card. Joseph Ratzinger, M. Schooyans, A. Rodríguez Luño, B. Kiely, D. Tettamanzi, A. Chapelle, E. Sgreccia y G. Memeteau. Presentación de Mons. A. Bovone. Prólogo a la edición española del Card. Narcís Jubany. (2ª edición).

3. **EL MISTERIO DEL HIJO DE DIOS.** *Introducción y comentarios a la Declaración de la Congregación para la Doctrina de la Fe para salvaguardia de la fe en torno a algunos errores recientes sobre los misterios de la Encarnación y de la Santísima Trinidad,* del Card. Joseph Ratzinger, Ch. Boyer, U. Betti y J. Galot. Contiene, además, *La conciencia que Jesús tenía de sí mismo y de su misión,* de la Comisión Teológica Internacional, y *Cristo presente en la Iglesia,* de la Comisión Episcopal para la Doctrina de la Fe. Prólogo de Mons. Antonio Cañizares. (2ª edición).

4. **JESUCRISTO Y LA MUJER.** *Reflexiones en torno al Evangelio,* de Justo Luis R. SÁNCHEZ DE ALVA. Prólogo de la Dra. Ana SASTRE. (2ª edición).

5. **EL DON DE LA VERDAD.** *Introducción y comentarios a la Instrucción de la Congregación para la Doctrina de la Fe sobre la vocación eclesial del teólogo,* del Card. Joseph RATZINGER, A. BOVONE, G. COTTIER, I. de la POTTERIE, R. TREMBLAY, M. SECKLER, R. FISICHELLA, W. KASPER, I. BIFFI, M. SCHOOYANS, W. E. MAY, P. EYT, M. OULLET. Contiene además *El teólogo y su función en la Iglesia* de la Comisión Episcopal para la Doctrina de la Fe. Prólogo de Mons. Ricardo BLÁZQUEZ.

6. **LA MEDITACIÓN CRISTIANA.** *Introducción y comentarios a la Carta «Orationis formas» de la Congregación para la Doctrina de la Fe,* del Card. Joseph RATZINGER, A. BOVONE, A. SICARI, A. SCOLA, J. CASTELLANO, M. DHAVAMONY, C. DEL ZOTTO, T. SPIDLIK, J. JANSSENS. Prólogo de Mons. Javier MARTÍNEZ.

7. **LA VOCACIÓN SACERDOTAL.** *Cien años de clarificación,* de Enrique DE LA LAMA. Prólogo del Card. J. T. SÁNCHEZ

8. **EL MISTERIO DE LA IGLESIA.** *Declaración de la Congregación para la Doctrina de la Fe acerca de la Iglesia para defenderla de algunos errores actuales.* Introducción y comentarios del Card. J. RATZINGER, A. BOVONE, F. OCARIZ y S. NAGY. Contiene además la Carta de la misma Congregación *sobre algunos aspectos de la Iglesia considerada como comunión,* con presentación del Card. J. RATZINGER y comentarios de S. NAGY, A. SICARI, L. BOUYER, F. OCARIZ, M. THURIAN y R. LANZETTI. Prólogo de Pedro RODRÍGUEZ. (2ª edición).

9. **FE Y CULTURA EN LA ENSEÑANZA DE JUAN PABLO II.** *Cómo anunciar el Evangelio a todas las gentes,* de Fernando MIGUENS. Prólogo del Card. Paul POUPARD.

10. **EL CELIBATO APOSTÓLICO.** *Catequesis sobre la resurrección de la carne y la virginidad cristiana,* de JUAN PABLO II. Prólogo de Juan José ESPINOSA.

11. **REDENCIÓN, MUJER Y SACERDOCIO,** de Armando BANDERA O. P. Prólogo de Mons. Antonio VILAPLANA.

12. **VARÓN Y MUJER.** *Teología del cuerpo,* de JUAN PABLO II. Prólogo de Blanca CASTILLA CORTÁZAR. (2ª edición).

13. **ANTROPOLOGÍA.** *Del Concilio Vaticano II a Juan Pablo II,* de Juan Luis LORDA. Prólogo de Mons. Fernando SEBASTIÁN. (2ª edición).

14. **LA REDENCIÓN DEL CORAZÓN.** *Catequesis sobre la pureza cristiana,* de JUAN PABLO II. Prólogo de José Luis ILLANES. (2ª edición).

15. **CREO EN DIOS PADRE.** *Catequesis sobre el Credo* (I), de JUAN PABLO II. Prólogo del Card. Ricardo María CARLES. (3ª edición).

16. **CREO EN JESUCRISTO.** *Catequesis sobre el Credo* (II), de JUAN PABLO II. Prólogo del Card. Ricardo María CARLES. (4ª edición).

17. **CREO EN EL ESPÍRITU SANTO.** *Catequesis sobre el Credo* (III), de JUAN PABLO II. Prólogo del Card. Ricardo María CARLES. (3ª edición).

18. **LA ATENCIÓN PASTORAL A LAS PERSONAS HOMOSEXUALES.** *Carta de la Congregación para la Doctrina de la Fe.* Introducción y comentarios del Card. J. RATZINGER, T. BERTONE, B. HONINGS, B. KIELY, M. GILBERT, I. CARRASCO DE PAULA, G. ZUANAZZI. Prólogo de Mons. Javier SALINAS.

19. **LA SAL DE LA TIERRA.** Una conversación sobre *Cristianismo e Iglesia Católica ante el nuevo milenio,* del Card. Joseph RATZINGER. Prólogo de Peter SEEWALD. (2ª edición).

20. **EL SACRAMENTO DEL ORDEN Y LA MUJER.** De la Congregación para la Doctrina de la Fe. De la *Inter insigniores a la Ordinatio sacerdotalis.* Introducción y comentarios del Card. J. RATZINGER, T. BERTONE, H. U. VON BALTHASAR, J. BERNARDIN, I. BIFFI, J. BURGGRAF, J. CORBON, J. LITTLE, G. MARTELET, A. G. MARTIMORT, R. SPIAZZI, A. L. DESCAMPS, M. THURIAN, A. VANHOYE y A. SCOLA. Prólogo de Mons. Agustín GARCÍA GASCO.

Para más información dirigirse a:
EDICIONES PALABRA, S. A. - Castellana, 210 - 28046 Madrid
Telfs.: (91) 350 77 20 - 350 77 39 - Fax: (91) 350 02 30

OTROS TÍTULOS SOBRE JESUCRISTO EDITADOS POR EDICIONES PALABRA

VIDA DE JESÚS de FRANCISCO FERNÁNDEZ-CARVAJAL.

CONOCER A JESUCRISTO de FRANK J. SHEED (10ª edición).

JESÚS EN SU TIEMPO de DANIEL-ROPS.

VIDA Y DOCTRINA DE JESUCRISTO CONTADA A LOS JÓVENES de JUAN GACÍA INZA. (2ª edición).

LA PASIÓN DEL SEÑOR de LUIS DE LA PALMA (19ª edición).

LA VIDA DE JESUCRISTO, REDENTOR DEL MUNDO CONTADA POR JUAN PABLO II de PEDRO BETETA. (2ª edición).

LÁGRIMAS DE CRISTO, LÁGRIMAS DE LOS HOMBRES de FRANCISCO FAUS (2ª edición).

MEDITACIONES SOBRE LA PASIÓN DE JESUCRISTO de SAN ALFONSO MARÍA DE LIGORIO.

NOTICIAS DE JESÚS de ALBERTO GARCÍA RUIZ.

EL EVANGELIO DE SAN LUCAS de FRANCISCO FERNÁNDEZ-CARVAJAL. (4ª edición).

ALLÍ ESTABAS TÚ de JESÚS MARTÍNEZ GARCÍA.

Para más información dirigirse a:
EDICIONES PALABRA, S. A. - Castellana, 210 - 28046 Madrid
Telfs.: (91) 350 77 20 - 350 77 39 - Fax: (91) 350 02 30

Esta cuarta edición de
CREO EN JESUCRISTO
Catequesis sobre el Credo (II)
se acabó de imprimir
el día 26 de junio de 1997,
en Anzos, S. L.
Fuenlabrada (Madrid)

